Solo la verdad

Solo la verdad

Antología fundamental

ANNA POLITKÓVSKAYA

Traducción de
Fernando Garí Puig

DEBATE

Primera edición: septiembre de 2011

Printed in Spain – Impreso en España

ISBN: 978-84-9992-009-2
Depósito legal: B-25.210-2011

Compuesto en Fotocomposición 2000, S. A.
Impreso y encuadernado en Cayfosa Impresia
Crta. Caldes, km. 3
08130 Sta. Perpetua de Mogoda

C 9 2 0 0 9 2

Representaba el honor y la conciencia de Rusia,
y seguramente nadie conocerá nunca la fuente de su fanático coraje
y amor por el trabajo que hacía.

Liza Umárova, cantante chechena

Índice

Prólogo

Ve donde está el silencio y di algo.
Amy Goodman,
Columbia Journalism Review, 1994

A principios de 2005 fui invitada por el PEN, el club dedicado a promover la literatura y la libertad de expresión, para entregar un premio a Anna Politkóvskaya. La oportunidad de conocerla personalmente me entusiasmó porque estaba al tanto de su trabajo y la admiraba por su valerosa oposición, tanto a la guerra de Chechenia como al régimen autoritario del presidente Putin. Su intrépida actitud ante los más graves peligros la habían convertido en una de las pocas periodistas internacionales a la que tanto los defensores de los derechos humanos como los abogados miraban con respeto.

Mi elogio rindió homenaje a su fidedigna cobertura de los horrores padecidos por el pueblo checheno, e hizo un repaso de la tortura y el aterrador simulacro de ejecución que sufrió a manos de las tropas rusas por haber informado de las atrocidades que estas infligían a la población, así como de sus reportajes sobre el asedio al teatro de Moscú con su sangriento desenlace, y de su actitud de firme desafío ante las amenazas de las autoridades estatales y de otras siniestras figuras del horizonte político ruso.

Tenemos con ella una deuda de gratitud por haber ayudado a que Occidente tuviera una mejor comprensión del emergente panorama de la Rusia postsoviética y por arrojar luz sobre la verdadera naturaleza de la ocupación de Chechenia, un brutal conflicto astutamente presentado por Rusia como su particular frente en la guerra contra el terrorismo. Ninguna democracia es digna de ese nombre si la libertad de prensa se ve cercenada o si los escritores y los periodistas son presionados. Sin embargo, aquí tenemos una escritora que, con gran riesgo personal, se ha enfrentado a las amenazas del Estado para decir la verdad al poder.

Anna recibió el premio con buen humor y humildad. Tal como esta selección de sus artículos demuestra, el alcance de su trabajo iba mucho más allá de cubrir acontecimientos y sucesos concretos; y, con frecuencia, levantaba el velo de una crueldad sistemática que no solía despertar demasiado interés a nivel internacional. Sus tenaces investigaciones le suponían una insistente correspondencia y la obligaban a pasar días enteros sentada en los tribunales. Su cobertura del caso del Cadete, por ejemplo, demuestra su firmeza y tenacidad a la hora dar cumplida información de un largo juicio que sin duda habría desanimado a muchos de sus colegas. Serguéi Lapin, el Cadete, era un miembro de las fuerzas armadas rusas destacadas en Chechenia a quien muchos consideran responsable de la desaparición de civiles que fueron sacados a la fuerza de sus casas y de los que nunca más se volvió a saber nada. Era conocido por su faceta de torturador y asesino mercenario, pero a pesar de todos los esfuerzos para hacerlo comparecer ante los tribunales, logró manipular el juicio mediante la intimidación y las influencias encubiertas. Anna creía firmemente que la incapacidad del sistema judicial para hacer justicia debía ser documentada, y que correspondía a la prensa, en nombre de aquellos que habían sufrido sus consecuencias, exigir la debida transparencia y asunción de responsabilidades. Se había reunido con las esposas y madres de las víctimas del Cadete y escuchado sus historias, por lo que sabía que este era responsable. Su lucha por ellos ayudó a que finalmente fuera declarado culpable.

Tras la ceremonia, nos sentamos a tomar una copa de vino y a charlar de política. Anna trazó un sombrío panorama de la Rusia de Putin, un país gobernado por una administración que conservaba un inquietante parecido con la de Stalin, una tierra cuyos servicios secretos se dedicaban a suprimir las libertades civiles y donde el miedo campaba a sus anchas en las universidades, las salas de prensa y en cualquier otro lugar donde hubiera arraigado la noción de democracia.

Anna había sido objeto de amenazas de muerte enviadas por teléfono e internet. Se habían publicado artículos difamándola, había sido despreciada y sometida al ostracismo social hasta tal punto que algunos de sus antiguos amigos y colegas evitaban cualquier contacto con ella para que su reputación no se resintiera. Me habló con tristeza de la carga que eso representaba en su vida privada, y de los efectos que tenía en su familia e hijos. Sin embargo, en lugar de doblegarla, su soledad y aislamiento constituían para ella una fuente de energía y determinación, como si hubiera cruzado algún tipo de Rubicón y se hallara más allá de los conceptos habituales de miedo o valor.

Poco antes de la concesión del premio, había sido envenenada mientras volaba hacia Rostov del Don para cubrir la crisis de los rehenes de Beslán. Un grupo terrorista retenía a un centenar de escolares y adultos, y su rescate acabaría en un baño de sangre. Sin embargo, Anna nunca llegó. Esa noche, mientras conversábamos, me describió el suceso con aterradora verosimilitud: cómo había hecho una serie de llamadas telefónicas a varios colegas que sin duda fueron interceptadas; cómo subió al avión y aceptó una taza de té negro antes del despegue para despertarse en un hospital.

A pesar de nosotros mismos, solemos alimentar la frágil esperanza de que conceder honores internacionales a aquellos que se atreven a alzarse, a defender la libertad de expresión, la justicia y la libertad les confiera cierta protección ante la ira de sus enemigos, por muy poderosos o vengativos que puedan ser. En el caso de Anna, ese optimismo resultó infundado.

Murió asesinada de un tiro el 7 de octubre de 2006, una noticia que cayó como un mazazo. A pesar de todo, la energía que le había dado fuerzas para seguir adelante no la abandonó hasta el final. Fue realmente una mujer excepcional cuyo valor a la hora de enfrentarse a la opresión constituye el legado que deja al mundo y una fuente de inspiración para todos nosotros.

Recuerdo que cuando me despedí de ella, la noche de la concesión del premio, le pregunté si no había pensado en marcharse de Rusia, aunque solo fuera temporalmente. Me cogió la mano, me sonrió y me contestó: «El exilio no es para mí. De ese modo, ellos ganarían».

Helena Kennedy, QC

Anna me llamó al hospital por la mañana, antes de las diez. Se suponía que tenía que pasar a visitarme. Ese día le tocaba, pero algo le había surgido en casa. Anna me dijo que sería Lena, mi segunda hija, la que iría en su lugar y me prometió que el domingo vendría sin falta. Parecía estar de buen humor y su voz era alegre. Me preguntó cómo me encontraba y si estaba leyendo cierto libro. Sabía que me encanta la novela histórica y me había dado *La más augusta corte bajo el signo de Himeneo*, de Alexander Manko, aunque ella no lo había leído. Le dije: «Anya, me cuesta leerlo. Tengo que releer tres veces cada página porque tengo a papá ante mis ojos constantemente». [El marido de Raisa Mazepa había muerto hacía poco.] Intentó calmarme. «No sufrió. Todo ocurrió muy deprisa. Iba a verte. Será mejor que hablemos del libro.» Yo le dije: «Anya, hay un epígrafe en la página 179 que me emociona de verdad. Es tan parte de nosotros, tan ruso…». Se lo leí: «En la historia de los pueblos, hay años de embriaguez. Resulta necesario vivirlos, aunque uno no pueda vivir realmente en ellos».

«Oh, mamá —me contestó—, pon una marca, no te olvides.» Le pregunté quién era el autor del epígrafe, y ella me dijo que se trataba de Nadezhda Teffi, una famosa poetisa rusa. Luego me dijo: «Te llamaré mañana, mamá». Estaba de muy buen humor. O puede que estuviera de mal humor y que fingiera que todo iba bien con tal de no inquietarme.

Yo siempre estaba muy preocupada por ella. Poco antes de ingresar en el hospital, tuvimos una conversación. Estaba preparando un artículo sobre Chechenia, y le rogué que tuviera cuidado. Recuerdo que me dijo: «Sé que la espada de Damocles pende sobre mí constantemente. Lo sé, pero no pienso rendirme».

Raisa Mazepa (madre de Anna Politkóvskaya), *Novaya Gazeta*,
23 de octubre de 2006

¿Y de qué soy culpable?

[Este artículo fue hallado en el ordenador de Anna Politkóvskaya poco después de su muerte y está dirigido a sus lectores del extranjero.]

Koverni: un payaso ruso de la vieja época, cuyo trabajo era hacer reír al público mientras cambiaban la pista del circo para el siguiente número. Si no conseguía provocar risas, las damas y los caballeros lo abucheaban y la dirección lo despedía.

Prácticamente toda la generación actual de periodistas rusos, junto con los distintos medios de comunicación que han logrado sobrevivir hasta nuestros días, son payasos de ese tipo: un circo de *kovernis* cuyo trabajo consiste en mantener entretenido al público y, cuando tienen que escribir acerca de algo importante, se limitan a explicar a todo el mundo lo maravillosa que es la pirámide de poder en todas sus vertientes. La pirámide de poder es algo que el presidente Putin ha construido afanosamente a lo largo de los últimos seis años, y en ella todo burócrata, todos los funcionarios, desde lo más bajo de la escala hasta lo más alto, han sido nombrados personalmente por él o por sus delegados. Se trata de una forma de organización del Estado que asegura que cualquiera a quien se le ocurra pensar de forma independiente de su superior inmediato será apartado fulminantemente del cargo. En Rusia, la administración presidencial de Putin, que es la dirige efectivamente el país, se refiere a los así designados como a «los nuestros». Y cualquiera que no sea de «los nuestros» es el enemigo. La gran mayoría de los que trabajan en los medios de comunicación apoyan este dualismo. Sus informaciones detallan lo estupendos que son «los nuestros» y deploran la despreciable naturaleza del enemigo. En las filas de este último figuran políticos de tendencias liberales, defensores de los derechos humanos, y demócratas «enemigos» que normalmente se caracterizan por haberse vendido a Occidente. Un ejemplo de un demócrata de «los nuestros» es obviamente el presidente Putin. Los periódicos y las televisiones dan absoluta prioridad a todos los informes que revelen con detalle los fondos que el enemigo ha recibido de Occidente para sus actividades.

Periodistas y presentadores de televisión han asumido con igual entusiasmo su nuevo papel en el gran circo. La batalla por el derecho a brindar información imparcial, en lugar de actuar como lacayos de la administración presidencial, es cosa del pasado. La profesión, a la que yo también pertenezco, se halla dominada por un ambiente de anquilosamiento intelectual y moral; y debo decir que la mayoría de mis compañeros periodistas no parecen sentirse especialmente incómodos ante su transformación en agentes propagandísticos a favor de los poderes que sean; admiten abiertamente que miembros de la administración presidencial no solo les entregan información acerca de los enemigos, sino que también les indican qué asuntos deben cubrir y en cuáles es mejor que no se metan.

¿Y qué les ocurre a los periodistas que no quieren participar en el gran circo? Pues que se convierten en parias. Y no estoy exagerando.

Mi último trabajo en el Cáucaso Norte, para informar desde Chechenia, Ingusetia y Daguestán, fue en agosto de 2006. Deseaba entrevistar a un alto funcionario checheno acerca del éxito o fracaso de la amnistía que el director del Buró de Seguridad Federal (BSF) había ofrecido a los combatientes de la resistencia.

Anoté apresuradamente una dirección de Grozni, la de una casa medio en ruinas, con la valla rota, situada en las afueras, y se la entregué disimuladamente y sin más explicaciones. Habíamos hablado en Moscú de que yo viajaría hasta allí y que me gustaría entrevistarlo. Un día más tarde, me envió a alguien que me dijo crípticamente: «Me han pedido que le diga que todo está en orden». Eso quería decir que el oficial estaba dispuesto a recibirme o, para ser más exactos, que llegaría caminando, con un cesto en la mano y con el aspecto de haber salido a comprar pan.

Su información resultó inestimable y desmentía por completo el relato oficial de cómo estaba funcionando la amnistía. Me lo contó todo en una habitación de dos metros cuadrados, con una pequeña ventana cuyas cortinas estaban totalmente corridas. Antes de la guerra había sido un cobertizo, pero cuando la casa principal fue bombardeada, sus propietarios tuvieron que utilizarlo como cocina, dormitorio y aseo al mismo tiempo. Me permitieron que lo usara, no sin considerable nerviosismo, pero son viejos amigos sobre cuyas desgracias tuve ocasión de escribir años atrás, cuando su hijo fue secuestrado.

¿Por qué aquel oficial y yo nos tomamos tantas molestias? ¿Acaso nos habíamos vuelto locos o deseábamos poner un poco de emoción en nuestras vidas? Nada de eso: la confraternización en público entre un funcionario del gobierno de «los nuestros» y una recabadora de información como yo, sospechosa además de simpatizar con la oposición, o como cualquiera de mis colegas de *Novaya Gazeta*, podía suponer el desastre para cualquiera de los dos.

Posteriormente, ese mismo funcionario llevó a ese cobertizo a los resistentes que deseaban deponer las armas, pero no querían tomar parte en la representación oficial del circo. Le dieron gran cantidad de interesante información acerca de por qué ninguno de ellos estaba dispuesto a rendirse al régimen: creían que al gobierno solo le interesaban las relaciones públicas y que no era de fiar.

«¡Nadie quiere rendirse!» A los que van de enterados les costará creerlo. Durante semanas, la televisión rusa ha mostrado individuos de aspecto peligroso declarando que desean aceptar los términos de la amnistía y que «confían en Ramzán». Ramzán Kadírov es el checheno favorito del presidente Putin, que lo ha nombrado primer ministro prescindiendo alegremente del hecho de que es un completo idiota, carente de cerebro, educación y de cualquier talento que no sea para la violencia o el saqueo.

Los periodistas son convocados en masa a esas lamentables reuniones (a mí no suelen invitarme). Lo anotan todo cuidadosamente en sus libretas, hacen fotografías, redactan sus informes y lo que surge de ellos es una imagen totalmente distorsionada de la realidad; pero una imagen que, no obstante, complace a los que han declarado la amnistía.

Uno no se acostumbra a estas cosas, pero aprende a vivir con ellas. Así es exactamente como he tenido que trabajar durante la segunda guerra del Cáucaso Norte. Para empezar, tenía que esconderme de las tropas federales, aunque siempre podía establecer contacto clandestinamente con individuos concretos, de modo que mis informadores no pudieran ser denunciados ante los generales. Cuando el plan de chechenización de Putin tuvo éxito (organizar que los chechenos «buenos» que eran leales al Kremlin asesinaran a los chechenos «malos» que se le oponían), se utilizó el mismo subterfugio al hablar con los funcionarios chechenos «buenos». La situación no es diferente en Moscú, en Kabardino–Balkaria o en Ingusetia. El virus está muy extendido.

Por lo menos, los números de un circo no duran mucho, y el régimen que se dota de los servicios de periodistas payasos tiene la longevidad de una seta carcomida. La purga de noticias ha producido una descarada mentira orquestada por funcionarios deseosos de promover una «correcta imagen de la Rusia de Putin». Incluso ahora está provocando tragedias a las que el régimen no puede hacer frente y que son capaces de hundir un portaaviones por muy invencible que parezca. La pequeña población de Kondopoga, en Carelia, en la frontera con Finlandia, ha sido el escenario de disturbios raciales anticaucásicos alimentados con vodka que han acabado con varios muertos. Los desfiles nacionalistas y las agresiones raciales impulsadas por «patriotas» son consecuencia directa de las mentiras patológicas del régimen y de la ausencia de cualquier diálogo verdadero entre las autoridades estatales y el pueblo ruso. El Estado cierra los ojos ante el hecho de que la mayoría del pueblo vive en una abyecta pobreza y de que, fuera de Moscú, el nivel de vida es muy inferior al que se proclama. La corrupción en el seno de la pirámide de poder de Putin supera en estos momentos cualquier cota del pasado, y las generaciones más jóvenes están creciendo pobremente educadas y con un alto nivel de militancia a causa de su situación de pobreza.

Aborrezco la actual ideología que divide a la gente entre los que son «de los nuestros» y los que están «en el bando equivocado». Si un periodista es de «los nuestros», recibirá premios y honores y hasta es posible que sea invitado a convertirse en parlamentario en la Duma. Y cuidado, digo «invitado» no «elegido». Ya no tenemos elecciones parlamentarias en el sentido tradicional de la palabra, con sus campañas, manifiestos y debates. En Rusia, el Kremlin se encarga de llamar a los que son irreprochablemente de «los nuestros» y saludan cuando toca para alistarlos en el partido Rusia Unida, con todo lo que eso supone.

En la actualidad, un periodista que no pertenece a «los nuestros» es un apestado. Nunca he deseado mi condición de paria, y es algo que hace que me sienta como un delfín varado en la arena. No estoy hecha para el cuerpo a cuerpo político.

No pienso abundar en las otras «alegrías» del camino que he elegido: el envenenamiento, los intentos de intimidarme por correo o internet o las amenazas de muerte que me llegan por teléfono. Lo principal es seguir con mi trabajo, describir la vida que veo, recibir todos los días en las oficinas del periódico a los que no tienen otro sitio al que acudir con sus problemas porque, para el Kremlin, sus historias no concuerdan con el mensaje que este quiere difundir. El único lugar donde pueden ser aireados es en nuestro diario, la *Novaya Gazeta*.

¿De qué soy culpable? Simplemente he informado de lo que he visto, de nada más que la verdad.

Publicado en un número especial de *Soyuz Zhurnalistov*,
26 de octubre de 2006

1

¿Deberíamos sacrificar vidas al periodismo?

UN CUESTIONARIO PARA EL PROYECTO «TERRITORIO DE GLÁSNOST»

Hecho circular entre periodistas, editores y columnistas del *Novaya Gazeta*.

1. *Nombre, apellido o seudónimo*: Anna Politkóvskaya.
2. *Cuestión en la que se especializa*: Cualquier asunto de interés para nuestros lectores.
3. *Su norma o credo profesional*: Lo que cuenta es la información, no lo que se opine de ella.
4. *¿Cuál es su principal prioridad como periodista?*: Proporcionar tanta información como sea posible.
5. *¿Qué opina de la época en que vive, del pueblo y el país?*: La gente es extraordinaria; y el país, soviético. Hemos vuelto a los tiempos oscuros.
6. *¿Sobre qué le cuesta más escribir (y qué historia lo ilustra mejor)?*: Nuestra época.
7. *¿Sobre qué disfruta más escribiendo?*: Sobre la gente.
8. *¿Por qué y para quién está haciendo su trabajo?*: Para la gente y por el bien de la gente.
9. *¿Cómo califica el trabajo de quienes están actualmente en el poder y que toman las decisiones al más alto nivel, conformando la reputación de Rusia, tanto en el interior del país como en el extranjero (el presidente, el gobierno, la judicatura, el Parlamento y la élite de los hombres de negocios)?*: La dirección del Estado resulta sumamente ineficiente.

10. *¿Cómo califica la disposición de la gente a considerarse como representantes de la sociedad civil y a participar en un diálogo abierto con las autoridades del Estado?*: Como escasa. En la sociedad hay demasiado miedo y muy poco idealismo.

11. *¿Cómo evalúa el nivel de democracia e independencia de la prensa? ¿Qué cree que está pasando en Rusia con la libertad de expresión y dónde consigue usted información fiable (no como profesional, sino como usuario)?*: La libertad de expresión está en las últimas. Solo confío en la información al cien por cien si la he conseguido yo misma.

12. *¿Qué acontecimientos recientes considera que han marcado un hito (positivo o negativo) para usted, para el país y la sociedad?*: Para el país y también para la sociedad y para mí, la ocupación de Ingusetia.

13. *¿Cuáles considera que son los principales problemas a los que se enfrenta la sociedad rusa?*: El hecho de que la mayoría de la gente piense que nunca les ocurrirá a ellos.

14. *¿Qué cualidades le impresionan más y le desagradan más, tanto en figuras públicas como en personas corrientes? (Dé algún ejemplo, si es posible)*: Admiro la franqueza y la sinceridad; en cambio, la gente que miente y que se hace la astuta me produce náuseas.

15. *¿A qué político, economista, artista o ciudadano corriente nombraría usted como candidato a personaje del año, héroe de nuestro tiempo, o como personaje icónico de la Rusia de nuestro tiempo?*: No hay héroes a la vista y, si los hubiera, deberían poner fin a la guerra.

16. *¿Qué le parece la calidad de vida en Rusia? ¿Qué factores hay que tener en cuenta?*: Muy baja. La cantidad de pobres que hay es enorme y supone una terrible desgracia.

17. *¿Qué podrían y deberían hacer tanto los políticos como los funcionarios y los periodistas para mejorar la calidad de vida en Rusia?*: Los periodistas deberían escribir, los políticos deberían protestar en vez de vivir rodeados de lujos, y los funcionarios tendrían que dejar de robar a la gente que no tiene dinero.

FUNCIONARIOS DEL BSF LLEVAN A CABO OTRA DE SUS
OPERACIONES ESPECIALES CONTRA *NOVAYA GAZETA*

El equipo editorial de Novaya Gazeta
28 de febrero de 2002

En lo que se refiere a operaciones especiales, esta ha sido un patético intento. En competencia técnica, damos tres puntos a los chequistas;* en cuanto a mérito artístico, ninguno, por desgracia.

En una declaración reciente, el portavoz del BSF, Iliá Shabalkin, aseguró que *Novaya Gazeta* y su corresponsal especial, Anna Politkóvskaya, están intentando aprovechar el hecho de que esta haya sido destinada a Chechenia para «resolver sus problemas financieros y desavenencias con ciertas fundaciones». Shabalkin ha declarado que los trabajos de Politkóvskaya se caracterizan por un sensacionalismo muy poco deseable y que perjudican la marcha de las operaciones antiterroristas en Chechenia. También ha asegurado escuetamente que esas impresiones forman parte de un intento de convencer a la Fundación Soros para que cancele la donación de 14.000 dólares que *Novaya Gazeta* recibía por trabajar en lugares políticamente conflictivos.

Shabalkin dice que nuestro periódico no ha presentado el debido informe al Instituto para una Sociedad Abierta de dicha fundación, y que esta nos ha informado por escrito de que se dispone a cancelar su apoyo económico. Además, el chequista Shabalkin hace hincapié en que Anna Politkóvskaya carecía de la acreditación necesaria para trabajar como periodista en Chechenia.

Nos encontramos aquí con todos los elementos propios de las conspiraciones: la vinculación con capital estadounidense, la difusión de mensajes desmoralizadores entre las tropas rusas por encargo de peces gordos extranjeros y la ausencia de permisos oficiales para poder desempeñar tareas informativas en Chechenia.

El descubrimiento de semejante conspiración contra la Federación Rusa fue anunciado en los principales canales de televisión,

* La Cheka fue un servicio de seguridad del Estado fundado en 1917 y constituyó la semilla del KGB, actualmente conocido como BSF.

distribuido por la agencia de noticias Interfax y publicada a bombo y platillo en las páginas web de la Fundación para la Política Efectiva. Sin duda es un engorro, pero tenemos que responder. *Novaya Gazeta*, al igual que centenares de otras organizaciones, fue recompensada por la Fundación Soros con un premio de 55.000 dólares por su labor a la hora de establecer una base de datos de las personas que han desaparecido sin dejar rastro en Chechenia, por haber facilitado la liberación de rehenes y prisioneros y por haber ayudado a un orfanato y a un hogar de jubilados. Vale la pena mencionar que, aunque el premio nos fue concedido el año pasado, llevamos haciendo este trabajo desde 1994.

Nuestro colega Viacheslav Izmailov ha logrado que pusieran en libertad a más de ciento setenta víctimas de secuestro. Gracias a los esfuerzos de *Novaya Gazeta* —y particularmente a los de nuestra columnista, Anna Politkóvskaya—, decenas de ancianos lograron sobrevivir dos inviernos en un viejo asilo de Grozni. Con la ayuda del Ministerio del Interior devolvimos a los ancianos, que habían perdido toda esperanza, a sus parientes. La Fundación Soros valoró esas iniciativas y nos ofreció su apoyo económico, que aceptamos con gusto.

Hasta el momento, de los 55.000 dólares hemos recibido únicamente un primer pago de menos de 14.000. La razón se debe simplemente a que, durante tres meses, hemos tenido que ocultar a Anna Politkóvskaya más allá de las fronteras de Rusia. Cuando quedó confirmado que preparaban un intento de asesinato contra ella, se invocó la Ley de Protección por el Estado hasta que el sospechoso fue detenido. A Anna le fue concedido un estatus especial del que no tenemos libertad para escribir más.

Por estas razones nuestro informe no se entregó hasta el mes de febrero de este año. La Fundación Soros no tiene queja alguna contra *Novaya Gazeta*, y a lo largo de los próximos doce meses recibiremos los restantes 41.000 dólares y proseguiremos con nuestro trabajo.

El chequista Shabalkin se ha superado a sí mismo a la hora de alegar un supuesto fraude en las actividades de Politkóvskaya. No fuimos nosotros ni ella, sino la oficina de prensa del mando militar conjunto la que los días 9 y 10 de febrero hizo una declaración en la que aseguraba que Politkóvskaya había salido de la oficina de la comandancia de Shatói sin informar a los militares. Politkóvskaya tenía sobradas razones para marcharse. Los hechos que le comunicaron los fiscales militares eran demasiado serios para no hacerlo.

Repetimos que nosotros no hicimos declaraciones y que no divulgamos cuentos ni supercherías. Eso fue cosa del BSF, que utilizó al ejército como portavoz. Así pues, ¿quién echó a rodar el balón?

La razón de por qué el BSF se tomó tantas molestias hay que encontrarla en los números 11 y 12 de *Novaya Gazeta*. Utilizando pruebas del caso y entrevistas con los fiscales militares, Politkóvskaya demostró con hechos y documentos en la mano que el ametrallamiento de seis civiles, entre los que figuraba una mujer embarazada, y la posterior incineración de sus cadáveres fue perpetrado por fuerzas de las tropas especiales de los Servicios de Inteligencia Militar. Se trata de un caso único. Gracias al valor de los fiscales y al hecho de haber puesto nombres y apellidos a los sospechosos, han sido detenidos diez miembros del ejército.

El BSF no ha intentado refutar esos hechos en su declaración: simplemente hace caso omiso de ellos. Al BSF no parece preocuparle que tales crímenes puedan enconar y agravar aún más el conflicto. Lo único que le preocupa al BSF es que Politkóvskaya no tuviera las acreditaciones necesarias.

Lo cierto es que las tenía, y las presentamos aquí. ¡Vamos, chequistas! ¡Tenéis que preparar mejor vuestras operaciones de desinformación!

Para poner en marcha tan inteligente campaña, los chequistas han utilizado como hombres de paja a algunos colegas periodistas. Primero, el muy respetable *Vedomosti* publicó un artículo según el cual no habíamos presentado los debidos informes a la Fundación Soros, por lo que su pago iba a ser cancelado. El porqué un periódico económico serio iba a interesarse por algo que no era más que calderilla en bolsillo ajeno resultó desconcertante, pero solamente hasta que Shabalkin hizo sus declaraciones.

Dichas declaraciones también fueron difundidas a través de Interfax; pero, para entonces, con nuestros comentarios. Desafortunadamente, nuestros colegas no mostraron en ningún momento el menor reparo en publicar la correspondencia privada entre *Novaya Gazeta* y la Fundación Soros. Cualquiera pensaría que estábamos malversando dinero del contribuyente o el presupuesto del Estado.

Cómo se filtró dicha correspondencia es harina de otro costal. Una copia se halla en poder de la Fundación Soros, mientras que el original llegó a manos del editor de *Novaya Gazeta* a través del correo.

No hace falta decir que ni la Fundación Soros ni el editor de *Novaya Gazeta* filtraron nada a la prensa. Eso significa que alguien ha estado interceptando nuestro correo, abriendo nuestras cartas para controlar la actividad del periódico y puede que, de paso, las actividades de la fundación. Resulta gratificante comprobar que no encontraron nada más, aparte de un informe atrasado.

Como en nuestro caso, únicamente las meteduras de pata del BSF nos permiten tener una idea de a qué dedica dicha organización el dinero de los contribuyentes. Como de costumbre, intentan establecer un vínculo entre una serie de artículos que cuentan la verdad acerca de la guerra de Chechenia y los servicios de inteligencia occidentales.

Al BSF le gusta demostrar lo bien informado que está acerca de los asuntos de otras personas, especialmente cuando no les incumben. De ese modo, les resulta más fácil señalar problemas de Rusia inexistentes en lugar de localizar terroristas como Jattab o Basáyev. Aunque es posible que sean nuestros informes atrasados y Anna Politkóvskaya quienes se lo impiden. Es posible que esa sea su manera de justificar su incompetencia profesional. Las contestaciones a estas y otras cuestiones las escucharemos sin duda en los tribunales. Nuestros abogados están preparando la demanda correspondiente.

Señor Shabalkin, no tenga usted prisa por estropear la chaqueta que lleva con el agujero de la medalla que confía en recibir.

¿Y A CONTINUACIÓN, QUÉ?

4 de marzo de 2002

Primero, el director de *Novaya Gazeta* me pidió que yo, la corresponsal especial Politkóvskaya, debía escribir una carta abierta de protesta al señor Shabalkin. Lo pensé y rehusé. Demasiado aburrido. Entonces, el director dijo que teníamos que escribir una carta abierta de protesta al superior de Shabalkin, el señor Pátrushev, que dirige el BSF. Lo medité detenidamente y volví a rehusar. La persona que no es capaz de capturar a Basáyev y a Jattab con miles de hombres no me interesa lo más mínimo. Ni siquiera consigue que me enfade.

¡Pues entonces, escribir a Putin! Pero, en lugar de eso, escribí una carta al mayor Nevmerzhitski, comandante de reconocimiento de la oficina de la comandancia militar del distrito de Shatói.

El mayor Nevmerzhitski había sido testigo ocular del drama de Shatói: el asesinato de seis civiles y la incineración de sus cuerpos por parte de soldados del Directorio Central de Inteligencia (GRU), ocurrido el 11 de enero de 2002 y que fue descrito oficialmente como una operación destinada a capturar a Jattab, el líder herido de la resistencia. Fue esta atrocidad lo que investigué durante mi destino en Chechenia. Esto irritó hasta tal punto al BSF que se embarcó en la campaña de desinformación antes descrita. ¿Por qué dirigí mi carta a él? Porque me dio la gana.

> Querido Vitali,
>
> ¡Mira a qué se han estado dedicando mientras recorríamos los caminos de Shatói! Dicen que lo hicimos por dinero. En el cuartel general del ejército en Jankalá aseguran algo parecido, y no importa de quién sean las cuerdas vocales que utilizan. Tú estabas yendo de un lado para otro en las montañas, contemplando la escena del crimen desde lo alto de un barranco, horrorizado e intentando no caer, discutiendo durante días acerca de quién había matado a quién y quemado posteriormente los cuerpos, teniendo que enfrentarte con veintiocho huérfanos. Según el funcionario Shabalkin, esa clase de trabajo tiene su precio en dólares.
>
> Naturalmente, no tenemos nada que demostrarnos el uno al otro y podríamos limitarnos a quedarnos callados; pero lo cierto es que

viste lo que sucedió en Dai y en Nojchi-Keloi, y en la carretera de Barzoi, donde los cuerpos de dos soldados y un oficial, que no interesan para nada a los Shabalkin de este mundo, llevaban dos meses en el río. Tú sabes que esto no es cuestión de dólares.

Al principio me enfadé mucho y pensé que si Shabalkin hubiera estado en nuestro lugar habría tenido una historia muy diferente que contar. Luego me serené y empecé a sentir lástima de ese hombre. «Ellos», en Jankalá, llevan una vida dura: tienen que correr de aquí para allá como lacayos cuyos amos están de mal humor por la mañana porque sus botas no han sido debidamente abrillantadas. En realidad no es tan fácil hablar de lugares en los que nunca has estado y de cosas que nunca has visto y, al mismo tiempo, dar la impresión de que estás haciendo un gran trabajo y te enteras de todo lo que pasa. Tú y yo nos volaríamos la tapa de los sesos antes que pasar por el aro de esa manera, pero Shabalkin, pobre idiota, sigue en la tarea. Así pues, somos más afortunados por haberlo visto todo con nuestros propios ojos y sin tener que fingir; y eso a pesar de que no seamos más felices al recordar lo que hemos visto.

¿Cómo van las cosas por Shatói? ¿Siguen enviando desde Jankalá helicópteros para capturar a no sé cuántos presuntos Jattab heridos? ¿Cómo le va a Víktor Malchukov, el comandante militar de Shatói, que comprendió hace mucho la realidad que lo rodea, ese hombre con la mirada poblada de fantasmas? Para ti debe de ser difícil. Yo lo tengo más fácil, aquí, en Moscú, rechazando los ataques de esos idiotas. Comparado con las montañas, es pan comido.

Anna Politkóvskaya

A mi alrededor, la familia está triste. Vuelo a Chechenia nuevamente, solo que en esta ocasión no me reuniré con Vitali. Tengo otros planes.

La historia de la misión de Anna en Shatói

14 de febrero de 2002

[El 11 de enero de 2002, en la que el cuartel general del ejército describió oficialmente como una operación destinada a capturar a

Jattab, el líder de la resistencia chechena, un grupo de soldados del GRU asesinó y quemó los cuerpos de seis civiles. Anna fue a investigar.]

Saco la cinta de mi última corresponsalía en Chechenia y, al mismo tiempo, releo los periódicos y los comunicados de las agencias de prensa.

Vaya, vaya. Mis colegas parecen haber estado compitiendo por ver a quién se le ocurrían las historias más infundadas. Según nuestra inestimable agencia de noticias, Interfax, el 9 de enero fui detenida por la oficina de la comandancia militar del distrito de Shatói, en el transcurso de una operación especial por no tener los documentos necesarios. Sin embargo, parece que a nadie le interesa el hecho de que en Shatói no hubo ninguna operación especial ni inmediatamente antes ni después del 9 de enero.

A medida que sigo leyendo, el tono se hace más cáustico. Según parece, escapé de la oficina de la comandancia y desaparecí, desacreditando en consecuencia... —y aquí pretenden dar donde más duele—. La oficina de prensa del mando militar conjunto en Chechenia trona diciendo que con mi mala conducta he llevado la desgracia a todos los periodistas.

Lo que sucedió en realidad fue que el 8 de febrero, el segundo día de mi corresponsalía, y después de haber realizado el recorrido desde Grozni hasta Shatói, lo primero que hice sin el menor disimulo fue presentarme ante Sultán Mohamedov, el director de la oficina de Asuntos de Interior del distrito, e informarle de que el propósito de mi trabajo era investigar uno de los sucesos recientes más trágicamente escandalosos de la guerra de Chechenia: la ejecución e incineración extrajudicial de seis civiles que, desde Shatói, regresaban a sus casas de la aldea montañosa de Nojchi-Keloi, el 10 de enero de 2002. De la milicia fui a la oficina de la administración del distrito y, como era de rigor, pedí que pusieran un sello en mis papeles de acreditación, confirmando mi llegada. Así lo hicieron.

De la oficina de la administración me dirigí a la oficina de la comandancia militar del distrito, para ver al oficial al mando, el coronel Víktor Malchukov. ¿Por qué fui a verlo? Sencillamente, lo conozco desde hace tiempo y respeto su habilidad para hablar con la gente de las aldeas, y de esa manera resolver los innumerables conflictos que surgen entre el ejército y la población civil.

Nos sentamos juntos y trazamos un plan de cómo hacer mejor el trabajo que mi periódico me había encomendado. El coronel me dijo que al día siguiente debía volar a Jankalá y que, por desgracia, la ayuda que podría prestarme sería limitada.

Mis colegas periodistas han informado de que fui «detenida» y de que «escapé». Eso es totalmente absurdo, aunque reconozco lo que respecta al día 8 de febrero, antes de que el BSF interviniera. El 9 de febrero quedó claro que la matanza ocurrida cerca de la aldea de Dai, en el distrito de Shatói, a manos de soldados de la división especial de élite del Ministerio de Defensa, tenía sus raíces, como suele decir la gente de Chechenia, en el cuartel general del ejército, en Jankalá.

A las once de la mañana del 9 de febrero había concertado una entrevista con el coronel Andréi Vershinin, el fiscal militar del distrito de Shatói, que era quien estaba llevando a cabo la investigación de de las ejecuciones y cuya oficina se hallaba en el cuartel general del Regimiento 291, cerca de la aldea de Barzoi, a pocos kilómetros de Shatói. Como era su obligación, el fiscal examinó escrupulosamente mis credenciales y solo después de eso me concedió una larga entrevista en la que se mostró tan franco como era posible, teniendo en cuenta que el caso todavía no había llegado a los tribunales. Quiero dar mis sinceras gracias al coronel Vershinin. Es fantástico que una persona como él sea la encargada de este trabajo. Nos despedimos en términos amistosos.

Las sorpresas empezaron después de esto. Durante la entrevista, descubrí que el BSF había interrogado a los funcionarios de seguridad de la milicia acerca de mí. ¿Qué buscaban y por qué? ¿Quién los había autorizado? Unos oficiales a los que no conocía se me acercaron para decirme que me querían bien y advertirme de que debía marcharme sin demora del regimiento porque se estaban haciendo preparativos para detenerme y que el BSF se oponía categóricamente a que los periodistas metieran las narices en aquel caso, en el que estaban implicados comandantes militares de la mayor graduación.

Fue entonces cuando empezó mi «desaparición», un cambio de vehículos, barriendo mis huellas y buscando un lugar donde pudiera dormir y no me encontraran. Había muchos indicios de que aquello no se trataba de ninguna broma y de que era de una importancia vital comportarse de aquella manera. A la vista de la caza del hombre organizada por individuos armados hasta los dientes y con las peores intenciones, yo tenía muchas ganas de volver a casa con vida. Por esa razón tuve que borrarme del espacio y el tiempo en lugar de organizar un alboroto y llamar la atención sobre mi persona, como mis colegas de la prensa y los ideólogos de Jankalá no tardarían en escribir.

A primera hora de la mañana del 10 de febrero, entré discretamente a pie en Starie Atagi, completamente disfrazada, evitando los controles y los barridos de seguridad que habían empezado ya en el vecino pueblo de Chiri-Yurt. Mientras me movía sigilosamente, casi arrastrándome por el suelo, mi principal preocupación era no llamar la atención para que no me asesinaran. Escapar de Shatói y de los enfurecidos agentes del BSF fue solo una parte del problema. Entrar en Starie Atagi, que en estos momentos se halla en manos de los wahabíes, era el siguiente desafío. Por las calles no se ve ni rastro de soldados ni representantes del nuevo gobierno checheno. Todos ellos tienen mucho miedo de que los maten. Solo los periodistas y los activistas pro derechos humanos que se dedican a recabar información de forma encubierta se arrastran de ese modo. Tal como han ido las cosas en Chechenia, los periodistas como yo no tienen otra opción que mantener un perfil muy bajo.

Quizá pensarán que todo esto es jugar a los espías o que estoy buscando emociones fuertes con los militares. Nada de eso. Odio esta forma de vida. La situación creada en Chechenia por los servicios de seguridad, principalmente por los miembros del BSF y el Ministerio de Defensa, es tan repugnante que me entran ganas de vomitar. Se trata de una situación en la que el legítimo deseo de un periodista de estar en posesión de todos los hechos relacionados con un determinado suceso desemboca en amenazas directas contra su vida. ¿Qué hice durante aquellos dos días en Shatói? ¡Pues mi trabajo, por amor de Dios, nada más que eso! Créanme, no hay nada tan odioso como sentir que en nuestro propio país nos hemos convertido en objeto de tiro al blanco para una serie de parásitos que se corren grandes juergas a nuestras expensas, que son las del contribuyente. ¡Y encima tienen la cara dura de insultarme!

Normalmente, los periodistas no suelen escribir acerca de cómo obtienen su información sobre los hechos. La atención del lector debería centrarse exclusivamente en estos; por lo tanto, esto es de lo más impropio. Discúlpenme si hoy he tenido que desviarme de dicho ideal; pero, muy a mi pesar, me veo convertida en el blanco de un bombardeo de mentiras y conjeturas.

En el próximo número aparecerá un reportaje detallado de mis actividades en Shatói. Será el resultado de la investigación del brutal asesinato de seis civiles en el distrito de Shatói y no diré una palabra más acerca de cómo conseguí la información. Solamente hoy, antes de cerrar el telón, voy a permitirme unas pocas conclusiones acerca de los sucesos que rodearon esta investigación.

En primer lugar, las condiciones para los periodistas que trabajan en Chechenia se han vuelto imposibles, y hablo en lo referente a obtener información exhaustiva acerca del acontecimiento que sea.

En segundo lugar, las injustificadas y descaradas mentiras del ejército, que son difundidas por unos medios que no hacen el menor intento de contrastarlas, constituyen la raíz del mundo en el que vivimos. Permitimos, cada día más, que nos laven el cerebro. Se trata de un mundo donde se anima al ejército ruso para que persiga a civiles, periodistas incluidos, pero no al líder terrorista Jattab.

Y en tercer y último lugar, muchos de mis colegas periodistas, que bailan al son de las autoridades del Estado y de los peces gordos del ejército, están dispuestos a hacer cualquier cosa que se les pida, a publicar entrevistas sin preocuparse de la verdad o a escribir sobre escándalos cuando no ha habido ninguno, y todo con tal de evitar enfrentarse a la fratricida tragedia que se está desarrollando en Chechenia. Esto es lo que realmente importa de los contratiempos que se abatieron sobre mí durante mi última corresponsalía y que finalizaron el 12 de febrero.

Anna Politkóvskaya

De los editores

Novaya Gazeta agradece al general Víktor Kazantsev, representante presidencial plenipotenciario en la Región Federal del Sur, y a muchos otros por responder a nuestra petición de ayuda en la búsqueda de nuestra corresponsal especial, Anna Politkóvskaya.

Damos también las gracias al Directorio de Seguridad Personal del Ministerio del Interior de la Federación Rusa y también a la secretaría del ayudante presidencial, Serguéi Yastrzhembski, por ayudarnos a dar con el paradero de nuestra corresponsal tras el incidente en el distrito checheno de Shatói.

¿El periodismo vale la pérdida de una vida?

10 de noviembre de 2003

¿El periodismo vale la pérdida de una vida? Cada vez que se producen sucesos como los del 3 de noviembre en Riazán —y en Rusia los intentos de asesinato de periodistas no son ninguna rareza—, nosotros, los servidores y esclavos de la información, nos hacemos esa pregunta. Si el precio de la verdad resulta tan oneroso, quizá deberíamos dejarlo, simplemente, y dedicarnos a otra profesión con menos riesgos de «molestias mayores». ¿Hasta qué punto le importa a la sociedad, que es por quien hacemos en definitiva este trabajo? Ante esta situación, cada uno debe tomar su propia decisión.

El 3 de noviembre de 2003, aproximadamente a las 21.04 horas, en el bloque residencial del n.º 26 de la calle Zubkova, en Riazán, se intentó acabar con la vida de Mijaíl Komárov, de treinta años y director adjunto de la edición de Riazán de *Novaya Gazeta*. Cuando regresaba a su casa, fue golpeado por la espalda con un objeto contundente. El trabajo de reportero de Komárov es bien conocido en Riazán, y en los últimos años se ha especializado en el periodismo de investigación, que le ha llevado a husmear en las actividades comerciales de ciertos oligarcas locales.

Por la noche, todos los barrios dormitorio de las ciudades rusas son tan iguales como si fueran hermanos gemelos. Y su parecido está en la oscuridad que se abate sobre ellos, una oscuridad que permite asesinar a una persona sin ser visto ni molestado y escapar sin mayores consecuencias.

Todavía no está avanzado el 4 de noviembre, el día posterior al intento de asesinato, pero, como de costumbre, no se puede ver nada en el barrio de Dashkovo-Pesochnoye, en Riazán. Es como si el barrio entero no existiera. Engullida por la oscuridad de la nada, la calle Zubkova —«Broadway»— apenas se intuye, y solo un sexto sentido permite percibir la presencia de viviendas. Se dan todas las condiciones para un atentado. Caminamos medio a tientas, guiados por Valentina Komárova, la madre de Mijaíl, que todavía se halla bajo la impresión de lo ocurrido. Tiene dos hijos. El menor, Dima, de veinte años, es un prometedor futbolista. El mayor, Mijaíl, «ha salido como su abuela —nos explica Valentina, con una combinación de miedo y orgullo—, ella también era una partidaria de decir la verdad. Sobrevivió a la guerra y sigue luchando hasta la fecha, a pesar de que tiene ochenta años. No se rinde, y eso que no tiene un céntimo. Misha es igual. No sé cuántas veces le habré dicho "No lo hagas, hijo, deja que vivan sus vidas y nosotros las nuestras". En el trabajo, la gente me advertía que esto acabaría mal. Ya está, ya hemos llegado. Esta es nuestra portería, el número 14».

Fue en esos peldaños donde dos individuos con chaquetas de cuero y pasamontañas —el uniforme de los matones rusos— esperaban a Mijaíl. Algunos vecinos los vieron, pero, como suele ocurrir, no le dieron importancia. «Mientras yo esté bien, mientras la paliza no me la den a mí, todo está en orden.» Allí está la escalera por donde se arrastró el periodista, dejando un rastro de sangre, para escapar de sus presuntos asesinos. Hoy, lo mismo que ayer, todas las puertas están cerradas. Con sus oscuros rincones, donde cada persona es su propio servicio de seguridad, su propia pirámide de poder, fiscal y milicia, la entrada parece idónea para el asesinato.

Dicho sea de paso, la comisaría de la milicia está a la vuelta de la esquina. De hecho, es mundialmente famosa porque fue cerca de allí donde, también al amparo de la oscuridad —que es aliada no solo de los matones, sino también de los hombres del BSF—, donde el directorio de Riazán del BSF fue pillado con las manos en la masa, el otoño de 1999, colocando explosivos en un bloque de apartamentos, justo antes de que se reiniciara la guerra de Chechenia, el llamado «ejercicio de entrenamientos con explosivo plástico».*

—¿Saben que anoche, en este barrio, alguien intentó atentar contra la vida del periodista Mijaíl Komárov? —pregunto a unos jóvenes milicianos que se asoman a la puerta, inquietos.

—Sí, lo acabamos de ver en la televisión.

—Supongo que, ya que se lo toman con tanta calma, debe de ser algo que ocurre con frecuencia, ¿no?

—No. Esta es la primera vez —contesta tranquilamente Vitali Viazkov, el oficial a cargo de la comisaría.

Primera hora de la mañana del 5 de noviembre. Los miércoles, la milicia del distrito Octubre tiene un desfile de inspección. Algunos de los milicianos no se han molestado en presentarse y fuman en la puerta, charlando sobre el intento de asesinato de Komárov.

—Tendría que haber mantenido agachada la cabeza —dice una mujer que fuma un cigarrillo, y los demás asienten.

Aparecen sus superiores, Alexander Naidiónov, el jefe de la milicia del distrito, y su subordinado inmediato, Yevgueni Popkov.

—No tenemos nada que decir —es su escueto comunicado oficial.

—¿Pueden decirme al menos si han abierto un proceso de investigación? Ya estamos a día cinco.

El coronel Naidiónov casi se aleja corriendo de mí mientras lanza miradas furtivas en todas direcciones.

¿Qué problema hay? ¿Acaso no está claro? Cuando alguien es víctima de una agresión, se investiga. ¿Acaso el nerviosismo de la milicia está relacionado con el hecho de que Komárov señalara como

---

* Se cree que varios bloques de apartamentos de Moscú, Buinaksk y Volgodonsk fueron volados por el BSF, con pérdida de numerosas vidas de ciudadanos rusos. Se culpó de los atentados a los chechenos y constituyó la excusa para reiniciar la guerra en Chechenia. Cuando se destapó el intento de hacer lo mismo en Riazán, las autoridades lo presentaron como un «ejercicio de entrenamiento».

principal sospechoso en su declaración a Serguéi Kuznétsov, un oligarca local y uno de los diez hombres más ricos de Riazán, sobre cuyos negocios y actividades ha escrito con frecuencia?

Esta explicación parece confirmarse cuando el investigador Mijaíl Zótov, acompañado por el coronel Naidiónov, llega a la clínica neurológica provincial para interrogar a la víctima por primera vez. Muestra una insistente curiosidad por saber por qué Komárov escribió tanto acerca de Kuznétsov. ¿Obedece quizá —sugiere Zótov— a que Komárov llevaba tiempo aceptando dinero para escribir artículos favorables a Kuznétsov y que, cuando este dejó de pagar, empezó a hacer lo contrario? Eso es lo que Kuznétsov dice. No hay duda de que todo el mundo juzga según sus propios principios. «Dame lo que quiero, y estoy de tu parte. No lo hagas y estaré en tu contra.» Ese es el odioso credo de la milicia.

Es casi mediodía, pero los representantes de la ley y el orden no tienen prisa por seguir con su trabajo. También está claro que no están del lado de Komárov. Recorremos Riazán a toda prisa, preparando una denuncia por intento de asesinato: desde la oficina del fiscal del distrito Octubre hasta la del fiscal provincial de Riazán; desde allí hasta la comisaría de la milicia del distrito Octubre, en la calle Yesenin y, por último, abriéndonos paso a la fuerza en el despacho del indignado coronel Naidiónov, nos tropezamos con un georgiano muy amable que nos dice: «Soy georgiano y, por lo tanto, todavía no ha nacido el hombre capaz de sobornarme».

Se trata del jefe del Departamento Provincial de Investigación Criminal, el coronel de la milicia Dzhansug Mzhavanadze, que nos informa ceremoniosamente de que el día 5 de noviembre, a las 11.30 horas se abrió la correspondiente investigación.

—¿Qué se ha hecho en la principal línea de investigación, la relacionada con Kuznétsov? ¿Se han incorporado al expediente los artículos de Komárov y su declaración de hace dos semanas a los hombres del BSF de que recibía amenazas?

—No puedo revelarles los métodos ni los medios que empleamos para resolver el caso.

Lo comprendemos perfectamente y seguimos recorriendo Riazán para asegurarnos de que no se convierten en los medios y los métodos para encubrir un intento de asesinato. El oligarca Kuznétsov es el «padrino» de media ciudad.

El oligarca se muestra imperturbable y muy democrático en su actitud, tal como se esperaría de quien constituye la principal fuente de financiación del gobernador de Riazán.

—¿Quieren decirme qué clase de oligarca soy? —pregunta humildemente Serguéi Kuznétsov, que en el pasado fue secretario provincial de la Liga de Jóvenes Comunistas e irradia buenos modales, modestia y cordialidad—. Ayer tuve que pedir prestado cinco mil dólares a mi suegra, he invertido hasta mi último cópec en mis negocios y no tengo un hogar propio. Tendría que haber emigrado a Israel hace años. Mi madre, Galina Abrámovna, está allí, y yo estoy aquí, luchando por una vida mejor. Soy constructor, un creador por naturaleza. He convertido el vertedero infestado de ratas de la ciudad en un gran centro comercial con más de seiscientas tiendas, he abierto el centro de belleza más importante de Riazán y puesto al frente de él al mejor de los cirujanos. Es tan bueno que ha arreglado los pechos de mi mujer, y a mí me ha quitado las verrugas. Todo el mundo sin excepción está contento. Solo Misha Komárov no lo está y se dedica a escribir que las operaciones de estética se hacen sin licencia. Lo único que quiere es ajustar cuentas personales conmigo. Me he cansado de sus artículos y he decidido darle una lección.

—¿Darle una lección? ¿Sabe que la noche del 3 de noviembre alguien intentó asesinarlo, justo después de haber prestado declaración ante un tribunal contra usted?

—Ya sé que no me van a creer, pero acabo de enterarme del asunto, justo antes de empezar esta reunión. —El oligarca llama al jefe de su servicio de seguridad, un tipo corpulento con chaqueta de cuero—. ¿Has estado en el hospital? —le pregunta.

El guardaespaldas le cuenta con todo detalle lo que el médico le ha explicado acerca del estado de salud de Komárov.

—¿No le parece extraño que el médico haya dado todos esos datos, detalles médicos que son confidenciales, a su forzudo?

Kuznétsov sonríe como un maestro al comprobar el efecto que está causando.

—¿De qué detalles confidenciales me está hablando? Me atendieron en ese mismo departamento de neurocirugía después de que alguien me lanzara una granada. Pero Misha parece que no quiere aprender.

—¿Qué derecho cree tener para «educar» a Komárov como si fuera su padrino?

—En Riazán soy el padrino de todo el mundo, y yo diría que no lo estoy haciendo mal. Ahora Komárov será más cuidadoso con lo que escriba y medirá mejor sus palabras. Personalmente, me gusta mucho *Novaya Gazeta*. No teman por Misha. Ya le han dado en la cabeza otras veces porque no sabe cuándo debe parar.

Nos marchamos sin tener adónde ir.

Por la tarde, Víktor Ogniov, el fiscal adjunto de Riazán, hace una sorprendente declaración: dice que ayer, 4 de noviembre, a las 19.10 horas, se puso en marcha la investigación; y que no fue el 5 de noviembre, a las 11.30 horas, como nos ha dicho el coronel Mzhavanadze, hace solo unas horas.

Lo que nos ha dicho la milicia no concuerda. ¿A quién debemos creer?

—Sencillamente, no lo sabían —contesta Ogniov, imperturbable, mientras ordena documentos en su archivador, donde se ven a simple vista dos directivas completamente diferentes para investigar el mismo caso—. Hemos intervenido operativamente, así que a partir de ahora todo irá más deprisa. Primero, designamos a Skrinnikov, un investigador novel; pero ahora, por iniciativa mía, se encargará del asunto un oficial con más experiencia (Mijaíl Zótov, el mismo que defendía a Kuznétsov ante Komárov). Vamos a enviar un informe sobre todo el caso a la oficina del fiscal general de Moscú, ya que coincidirán conmigo en que este no es un caso rutinario. Estamos cumpliendo todos los pasos que exige el Código de Procedimiento Penal.

—Pero ¿cómo es que los cargos son simplemente por «alteración del orden»?

—Porque Komárov no fue asesinado ni le robaron. No había ninguna intención de matarlo.

—¿Cómo puede estar tan seguro? ¿Acaso conoce las intenciones de su agresor?

—Sabemos que si hubieran querido matarlo lo habrían hecho, pero solo pretendían darle un susto. No ha sido más que una leve lesión que ha afectado a la salud de la víctima durante un tiempo.

—¡Pero si todavía no se ha recuperado!

—Me disculparán, pero en el Código Penal no está tipificado como delito dar una paliza a un periodista —dice Ogniov, sonriendo sarcásticamente.

Cae la noche de nuevo. Misha está tumbado en una de las estrechas camas, típicas de los hospitales rusos sin medios. Tiene la cabeza vendada y se le ve pálido. Su madre le ha llevado todos los medicamentos, vendas y jeringas que necesita porque, como de costumbre, el departamento de neurocirugía carece de todo. Tampoco hay médicos ni enfermeras de guardia por la noche; pero, por suerte, Valentina lo es. Komárov está disertando pomposamente ante sus compañeros de sala acerca de la democracia, el deber de los medios de comunicación y de la necesidad de no cejar en la lucha contra la corrupción, que arruina la vida de todos. Sus vecinos lo escuchan hoscamente a causa de sus propias lesiones o porque tienen escasa fe tanto en la victoria de la democracia como en que sea necesario hacer el esfuerzo que Komárov les exige. Sentada al borde de la cama, Valentina reprende a su hijo.

—Sí, entiendo lo que dices y no me opongo a que seas periodista, pero debes tener más cuidado.

—¡No podemos rendirnos, madre! —contesta Mijaíl, con el apasionamiento de quien no está dispuesto a hacer compromiso alguno en la lucha por el bien. Se halla en un estado de euforia postraumática, listo para lo peor, sin miedo a nada—. ¡Que sean ellos los que cada semana tengan miedo de lo que podamos escribir, y no nosotros de ellos!

—¿Qué vas a hacer ahora, Misha? —le pregunto mientras nos despedimos.

—Seguir escribiendo artículos —me contesta tercamente.

Así pues, ¿vale la pena sacrificar la vida en aras del periodismo? ¿Cómo hacemos nuestra elección cada uno de nosotros?

En Rusia, cada sucesiva agresión a un periodista reduce implacablemente el número de profesionales que trabajan luchando por la justicia. Los riesgos son muy altos, y no todo el mundo tiene el temple necesario para soportar la tensión que acompaña a este tipo de trabajo. A medida que disminuye el número de esos periodistas, aumenta el de aquellos que prefieren un periodismo que no implique meter las narices allí donde no son bienvenidos.

Se trata de medios de comunicación poco exigentes que atienden la demanda de un público igualmente poco exigente y dispuesto a aceptar todo lo que le dicen. Cuanto más abunda de lo primero, más monolítico se vuelve el segundo, y menos oportunidades tiene la sociedad para ver lo que está mal de la sociedad en la que vive.

En los últimos meses, la situación se ha deteriorado rápidamente. Parece como si hubiéramos llegado a un punto sin retorno y que ya no tendremos al gobierno (los oligarcas, el BSF y la burocracia) mirando por encima de nuestro hombro porque habrá conseguido lo que deseaba: ya no quedará nadie dispuesto a ofrecer su vida para descubrir la verdad acerca de la vida de otros. Si no hay demanda, no habrá oferta.

[Más de tres años después, los culpables siguen sin haber sido detenidos: ni los que agredieron a Mijaíl Komárov ni los que les pagaron para que lo hicieran.]

2

La guerra en Chechenia

[La guerra de Chechenia se reinició en 1999, supuestamente como respuesta al ataque de Chechenia contra su vecina Daguestán y a la voladura de varios bloques de pisos en distintas ciudades rusas que se saldaron con la muerte de trescientos civiles. Hay mucha gente que cree que estos pretextos fueron organizados por el gobierno ruso, lo cual podría significar que este es responsable de asesinar en masa a sus propios ciudadanos por motivos políticos. El antiguo director del BSF, Vladímir Putin, subió al poder en las elecciones presidenciales de 2000, presentándose como el salvador de la nación y llevado en volandas por una oleada de histeria antichechena. Anna Politkóvskaya informó inflexiblemente acerca de la guerra y de las atrocidades que la acompañaron.]

Primera parte: despachos desde el frente

¿LIBERTAD O MUERTE? A VECES SON LA MISMA COSA

27 de marzo de 2000

Estas son unas historias espantosas. A veces, la gente dice que para tener una idea más imparcial habría que dividirlas por diez, por cien o por doscientos; pero aun dividiéndolas por lo que queramos, siguen siendo historias sobre atrocidades.

Un chico y una chica están sentados —encogidos y acurrucados— encima de unas mantas grises de la ayuda humanitaria de las Naciones Unidas que cubren una barricada. Intentamos hablar acerca del futuro. Yo insisto en las perspectivas, en los asuntos de mayor calado, en la dimensión internacional.

—¿Qué planes tenéis? ¿Qué vais a hacer con vuestras vidas?

Su contestación se ciñe a lo concreto, al aquí y al ahora.

—Mañana iremos a las montañas a buscar puerros silvestres. No hay otra cosa para comer.

Vuelvo a intentarlo, esta vez hablando de cuando la situación mejore, de cuáles son sus esperanzas, de cosas normales.

—¿Hay flores abriéndose en esta época en las montañas?

—Lo que hay es un montón de soldados y de bombas sin explotar —es la respuesta, tranquila y desapasionada; sin embargo, tras las palabras, el odio ondea igual que una bandera.

Son Aslánbek y Rezeda, hermanos, de dieciocho y veinte años respectivamente. Durante la primera guerra chechena, apenas eran unos adolescentes; en la segunda, se han encallecido. Si Rezeda toda-

45

vía logra esbozar una sonrisa, Aslánbek se muestra tan sombrío como el sucio hormigón que lo rodea. Los dos soportaron el bombardeo encerrados en una bodega hasta el 5 de febrero, cuando su drama personal alcanzó el clímax con el asesinato de Salmán Bisháyev, su padre, a manos de soldados federales. Tenía cincuenta y cuatro años, y fue asesinado en el patio del n.º 3 de la calle Kislovodskaya de Grozni, durante un barrido de seguridad en Aldí, distrito de Chernorechiye. Lo mataron y se llevaron el cuerpo a rastras. Tuvieron que transcurrir trece días de pesquisas para que Aslánbek y Larisa, su hermana mayor de treinta años, encontraran lo que llevaban buscando. Fue ella la que recogió los sesos de Salmán, que habían quedado pegados a la pared, y los metió en una bolsa para darles sepultura. A continuación huyeron a Ingusetia.

En estos momentos su hogar es una cantera en las afueras de Karabulak, donde en su día hubo una próspera fábrica de materiales para la construcción y donde todavía quedan muchos almacenes medio en ruinas. Aslánbek y Rezeda se han instalado en uno de esos cubículos de cemento, junto con otros treinta compañeros de vivienda, veintitrés de los cuales son niños o jóvenes de edades comprendidas entre los quince y los veintidós años. A su refugio lo llaman jovialmente «la Disco», pero allí no hay ni música ni baile. El mobiliario lo constituyen unos cuantos catres de madera, y los veintitrés chicos y chicas que se sientan en ellos, con los brazos colgando, como inertes, no tienen la menor chispa en la mirada. Los habitantes de la Disco están lejanamente emparentados y comparten haber vivido barridos de seguridad recientes en los que sus padres, abuelos, hermanos y tíos han sido primero torturados y después ametrallados.

—¿De qué soléis hablar?

—Hablamos durante días de quién ha sido asesinado y cómo; también de dónde han encontrado la tumba de uno o de otro. Es horrible —me dice Fátima Doldayeva, de diecisiete años.

Se graduó en la Escuela n.º 2 de Grozni a finales de 1999, con medalla de oro. Lo que Fátima me cuenta es cierto. Por las noches, las charlas son más de lo que uno puede soportar. Actualmente, en los campos de refugiados de Chechenia e Ingusetia, la gente habla sobre todo de la muerte.

Una cabeza de mujer con pañuelo rojo

A pesar de que todo el mundo le dijo que perdía el tiempo, Sultán Shuaipov fue a toda prisa al aeropuerto de Magás, en Ingusetia, muy temprano por la mañana. Había oído por la radio que una delegación del Consejo de Europa haría una breve escala allí y estaba decidido a encontrarse con tan solícitos extranjeros en cuanto bajaran del avión y contarles todo.

A pesar de que aparenta ser mucho más mayor, Sultán solo tiene cuarenta y cinco años. Su encanecida cabeza sufre espasmos, lo mismo que su cuerpo, y un tic nervioso hace que sus ojos se muevan incesantemente. Está profundamente alterado. El 20 de febrero, después de haber pasado toda la primera guerra chechena protegiendo su casa, tuvo que recoger cincuenta y un cuerpos de Shefskaya y las calles vecinas, las líneas 3-8. Consiguió enterrar veintiuno de ellos, tras colocar a cada uno una tarjeta de identificación. Cuando fue incapaz de seguir enterrando, depositó los treinta cuerpos restantes en el foso de inspección de un taller de vehículos de la Línea 3.

Los cincuenta y uno habían sido brutalmente asesinados durante un supuesto barrido de seguridad, en el barrio de Novaya Katayama, en la noche del 19 de febrero. Se cree que fue obra de la tristemente famosa Brigada 205, que se desquitaba por las bajas sufridas en la primera guerra.

El 19 de febrero, unos soldados se presentaron en la calle de Sultán, Línea 5, y advirtieron a los habitantes de la zona que salieron de sus bodegas: «Marchaos tan deprisa como podáis. Los que vienen detrás de nosotros tienen intención de mataros a todos».

—Los soldados siguieron su camino —relata Sultán—, pero nosotros, mis vecinos y yo, nos limitamos a reírnos de ellos. «¡Qué listos, dicen que nos marchemos para poder saquear a placer nuestras casas!» Tras aquellos soldados llegó un pelotón de intervención rápida. Eran tipos decentes, y no pasó nada, así que nos tranquilizamos. La pesadilla empezó al caer la noche, cuando unos soldados federales invadieron las calles con la oscuridad. Mi vecino, Seit-Selim, de la calle Dunaiskaya, fue uno de los primeros en caer. Tenía unos cincuenta años y se limitó a preguntar a uno de los soldados qué clase de tropa eran. Por la mañana, mientras enterrábamos a Selim, los soldados reaparecieron. «¿De qué se ha muerto?», preguntó el soldado que le había disparado. «De metralla», le contestamos, porque sabíamos que, si decíamos la verdad, nos mataría a nosotros también. El que había asesinado a Seit-Selim se echó a reír ante nuestra mentira. Era un tipo joven y realmente estaba disfrutando con la idea de que nosotros, unos viejos, le teníamos miedo.

»Pero, volviendo a los sucesos de la noche antes, cuando el viejo Said Zubáyev, que tenía setenta y cuatro años, salió del n.º 36 de la Línea 5, se tropezó con los federales, y los soldados lo obligaron a bailar, disparando en el suelo para hacerlo saltar. Cuando el viejo se cansó, le pegaron un tiro. Por suerte, Alá sea loado, de ese modo no pudo ver lo que le hicieron a su familia.

Sultán calla un momento, y yergue la cabeza porque no quiere que las lágrimas lo delaten. Nadie debe ver su debilidad, así que se las traga y prosigue:

—Alrededor de las nueve de la noche, un vehículo de asalto de infantería irrumpió en el patio de Zubáyev, arrancando la puerta de sus goznes. Con mucha eficiencia y sin perder el tiempo hablando, los soldados sacaron de la casa y alinearon en el patio a Zainab, de sesenta y cuatro años, la mujer del anciano; a su hija Malika, de cuarenta y cinco (que está casada con un coronel ruso de la milicia); a Amina, su hija pequeña, de ocho; a Mariet, de cuarenta, otra de las hijas de Said y Zainab; a Said-Saidajmed Zubáyev, un sobrino de cuarenta y cuatro; a Ruslán, de treinta y cinco, también hijo de Said y Zainab; a su mujer embarazada, Luiza, y a Eliza, su hija de ocho años. Se oyeron varias ráfagas de ametralladora y los dieron a todos por muertos ante la vivienda familiar. No sobrevivió nadie salvo Inessa, la hija de Ruslán, de catorce años de edad. Era muy guapa y, antes de la matanza, los soldados la pusieron aparte y después se la llevaron a la fuerza.

»Buscamos desesperadamente a Inessa, pero fue como si se la hubiera tragado la tierra —explica Sultán—. Creemos que la violaron y la enterraron en alguna parte. De lo contrario, habría vuelto a casa a enterrar a sus muertos. Esa misma noche, Idris, el director de la Escuela n.º 55, fue asesinado. Primero le dieron una larguísima paliza junto a una pared y le rompieron todos los huesos, y después le pegaron un tiro en la cabeza. En otra casa encontramos a una mujer rusa de ochenta y cuatro años y a su hija Larisa, de treinta y cinco, que era una abogada muy conocida en Grozni. Las dos habían sido violadas y asesinadas de un disparo. El cuerpo de Adlán Akáyev, profesor de física en la Universidad del Estado de Chechenia, yacía despatarrado en el jardín de su casa. Lo habían torturado. Al cuerpo decapitado de Demilján Ajmádov, de cuarenta y siete años, también le faltaban los brazos. Una de las características de la operación en Novaya Katayama es que cortaron la cabeza de mucha gente. Yo mismo vi varios bloques de carnicero llenos de sangre. En la calle Shevskaya había uno con un hacha clavada y una cabeza de mujer con un pañuelo rojo encima. En el suelo yacía el cuerpo decapitado de un hombre. Encontré el cadáver de una mujer a la que habían decapitado y abierto el vientre. Le habían metido dentro una cabeza. ¿Era la suya o de alguna otra?

¿Qué hizo la gente a la mañana siguiente a la matanza? El 20 de febrero, los hombres que habían sobrevivido arrancaron tiras de ropa de las víctimas y las ataron en las ramas de los árboles bajo los que las habían enterrado. De ese modo, cuando la guerra acabara, la gente podría encontrar la tumba de sus parientes. Novaya Katayama, con sus incontables árboles llenos de tiras colgando, hace honor a su extraño nombre japonés. En Japón cuelgan cintas de colores de las ramas en homenaje a las personas que han querido y siguen queriendo.

—Pero ¿por qué no huyeron de Grozni cuando tuvieron la oportunidad? ¿Por qué usted y los Zubáyev y el profesor Akáyev, Idris, Larisa, la abogada, y todos los demás que murieron no escaparon a Ingusetia?

La respuesta de Sultán resulta demoledora.

—A menudo hablábamos de ello mientras nos refugiábamos de los bombardeos en las bodegas. Lo cierto es que creímos que los generales decían la verdad cuando aseguraban que, con la llegada de las tropas federales, la vida volvería a la normalidad. Eso nos dio esperanza de que la situación mejoraría. Por eso nos quedamos protegiendo nuestras casas. Queríamos ser los primeros en volver al trabajo cuando llegara la hora de la liberación.

¡Nos creyeron! ¡Confiaron en nosotros! ¡Y nosotros los matamos!

Sultán corrió al aeropuerto para poner su grano de arena, pero no llegó ninguna delegación del Consejo de Europa. Unos cuantos funcionarios de alto rango de Moscú se apearon del avión en su lugar y allí mismo, a pie de pista, subieron a unos coches que habían ido a recogerlos. Eso fue todo. Nadie escuchó lo que Sultán tenía que decir.

—Tengo la impresión de que debería haberme rociado con gasolina para conseguir llamar su atención —dice muy seriamente, antes de alejarse, cabizbajo: un viejo checheno que enterró veintiún cadáveres y se quedó sin fuerzas para enterrar a los treinta restantes. Su cabeza se estremece más que nunca, y cada pocos pasos tiene que sujetarse el sombrero con las manos para que no se le caiga.

Agujeros de bala en un pasaporte

«¿Cómo voy a pasar los controles y regresar a Chechenia ahora? Con un pasaporte así, los federales verán inmediatamente que alguien me ha disparado y me detendrán. Si les cuento la verdad estoy seguro de que me pegarán un tiro», dice con voz entrecortada Jeyedi Majauri, una refugiada de Grozni, que apenas puede hablar pero insiste desesperadamente en enseñar el librito rojo a todos aquellos con los que se cruza.

Y realmente es una visión extraordinaria porque se puede ver el mundo entero a través de los dos agujeros de bala que atraviesan su pasaporte. Esta joven georgiana, que nos mira desde la página 2 del perforado documento de identidad, tiene unas facciones tan delicadas, un rostro tan interesante y unos ojos tan exóticamente rasgados que a duras penas resulta soportable pasar los ojos de la foto al original que hoy tenemos ante nosotros.

Jeyedi está llorando. Sabe exactamente lo que estamos pensando y no le cabe la menor duda de que no tiene esperanza, de que no podrá volver a Grozni. Tiene miedo de la gente de uniforme.

Su historia es directa y aterradora. Durante toda la guerra, sus cinco hijos y ella han vivido lejos de casa, en un pueblo de las montañas de Ingusetia llamado Nesterovskaya, bajo techo ajeno. Cuando oyó en la televisión que Grozni había sido liberada, decidió regresar para ver lo que había sido de su casa del n.º 21 de la calle Pugachev. Deseaba comprobar si sería posible mudarse de vuelta. Partió con Larisa Dzhabrailova, una mujer rusa, madre de cuatro hijos que había sido su amiga y vecina, tanto en Grozni como en Nesterovskaya. Por el camino se les unió Nura, una conocida chechena con las mismas intenciones. Al día siguiente llegaron a casa de Jeyedi y encontraron que no era más que una ruina con las paredes en pie. Se disponían a buscar el lugar donde había vivido Larisa cuando ocurrió lo que más teme la gente que vive actualmente en Chechenia: las tres se tropezaron con unos soldados en pleno acto de pillaje. Los militares estaban cargando colchones, sillas y sábanas en un vehículo de asalto de infantería. Las tres mujeres se toparon inesperadamente con ellos al doblar una esquina.

Jeyedi, Larisa y Nura fueron detenidas en el acto, les vendaron los ojos y las metieron en el vehículo. Al cabo de un rato les ordenaron que se apeasen y caminaran hacia delante, cogidas de la mano. Acto seguido les quitaron las vendas de los ojos, y se encontraron contra la pared de una casa en ruinas. Supieron enseguida lo que les aguardaba. Los federales abatieron primero a Larisa. Ella pidió clemencia y gritó: «¡Soy rusa, he nacido en la provincia de Moscú! ¡No hemos visto nada ni diremos nada!». Tenía cuarenta y siete años. Murió en el acto, sin sufrir. A continuación dispararon a Nura. También ella suplicó: «¡Amigos, tengo cuarenta y tres años y soy madre de tres chicos como vosotros!».

—Yo fui la tercera —concluye Jeyedi—. Me apuntaron con un rifle y todo se acabó. Recobré la conciencia cuando sentí un fuerte dolor. Solo más tarde comprendí lo que había pasado. Me habían disparado, pero no me habían matado. Quedé inconsciente, y los soldados no se molestaron en comprobar si seguía con vida. Arrastraron nuestros cuerpos, los amontonaron bajo un colchón y le prendieron fuego. Querían quemar nuestros cadáveres para que nadie supiera lo ocurrido. Ese fue el dolor que me despertó, el del fuego que me lamía la pierna. Los soldados se habían ido. Conseguí arrastrarme fuera del colchón y me quedé tumbada allí cerca. Luego me alejé a rastras. Dos mujeres chechenas me encontraron inconsciente junto a la carretera cuando iban a ordeñar sus vacas. Me llevaron a una bodega, donde había más gente herida. Alguien encontró un autobús para nosotros y nos enviaron a todos a Ingusetia.

Conocí a esta mujer, que había sobrevivido a una ejecución, en el pabellón n.º 1 del hospital del distrito de Sunzha, en Ordzhonikidze, en la frontera entre Chechenia e Ingusetia. En estos momentos, Jeyedi está muy enferma. Su cuerpo recibió varios disparos y tiene muchos dolores allí donde las balas la atravesaron, dañando los nervios. Está completamente paralizada de cintura para arriba y ha perdido toda sensación en los brazos. Es demasiado pronto para realizar un pronóstico.

—¿Por qué lo hicieron? —pregunta su hija de trece años, que se ocupa de cuidarla—. Mi madre es tan buena y amable... Lo único que quería era volver a casa.

Aparece una enfermera y empieza a vendar a Jeyedi. Tiene el vientre cubierto con las costras de los agujeros dejados por las balas que atravesaron su pasaporte. No recuerda lo que ocurrió, inconsciente como estaba tras el tiroteo, pero supone que, antes de marcharse, los soldados le dispararon en el estómago. Allí debía de estar la bolsa que llevaba colgando con el pasaporte.

Pesadilla en Aldí

Es hora de regresar a la cantera, a Aslánbek y a Rezeda. Estoy nuevamente sentada con ellos en esos bloques de hormigón, y el chico me está contando las atrocidades perpetradas por los soldados en Aldí. No se limitaron a asesinar, sino que profanaron los cadáveres. A su padre le arrancaron todos los dientes de oro junto con los otros. Durante el «barrido de seguridad», a su vecina, la vieja abuela Rakiat, le desgarraron la boca hasta las orejas cuando intentaron sin éxito arrancarle la mandíbula.

Rezeda traza un esquema de su calle para mostrarme de qué modo avanzaron los destacamentos de tropas.

—Esta era nuestra casa —me explica—, y esta otra pertenecía a nuestro vecino, un viejo pensionista llamado Sultán Temírov. Unos soldados a sueldo lo decapitaron y se llevaron la cabeza. Alguien nos dijo que solían hacerlo cuando sospechaban que el muerto tenía contactos con la resistencia. Antes de la guerra, el hermano de Sultán fue portavoz del Parlamento checheno. Por eso arrojaron lo que quedó de su cuerpo a los perros. Cuando los federales se trasladaron a otras casas, los vecinos conseguimos recuperar una pierna y parte de la cadera, arrebatándoselo a los frenéticos animales. Eso fue todo lo que conseguimos enterrar.

Los testigos calculan que alrededor de un centenar de personas fueron asesinadas durante el barrido de seguridad de Aldí. Estas son las únicas cifras de las que se dispone por el momento. La mayor violencia la sufrieron los que seguían viviendo en las calles Vorónezhskaya y Matasha Mazáyev (Mazáyev fue un héroe de la Segunda Guerra Mundial, que nació y se crió en ese pueblo), y se abatió sobre ellos por casualidad, sencillamente porque esas son las primeras calles que uno encuentra cuando llega a Aldí.

Rezeda prosigue, relatando el avance de los soldados entre las casas.

—Primero se ocuparon de nosotros y después, de la abuela Rakiat y de Sultán Temírov. Luego, pasaron a casa de los Jaidárov, donde mataron al padre y al hijo, Gulu y Vaju. El viejo tenía más de ochenta años. Más adelante vivía Avalú Sugaipov, un hombre mayor que daba cobijo a unos pocos refugiados en su casa. Ni siquiera habíamos tenido tiempo de saber sus nombres, pero eran dos hombres, una mujer y una niña de unos cinco años. A los mayores los quemaron vivos con un lanzallamas, incluyendo a la madre, ante los ojos de su hija. Antes de ejecutarlos, los soldados dieron a la pequeña un bote de leche condensada y le dijeron que se fuera a otra parte a jugar. Supongo que debió de perder la chaveta. Los Musáyev vivían en el número 120 de la calle Vorónezhskaya. Allí, las tropas federales mataron al viejo Yakub, a su hijo Umar y a sus sobrinos, Yusup, Abdrajmán y Suleimán. Al único que no asesinaron fue a Jasán, el viejo propietario de la casa, porque era uno de los ancianos de la comunidad. Aun así, tampoco lo dejaron en paz. Los federales amontonaron a patadas los cuerpos de los Musáyev y obligaron al viejo a tumbarse encima, sin moverse. Luego, dispararon sus fusiles de asalto, lo hirieron y le dijeron que si se levantaba lo matarían. Los soldados se quedaron un rato, fumando tranquilamente. Jasán no se movió hasta que se hubieron ido, satisfechos de sí mismos… ¡Lo siento, no puedo seguir!

Rezeda sale corriendo. Aslánbek se arrastra por entre los catres y se queda en un rincón; pero Larisa, su hermana mayor, retoma el hilo del relato y me cuenta cosas que están más allá de la imaginación de un ser humano que no sea un psicópata. Me explica que los árboles de su calle están decorados con grandes manchas sanguinolentas allí donde los vecinos fueron apoyados contra sus troncos y asesinados.

—¡Y es imposible limpiar esas manchas! Por eso nunca podré volver. No podría vivir junto a esos árboles donde asesinaron a gente que conocía y quería. Al marcharnos de Aldí, vimos que los hombres que habían sobrevivido lloraban como mujeres y que a los jóvenes la barba se les había vuelto gris. Cuando estábamos en Ingusetia, vimos un reportaje en la televisión acerca del barrido de seguridad de Aldí, y en él mostraban a una francotiradora que, según decían, había disparado contra las tropas federales desde los tejados de las casas. Su acción había sido la causa de las represalias contra el pueblo. ¡No podía creerlo! ¡Era Tania Rizhaya! Todo el mundo en Chernorechiye sabe que es una pobre alcohólica y que, por si fuera poco, es rusa. Durante más de dos años las manos le han temblado tanto que era incapaz de sostener una cuchara. Teníamos que darle de comer, ¡y allí estaban los de la televisión, diciendo que Tania Rizhaya era francotiradora y el motivo de toda la maldita pesadilla que se abatió sobre Aldí!

Un chico de unos siete años salta al suelo, me apunta con un rifle de madera y grita:

—¿Eres rusa? —Los mayores le dicen que se calle, pero él añade—: ¡Entonces eres una fascista!

La guerra que hemos emprendido en el Cáucaso deshonra a nuestra nación sin excusa posible. ¿Se preguntan ustedes cómo podremos alguna vez expiar las barbaridades cometidas? ¿Cuánto tiempo hará falta? Recuerden: Alemania pasó medio siglo intentando liberarse del estigma de su desgracia nacional. Durante ese tiempo, los niños rusos jugaban a soldados que mataban alemanes, y los adultos los animaban. ¿Acaso no somos ahora como los alemanes? ¿Cuánto tiempo habrá de transcurrir hasta que los niños chechenos dejen de jugar a juegos donde el papel de malo le toca a un ruso?

CHECHENIA FORMA PARTE DE RUSIA, PERO NO QUEREMOS A LOS CHECHENOS

31 de enero de 2000

Las costras de las heridas parecen pintadas. La cabeza rapada de una niña semiinconsciente se agita enfebrecidamente encima de la gastada y grisácea almohada de reglamento. Ni gemidos ni gruñidos, solo el inquietante silencio de alguien tan gravemente herido.

—Tiene pequeños fragmentos de metralla alojados en la cabeza, pero no pierda el tiempo con eso —me instruye la indiferente voz de una mujer desde un rincón de la oscura sala—. Mucho peor es que se ha quedado huérfana. Además, eche un vistazo bajo las sábanas.

La rapada cabeza sigue agitándose tenazmente para disipar el delirio. La pequeña tiene cinco años y un rostro chupado y ceniciento. Se llama Liana Shamsudinova y, de vez en cuando, sus ojos se entreabren con un parpadeo y recorren la sala sin fijarse en nada concreto. Tiene la cadera izquierda al descubierto y llena de pus, que supura por debajo de un aparatoso ventaje.

—Para ustedes, los rusos, se trata de otra luchadora de la resistencia —prosigue la voz del rincón con su monólogo—. Esta niña necesita tratamiento especializado si no quiere quedarse paralítica el resto de su vida, pero ese tratamiento no se lo darán aquí y, puesto que somos chechenos, no quieren enviarnos a otras clínicas de Rusia.

Mi invisible informadora ha puesto el dedo en la llaga del asunto más acuciante de ese día. El marco es el Hospital n.º 1 del distrito de Sunzha, en la frontera checheno-ingusetia. Hasta hace poco, recibía diariamente un flujo constante de los heridos más graves de la zona a causa de los barridos de seguridad, las incursiones, nuevamente los barridos de seguridad y nuevamente las incursiones: cientos de personas con miembros amputados, mujeres, niños, ancianos, ingusetios, chechenos y rusos. Las heridas de la mayoría presentaban un pésimo estado porque habían tenido que refugiarse durante días en sótanos y bodegas, esperando a que cesaran los bombardeos, incapaces de salir de sus pueblos y aldeas. Después se habían visto obligados a esperar nuevamente para que los soldados de los controles los dejaran pasar y entrar en Ingusetia.

El resultado ha sido una orgía de gangrena en el hospital de Sunzha que ha acabado con las pocas terminaciones nerviosas que quedaban. Por los pasillos se arrastran espectrales mujeres envueltas en vendajes, con brazos y piernas inertes y que apenas sienten. Algunos tienen los nervios seccionados; otros han sucumbido a la gangrena.

¿Quién pagará los costosos tratamientos y la larga recuperación que necesitarán en los años venideros? ¿Lo hará el mismo Estado que actualmente está financiando la guerra que las ha dejado así? ¿De dónde piensa sacar nuestro valiente Estado, que está conduciendo la guerra según «el plan previsto», el dinero para pagar extremidades ortopédicas para los cientos de nuevos disminuidos físicos que ha creado? ¿En qué partida de sus presupuestos hay una cantidad para eso? ¿Quién asumirá la responsabilidad por los miles de civiles cuya salud les ha sido arrebatada durante los combates?

Las celebraciones del milenio causaron esta tragedia

Odio los cuadros de batallas. En la pintura, como en la vida, el detalle es lo que más cuenta. Es el detalle el que da la medida de nuestra humanidad. La forma como reaccionamos ante la tragedia de una sola persona refleja nuestra actitud hacia toda la nacionalidad, y aumentar el número no cambia demasiado las cosas. La pequeña Liana Shamsudinova nació en 1994, en Martán-Chu, distrito de

Urús-Martán, y los detalles de su vida reciente son totalmente típicos de la Chechenia actual.

Huyendo de los bombardeos, su familia vivió de octubre a diciembre de 1999 en un campo de refugiados del pueblo de Assinóvskaya. A partir de mediados de ese último mes los refugiados se vieron presionados por las autoridades de inmigración, que no deseaban que se concentraran en una única localidad y los apremiaron para que regresaran a sus hogares de origen, asegurándoles que allí había vuelto la paz y que eran zonas seguras. El 29 de diciembre, la madre de Liana, Malika Shamsudinova, acabó creyéndose aquellas mentiras, y toda la familia volvió a Martán-Chu. Cuatro días más tarde, Liana quedaba huérfana: el 3 de diciembre, a las 20.20 horas, su casa de la calle Pervomaiskaya recibió el impacto directo del obús de un tanque.

En esos momentos no se combatía en Martán-Chu, pero el soldado que disparó sabía perfectamente lo que estaba haciendo. Y disparó por darse el gustazo. Para lo que resulta habitual en la zona, las 20.20 horas es tarde. El mando federal había ordenado que absolutamente todo el mundo debía permanecer en sus casas; ni siquiera estaba permitido que la gente saliera al jardín para aliviarse, si no era bajo riesgo de recibir un tiro sin advertencia previa. De hecho, eso fue precisamente lo que le ocurrió en Novi Sharói a Mohamedov, un refugiado del distrito de Naur que se aventuró a salir cuando estaba oscureciendo y fue abatido en la puerta por un francotirador.

La casa de Liana fue elegida como objetivo por alguien plenamente consciente de que estaba habitada. A través de las ventanas se veía la llama de una estufa, un inconfundible signo de vida. Hay sobrados motivos para pensar que el cañonazo fue la expresión de una formidable borrachera por parte de las fuerzas blindadas estacionadas en las afueras de Martán-Chu. Esa noche no se produjeron más disparos en el pueblo. Los soldados simplemente soltaron un obús para aplacar su belicoso humor.

—Estaban celebrando el Año Nuevo —resume Raisa Davletmurzayeva, la tía de la niña, y eso mismo fue lo que pensaron los demás aldeanos.

El resultado fue que Malika, la madre de Liana, murió. Tenía veintiocho años y amamantaba a su hijo pequeño, Zelimján. La metralla le abrió la cabeza en dos, y los vecinos que corrieron a casa de los Shamsudinov encontraron su cuerpo frío, con el pecho al aire y a Zelimján agarrado todavía a él.

Aferrado en brazos de su madre, la posición del recién nacido no había variado en la muerte. De debajo de los escombros los vecinos rescataron los cuerpos de la hermana mayor de Liana, Diana, de siete años, y junto a ella, el de Roza Azizayeva, su tía de dieciocho años que había ido a ayudar con las tareas de la casa. También sacaron a Liana, viva y llorando. No hubo más supervivientes, y hoy es huérfana. Su padre había desaparecido el año anterior en algún lugar de Ucrania, cuando fue a Belaya Kalitva en busca de trabajo.

Desde entonces Liana no ha hablado con nadie, y desde luego no iba a hablar conmigo en ruso. Lleva en estado de shock desde el 3 de enero, y solo de vez en cuando llama a su madre en checheno. En los breves momentos de lucidez que ha tenido, sus compañeros de sala han intentado hacerle entender que su madre está muerta. No ocultar las desgracias, enseñar a los niños a ser valientes, incluso cuando el niño en cuestión se enfrenta a toda una vida en la que habrá de ser valiente, es una de tantas tradiciones chechenas.

—Yo me ocuparé de ella, naturalmente —me dice Raisa—, pero lo que puedo hacer tiene un límite. En el hospital de Sunzha teníamos que comprarlo todo, desde las jeringas hasta las medicinas. Necesita muchas atenciones médicas. ¿De dónde voy a sacar el dinero para pagarlas?

En estos momentos estamos hablando en otro hospital, en Galashkino, una precaria instalación con solo cuarenta camas. Prácticamente todos los heridos han sido trasladados aquí desde Sunzha, que ha sido cerrado para ser desinfectado. Los contagios causados por las heridas chechenas mal curadas han alcanzado niveles de crisis.

Liana, aunque desde luego no tiene ninguna culpa, también es portadora de una infección y ahora se encuentra en el entorno notablemente peor de la falta de cuidados del hospital de Galashkino. Las salas están abarrotadas, el equipo escasea, y hace un frío glacial porque la calefacción no funciona. Con su fractura gangrenada, es poco probable que Liana pueda recuperarse en ese entorno. ¿Cómo puede sobrevivir la gente cuando el imperio, barriendo todo a su paso, declina posar su funesta mirada en aquellos que se ha cruzado en su camino por casualidad?

El 4 de enero se celebró en Martán-Chu el funeral por la familia Shamsudinov. Ante los ojos de las tripulaciones de los tanques, que tomaban tranquilamente el sol del Cáucaso, los cuerpos de las mujeres y el niño que habían asesinado fueron llevados al cementerio. A ninguno de ellos se le ocurrió siquiera disculparse por su juerga de Año Nuevo.

Un comportamiento igualmente vil pero incluso más cínico tuvo lugar en Shalí. El 9 de enero, la administración de ese centro de distrito reunió a la gente en la plaza central para repartir las primeras pensiones y pagas benéficas del gobierno de Nikolái Koshman, títere de los rusos. Hay un colegio que da a la plaza, y Zarema Sadulá-yeva, la subdirectora y profesora de matemáticas, decidió reunir también a los niños para acabar de darles los regalos de Año Nuevo y de Kurban-Bairam (Eid ul-Adha).

Lo que no sabían era que, en esos momentos, los insurgentes estaban entrando por el otro extremo del pueblo. Un misil táctico cayó entonces, no entre el destacamento enemigo, sino en medio de la abarrotada plaza. Los insurgentes se esfumaron, pero en la plaza mucha gente murió o quedó gravemente herida. ¿Cuántos, decenas, cientos? Hay grandes discrepancias en cuanto a las cifras, por la simple razón de que los aldeanos que sobrevivieron no pudieron cavar las tumbas lo bastante rápido y muchos de ellos enterraron juntos a más de un pariente, de modo que hay menos sepulturas que fallecidos. Fue otro Guernica, comparable en horror al infame ataque con misiles al mercado central de Grozni, el octubre anterior.

La pesadilla se repitió al día siguiente en Shalí. Alí Bek Keríev, el marido de Zarema, se llevó a su malherida esposa del hospital, temiendo que este también pudiera ser bombardeado, y pidió a su hermana, que era médico, que fuera a ocuparse de ella. Por desgracia, Kisa, de cuarenta años, murió en un bombardeo con morteros posterior y, desde el 9 de enero, Alí Bek no ha podido dormir porque monta guardia junto su esposa día y noche. El 13 de enero consiguió trasladarla, embarazada y casi moribunda, al hospital central de Nazrán, pero las perspectivas no son buenas. Se siente incapaz de contemplar las terribles heridas de su esposa y convulsiones. Zarema necesita urgentemente medicamentos de cuidados intensivos que, como de costumbre, escasean. En sus noches insomnes, Alí Bek escribe poesía, una súplica personal al Hacedor que quizá esté sentado en lo alto, observando lo que ocurre aquí abajo. Lo único que hizo Zarema fue salir a distribuir regalos entre los niños.

Sean cuales sean las súplicas dirigidas al Todopoderoso, las relaciones entre la población civil y las tropas federales es tan desalmada en Shalí como en Martán-Chu, y no parece que la matanza de una familia merezca una investigación criminal. Ningún fiscal hará preguntas acerca de las descaradas mentiras con las que engañaron a los Shamsudinov para que regresaran a su aldea, lo cual demuestra que las consecuencias del asesinato de Año Nuevo es el problema personal de una niña desafortunada y de su tía, Raisa, que en estos momentos tiene que cargar con el problema de cuidarla. Raisa contempla el futuro con manifiesta aprensión. Necesita una importante cantidad de dinero para poder comprar las medicinas necesarias para tratar adecuadamente las heridas de su sobrina, un hospital y especialistas de primera; nada de lo cual puede encontrar actualmente en Martán-Chu, en Chechenia o Ingusetia. Sea como sea, el imperio se niega a hacer excepciones, y los chechenos no son admitidos fuera de las fronteras de Chechenia e Ingusetia. Resulta imposible encontrar un solo general con la suficiente decencia para reconocer que tenga alguna responsabilidad en los sufrimientos de Liana ni que sea su deber ayudarla.

La situación es idéntica en Shalí. Ningún estúpido artillero ha sido acusado de destrozar la plaza central, no se van a presentar cargos por la muerte de civiles inocentes. Nadie se ha disculpado siquiera.

Madina y Aliján: una nueva generación condenada a la cama de un hospital

Madina y Aliján Avtorjánov son primos. Sus madres, Java y Aishat, son hermanas. Java vivía en Samashki; Aishat, en Novi-Sharói, en el distrito de Achjói-Martán. No estaban lejos la una de la otra, pero los bombardeos las separaron en un torbellino de plomo que volaba en todas direcciones.

En esta guerra, las reuniones familiares tienen lugar fuera de los teatros de operaciones. Las hermanas se encontraron en la unidad de tratamiento del hospital de Sunzha. Java se hallaba junto a la cama de su hija Madina, de veintidós años; mientras que Aishat cuidaba a Aliján, su hijo de dieciocho (su hijo mayor había muerto durante un bombardeo al azar de su aldea, en la primera guerra chechena). Madina, que hasta hace poco era una joven muy guapa y en estos momentos está consumida por las operaciones y el dolor, con el rostro ceniciento y un cuerpo que no es más que una sombra de lo que fue, ha quedado prácticamente inválida por culpa de las heridas que recibió el 27 de octubre. Le han extirpado parte de hueso y tienen que encontrar un sitio, primero para operarla y después para que convalezca, porque su casa del n.º 27 de la calle Kooperativnaya ha sido destruida.

La historia de las dolencias de Aliján no es menos terrible. Ya han tenido que amputarle una pierna por encima de la rodilla a causa de la gangrena. Durante varios días, los soldados se negaron a que los heridos fueran evacuados fuera del pueblo. Ha perdido el dedo gordo del otro pie y, hasta el momento, los intentos por evitar que la infección se propague han sido infructuosos. Aliján es un joven callado y serio que responsabiliza a Rusia por haberle destrozado la vida un 23 de octubre, el día en que fue herido. En estos momentos, no tiene planes para el futuro. Su única distracción es cuando uno de los visitantes del hospital coge su mutilado cuerpo y se lo lleva a «pasear» por los pasillos.

Aliján me cuenta que ninguno de sus compañeros de clase sigue vivo. Salió del colegio con otros ocho chicos y ocho chicas más. Desde entonces, todos los chicos han sido asesinados. Él está vivo, pero tullido. Durante los incesantes bombardeos de Novi-Sha-rói, todo el mundo se refugió en los sótanos y bodegas. Cuando las cosas parecieron calmarse, alrededor de las nueve de la mañana, los compañeros de clase de Aliján se reunieron en silencio junto a su casa, en el n.° 12 de la calle Tsentralnaya, para hablar de qué debían hacer. Los morteros les dispararon, y todos menos Aliján murieron. ¿Quién va a proporcionarle los complicados miembros ortopédicos que necesita?

—Nadie, desde luego —sentencia Aliján—. Soy checheno. A partir de ahora voy a tener que arrastrarme hasta que me muera.

—¿Por qué se acalora tanto con los casos de esa gente? —me preguntaron los funcionarios cuando intenté averiguar quién era responsable de proporcionar las prótesis y los tratamientos necesarios tras aquellos crueles ataques contra la población civil—. No son seres humanos, sino pequeños animales peludos. No tiene que preocuparse porque enseguida darán a luz nuevos y pequeños animales peludos.

Mi actual corresponsalía para informar de la guerra en el Cáucaso Norte me ha sumergido en el sufrimiento de nuestra gente, entremezclado con esa especie de cinismo de primera línea del frente. El argot de la zona de guerra apenas es mejor que lo que está ocurriendo. A los chechenos varones, incluso los miembros de la resistencia, los llaman con el apelativo más o menos respetable de «chechos»; pero a todos los demás, en especial a los chicos, los niños y la gente joven en general, los llaman «pequeños animales peludos». ¿Quién lo hace? Pues todo el estamento militar y administrativo que dirige esta guerra. Incluso los médicos de los hospitales tienen esa desgraciada expresión en la punta de la lengua. Ya es bastante malo escucharla en boca de un sargento mayor, pero oírlo de nuestra *intelligentsia* es lamentable.

Cuando esta pesadilla se reanudó, en septiembre de 1999, en el fondo de nuestros corazones esperábamos que el Estado atraparía a los terroristas y se abstendría de llevar la guerra al resto de Chechenia. ¡Vana esperanza! En la actualidad está claro que, desde el principio, la política era el genocidio. Sin embargo, el genocidio de un pueblo no tarda en llevar al genocidio de otro: una obviedad corroborada a través de los siglos por sucesivas generaciones de invasores e invadidos. Las expediciones de castigo aportan un elemento vital al imperio totalitario que se está construyendo ante nuestros ojos. Hoy enviamos un grupo a la guillotina; mañana lo haremos con otro distinto. Pasado mañana será el turno de la pequeña Liana y, más adelante, no quepa duda, nos llegará a nosotros.

¿Quizá habría estado justificado este genocidio si los canallas que se hicieron ricos cobrando rescates por rehenes y vendiendo ilegalmente petróleo hubieran sido erradicados? Puede, pero eso no sucederá. Los secuestradores están volviendo a las andadas bajo otra apariencia. Los camiones cisterna de las regiones liberadas de Chechenia vuelven a aparecer por Plievo, en Ingusetia. Las refinerías siguen funcionando a pleno rendimiento, y los piratas del petróleo vuelven a hacer negocios.

¿Y qué ocurre con los presuntos wahabíes, los islamistas radicales? ¿Puede ser que se hayan consumido bajo los lanzallamas o se hayan refugiado en las cuevas de las montañas? ¡Error! El 18 de enero, Idris Satuyev, refugiado checheno y director del colegio de Alján-Yurt, fue tiroteado a quemarropa en Maiskoye, Ingusetia, por un grupo sin identificar por llevar corbata. Ha sobrevivido, pero en estos momentos se encuentra muy grave en el ala de accidentados del hospital de Nazrán. Idris yace allí, soñando con el único modo de salir de esa situación: emigrar de una vez por todas de esta, nuestra sexta parte del territorio mundial, y dejar de ser un checheno obligado a vivir con nosotros, los rusos.

Cómo reclutar una brigada de mujeres desechables

9 de junio de 2003

[El 15 de junio de 2003, diecisiete personas murieron y otras dieciséis fueron heridas en la explosión ocurrida en un autobús que transportaba personal militar y civil a la base aérea de Mozdok. El ataque fue perpetrado por una terrorista suicida. El 1 de agosto, como resultado de otro ataque terrorista contra el hospital militar de

Mozdok, fallecieron cincuenta y una personas y más de un centenar resultaron heridas.]

Una vez más, las palabras nos asaltan desde la pantalla del televisor: «terrorista suicida», «ese maldito Basáyev», «Masjádov lo sabía», «le lavaron el cerebro en campos de entrenamiento para terroristas, fuera de las fronteras de Rusia». Gritos de guerra primitivos en lugar de análisis. «Enemigos del proceso político que intentan que este no llegue a buen fin», «nos ocuparemos de Basáyev y se acabarán los terroristas suicidas»: una simplificación del problema a un nivel que solo consigue alejarnos de una decisión sensata acerca de cómo debemos enfrentarnos a esta nueva fase de la tragedia entre Rusia y Chechenia.

¿Qué está ocurriendo? ¿Qué está pasando con las mujeres chechenas en este cuarto año de la segunda guerra chechena? ¿De verdad es necesario que les laven el cerebro en campos de adiestramiento del terrorismo internacional?

No, la verdad es que no. No se necesita ninguna influencia exterior para conseguir que una mujer chechena se convierta en una terrorista suicida, porque el trabajo ya se ha hecho. En la actualidad, una mujer chechena de tipo medio es una muerta viviente: las penurias y desgracias en las que se ha visto inmersa año tras año y el entorno que ha rodeado a su familia la han convertido en eso. No ha sido adiestrada para convertirse en terrorista suicida en campamentos del extranjero, sino por la brutalidad que los bandos enfrentados han mostrado hacia la población civil de Chechenia. Eso es lo que ha empujado a miles de madres, esposas y hermanas a ver cumplido un poderoso deseo de venganza en nombre de sus hijos, maridos y hermanos desaparecidos.

La mujer chechena no obra así a causa de los dictados del islamismo o de los tradicionales *adats* (las leyes que gobiernan la vida en su país), sino por desesperación. La Constitución aprobada en referéndum el 23 de marzo no ha hecho más que aumentar el número de mujeres dispuestas a unirse a las brigadas femeninas de esas operaciones especiales porque había grandes esperanzas de que pudiera cambiar las cosas. Por desgracia, la nueva Carta Magna ha demostrado ser papel mojado: no ha puesto freno a la anarquía del ejército y no sirve para proteger a nadie.

El número de hombres y mujeres desaparecidos a manos de los federales durante la primavera de 2003 ha sido mucho mayor que durante el mismo período del año anterior. Y lo que es peor: los responsables del falso proceso político que condujo al 23 de marzo cometieron la imperdonable torpeza de prometer a quienes buscaban a sus familiares desaparecidos que, si votaban, algunos de estos saldrían de la cárcel y volverían sanos y salvos a casa. «El Kremlin ha dado su visto bueno —mintieron—. ¡Votad!»

No regresó nadie, así que dejemos de engañarnos diciendo que el aumento de los actos terroristas desde el referéndum es una coincidencia que Basáyev está aprovechando en su beneficio. La verdad es mucho más complicada que eso.

¿Quién es en la actualidad la mujer chechena? Su educación tradicional resulta sumamente ascética. Su obligación consiste en soportar cualquier cosa sin quejarse y no manifestar sus sentimientos personales. Para ella, la virtud es el ocultamiento, la habilidad de esconder en lo más hondo lo que siente y no mostrarlo; ya no solo públicamente, sino también ante los varones con quien está más íntimamente unida. Todas sus turbulentas emociones se hallan sujetas con firmeza, pero ¿puede durar eso siempre?

El amor y la devoción que una mujer chechena siente hacia sus hermanos, y especialmente hacia sus hijos, son apasionados y absolutos. La fuerza de ese sentimiento es casi volcánica, y muchas de ellas creen que con la pérdida de un hermano, un hijo o un marido es su propia vida la que se acaba.

Durante los dos primeros años de guerra, esos volcanes privados no entraron en erupción. Las mujeres chechenas se limitaron a esperar, con la esperanza de que todo saldría bien. Dijeron que confiaban en que sus compatriotas harían lo que manda la tradición. A los niños chechenos se les educa para que consideren que defender sus mujeres y sus hogares es su primera obligación. A diferencia de las niñas, los niños pueden ser mimados, y es mucho lo que las mujeres toleran a cambio de la disposición de sus hombres de morir protegiéndolas, si es necesario.

Pero no sucedió nada de eso. La guerra se eternizó hasta que, finalmente, todas las tradiciones se derrumbaron bajo el peso del implacable estilo de combate impuesto por las tropas federales. Los hombres chechenos se vieron teniendo que ser defendidos por las mujeres. Eran las mujeres las que regateaban en los mercados para alimentar a sus familias y las que se arrojaban bajo las ruedas de los blindados en un intento de evitar que secuestraran a sus hombres. Entretanto, estos se escondían en sótanos y bodegas para que no se los llevaran, los «barrieran» o los volaran en pedazos.

Así fue como las mujeres chechenas se encontraron en primera línea de los combates y se radicalizaron más rápidamente que los varones que se escondían tras ellas, a pesar de que estos pudieran seguir creyendo que aún conservaban cierta autoridad. Al final, las mujeres chechenas encontraron la forma de dejar que afloraran sus poderosas emociones. El volcán hizo erupción con una lava fundida cuyos límites fueron los que ella misma se marcó, y la justicia de la represalia fue la única respuesta efectiva a la violencia sin límites. Las mujeres se alzaron para defender sus familias, castigando personalmente a aquellos a quienes consideraban culpables de asesinato. Dicho de otro modo, escogieron morir antes que seguir viviendo sin poder defender a sus hijos, hermanos o esposos.

Ya puedo oír a mis adversarios, replicando: «¡Pero si Basáyev se atribuyó la responsabilidad!».

Desde luego que sí. Basáyev se atribuirá la responsabilidad de todo lo que pueda. El testigo terrorista de Salmán Raduyev, que «murió» en prisión, tenía que ser recogido por alguien. Mucho más importante que quién se atribuya la autoría es el hecho de que hay mujeres preparadas para llevar a cabo las acciones de las que otros se harán responsables después. No escasean precisamente las mujeres dispuestas a inmolarse, y su número aumenta en la medida que las atrocidades del ejército continúan.

¿Y qué pasa con los hombres chechenos? Tras los atentados suicidas con bombas de Znamenka e Ilisján-Yurt el 12 y 14 de mayo, muchos tuvieron palabras de reproche contra las mujeres que los llevaron a cabo. «Nos han humillado, han demostrado que somos impotentes», dijeron.

Así había sido. Humillaron a los hombres y demostraron que eran impotentes. La inversión de papeles era total. Las mujeres habían puesto los puntos sobre las íes por su cuenta. En adelante ya no dependerían de los hombres ni debatirían primero con ellos para buscar su consejo, sino que decidirían por sí mismas, discreta y privadamente, y el mundo se limitaría a contemplar el resultado.

Esa es la realidad. Sin embargo, la gente sigue hablando de al-Qaeda, ese salvavidas para políticos fracasados.

¿Qué debemos hacer? Ciertamente, no podemos tomarnos en serio las declaraciones de los servicios de seguridad de que están reforzando los controles, sellando la frontera con Chechenia y asegurando que todo se halla «bajo control».

En primer lugar, nada está bajo control salvo el mercado negro de divisas a través de los puntos de control. En segundo lugar, la imposición de controles aún más estrictos no impedirá que las mujeres participen en actos terroristas. En tercer lugar, resulta absurdo exigir que Masjádov haga un llamamiento para que esas mujeres renuncien a sus tácticas: las mujeres han alcanzado el punto de ebullición a causa de las acciones de muchos hombres, incluyendo al propio Masjádov. Sencillamente, harán caso omiso de él. En cuarto lugar, el último y el más crucial, la mente de alguien concentrado en castigar funciona con admirable eficiencia. No podremos estar a su altura ni imaginar qué punto débil habrá localizado. Los puntos de paso y el control sistemático de documentación no servirán para detener mujeres que llevan explosivos ocultos en sus cuerpos. «Pasaremos por ellos embarazadas —dicen algunas—. Vuestra gente no va a levantarnos las faldas, y no podéis poner un ginecólogo en cada control de paso.»

La única solución es rehacer la política rusa con respecto a Chechenia. Debemos dar un paso hacia ellos si queremos sobrevivir. Y eso significa tratar con mano de hierro la anarquía de las fuerzas militares. Significa iniciar negociaciones de paz (nominalmente entre Masjádov —si se puede hablar con Arafat, se puede hablar con Masjádov— y el Kremlin) bajo la atenta mirada de observadores internacionales para conseguir una rápida desmilitarización de la zona, el cese de las hostilidades y la comparecencia ante la justicia de los culpables de crímenes de guerra. El único resultado del referéndum ha sido el de otorgar el título de «presidente en funciones de la República de Chechenia» a Ajmat-Hadji Kadírov, y resulta evidente que Kadírov, al ser incapaz de ocuparse de otra cosa que no sean sus propios intereses, debe ser sustituido.

¿Cuál será el estatus político de Chechenia en el futuro? Ya tendremos tiempo de pensar en ello más adelante. Primero debemos sobrevivir.

Nadie puede dudar de que haría falta un héroe para desenredar esta madeja ni de que, en estos momentos, tenemos una grave escasez de ellos. Aun así hay que encontrarlo porque ya hemos quemado todos los puentes.

UN EXTRAÑO CAMPO DE BATALLA PARA LA IMAGEN DEL PRESIDENTE

16 de febrero de 2004

El 1 de marzo, los funcionarios prometieron a Putin que no habría campos de refugiados fuera de Chechenia. Todos los que siguieran oponiéndose a trasladarse desde un campo de Ingusetia a otro en Chechenia «tendrían derecho», bajo la garantía del gobierno, a que se les cortara el agua, la luz y el gas, y perderían todas las prestaciones de sanidad y educación. ¡La garantía sea loada! Ella Pamfílova, presidenta de la Comisión Presidencial de Derechos Humanos, firme defensora de la garantía, ha sido encargada de supervisar esa violación masiva de los derechos humanos y de la Constitución.

Sería difícil llamar «pueblo», «aldea», ni siquiera «barriada» a un lugar como Okruzhnaya. El nombre que más se le ajusta es el de «campamento», puesto que consiste en una serie de barracas sin pintar, apresuradamente levantadas. No disponen de gas ni de agua potable y tampoco de distracciones, ni siquiera en los patios. Los trabajadores me miran con aire suspicaz, por razones que se harán evidentes más adelante. La llamada Junta de Renovación, que es la que manda aquí y se ha demostrado crónicamente incapaz de pagarles por su trabajo, ha optado por la vía ideológica: «Construid un asentamiento. ¡Hacedlo! ¡Lo ha dicho Putin!».

—¿Qué trabajo es ese? —le pregunto a Supian Sambáyev, que se ha presentado como el capataz de la obra.

Caminamos juntos por una zona sembrada de estructuras de madera y surcada por una destrozada red de oxidadas cañerías que constituye el campo de batalla de la imagen del presidente como el arquitecto de la paz en Chechenia.

—El de las casas —insiste el capataz con hosquedad—. Tienen que pagarnos por él.

—Pero ¿por qué casas?

Supian aparta la mirada. Esas barracas a medio construir de las afueras de Grozni tienen su historia. Fueron levantadas a toda prisa a lo largo de la carretera poco después de las inundaciones del pasado año, y son la prueba material de la cuantía del presupuesto destinado a ayudar a las víctimas de las inundaciones. A pesar de su desesperada situación, estas se negaron como un solo hombre a trasladarse a este apartado lugar, carente de las más mínimas infraestructuras, y decidieron que lo mismo les daba quedarse en sus casas en ruinas que instalarse en medio del campo.

Entonces el gobierno checheno, la administración de Kadírov, Stanislav Iliásov, ministro para Chechenia; el Ministerio del Interior de la Federación Rusa, representado por su Servicio de Immigración —que es responsable de expulsar de Ingusetia a la fuerza a los refugiados y llevarlos a una zona que el presidente define como «de lucha contra el terrorismo internacional»—; dos juntas de reconstrucción, una en Grozni y otra en Moscú, decidieron celebrar una gran reunión e idear una gran propuesta, que elevaron al gobierno ruso, encaminada a convertir este campamento, que las víctimas de la inundación habían rechazado, en «una excelente ubicación para los refugiados que decidan volver de Ingusetia». A pesar de que posteriormente no nos dijeran cómo lo habían conseguido, fue un momento de auténtica magia burocrática. De la capital y la Región Federal del Sur empezaron a llegar comisiones de trabajo. Caballeros muy serios fruncieron su entrecejo de estadistas, decretaron que había que demoler los suelos de cemento que, conforme a las especificaciones, ya estaban revestidos de linóleo, y decidieron que debían ser de madera.

A continuación declararon que las barracas (¡que habían costado 775.000 rublos cada una!) eran adecuadas como viviendas debidamente amuebladas. Se enviaron informes al Kremlin diciendo que todo estaba listo y que solo eran los malvados refugiados quienes, llevados por la propaganda de Masjádov, seguían negándose a aprovechar su buena suerte. El Kremlin puso una fecha límite: el 1 de marzo, antes de las elecciones. La cuestión de las consecuencias de una guerra que había sido iniciada antes de las elecciones anteriores fue dejada a un lado. En enero, Ella Pamfílova fue enviada allí en nombre de la administración de Putin para que diera su más sincero veredicto.

—A Pamfílova le gustó. ¿Por qué intenta remover este asunto? —mascullan los trabajadores con cara de pocos amigos.

—¿A ustedes les gustaría vivir aquí permanentemente?

—¿Qué quiere decir con eso de «permanentemente»? —contesta el capataz—. Es solo por un tiempo, hasta que nuestras casas sean reconstruidas.

—¡Pero usted mismo sabe cómo se reconstruyen las cosas por aquí! ¿Ha vuelto alguien a su casa reconstruida?

La cuadrilla no contesta. Nadie ha vuelto, y todos lo saben.

Se supone que hay dos maneras de plantear la reconstrucción de Chechenia. La primera consiste en transferir dinero a las cuentas de la gente y dejar que esta se organice por su cuenta; la segunda es que otros hagan el trabajo hasta una cifra predeterminada, sin que el dinero pase por las manos de nadie.

En realidad, estos dos planteamientos convergen igual que la confluencia de dos ríos, y no hace falta ir más allá de Okruzhnaya para ver la prueba. De hecho, basta con cruzar la calle. Los que viven en la calle Transportnaya no son aquellos a quienes las autoridades intentaron trasladar a la fuerza al campamento de Okruzhnaya tras el desbordamiento del río Sunzha, el pasado año. La gente de aquí ha conocido tanto el primer planteamiento de lo que significa «reconstrucción» como el segundo. Se supone que fueron compensados económicamente por el gobierno y, a juzgar por la documentación existente, las cantidades correspondientes fueron transferidas a las cuentas corrientes de los ciudadanos para que pudieran reparar sus casas, pero...

¿Qué vemos? Las casuchas siguen igual, solo que se han secado. Sus ocupantes las han arreglado como han podido ellos mismos. Toda la calle Transportnaya tiene el mismo aspecto. ¿Cómo se realizaron los abonos en las cuentas corrientes? Varias cuadrillas llegaron de la junta de Grozni y dijeron: «Ustedes tienen contratado un trabajo por valor de 771.000 rublos (la estimación hecha por la comisión del coste de reparación para una familia conocida en *Novaya Gazeta*), pero hemos tenido que pagar un soborno a la administración de Kadírov y otra a la junta de Moscú, de modo que solo nos quedan 30.000 rublos y, por esa cantidad, solo podemos arreglarle el tejado». Eso fue lo que las cuadrillas hicieron, pero las familias firmaron obras por valor de 771.000 rublos.

Las cosas no funcionarán mejor con «las viviendas reconstruidas» para los refugiados que regresan de Ingusetia. Nadie duda de que las barracas temporales de Okruzhnaya se convertirán en su vivienda permanente en cuanto crucen el umbral.

El capataz prosigue:

—Deje de preocuparse. Llegarán y lo arreglarán todo ellos mismos. Nuestra gente trabaja duro. Se han pasado la vida haciendo trabajos ocasionales en Rusia. Hemos construido esto y ellos se ocuparán del resto. ¿Qué hay de malo en ello? A cada familia le gusta tener las cosas a su manera, ¿verdad?

—Verdad, pero aquí, en el plano, dice que hay una cocina. ¿La ve usted por alguna parte? ¿Dónde están los fogones?

El capataz responde con otra pregunta.

—Y si en el plano dice que hay que poner un baño, ¿debemos instalar un váter aunque no haya agua?

Oigo un martilleo regular. Un poco más lejos, un operario está montando unos urinarios que serán los aseos comunitarios de los refugiados.

—Disculpe, pero usted mismo me ha dicho que habría agua.

—Oh, sí... —farfulla el capataz—, solo que nadie sabe cuándo.

—¿Y cuándo pondrán el suelo? —pregunto, de pie en una de las casas que está «completamente terminada».

—El suelo ya está puesto —dice, señalando lo que parece simple tierra o quizá sea cemento. Resulta difícil decirlo bajo la capa de barro.

—Pero esto no es más que tierra.

—Claro. ¿Qué cree usted que tienen ahora en sus tiendas?

El teléfono suena, y sé quién es. Vera, una refugiada rusa de Grozni, casada con un checheno. Tras perder su hogar en Grozni, su familia ha languidecido durante cuatro años en una tienda, en las afueras de la aldea de Ordzhonikidzevskaya, en las montañas de Ingusetia.

—Nos sacaron de un campamento y nos llevaron a otro —grita para hacerse oír por encima de las interferencias electrónicas antiterroristas—. Ahora estamos en uno llamado de Satsit, pero ayer nos cortaron el agua aquí también. ¿Cómo se supone que vamos a vivir? ¿Esto es lo que llaman «repatriación voluntaria»? ¿Adónde se supone que vamos a ir, a otro campamento? Por favor, haz algo.

—¡Pero si Pamfílova ha ido a veros! —grito mi respuesta.

Nuestra conversación se corta, pero sé que los viajes por el Cáucaso de la presidenta de la Comisión de Derechos Humanos de Putin solo consiguió volver a Moscú con una sola cosa: la legitimación de la pantomima que se ha orquestado; es decir, las lumbreras del gobierno podrán decir a sus colegas de Occidente que tienen la situación bajo control y, al mismo tiempo, seguir pisoteando la Constitución. La señora Pamfílova es una mujer de buen corazón, pero en estos momentos forma parte de un sistema que, contra toda lógica, insiste en enviar a los refugiados de vuelta a Chechenia. Los burócratas no están preparados para obedecer al sentido común. Quieren que todo el mundo se haya marchado el 1 de marzo para que el 14, fecha de las elecciones presidenciales, hayan tenido tiempo de desmontar las tiendas, y con eso su problema quede resuelto. ¿Por qué tiene que ser así?

Según uno de los tópicos más inmutables de la segunda guerra chechena, los refugiados son enemigos de Rusia. No se los percibe como refugiados que viven en tiendas de campaña porque sus hogares han sido bombardeados. No se los percibe como individuos a quienes se ha privado de sus derechos. No se los percibe como gente inocente, injustamente acusada.

Son enemigos a los que hay que aplastar. Son parte de la base de poder de Masjádov, cómplices del «terrorismo internacional» contra el que lucha Putin. Escuchando a los funcionarios y oficiales del ejército, uno diría que la poca disposición de los refugiados a la hora de regresar a Chechenia obedece exclusivamente a que desean seguir haciendo propaganda de su causa y contra las políticas de Putin ante los periodistas internacionales y los defensores de los derechos humanos, a los que les resulta más fácil entrar en Ingusetia que en los territorios cerrados de Chechenia.

Esa es la línea de pensamiento que se halla detrás de la solución al problema político de los refugiados, cuyo momento culminante estamos presenciando. Victoria al precio que sea. Nada de negociaciones ni de intentar comprender. Es mejor cortarles el agua y la luz y enviarlos de vuelta a casa, a los barridos de seguridad y la guerra. Y si no hacen lo que se les dice, allá ellos. Uno no se anda con contemplaciones con el enemigo.

Por toda Rusia se está poniendo en marcha un rodillo en forma de programa de represión que aplasta todo a su paso. Pero es un programa que está provocando resistencia. Todo parece hacerse con la idea de escupir a alguien, todo está dirigido contra alguien. Pero ¿contra quién? ¿Solamente contra los refugiados? No. Está dirigido contra usted y contra mí. La historia nos dice que los hijos de los campos de refugiados nunca perdonan su humillante infancia a los hijos de los hogares acomodados.

Yeltsin y Dudáyev comparten el primer premio. La plata es para Putin, Basáyev y Leóntiev

5 de julio de 2004

Primero, el perfil de los candidatos al Premio Guerra, concedido por desatar y promover la tragedia de Chechenia durante el período 1994-2004. El premio ha sido instaurado por el *Chechenskoye Obshchestvo*, el mejor periódico que se publica actualmente en Chechenia e Ingusetia y el que más está incrementando su circulación. Su director es Timur Alíev. Al anunciar la creación del premio, el *Chechenskoye Obshchestvo* ha demostrado también estar más en contacto que sus competidores con el sentimiento popular imperante en el Cáucaso Norte. La pregunta «¿Quién es el culpable de este horror?» es una de las que se hace la gente cuando se despierta y cuando se acuesta, y la que se hacen entre ellos constantemente.

Las reglas decían que cualquiera podía designar un candidato y votarlo. Los ganadores se decidirían por mayoría simple. Los resultados de esta encuesta popular sobrepasaron con creces cualquier expectativa en lo tocante a lo acertado de la elección, lo cual demuestra el alto nivel de conocimiento público y la verdadera naturaleza de los acontecimientos. Por supuesto, ¿quiénes podían ser los ganadores si no Yeltsin y Dudáyev? ¿Y quiénes si no podían recibir el segundo premio salvo Putin, el digno sucesor de Yeltsin; el periodista Mijaíl Leóntiev, principal ideólogo del derramamiento de sangre; y ese amante del dinero y del poder que es Ajmat-Hadji Kadírov? Y naturalmente, también Basáyev, que ha proporcionado a todos los anteriores una inapreciable ayuda al desacreditar la resistencia chechena y reducirla al concepto de «fuerza del terrorismo internacional», eliminando así cualquier posibilidad de que su causa pudiera ser compartida por alguien.

¿Y los premios? Desgraciadamente, los del segundo lugar no se llevan más que su valoración negativa. Sin embargo, los ganadores del primer premio reciben un certificado que pueden recoger en el n.º 52 de la calle Mutalíev, en Nazrán; una suscripción anual al *Chechenskoye Obshchestvo* (tiene unos artículos muy buenos, y lo recomendamos); y lo más importante: un viaje de tres días con todos los gastos pagados a la zona de guerra de Chechenia. Dado que Dzhojar Dudáyev ya no está entre nosotros, Borís Yeltsin será premiado con una gira memorial extrema de seis días, con un itinerario en cuya construcción participó activamente.

LAS MADRES DE LOS SOLDADOS ESTUDIAN LAS PROPUESTAS DEL BANDO CHECHENO, PERO ¿PONDRÁ ESO FIN AL TERRORISMO?

28 de febrero de 2005

La última novedad en la historia reciente de Rusia es que, en el sexto año de la segunda guerra chechena, se ha firmado en Londres la primera declaración de intenciones ruso-chechena para restablecer la paz en el Cáucaso Norte. Está escrita en inglés y no existe traducción al ruso. Se llama «El camino para la paz y la estabilidad en Chechenia» (el Memorando de Londres). La firma tuvo lugar el 25 de febrero de 2005, cuando el grupo de mujeres que representaba a la Unión de Comités de Madres de Soldados de Rusia, tras una serie de infructuosos intentos de encontrar algún lugar en Europa donde discutir un acuerdo de paz con los representantes de Masjádov, llegó por fin a Londres, la capital de la nueva emigración rusa. Allí se reunió con los negociadores designados por Masjádov en representación de la resistencia chechena (Amina Sáiev, viceministra de Asuntos Exteriores de Ichkeria;* Ajmed Zakáyev, enviado especial de Masjádov en Europa; y Yaragi Abdulláyev).

[Los antecedentes anteriores se han extraído de un artículo de Anna Politkóvskaya, «La lucha por la paz es mortalmente peligrosa», publicado en *Novaya Gazeta* el 15 de octubre de 2004.]

---

* República Chechena de Ichkeria, nombre dado al territorio de Chechenia por el movimiento separatista encabezado por Dzhojar Dudáyev y que dio origen a la primera guerra chechena. *(N. del T.)*

El 9 de octubre, un sábado, cuando en la bulliciosa oficina moscovita de la Unión de Comités de Madres de Soldados de Rusia suele haber cierta tranquilidad y se puede pensar en otra cosa que no sea atender soldados, reclutas y a sus familiares, Valentina Melnikova, miembro del comité coordinador de la Unión, se reunió con Ida Kuklina, miembro de la Comisión Presidencial de Derechos Humanos, y juntas hablaron de lo que preocupa a la mayoría de las organizaciones pro derechos humanos: la manifiesta incapacidad de las autoridades estatales para hacer frente a la crisis chechena, los repetidos actos de terrorismo y qué podía hacer el movimiento de las Madres de Soldados para cambiar esa situación. Había llegado el momento de actuar.

Así nació la idea de escribir una carta abierta a los comandantes de la resistencia chechena. Transcurrieron tres días durante los cuales su contenido fue debatido por los miembros del comité. Finalmente, el 13 de octubre, las agencias de noticias recibieron el siguiente comunicado:

> Comprendemos el coste que la violencia armada está teniendo para Chechenia. Para el pueblo checheno supone pérdidas terribles e irreparables. Cientos de miles de personas han sido asesinadas o han desaparecido sin dejar rastro. Por todas partes hay refugiados y ruinas donde antes había pueblos y ciudades. Miles de nuestros hijos han muerto, tanto soldados como oficiales. Ha habido cientos de víctimas del terror. Toda una generación de reclutas chechenos y rusos ha quedado tullida como resultado de la violencia y la anarquía. Miles de inválidos se ven condenados a una vida de miseria. Cientos de miles de familias lloran la pérdida de sus seres queridos. Ese ha sido el coste de esta guerra, que hace tiempo excede el que tuvo la guerra de Afganistán. Diez años de guerra no han dado el resultado que esperabais vosotros y las autoridades federales. El terror engendra contraterror y viceversa. La gente no se siente segura ni en Chechenia ni en Rusia.
>
> ¡Comandantes de los grupos armados chechenos! Mataréis y moriréis eternamente. No podréis cambiar nada hasta que seáis reconocidos como parte negociadora. Las Madres de Soldados apelan a todos aquellos de entre vosotros que buscan el bien del pueblo che-

cheno y os presentan una propuesta para dar una oportunidad a la paz abriendo negociaciones para un acuerdo. Estamos dispuestas a viajar hasta donde sea para reunirnos con quienes designéis para poner fin a esta mortal carrera. Al presentarnos como instigadores de las negociaciones, haremos todos los esfuerzos necesarios para involucrar en el proceso negociador a los líderes de la República de Chechenia, a la administración presidencial rusa, a las organizaciones intergubernamentales y de paz, junto con las figuras públicas de mayor renombre. Esperamos vuestra respuesta.

Los Miembros del Consejo Coordinador de la Unión de Comités de Madres de Soldados de Rusia, Valentina Melnikova, Maria Fedulova, Natalia Zhukova

La respuesta no tardó en llegar: al día siguiente, Aslán Masjádov comunicó a través de su enviado en Europa, Ajmed Zakáyev, que tanto él como los luchadores de la resistencia daban la bienvenida a la iniciativa y estaban dispuestos a acudir a la reunión propuesta. Un día más tarde, Zakáyev llamó a Melnikova, estableciendo por primera vez una comunicación no escrita. «Convinimos en que el encuentro debía tener lugar en algún país europeo, en noviembre», explica brevemente Valentina.

Las Madres viajaron a Londres el 24 de febrero. Su alojamiento resultó más que aceptable: el hotel Waldorf, uno de los más lujosos del centro de la capital, próximo al famoso puente de Waterloo, sobre el Támesis. Bajaron al vestíbulo del hotel alrededor de las cinco de la tarde y, al principio, se comportaron como si fueran agentes secretos en un país extranjero. Estaban muy nerviosas. Fue en ese ambiente como empezó la reunión entre el grupo de Ida Kuklina (fue ella, una colega de Pamfílova y miembro de la Comisión Presidencial para el Desarrollo de la Sociedad Civil, la que llevaba la batuta de las Madres) y el de Zakáyev. La reunión se celebró en una de las salas de conferencias del hotel, entre las cinco de la tarde y la medianoche. Al principio, las Madres exigieron que las conversaciones fueran secretas, lo que sugería que las representantes de la sociedad civil tenían secretos que deseaban ocultar a esa misma sociedad civil. Sin embargo, a las siete de la tarde y a instancia de los chechenos, dejaron entrar como observadores a personal de *Novaya Gazeta* y Radio Liberty. Estaba claro que los periodistas, a diferencia de los políticos, deseaban simplemente ver a alguien aceptando negociar la paz en Chechenia y haciendo algo por conseguirla. No obstante, enseguida quedó claro por qué las Madres eran tan reacias a admitir alguien de fuera: habían llegado a Londres sin otra propuesta que «organizar un grupo de trabajo multilateral para que estudiara los pasos preliminares del proceso de negociación», según palabras de Ida Kuklina.

—En su opinión, ¿cuál debería ser el mecanismo para decretar un alto el fuego? —preguntaron los chechenos.

—Eso le corresponde decidirlo al grupo de trabajo —contestaron las Madres.

—Pero el grupo de trabajo no puede trabajar mientras la guerra prosiga —objetó una de las Madres—. Necesitamos un alto el fuego. Eso es lo principal.

—Eso es asunto del grupo de trabajo, no de nosotras —la corrigieron otras Madres.

—Nos gustaría proponer dos grupos de delegados, uno de cada bando, para que aporten sus propias ideas sobre cómo ha de organizarse el alto el fuego y después ponerse de acuerdo.

—No. Solo un grupo de trabajo multilateral con la participación de todo el mundo y con observadores neutrales.

Fue una discusión infructuosa y muy rara. Las partes llevaban tanto tiempo caminando en esa dirección que lo normal habría sido que estuvieran preparadas. Desgraciadamente, no puedo escribir con detalle lo que se habló en el Waldorf. Las Madres insistieron en que solo cubriera lo esencial, cosa que hago en estos momentos porque resulta especialmente importante para todos los que tenían la esperanza de que esta reunión pudiera traer un principio de paz. Y lo esencial es que todas las propuestas de los chechenos fueron rechazadas: ni una sola encontró un hueco en el memorando final. Tal como lo explicó después Ida Kuklina: «Nos las llevaremos y las estudiaremos».

—¿Y qué piensa hacer? —preguntó *Novaya Gazeta*.

—No lo sé —contestó Kuklina.

—¿Por qué sigue metiéndose con nosotras? —añadió Valentina Melnikova—. No somos más que viejas pensionistas enfermas.

—Para poder escribir sobre esto.

—Escriba lo que quiera.

Aquello también parecía muy raro. ¿Qué sentido tenía haber buscado aquella reunión si no había la menor urgencia? Estaba claro que habían ido a Londres con algún otro propósito.

De hecho, en el Waldorf se alternaban la blandura con súbitos arranques de hiperactividad. «No podemos esperar a que la sociedad rusa alcance un consenso —declararon las Madres—. Llevamos dieciséis años en primera línea. No vamos a esperar, actuamos como la situación lo requiere. El único sitio adonde la gente puede acudir en busca de ayuda es al Comité de Madres de Soldados.» Esa frase era una exageración, ya que no son ni de lejos la única organización a la que puede dirigirse la gente, y no solo en Moscú; pero le siguió otra que lo era aún más: «Los generales harán lo que les digamos que tienen que hacer».

Los chechenos estaban perplejos. Si era así, entonces, ¿por qué no les habían dicho ya que pusieran fin a la guerra? ¿O acaso no habían querido decir eso?

El grupo de Zakáyev intentó constantemente meter prisa a las Madres. Intentaron convencerlas de lo importante que era dar un impulso. El tiempo no estaba de su parte. Les explicaron que entre sus filas aumentaba el radicalismo y que no creían que pudieran contenerlo mucho tiempo más. La situación general en el Cáucaso Norte era sumamente inestable. Sin embargo, las Madres no se inmutaron. Cada cosa a su tiempo. «La gente está esperando un milagro por nuestra parte, pero no habrá tal milagro», oímos una y otra vez.

La creencia de las Madres de que había que ir paso a paso era un principio de diplomacia popular que contaba con el respaldo de los observadores de las instituciones europeas. «Estamos dispuestos a proporcionar un lugar de encuentro en Estrasburgo o Bruselas para posteriores reuniones, y continuaremos el diálogo.» Los representantes europeos que habían acudido a Londres eran Vitautas Landsbergis, el antiguo presidente de Lituania y miembro del Parlamento Europeo, y su colega belga Bart Staes. Posteriormente, el 25 de febrero, se les unieron Andreas Gross, miembro de la Asamblea Parlamentaria del Consejo de Europa (APCE), lord Judd, antiguo delegado de la APCE en Chechenia, y la baronesa Sarah Ludford, la principal organizadora de aquellas reuniones ruso-chechenas en Londres.

Los encuentros acabaron el 24 de febrero, tras haber acordado el borrador de un texto conjunto para un Memorando de Londres que reconocía las miles de víctimas y el hecho de que el conflicto no podía resolverse con medios exclusivamente militares.

Queen Anne's Gate es el nombre de una calle londinense, junto a St. James Park y allí, en la mañana del 25 de febrero, las partes se reunieron durante dos horas en presencia de los observadores europeos para ultimar sus conversaciones y celebrar posteriormente una rueda de prensa que, como cuestión de principios, iba a tener lugar en el territorio neutral de la oficina británica de la Unión Europea.

La baronesa Ludford presidió el encuentro con actitud firme y constructiva. El propósito de la reunión era dar los últimos toques a una declaración conjunta —el Memorando de Londres— titulada «El camino para la paz y la estabilidad en Chechenia». Gracias a los esfuerzos sobrehumanos de la baronesa, el documento logró salir adelante. La razón principal de que el Memorando de Londres fuera adoptado en inglés fue que esa era la lengua materna de la baronesa y que no quedó tiempo material para traducirlo. Así fue como el Memorando de Londres se convirtió en parte de la historia de la guerra ruso-chechena de los siglos XX y XXI.

Por cierto, en lo que se refiere a la naturaleza ruso-chechena de lo que está ocurriendo en el Cáucaso Norte y el complicado y paradójico ambiente de las negociaciones londinenses, las Madres dedicaron una desproporcionada cantidad de tiempo a intentar atenuar la carga emocional del lenguaje del memorando. Deseaban asegurarse de que nadie calificara la guerra de «ruso-chechena», sino que solo se la mencionara inofensivamente como «el conflicto», de acuerdo con la postura oficial del Kremlin que siempre lo ha definido como un «conflicto armado interno». El hecho de que el memorando haya entrado en la historia escrito en inglés demuestra que el conflicto es algo más que un asunto interno.

Las puertas de Queen Anne's Gate se cerraron a las 14.00 horas (hora de Greenwich) del 25 de febrero de 2005. La consecuencia positiva más importante fue que la reunión por fin se había celebrado. Por el momento, eso es todo. Las Madres vieron que los del otro bando no son demonios con cuernos y no muerden, que son moderados y están abiertos al diálogo. Si el 24 todo había empezado bruscamente y con nervios, el 25 concluyó con una foto conjunta (que costó su trabajo organizar). Es de esperar que estas nuevas revelaciones llegarán a oídos del Kremlin. ¿Qué pasará entonces? Nadie lo sabe.

Y por último: ¿quién pagó todo esto? Tradicionalmente, el pueblo ruso se interesa por este aspecto siempre que algo ocurre en Londres. ¿Había sido Berezovski quien había pagado la función? Bien, esta vez pueden estar tranquilos: lo comprobé. Los gastos corrieron a cuenta del Parlamento Europeo. Las Madres incluso entregaron a sus representantes los billetes de avión como prueba del gasto. Aunque solo sea por esto, y por evitarnos rumores dañinos, debemos dar nuestras más sinceras gracias al Parlamento Europeo.

El texto de las propuestas que los chechenos presentaron a las Madres de Soldados es el siguiente:

Primer paso: Alto el fuego y lucha contra el terror. Las partes contendientes, a través de representantes especiales, crean un mecanismo para un alto el fuego inmediato y sin condiciones previas. El bando checheno está dispuesto a cooperar en la lucha contra el terrorismo, tanto en el marco de las relaciones bilaterales como parte de la coalición internacional que lucha contra el terrorismo.

Segundo paso: Desmilitarización. Cuando se haya alcanzado el armisticio, la salida de las tropas rusas de suelo checheno y el desarme de la milicia nacional se producirán de forma simultánea.

Las labores de seguridad serán transferidas temporalmente a un contingente pacificador.

Tercer paso: Período de transición. Durante el período que medie entre el alto el fuego y las elecciones, las funciones del Estado serán asumidas por una coalición de gobierno transitoria, creada bajo control internacional. Para las labores de seguridad, el gobierno provisional delegará en el contingente pacificador. (La «opción Kosovo»-AP) La base legal para la creación y el desempeño de las funciones de la coalición de gobierno transitoria de la República Chechena de Ichkeria se halla en el acuerdo del 12 de mayo de 1997. (Acuerdo de paz y de principios de relaciones mutuas entre la Federación Rusa y la República Chechena de Ichkeria, concluido conforme a las Constituciones de la Federación Rusa y de la República Chechena de Ichkeria. -AP.)

Cuarto paso: Elecciones. Sobre la base del acuerdo del 12 de mayo de 1997, el gobierno provisional preparará y organizará elecciones directas y democráticas con la participación de todas las fuerzas políticas de la República de Chechenia, bajo la observación de instituciones internacionales.

Quinto paso: Reconstrucción económica. Se solicita a la Unión Europea que aporte una ayuda económica directa y a gran escala para la reconstrucción de Chechenia.

EL SECRETO DEL ASESINATO DE MASJÁDOV. CÓMO Y POR QUÉ FUE ASESINADO EL SEGUNDO PRESIDENTE DE CHECHENIA

19 de septiembre de 2005

Esta semana dará comienzo en el Tribunal Supremo de Grozni el juicio de los que se encontraban con Masjádov en el momento de su asesinato.

¿Lo mataron? ¿Se suicidó? ¿Dejaron el cuerpo a propósito? ¿Fue una operación planeada de antemano o un accidente? Todavía hoy es objeto de debate cómo y por qué Aslán Masjádov, presidente electo de Chechenia en 1997 y 1999, encontró la muerte ese 8 de marzo de 2005 en la aldea de Tolstói-Yurt. Tras el inicio de la segunda guerra chechena, fue Masjádov quien se puso al frente de la resistencia a las tropas federales y el que, poco a poco, se convirtió en enemigo personal de Putin.

Antes del 8 de marzo, cualquier conversación acerca de Masjádov y Basáyev con los soldados rusos destacados en Chechenia concluía con su aseveración de que todo el mundo sabía dónde se hallaba Masjádov, pero todavía nos les habían dado orden de capturarlo, y que esa era la única razón de que ninguno de ellos estuviera aún en prisión.

¿Significa eso que la orden se dio el 8 de marzo? Después del asesinato, los federales y, de hecho, todos los demás empezaron a inventarse relatos cada vez más extraños y contradictorios: que si se había pegado un tiro, que si había ordenado a sus guardaespaldas que le disparasen, que si había sido asesinado en otro lugar, y su cuerpo, trasladado a Tolstói-Yurt.

Novaya Gazeta se halla en posesión de los archivos de la causa penal n.º 20/849, relativos a las circunstancias que rodearon el asesinato de Masjádov. La investigación fue realizada por el mismo equipo de la oficina del fiscal general que se ocupó del caso de Beslán. Entre marzo y septiembre, cuatro individuos fueron retenidos en el centro de prisión preventiva de Vladikavkás y prestaron declaración ante la oficina del fiscal de Osetia del Norte. En estos momentos están encerrados en Grozni.

Los cuatro acusados son: Iliás Irisjánov, uno de los guardaespaldas de Masjádov que dispuso su alojamiento en Tolstói-Yurt; Vajid Murdáshev y Visján Jadzhimurátov, también guardaespaldas de Masjádov; y por último Musa (Skandarbek, según aparece en su pasaporte) Yusúpov, propietario de la casa del n.º 2 de la calle Suvúrov de Tolstói-Yurt, donde Masjádov permaneció sin salir desde el 17 de noviembre de 2004 hasta el 8 de marzo de 2005. Los cuatro han sido acusados en virtud del artículo 209 del Código Penal ruso, apartado 2 de «bandidaje y pertenencia a banda armada»; y del artículo 222, apartado 3, de «adquisición ilegal, acopio y porta de armas de fuego, artefactos explosivos y pertrechos militares bajo la dirección de un grupo organizado».

La pregunta principal es por qué Masjádov fue asesinado en marzo de 2005 y no antes ni después. Pasó todo el último invierno de su vida esperando que se llevaran a cabo sondeos para el inicio de las negociaciones de paz. Ahora sabemos que esto no era una especulación, sino un hecho.

Según una de las testigos: «Él [Masjádov] me dijo que las negociaciones con Putin estaban a punto de empezar. El 23 de enero, Aslán Masjádov me dijo que había suspendido la guerra en el bando checheno». El caso está plagado de testimonios parecidos. ¿En qué se basaban las esperanzas de Masjádov? ¿Quién las alentó hasta su último día?

Conocemos la respuesta de la última pregunta. Principalmente fue Andreas Gross —miembro del Parlamento suizo y antiguo informador sobre el terreno en el conflicto checheno por cuenta de la Asamblea Parlamentaria del Consejo de Europa—, que visitó la república bajo el estrecho control del Ejecutivo de Operaciones Especiales del BSF y que, en el invierno de 2004, se convenció de que sabía todo lo que hacía falta saber acerca de Chechenia. Pero también fue Ajmed Zakáyev, el enviado especial de Masjádov en Europa y residente en Londres, y algunos miembros del Comité de Madres de Soldados.

Desde principios de noviembre, en la misma época en que Masjádov se trasladó a Tolstói-Yurt, el señor Gross empezó a viajar desde distintas capitales europeas a Moscú, preparando el terreno para una mesa redonda de conversaciones sobre Chechenia. Se reunió con una serie de influyentes miembros de la administración presidencial que le aseguraron que estaban «listos para la paz». La única condición que le pusieron fue que debía interrumpir cualquier contacto indeseable, lo cual significaba que de sus viajes diplomáticos por la paz tenían que quedar excluidos todos aquellos que habían insistido en la paz desde el origen de la segunda guerra chechena. Entre los considerados inaceptables figuraban la mayoría de los activistas pro derechos humanos, incluyendo quien escribe esto. Los aceptables eran los funcionarios promoscovitas de Chechenia: Janid Yamadáyev, Alú Aljánov e incluso Ramzán Kadírov y Mohamed Jambíev, el antiguo ministro de Defensa de Ichkeria, que había desertado del bando de Masjádov y pasado al de Kadírov.

Gross era absolutamente sincero y estaba entregado tanto a las conversaciones de «paz» organizadas por la administración presidencial de Putin, como a los distintos encuentros diplomáticos que le habían sido confiados. Me lo contó personalmente en Helsinki, durante los meses de aquel invierno. Su principal escala en todos aquellos viajes era Londres, donde le aseguró a Ajmed Zakáyev que aquella era la mejor forma de proceder. Zakáyev estaba en contacto constante con Masjádov y fue quien le insufló esas esperanzas de paz y lo animó a creer que las tan esperadas negociaciones con Moscú no tardarían en comenzar.

Entretanto, en Londres, las negociaciones de la Unión de Comités de Madres de Soldados con representantes de uno de los bandos en conflicto se interrumpieron por la sencilla razón de que las Madres adoptaron de repente una línea intransigente, como si pretendieran olvidarse alegremente de que eso era lo que Moscú deseaba de ellas.

Eso dejó a Masjádov con un único y potencialmente prometedor camino hacia la paz, un camino que se demostró desastroso: el camino de Gross. Aceptó la apuesta. Animado por las lisonjas de Gross que le llegaban a través de Zakáyev y por internet, Masjádov bajó la guardia y empezó a utilizar con regularidad un teléfono móvil. Rusia había logrado matar a su predecesor, el presidente Dudáyev, localizándolo por su uso del móvil, y Masjádov no había tocado uno durante toda la guerra; pero entonces, su principal forma de comunicación fueron los mensajes de texto.

Tal como declaró un testigo: «Aslán Masjádov utilizaba el móvil para enviar mensajes de texto. Cuando le pregunté por qué nunca llamaba a nadie, me contestó: "Todo el mundo conoce mi voz. Sabrían al instante dónde estoy".»

Fue a través del tráfico del móvil como se estableció el paradero de Masjádov. Más exactamente: los servicios de inteligencia se fijaron en el hecho de que buena parte del tráfico provenía de Tolstói-Yurt.

Si intentamos resumir lo que ocurrió durante los últimos meses de la vida de Masjádov, veremos que estaba cansado de la guerra y de tener que vivir escondiéndose. Hizo todo lo que pudo para conseguir la paz aceptando grandes compromisos, aceptó la necesidad de dar pasos radicales y, para demostrar su buena voluntad, el 14 de enero anunció un cese unilateral de las operaciones militares, cese que se prolongó hasta el 23 de febrero. En otras palabras, durante el invierno de 2004-2005, Masjádov se vio, por un lado, empujado hacia las maniobras del Kremlin al tiempo que, por el otro, aventajaba a Moscú en la administración del proceso de paz. «Administración» quizá no sea la palabra ideal, pero es la que más se aproxima a lo que ocurrió durante ese invierno en el eje Tolstói-Yurt/Moscú/Helsinki/Bruselas (donde la mesa redonda de Gross se reunía)/Londres.

En marzo, Moscú juzgó inaceptables las actividades de Masjádov, y el proceso avanzó más allá del control de Gross a pesar de ser este una figura influyente. Las «iniciativas de paz de Masjádov» eran un tema de conversación recurrente en las cancillerías europeas, en el Parlamento Europeo y en la Asamblea Parlamentaria del Consejo de Europa. Sé de qué hablo porque estaba allí. En los círculos diplomáticos de mayor nivel, Putin empezó a pasar a segundo plano y a ganarse fama de ser un hombre «que no estaba dispuesto a hacer concesiones a pesar de que se lo dictara el sentido común», un hombre que «empujaba los acontecimientos hacia un nuevo Beslán». Llegó un momento en que, como resultado de las iniciativas de paz de Masjádov, Putin se vio sometido a una considerable presión por parte de los líderes occidentales.

Así pues, ¿de qué estamos hablando aquí? Pues del hecho de que el asesinato de Masjádov fue el resultado directo de sus esfuerzos de paz del invierno. Él mismo firmó su propia sentencia de muerte al llevar la iniciativa pacificadora, aunque fuera brevemente.

Según todas las apariencias, Masjádov estaba realmente preparado para declarar un alto el fuego unilateral, decisión que creía que debía sincronizarse con el comienzo de los contactos entre el grupo de Zakáyev y las Madres de Soldados, en Londres, como demostración de buena voluntad por parte de uno de los bandos contendientes. Dicho alto el fuego se prolongaría para coincidir con la convocatoria de la mesa redonda de Gross, en Bruselas.

Sin embargo, para alcanzar un verdadero armisticio, Masjádov necesitaba llegar a un acuerdo con el actor principal de la guerra de Chechenia: Basáyev. En consecuencia, el 13 de noviembre de 2005, y tras una llamada de Masjádov, Basáyev apareció en el n.º 2 de la calle Suvórov y permaneció allí seis días. Los documentos del caso adolecen de cierta falta de claridad acerca de las fechas, y se afirma que Masjádov se trasladó a Tolstói-Yurt el 17 de noviembre y también que el 13 Basáyev fue a visitarlo allí. Según nuestra información, Basáyev se quedó en Tolstói-Yurt desde el 13 de diciembre.

Estuvo seis días, y el tiempo que los dos hombres pasaron juntos es muy importante. En primer lugar, refuta los rumores según los cuales Masjádov y Basáyev nunca estuvieron en el mismo lugar, y menos aún durante tanto tiempo, para evitar el riesgo de ser asesinados simultáneamente. Pero los hechos son los hechos, y dicen que ambos hombres estuvieron juntos en una pequeña residencia.

Según el testimonio de uno de los testigos: «Él [Basáyev] se quedó unos seis días en la casa vieja (en aquellos momentos, su propietario, Musa Yusúpov, tenía dos casas en una parcela de mil quinientos metros cuadrados, una vieja de adobe y otra más reciente, de piedra). Él y Masjádov estuvieron juntos todo el tiempo y hablaron largo y tendido. Cuando estaban juntos, no permitían que hubiera nadie cerca».

En segundo lugar, esos seis días de conversaciones son una clara demostración de que no tenía el menor interés en una tregua, pero Masjádov no se rindió y acabó por convencerlo. Basáyev acabó cediendo, y sus hombres respetaron más o menos la tregua. Tal como manifestó la prensa, incluyendo la oficial, las explosiones registradas a principios del verano de 2005 fueron obra de elementos descontentos que buscaban venganza y que constituían una tercera fuerza en Chechenia, muy poderosa, que no aceptaba órdenes ni de Masjádov ni de Basáyev.

Los dos llegaron a un acuerdo para respetar el alto el fuego, lo cual plantea una dolorosa pregunta para la que, hasta la fecha, seguimos sin tener respuesta: si Masjádov se las arregló para influir sobre

Basáyev en esta cuestión, ¿por qué no lo hizo en el caso de Beslán? ¿Por qué Masjádov no utilizó toda su capacidad de persuasión para evitar el secuestro de los niños?

Tal como relata uno de los testigos: «Masjádov también me dijo en una conversación que la toma de rehenes de Beslán había sido un error. Estaba muy disgustado por ese episodio». ¿Un «error» y no una catástrofe?

Y ahora veamos algunos detalles de los últimos meses de la vida de Masjádov, que también dicen mucho. ¿Habrían podido las fuerzas federales detener antes a Masjádov y Basáyev? ¿Los tenían a su alcance? Juzguen ustedes mismos, por ejemplo, por la manera en que se movieron a lo largo y ancho de Chechenia ese invierno cuando, supuestamente, hacía tiempo que todo estaba bajo control y, en principio, había constantemente en marcha «operaciones para rastrear a los culpables de la tragedia de Beslán».

Lo que sigue está extraído del testimonio de uno de los testigos: «En la noche del 17 de noviembre de 2004, entramos en la Granja Soviética n.º 4, aproximadamente a las 21.30 horas. Detuvimos el coche a unos doscientos metros de la parada del autobús e hicimos ráfagas con las luces dos o tres veces. Unos dos minutos después, un coche que estaba en la parada se alejó en dirección de Mozdok. [En la parada del autobús] estaban Vajid y Visján, que eran parientes lejanos de Masjádov, y el propio Masjádov. Junto a ellos había unas cinco bolsas grandes. Al menos llevaban tres fusiles de asalto y uno de francotirador, negro y con un cañón muy grueso. También tenían tres pistolas, y la de Masjádov era más grande que las otras. Los tres iban vestidos con uniformes de combate verdes. En una de las bolsas pude ver otro uniforme de combate».

A continuación, sigue una descripción de cómo los guardaespaldas de Masjádov metieron todo este equipaje tranquilamente en el maletero y el asiento de atrás del coche y partieron hacia Tolstói-Yurt, cruzando puestos de control y localidades llenas de patrullas. Avturí, donde Masjádov y sus guardaespaldas esperaban en la parada de autobús, se halla bajo el control absoluto de las tropas del Ministerio del Interior y hay seguidores de Kadírov paseando a todas horas y por todas partes. Al menos eso es lo que aseguran los partidarios de Kadírov. Todos estos detalles respaldan, aunque sea indirectamente, la idea de que en noviembre de 2004 todavía no se había dado la orden de matar o de detener siquiera a Masjádov. Sin embargo, a finales de febrero de 2005, sí se había hecho.

Aún más sorprendente resulta el testimonio acerca del viaje de Basáyev a Tolstói-Yurt para reunirse con Masjádov: «A medio camino de la Granja n.º 4 (de nuevo en la muy controlada Avturí), había un vehículo. Unos doscientos metros antes de llegar hasta él, el vehículo se alejó y nos acercamos a Shamil Basáyev. Iba solo y armado con un fusil de asalto. También llevaba una bolsa de plástico y otra grande de deporte. Cuando le pregunté qué tenía en la de plástico me dijo que un saco de dormir».

Si lo cierto es que la voz de Masjádov seguramente no es conocida en todas partes, en cambio, en estos momentos, la cara de Basáyev sí es familiar para casi todo el mundo. Y allí estaba, de pie en la estación de autobús, solo, a cara descubierta, con un saco de dormir y un fusil de asalto.

Ahora recordemos la explicación oficial de por qué no había sido posible capturar a Basáyev. Se decía que se ocultaba en una red de cuevas de las montañas y que, cuando salía de allí, lo hacía invariablemente rodeado de un legión de hombres armados hasta los dientes, de modo que capturarlo habría costado muchas vidas de «los nuestros». ¿Significa esto que en aquellas fechas no se había dado la orden de capturar a Basáyev? No tenemos respuesta para esta pregunta.

Masjádov pasó casi cuatro meses en Tosltói-Yurt, escondido la mayor parte del tiempo, al principio en la casa de adobe y, a partir de diciembre, en el sótano de la casa de piedra, con sus guardaespaldas. La documentación del caso dice que sus dimensiones eran de $2 \times 2 \times 2$ metros, un pequeño zulo.

Según la declaración de uno de los testigos: «Solo salían del sótano para rezar *namaz*, al amanecer y por la noche. Aslán Masjádov, Vajid y Visján (Murdáshev y Jadzhimurátov) tenían tres ordenadores que se abrían como un libro y dos cámaras de vídeo. Masjádov pasaba casi todo el día delante de su ordenador. A veces se filmaban unos a otros. Aproximadamente a principios de febrero, un hombre que aparentaba unos cuarenta años se presentó en la casa. Llevaba una barba corta y ropa de civil. En la conversación con Masjádov este lo llamó Abdul Jalim (Saduláyev, el sucesor de Masjádov, que llegó tranquilamente y se marchó del mismo modo).

»El 8 de marzo, alrededor de las 9.00 horas un grupo de hombres armados entró en el patio del n.° 2 de la calle Suvórov, gritando: "¡Salgan de uno en uno, con las manos en alto!". Le preguntaron a Musa Yusúpov si la casa tenía sótano. Le mostré la zona de la bodega que había debajo de mi nueva casa. Luego empezaron a registrar la vieja casa y encontraron la entrada del sótano donde vivían Aslán Masjádov, Vajid y Visján. Los soldados volaron la entrada del sótano, y después uno de ellos gritó: "¡Puedo ver un cuerpo!". Gritaron por el agujero que habían hecho para preguntar si había alguien con vida en el sótano. Al cabo de un momento, sacaron a Vajid y Visján de la casa vieja».

Según los documentos del caso, en el momento en que volaron la entrada del sótano Masjádov era quien estaba más cerca y recibió de lleno la explosión. Por eso murió instantáneamente. Sus guardaespaldas sobrevivieron únicamente porque él murió.

¿Recuerdan ustedes las imágenes de Masjádov muerto, desnudo de cintura para arriba, yaciendo en el suelo de cemento del patio? Ese era el patio de Yusúpov, a pesar de las fantasías oficiales que decían que era el de Kadírov.

El patio de Yusúpov ya no existe. La casa de adobe se derrumbó durante la operación del 8 de marzo. Cuatro días después, llegaron los federales, pusieron explosivos en la casa nueva y destruyeron todas las pruebas, haciendo imposible cualquier análisis y cualquier investigación independiente. Una pregunta importante es: ¿hasta qué punto estaban seguros los soldados de que Masjádov se encontraba en el sótano?

Unos tres días antes de la operación, solo sabían que un personaje importante se hallaba en aquella zona de Tolstói-Yurt. Podía tratarse de Basáyev o de Umárov (Dokú Umárov, más adelante presidente de Ichkeria) o también de Masjádov. Eso era todo. A última hora de la tarde del día 7, como resultado del rastreo de los mensajes, se hizo evidente que había muchas posibilidades de que Masjádov estuviera viviendo en la calle Suvórov. La información se envió a Moscú, y esa misma noche una unidad especial que reportaba directamente al director del BSF partió en avión. La razón de que el momento culminante de la operación no fuera confiado a los soldados del Centro de Operaciones Especiales del BSF, que se encuentra permanentemente desplegado en Chechenia, es muy simple: desconfianza, incluso en el seno del mismo ministerio y particularmente hacia oficiales que llevaban tiempo destacados en Chechenia. El problema de la venta de información es grave.

El vuelo desde Moscú de las tropas especiales, y el hecho de que las esperaran en Chechenia durante varias horas sin que nadie se adelantara a la fase conclusiva de la operación es otra prueba más de que sabían que se enfrentaban a Masjádov. Los agentes de Moscú que volaron a Tolstói-Yurt formaban un grupo de los mejores comandos rusos, cuyo principal objetivo es matar. Y matar fue lo que hicieron, porque esa vez la orden había llegado.

¿Qué recursos tenía Masjádov para defenderse, suponiendo que su intención fuera defenderse? ¿Qué encontraron en el sótano?

Hay que decir que se encontró muy poca cosa. Había el típico surtido checheno de cuatro fusiles de asalto (para cinco hombres) —tres del calibre 5,45 y uno del 7,62—, tres granadas caseras y una F1 para hacerse volar en pedazos. También tendrían que haber encontrado el famoso Stechkin de Masjádov, su pistola automática de oficial. Sin embargo, la Stechkin había desaparecido. Los documentos del caso están llenos de preguntas de los interrogadores acerca de adónde había ido a parar esa pistola. Nadie la controló en aquellos momentos.

Naturalmente, la muerte no es cosa de risa, pero la moral entre los miembros del ejército en Chechenia, donde el pillaje se ha convertido en una costumbre, hace que resulte difícil contener una sonrisa. Ni siquiera una operación para liquidar a Masjádov estaba libre de pillaje. Para decirlo educadamente, los asaltantes pisparon la Stechkin de Masjádov. Este tenía su pistola en el sótano; pero, tras la operación, no se la halló por ninguna parte. La Stechkin estará seguramente colgada de alguna pared o guardada en la caja fuerte de algún miembro de la Unidad de Operaciones Especiales del BSF; y, cuando su nuevo dueño se haya tomado un par de copas, seguramente se la enseñará a sus compañeros de armas, a su novia o puede que incluso a sus hijos. Dentro de cincuenta años la Stechkin acabará apareciendo en alguna subasta. Es algo que ya ha ocurrido antes.

Así pues, ¿dónde nos deja todo esto en septiembre de 2005, cuando está a punto de comenzar el juicio en el que los últimos meses de vida de Masjádov serán analizados con lupa, llenos como estuvieron de iniciativas de paz a través de internet y de mensajes de texto que llegaban durante todo el día?

Basáyev y Saduláyev no quieren saber nada de la paz. Su respuesta al asesinato de Masjádov es solamente una larga guerra, un gobierno paralelo y clandestino, explosiones, un conflicto armado y gente muriendo en ambos bandos todos los días.

Y contra este telón de fondo tenemos la constante fanfarronería de los funcionarios del gobierno que presumen de lo estupenda que es la nueva Chechenia, chechenizada por Kadírov. Mike Tyson, una semidesnuda señora Sobchak, un parque acuático, un Disneylandia, elecciones parlamentarias libres, Zhirinovski y todos los demás posando con Grozni al fondo, donde se supone que la paz ha regresado. En realidad, están todos en un búnker, en una ciudad asediada dentro de otra ciudad, un complejo gubernamental donde ahora han construido viviendas para los burócratas, de manera que no tengan que salir de los límites de su fortaleza. La realidad, no la realidad virtual de los políticos, es que el más mínimo control del país brilla por su ausencia, lo mismo que la seguridad de la gente que no tiene otro sitio al que ir y se ve obligada a sobrevivir por los medios que sea.

¿No podían haber dado una oportunidad a la paz?

El caso del «8 de marzo»: los que estaban con Masjádov cuando fue liquidado son condenados

5 de diciembre de 2005

El Tribunal Supremo de la República de Chechenia ha condenado a Vajid Murdáshev a quince años de cárcel; a Visján Jadzhimurátov,

92

a siete; a Musa Yusúpov, a seis; y a Iliás Irisjánov, a cinco y medio. Según lo que es habitual en Chechenia, estas condenas se consideran leves. Los jóvenes capturados, torturados y obligados a confesar actividades terroristas por los servicios de seguridad suelen recibir condenas de entre diecisiete y veinticuatro años de cárcel.

El porqué no constituye un misterio. Al mostrar la mayor severidad con unos jóvenes a quienes nadie conoce, los jueces se congracian con las autoridades y no corren riesgos. En el caso de los colaboradores de Masjádov, el riesgo resulta evidente: en Chechenia hay muchos funcionarios profederales que siguen pagando un «impuesto de resistencia» a Basáyev para ahorrarse problemas y evitar que los ejecuten por colaboradores.

Sin embargo, esta no es la única razón. En el curso del juicio no quedó claro quién había matado a Masjádov. La fiscalía, sin aportar un solo testigo, hizo públicas las conclusiones de un informe balístico que aseguraba que Masjádov había sido asesinado por una bala disparada por una pistola Makárov que pertenecía a Jadzhimurátov, el guardaespaldas de Masjádov que además era su sobrino.

¿Por qué el tribunal iba a suponer que fue aniquilado por una bala? Los resultados de la autopsia no se habían publicado, de modo que la causa de la muerte sigue siendo desconocida y, por lo tanto, se puede fantasear todo lo que se quiera acerca de las «pruebas balísticas». Jadzhimurátov no aceptó ninguna responsabilidad en la muerte de su tío, y el tribunal acabó quedándose a medio camino al dar por probado que el guardaespaldas había disparado pero sin encontrarlo culpable de asesinato.

La conclusión obvia es que el propósito del juicio era crear un mito acerca de cómo había muerto Masjádov. El veredicto dejó clara cuál era la leyenda que el gran público necesitaba: que los federales no habían tenido nada que ver con el asesinato, y que habían sido los propios chechenos los que habían acabado con su líder. Es más, todo había quedado reducido al seno de una misma familia: Masjádov había sido asesinado por su sobrino, de manera que si tenía que haber algún tipo de ajuste de cuentas, debía ser en el seno de dicha familia.

¿Era esto lo que esperábamos del juicio por la muerte de Masjádov? Claro que no. Esperábamos conocer la verdad sobre su fallecimiento, pero esta sigue envuelta en el secreto, de manera que será lógico esperar un sinfín de rumores, fantasías, chismorreos y mitos durante los próximos años; tal como ocurrió cuando Dzhojar Dudáyev, el predecesor de Masjádov, fue asesinado.

El hombre que reeducó a las terroristas suicidas

21 de septiembre de 2006

El 13 de septiembre, durante lo que se convertiría en un famoso combate en un puesto de control fronterizo entre las milicias chechenas e ingusetias, Buvadi Dajiev, el subcomandante de la OMON, las tropas especiales de la milicia chechena, fue herido en la cabeza y murió poco después. Las causas del combate están suficientemente claras y han sido objeto de mucho debate y publicidad. Por mi parte, solo quiero describir algunos aspectos del carácter de Buvadi sobre los que no se podía hablar cuando vivía. Se trata de algo más que un tributo a la memoria del hombre que en más de una ocasión me ayudó en mi trabajo durante la guerra y, a veces, hasta es probable que me salvara la vida.

Buvadi era una persona especial, llena de contradicciones y con una polifacética personalidad. Solía recordarme al monumento de la tumba de Jruschov que hay en el cementerio Novodevichi, en Moscú, una mitad del cual es totalmente negra, mientras que la otra es blanca como la nieve.

Por una parte, era el arquetípico miembro de los servicios de seguridad, como muchos otros en Chechenia, un oficial de la milicia promoscovita; por otra, pertenecía a otra época, una época anterior a la actual en la que tanto los criminales como los luchadores de la resistencia han empezado a ponerse a las órdenes de Kadírov. Era un clásico representante de los que se opusieron al presidente Dudáyev y, a partir de 1995, se dedicó a prestar servicio en la OMON chechena, lo cual lo señaló como un oficial declaradamente prorruso cuando Chechenia no era más que una parte de Rusia. Por ello recibió medallas, la Orden al Valor y fue ascendido a teniente coronel. Buvadi se negó a vivir en Chechenia mientras Masjádov y Basáyev estuvieran en el poder y, cuando empezó la segunda guerra chechena, estuvo en la vanguardia de aquellos que se les opusieron.

En ocasiones, los asuntos en los que participó fueron sumamente crueles. Es mejor no andarse con rodeos: los que trabajan en la OMON chechena no son niños que comparten golosinas. Los que están allí lo están para disparar a matar, y disparan antes de que les disparen a ellos. Esas unidades han arrestado a muchas personas que nadie ha vuelto a ver, les han dado palizas y hecho cosas mucho peores.

Mi último encuentro con Buvadi fue en el mes de agosto, en Grozni. Evitaba mirarme a la cara y comía una sandía con aire serio y contrito. Estaba muy tenso y devoraba la roja fruta como si se muriera de hambre, haciendo todo lo posible por desviar la conversación del caso del estudiante checheno que había sido «barrido» por sus unidades y a quien todo el mundo creía bajo su custodia antes de desaparecer sin más ni más. En estos momentos, la madre de Aliján Kuloyev, Aminat, una anciana pensionista, se ha unido a las filas de madres que buscan frenéticamente por toda Chechenia y ruega a todo aquel que se cruza con ella que interceda en su favor ante Buvadi. Quizá él pueda decirle dónde yace su único hijo.

Intercedí por ella, pero Buvadi no dijo nada. No tenía nada que decir. Había habido un estudiante, pero ya no lo había, me explicó Buvadi.

—No era culpable de nada.

—Entonces, ¿por qué no lo soltasteis?

Buvadi no dijo nada y siguió despedazando la sandía.

Por otra parte, era capaz de ser tan compasivo como cruel en situaciones donde muchos otros no lo eran. Todos los que trabajan en los servicios de seguridad chechenos pueden dividirse entre los que piensan antes de matar y los que hace tiempo que han dejado de pensar. Al menos, Buvadi intentaba tener muy claro a quién tenía en su punto de mira, y eso salvó las vidas de muchos, incluyendo a algunos que, según las reglas de la máquina de matar chechena, habrían estado condenados.

Solo unos pocos sabían que Buvadi intentó rescatar a las viudas de varios comandantes, mujeres que estaban destinadas a morir sin más por su condición de «viudas negras» y futuras terroristas suicidas. ¿Cómo las rescató? Después de secuestrarlas, se las llevaba a su casa, algo que estaba totalmente en contra de las normas.

¿Y después qué? Pues se quedaban allí, custodiadas, en una especie de cuarentena. Cuando Buvadi volvía de trabajar, hablaba con ellas, a veces durante toda la noche. Su casa parecía un cuartel, y él mantenía allí durante semanas a mujeres que, sin exagerar, eran terroristas suicidas en potencia. Aquellas mujeres estaban listas para la tarea porque, antes de acabar en manos de Buvadi, habían sido adiestradas por sus maridos y camaradas en el manejo de explosivos y la conducción de vehículos pesados de manera que, cuando recibieran la orden, pudieran estrellarlos contra el objetivo que les marcaran.

—¿Por qué te las llevaste?

—Todas tenían hijos.

—¿Y sus hijos se instalaron también en tu casa?

—Sí. Estaban allí con sus hijos. Yo quería ver si eran recuperables, si todavía eran capaces de criar a sus hijos o si se trataba de casos perdidos.

Lo cierto es que ninguna de aquellas «viudas negras» salió de la casa como casos perdidos. El resultado de aquel extraño trabajo de reeducación, por parte del agente de operaciones especiales Buvadi, entre los sectores más rechazados de la sociedad chechena fue que numerosas madres fueron rescatadas para que pudieran seguir ocupándose de sus hijos. La labor de Buvadi les ayudó a comprender que su primer deber era ser madres.

—Solían empezar diciendo: «Déjame morir por mi marido», y no aceptaban ni una miga de pan porque era pan de un infiel. Tampoco querían tocar a sus hijos, como si estos no existieran. Se quedaban sentadas con su *hiyab*, como muertas, y eso era todo.

—¿Y qué pasaba luego?

—Al cabo de un tiempo, empezaban a hablar; y dos o tres días después, a comer. Algunas incluso se quitaban el *hiyab* y se ponían un simple pañuelo en la cabeza, al estilo tradicional checheno. Hubo una que nos robó. ¡Esa sí que era una wahabí de verdad! Pero fue la única. Más tarde, cuando habían vuelto a la vida, me ocupaba de buscarles un sitio donde vivir, fuera o aquí, en Rusia. Buscaba algún pariente con quien pudieran vivir, lo más lejos posible de las grandes ciudades. Los llamaba y lo organizaba.

Le pregunté por sus motivos, por qué hacía todo aquello.

—¿Qué saben esas mujeres? —me contestó—. A su edad, nosotros nos apuntábamos a los pioneros y a sus campamentos, íbamos al cine y a tomar helados. Ellas no han tenido nada de todo eso y por ese motivo han acabado en ese estado. Me siento culpable por ellas.

—¿Cuál es tu opinión definitiva acerca de las terroristas suicidas, son causas perdidas?

—No. Para la mayoría, convertirse en una wahabí no supone el final de la historia. Es solo que les han lavado el cerebro.

No mencionaré los nombres de las jóvenes mujeres que Buvadi salvó. Lo importante es que saben a quién deben la segunda oportunidad de vivir que han tenido. Después de que Buvadi las llevara lejos del Cáucaso, muchas de ellas han seguido llamándolo hasta el 13 de septiembre para pedirle consejo sobre cómo resolver cuestiones concretas.

Rememoro 2002 e incluso el final de 2001. Estamos en lo más profundo del invierno, y hay disparos y explosiones; pero, al menos, Kadírov hijo sigue callado en el rincón mientras los mayores hablan. Grozni está llena de *jamaats* clandestinos, la mayoría de los cuales están formados por jóvenes que tienen entre catorce y dieciséis años de edad.

—Lo siento mucho por ellos —me dijo Buvadi, que en más de una ocasión participó en operaciones para eliminarlos—. Los tenemos rodeados. Saben que van a morir, y a través de mi radio puedo oír lo que dicen en sus conversaciones.

—¿Y por qué lo sientes por ellos?

—Porque es lo mismo que con las «viudas negras». Nunca han tenido una vida como es debido, no han visto nada. Me siento personalmente culpable porque su infancia les haya sido arrebatada. Cuántas veces me han dicho, gritando desde las casas donde los teníamos rodeados, «¡Tío, déjanos morir!»... Les dejé que se volaran en pedazos porque sabía lo que les pasaría si los cogíamos con vida. En más de una ocasión tuve que trasladar a sus padres sus últimas palabras.

Por alguna razón, este agosto pasado estuvimos mucho más tiempo del habitual recordando anécdotas de los muchachos de los *jamaats* a los que había matado. Buvadi se alegraba de que en esa época no se hubiera aprobado todavía la estúpida ley que prohíbe la devolución de sus cuerpos.

—Yo mismo entregué los cadáveres a sus padres. ¿Cómo podría hacerlo ahora?

En 2002 o 2003 hablamos acerca de quienes creía él que eran los wahabíes y lo que había que hacer con ellos. En esa época, los chechenos prorrusos solo tenían cosas terribles que decir de ellos y los mataban sin vacilar. Sin embargo, Buvadi se tomó la libertad de decir en voz alta:

—Entre ellos había verdaderos canallas, pero otros eran verdaderos idealistas y los matamos indiscriminadamente.

Recuerdo exactamente dónde me dijo eso: en el segundo piso de la «caja blanca», el cuartel general de la OMON en Grozni, en la oficina del comandante Mussa Jazimajomádov, al que mataron poco después. Había oficiales borrachos de los servicios de inteligencia rusos, que deambulaban por allí con la mirada vacía de los asesinos. Pertenecían a los escuadrones de la muerte del Centro de Objetivos Especiales del BSF y el GRU, los colegas de Buvadi en la guerra. Este les hizo llegar unas botellas y algo de comida y les contó lo mismo que me había dicho a mí.

—¿Gente idealista? ¿Cómo pueden ser idealistas si, tal como muchos dicen...? —repetí una de las monstruosidades que decían que eran obra de los wahabíes, pero Buvadi me interrumpió.

—Mi hermano era un wahabí. Era completamente idealista y puro. Nunca he conocido a nadie tan puro como él, ni antes ni después. Lo era en todos los aspectos, en sus pensamientos y en sus actos. No bebía, no fumaba, no blasfemaba ni hacía cosas malas.

—¿No intentó reclutarte?

—No. Nunca intentó imponerme nada.

—¿Dónde se encuentra ahora?

—Ha muerto.

Al cabo de un momento, me dijo con gran orgullo, casi con alegría, como si a su hermano le hubieran concedido el Premio Nobel:

—Murió combatiendo. Como debe ser.

Los que estaban comiendo y bebiendo en ese instante se interrumpieron en el acto. Mostrar esa clase de orgullo hacia un wahabí en un sitio que era el centro del antiwahabismo bien podía significar el mismo destino que el de su hermano.

Entonces llegó el turno de Kadírov hijo. ¡Cómo odiaba a Buvadi! Siempre estaba intentando poner en entredicho su condición de combatiente checheno. «¡Los estás ayudando!», le recriminaba. Estuvo todo el verano intentando que lo echaran de la OMON y lo expulsaran de Chechenia. Eso ocurrió al iniciarse el despreciable proceso de «chechenizar» la guerra, y comportarse como un canalla empezó a ser considerado tan honorable como ser valiente. La gente siguió señalando a Buvadi, un soldado hasta la médula, por su hermano, acusándolo de ser blando con el adversario a causa de sus esfuerzos para redimir a las «viudas negras».

Pero Buvadi nunca dejó de sentirse orgulloso de la pureza de su hermano wahabí ni de su particular campaña para devolver unas madres a sus hijos. Ni siquiera intentó acallar los rumores. Actualmente, en Chechenia hay numerosas personas en su misma situación, con hermanos o parientes en bandos enfrentados. La guerra civil ha destruido hasta tal punto la ética de la familia que se considera aceptable denunciar públicamente a un hermano si no se ha enrolado bajo la bandera adecuada.

Existen dos versiones sobre cómo murió Buvadi. La versión extraoficial asegura que llegó a un sitio donde milicianos chechenos e ingusetios estaban enzarzados en una agria disputa, que propinó un puñetazo a un miliciano ingusetio y que le dispararon en el acto. No me la creo. Es posible que Buvadi disparara a alguien, pero no lo veo dando un puñetazo a nadie en la cara. Ese no era su estilo y, en todo caso, sabía perfectamente lo que podía ocurrir a continuación en una disputa entre dos vainaj.

La segunda versión dice que Buvadi no se encontraba allí cuando se desató el altercado, pero que no estaba lejos y se acercó a tranquilizar los ánimos. Se apeó de su vehículo, intentó convencerlos de que se calmaran y alguien le disparó con un fusil de asalto.

Creo que esta última versión es mucho más verosímil, y prefiero creer que Buvadi fue fiel a sí mismo hasta el final a la hora de intentar evitar un derramamiento de sangre. Me consta que era un tirador experto, pero creo que Buvadi vivió sus últimos momentos en su lado bueno. «Todo el mundo está harto de esta guerra —me comentó un mes antes de morir—. Deberíamos firmar la paz.»

Actualmente, existe una desesperante carencia de hombres como él en la Chechenia oficial; no ángeles, sino seres humanos que se esfuerzan y sufren. Cada vez hay más gente que parece primitiva como las amebas, para la que matar tiene la misma importancia que tomarse una taza de té. Las amebas son incapaces de comprender a otra persona que haya sido declarada enemiga simplemente porque vive su vida de otra manera.

Pero ¿qué significa «comprender» en Chechenia? Significa no matar. Así es como se reconoce la tolerancia y, por el momento, no hay otro camino. Incluso en estos momentos algunos siguen creyendo que jugar a las amnistías constituye un indicio de tolerancia por parte de Kadírov puesto que, en principio, así salva las almas de los combatientes y preserva la nación. ¡Bobadas! Están uniendo a la gente mediante más derramamientos de sangre y creen que eso la encadena a su causa. Buvadi deseaba unir a la gente ofreciéndole la oportunidad de vivir sin su participación. Eso era fundamental. Le dio una segunda vida a pesar de que su trabajo consistía en arrebatársela. Se la dio desde la bondad de su corazón, y en estos momentos no hay nadie que pueda sustituirlo.

La última vez que lo vi, nos tomamos nuestro tiempo para despedirnos.

—Espero que en la casa donde vas a dormir esta noche tengan al menos un fusil —masculló.

—No tienen ningún rifle, y yo no quiero ninguno —le aseguré—. Estoy harta de rifles. Hace siete años que no nos los quitamos de encima. ¿De verdad que no estás cansado de ellos también?

Buvadi no dijo nada, pero percibí su solidaridad. También él estaba harto de las armas y del miedo constante. Se sentía terriblemente cansado de no poder separarse nunca de su arma, de dormir con el uniforme de combate y vivir en una casa que parecía un cuartel. Dicen que cuando la gente está cansada es cuando muere.

Segunda parte: los protagonistas

CHECHENIA ES EL PRECIO QUE HAY QUE PAGAR PARA SER SECRETARIO GENERAL DE LAS NACIONES UNIDAS

21 de mayo de 2001

Esta última semana nos ha aportado pruebas sorprendentes de con cuánto entusiasmo nos empeñamos en volver a la era Brézhnev.

El influyente grupo Human Rights Watch hizo público su informe sobre una de las miles de fosas comunes de Chechenia para que coincidiera con la llegada a Moscú de Kofi Annan, el secretario general de las Naciones Unidas, con la intención de recabar apoyo de la comunidad internacional y en particular, desde luego, de las Naciones Unidas, para que se abra una investigación como es debido. El Kremlin reaccionó alzando una barrera de comentarios iracundos, refutaciones y descalificaciones.

¿Por qué las autoridades del país se han revuelto en sus asientos como si alguien las pinchara con agujas? ¿Es posible contemplar la visita de Kofi Annan como una aguja? Y por último, ¿por qué el más alto diplomático de las Naciones Unidas ha permanecido callado —algo lamentable para alguien de su posición— cuando se hacía necesaria una llamada a la compasión, unas pocas palabras, incluso pronunciadas en términos de total diplomacia, sobre la necesidad de poner freno a los crímenes de guerra que se cometen a diario en Chechenia?

No hay duda de que hemos asistido a la conclusión de un acuerdo rubricado sobre un montón de huesos humanos. Ha sido la firma de un contrato entre dos actores principales: el Kremlin y el funcionario de más alto rango de las Naciones Unidas. Así pues, ¿a qué venía tanta tensión? ¿Por qué ese exabrupto de nerviosos comentarios por parte de los embusteros de la corte de Putin? Estaba muy claro: el bando ruso no estaba completamente seguro de dominar la situación y le preocupaba mucho que, a causa de la publicación del informe de Human Rights Watch, el acuerdo se echara a perder en el último minuto.

Pero lo primero es lo primero. Echemos un vistazo a las cuestiones principales del informe, un documento sumamente detallado, casi forense, acerca de una fosa común descubierta entre enero y febrero de este año, no lejos de Grozni, y justo al otro lado de la carretera de Jankalá, la principal base militar rusa en Chechenia. Se desenterraron un total de 51 cuerpos, y la forma en que la fosa fue identificada resultó típica. La información acerca del primero de los cuerpos, el de Adam Chimáyev, desaparecido el 3 de diciembre de 2000, llegó a manos de su familia mediante un acuerdo comercial: los familiares pagaron a un oficial que había custodiado a Adam mientras este estaba retenido en la base militar una suma en rublos equivalente a 3.000 dólares para que les señalara el lugar donde había sido enterrado. Una vez efectuado el pago, la familia recibió permiso para exhumar el cadáver.

La noticia corrió rápidamente por toda Chechenia, y los familiares de otros chechenos recientemente desaparecidos sin dejar rastro corrieron a Dáchnoye. El resultado fue la identificación de otros 19 cuerpos y el hallazgo de 34 que no fueron identificados. El 10 de marzo, sin aviso previo, estos últimos fueron nuevamente inhumados por personal militar que no se molestó en tomar muestras biológicas de todos ellos, como es obligatorio en estos casos. En su informe, Human Rights Watch cita numerosos relatos de testigos acerca de la conducta de la oficina del fiscal, las autoridades rusas y las instituciones presidenciales de ese momento, a las que califica de «insatisfactorias».

En pocas palabras, el comportamiento de las autoridades rusas, que en todo momento negaron que tuvieran nada que ver con el personal militar, demostró que no querían que se investigara nada acerca de la fosa común. En cualquier caso, los activistas pro derechos humanos también han llamado la atención a la comunidad internacional por cerrar los ojos ante el escándalo de Dáchnoye. Efectivamente, tanto Estados Unidos como la Unión Europea, el Parlamento Europeo y la Organización para la Seguridad y la Cooperación en Europa (la OSCE) han hecho todo lo posible para silenciar el asunto. Álvaro Gil-Robles, el comisario para los Derechos Humanos del Consejo de Europa, que entre el 27 y el 29 de febrero —es decir, justo después del descubrimiento de la fosa— viajó a Chechenia en una gira de inspección, ni siquiera se molestó en visitar Dáchnoye para reunirse con los familiares de los identificados.

El informe concluye diciendo que es esencial que se reanude la investigación de la fosa común y que se cree una comisión internacional especial con carácter de urgencia, cuya primera tarea debería ser la exhumación de los 34 cuerpos —tan precipitadamente vueltos a enterrar— bajo la supervisión de la Cruz Roja Internacional, el Grupo de Apoyo de la OSCE, expertos del Consejo de Europa y representantes de la Comisión de Derechos Humanos de las Naciones Unidas.

Para comprender lo que hay detrás de las reacciones del Kremlin y del secretario general Annan a todo esto, resulta conveniente echar un vistazo a lo que está ocurriendo en el seno de las Naciones Unidas en la primavera de 2001, especialmente en lo que concierne al propio Kofi Annan. Debemos aclarar si en principio resulta posible establecer un protectorado internacional en Chechenia bajo la tutela de las Naciones Unidas y cuáles son los poderes del secretario general.

Vale la pena mencionar que antes de que supiéramos nada del informe de Human Rights Watch o de cualquier escándalo relacionado con él, *Novaya Gazeta* intentaba ya obtener respuestas a esas preguntas en Nueva York y, más concretamente, del cuartel general de las Naciones Unidas. Lo hacíamos en centros de poder sumamente diplomáticos y discretos, en concreto en los salones del Consejo de Seguridad, que es donde se cuece la llamada «política humanitaria internacional». No hace falta decir que la corresponsal de *Novaya Gazeta* fue conducida ya a tan privilegiado enclave, debidamente alejada de miradas indiscretas, y presentada extraoficialmente a los responsables. Estoy muy agradecida a la persona que accedió a mi petición porque esta sabía exactamente qué clase de preguntas deseaba plantear y que el verdadero propósito de mi presencia allí era averiguar qué podían hacer las Naciones Unidas para resolver la espantosa crisis de Chechenia.

Mi opinión, a la que he llegado tras debatir decenas de maneras de abordar un acuerdo pacífico del conflicto con cientos de personas que viven en Chechenia —desde gente ordinaria de las ciudades y las aldeas de las montañas hasta representantes de distintas posturas oficiales—, está clara: tal como ha evolucionado la situación hasta la fecha, es imposible hallar una salida sin establecer un protectorado internacional. La participación de un tercero resulta imperativa. Hace falta separar temporalmente a los bandos en conflicto y, actualmente, dichos bandos no son de ninguna manera las fuerzas federales y los resistentes chechenos, como la propaganda del Kremlin quiere hacernos creer. El conflicto está entre los federales y la población civil. Es necesaria una intervención para calmar los ánimos en la medida de lo posible y avanzar a posiciones menos duras.

Pero volvamos a Manhattan y a las Naciones Unidas. Casi todos los diplomáticos del Consejo de Seguridad a los que pregunté convinieron en que sería imposible hacer aprobar una resolución. Antes de que el Consejo de Seguridad pueda enviar tropas pacificadoras a alguna parte es menester contar con el beneplácito de las partes en conflicto. En este caso, la población civil de Chechenia, que es la que soporta diariamente la mayor parte de las violaciones de derechos humanos, no puede ser reconocida según las definiciones de las Naciones Unidas como parte contendiente. En cuanto a lograr el consentimiento del gobierno ruso, es algo que está fuera de toda consideración.

Sin embargo, existe otra manera de obtener un mandato de pacificación de las Naciones Unidas. Las intervenciones en Irak y en la antigua Yugoslavia se realizaron siguiendo dicho protocolo que, posteriormente, supuso un importante disgusto para Estados Unidos cuando estos perdieron su puesto en la Comisión de Derechos Humanos de las Naciones Unidas. Los diplomáticos del Consejo de Seguridad me aseguraron que si podíamos conseguir que la crisis de Chechenia se considerara en términos de mandato de pacificación, no sería necesario conseguir el beneplácito de las partes en conflicto.

Pero ni Irak ni Yugoslavia eran Rusia. Ambos formaban parte de las Naciones Unidas, mientras que Rusia era y es, además, miembro permanente del Consejo de Seguridad y tiene derecho de veto. Cualquier decisión que haga referencia al artículo 7 (que cubre los casos de crímenes contra la humanidad) debe ser tomada por el Consejo de Seguridad, y eso significaría que, aunque se pudieran presentar dichas propuestas, el resultado, tras las discusiones pertinentes, estaría dictado de antemano en función del punto de vista del gobierno ruso. La mayoría de los diplomáticos me comentó que la posibilidad de mandar tropas pacificadoras de las Naciones Unidas a Chechenia quedaba descartada y que eso era un hecho que había que afrontar. La única manera de influir en la situación y hallar una forma de evitar aquel callejón sin salida sería lograr la intervención personal del secretario general.

Así pues, nos volvimos hacia Kofi Annan. ¿Podíamos depositar nuestras esperanzas en él? En aquella época, a finales de abril, los diplomáticos del Consejo de Seguridad ya previeron que el rumbo que tomarían los acontecimientos sería el que hemos visto en Moscú estos últimos días. Según su opinión, Kofi Annan haría la vista gorda ante las violaciones de los derechos humanos en Chechenia y caso omiso del informe de Human Rights Watch. Hay que decir que dichos diplomáticos eran funcionarios del más alto nivel que trabajaban directamente a las órdenes de Annan y que todos ellos me aseguraron que, en el momento actual, el secretario general no quiere centrar su interés en el sufrimiento de una pequeña zona enclavada en el territorio de la Federación Rusa. Al fin y al cabo, sus perspectivas de conseguir un segundo mandato como secretario general son nulas si no cuenta con el apoyo de Rusia.

¿En qué se resume todo ello? Pues en que hay momentos en la vida en que todo el mundo parece distanciarse de nosotros. Cuando la situación se vuelve verdaderamente difícil, hasta los mejores amigos desaparecen, nos encontramos sin verdaderos aliados y no tenemos más remedio que seguir adelante por nuestra cuenta. Nadie va a ayudarnos. Hay que recordar que ya nos hemos visto antes en esta situación. Fue la disposición tácita de la comunidad internacional a no cuestionar la autenticidad de las «modélicas» instalaciones de prisión preventiva de Chernokózovo, que poco a poco adquirieron la condición de una falsa aldea Potemkin destinada a acoger a destacadas personalidades internacionales, lo que después condujo a desafortunados sucesos. Al principio por decenas y después por centenares, la gente dejó de ser encarcelada para simplemente desaparecer sin dejar rastro hasta que sus cuerpos, enterrados en condiciones indescriptibles, eran descubiertos por casualidad.

Incluso suponiendo que Moscú cediera a la presión de Human Rights Watch y aceptara reanudar las investigaciones de la fosa común de Dáchnoye, el asunto seguiría el mismo camino que con Chernokózovo. Por muy obsceno que pudiera parecer, Dáchnoye se convertiría en una fosa común «modélica», y las autoridades hallarían el modo de zafarse del anzuelo. Antes de que nos diéramos cuenta, los periodistas y parlamentarios extranjeros serían trasladados en grupos para visitar Dáchnoye. Ese sería el resultado final del informe de Human Rights Watch, un informe pensado para presionar al secretario general de las Naciones Unidas. Triste, pero cierto.

Entretanto, ¿qué está ocurriendo en Chechenia? Más de lo mismo: una oleada de atrocidades, mentiras y terror. Corren rumores de que el 13 de mayo, en Urús-Martán, Arbi Baráyev —un comandante de campo y brutal asesino— fue detenido y puesto en libertad el mismo día por el comandante del distrito de Urús-Martán, amparándose en órdenes de sus superiores. Un día después, el 14, y también en Urús-Martán, un vehículo de infantería sin distintivos se presentó ante el hogar de la familia Bardukáyev. En el mes de enero, seis hombres habían sido detenidos en la casa durante un barrido de seguridad. Poco después, tres de ellos fueron liberados pero, durante casi medio año, sus familiares no supieron nada más de los otros. El oficial que se apeó del vehículo, utilizando los mismos métodos de Arbi Baráyev (recordarán ustedes las cabezas cortadas de los ingenieros occidentales que yacían en la nieve), mostró fotografías de los hermanos Bardukáyev a sus familiares, que confirmaron la identidad de los cadáveres. A continuación, el oficial les exigió 1.500 dólares para decirles dónde estaban enterrados; exactamente la misma forma de actuar que en el caso del cuerpo de Adam Chimáyev, enterrado en Dáchnoye, con la diferencia de que, al ser menor en este caso el número de cadáveres, también lo era el precio: 1.500 dólares en lugar de 3.000.

Un fugitivo de sí mismo. Por qué la entrevista fue censurada

21 de mayo de 2001

Siendo como es, el hombre rara vez es lo que deseamos. Lo mismo que la vida. Seguimos queriendo cambiar lo que nos gustaría que fuera la realidad y verla a través de un cristal de color rosa o con cuernos y cola, dependiendo de las inclinaciones de cada cual.

En la actualidad, Aslán Masjádov es un personaje virtual. No está exactamente aquí, pero tampoco deja de estar. La sociedad lleva tiempo sin tener noticias suyas; así pues, cuando el presidente de la Ichkeria independiente surge de la nada con algo que decir, la mayoría se molesta. El Masjádov de finales de mayo de 2001 es muy diferente del Masjádov de comienzos de la guerra, por no hablar del Masjádov que fue presidente de Chechenia entre 1997 y 1998. Hoy es un oficial envejecido y agotado, acorralado en un rincón, que comprende bien las cosas pero con escasa capacidad de intervención. Ya no tiene toda la información al alcance de la mano, y sus conclusiones suelen ser imprecisas. Intenta conservar su lugar en la historia de su pueblo pero, desgraciadamente, no sabe cómo lograrlo. Es un fugitivo de su antiguo yo.

Pero, claro, también lo somos todos nosotros, los miembros de una sociedad que reclaman una información objetiva. Algunos están dispuestos a defender al Masjádov actual; otros, a obrar como sus fiscales. Los primeros lo pintan de color rosa, mientras que los segundos, con cuernos y cola. Pero lo que deberían hacer es escuchar y asimilar lo que dice para poder conocer la realidad de la situación, comprender lo que piensan los «ellos» del otro bando y lo amplio que es el abismo que nos separa.

Como habrán adivinado, en *Novaya Gazeta* se ha producido un debate sobre si esta entrevista debería ser publicada o no. Lo que la gente deseaba creer superaba a la realidad, y el texto fue mutilado. Por un lado, uno de los bandos argumentó que Masjádov no se hacía ningún favor a sí mismo con la entrevista, y no deseábamos empeorar su situación publicándola.

Por otro, la entrevista era vista como una fuente de problemas tanto por la entrevistadora como por el entrevistado, ya que su publicación acarrearía inmediatamente sanciones por parte de las autoridades gubernamentales, que lo acusarían de libelo sedicioso. La discusión prosiguió diciendo que los líderes rusos se han dejado arrastrar hasta tal punto por su propia propaganda que ya no les interesa conocer la verdadera situación de Chechenia y prefieren quedarse con el Masjádov «con cola y cuernos» inventado por sus propios voceros.

Al final, se decidió que el párrafo que sigue fuera eliminado de la entrevista. Lo ofrecemos aquí junto con unos comentarios que habrían sido poco prácticos en el contexto de la propia entrevista.

Ni los chechenos ni sus líderes darían jamás orden de disparar contra sus propios ciudadanos, fueran cuales fuesen las ventajas que de ello pudieran derivarse. Va en contra de nuestra manera de pensar, especialmente en nuestras aldeas y entre nuestros parientes. Es la clase de cosa de la que ustedes son capaces en Rusia. Pero no nosotros. En Rusia, como excusa para una agresión militar, para colgar a alguien la etiqueta de «terrorista», ustedes pueden ordenar tranquilamente que vuelen un bloque de pisos lleno de conciudadanos vuestros o que se cometan toda clase de actos terroristas en lugares abarrotados de gente. Todo ello debidamente calculado para que ocurra justo antes de la apertura de sesiones de la Asamblea Parlamentaria del Consejo de Europa, de la Organización para la Seguridad y la Cooperación en Europa y demás. En cambio, nuestra cultura se opone frontalmente a esa clase de cosas. El presidente de Chechenia no llevará la guerra a sus propios ciudadanos ni tampoco contra las mujeres y los niños de Rusia. Es el presidente de la Federación Rusa quien se permite esa clase de cosas y disfruta haciéndolas. Sí, disfruta. Nosotros luchamos contra agresores armados, mercenarios y soldados de fortuna, contra vuestros generales como Shamánov [acusado de crímenes de guerra] o el coronel Budánov [un violador y asesino al que Shamánov respaldó hasta que fue declarado culpable tras una larga campaña de prensa]. Esa es la gente contra la que luchamos y lucharemos hasta que la hayamos destruido sin piedad.

¿Qué es esto, la típica paranoia bélica? Masjádov está profundamente afectado por esto, puede que incluso hasta el punto de olvidarse de todo lo demás. Sin embargo, el párrafo censurado solo subraya la trágica naturaleza de una situación en la cual, en el otro bando del conflicto, los federales no se muestran menos paranoicos en su determinación de creer que Masjádov constituye la encarnación del diablo. Entretanto, ¿qué pasa con los que se han visto atrapados en el fuego cruzado? La tragedia de Chechenia prosigue y, hasta que dejemos de mentir, seremos todos cómplices en la persecución de los inocentes.

[A continuación sigue el texto pactado de la entrevista con Masjádov.]

ASLÁN MASJÁDOV: «TAMBIÉN NOSOTROS NOS PREGUNTAMOS CÓMO SALIR DE ESTA ESPIRAL»

28 de mayo de 2001

Nuestro país está entrando, medio cojo, en el tercer verano sucesivo de la segunda guerra chechena. Hay miles de víctimas por ambos bandos y puede que un millón de afectados. ¿Por qué está durando tanto esta guerra? ¿Debemos creer realmente que un ejército numeroso y bien equipado sigue persiguiendo a una decena de comandantes rebeldes por toda la pequeña Chechenia y que, por alguna razón, no logra capturarlos? Con la llegada de la primavera, el lavado de cerebro de la televisión empezará de nuevo y nos explicará cómo la cobertura del terreno constituye el principal obstáculo para concluir la guerra victoriosamente. Está claro que como país hemos perdido el rumbo.

Aquí ofrecemos el punto de vista del otro bando, una entrevista con Aslán Masjádov, concedida en un momento en que todos los altos funcionarios de Moscú aseguraban que era imposible dar con él y realizada en la misma área donde «todo está bajo control». En otras palabras, en el corazón de las posiciones fortificadas del ejército federal.

¿Qué cree que viene a continuación? ¿Cómo se puede poner fin a la guerra?
Nosotros también nos lo preguntamos. ¿Adónde vamos a partir de aquí? ¿Cómo salimos de este callejón sin salida? Después de todo, nosotros también admitimos que estamos en un callejón sin salida y que la guerra no es más que un matarnos unos a otros sin sentido, una forma de asesinato llevada a cabo con extraordinaria brutalidad y alimentada por un odio fuera de lo normal.

No tiene sentido fingir que la campaña militar ha acabado, y aún menos que lo ha hecho victoriosamente, y que a partir de ahora el BSF, bajo el liderazgo de Pátrushev, empezará a capturar a los terroristas. Eso es de risa. El resultado de la campaña militar ha sido que el ministro de Defensa ruso, el mariscal Serguéyev, ha sido cesado. A los generales victoriosos no se los cesa, se les asciende.

Rusia ha perdido esta guerra. Esto es algo que tienen claro incluso los halcones del Kremlin y los líderes rusos. La victoriosa guerra relámpago que los generales prometieron a Putin no se ha producido. El ejército ruso está agotado, desmoralizado y en proceso de desintegración.

He llevado uniforme durante veinticinco años. Serví en el ejército soviético y ayudé a aumentar su capacidad combativa; me dediqué en cuerpo y alma y me sentía orgulloso de ello. Yo también me pregunto de dónde han salido los psicópatas como Kvashnin (general, jefe del Estado Mayor) y Budánov de este ejército, del que nos sentíamos orgullosos, de dónde vienen los criminales que ahora sirven en sus filas, ¿de los campos de trabajo? ¿Son mercenarios, profesionales del pillaje?

Bien, ¿y de dónde han salido?

La enorme máquina militar ha escapado del control de los generales. ¿Qué hay que hacer? Moscú ha empezado a coquetear con comandantes buenos de la guerrilla y comandantes malos, y está hablando abiertamente de quién está preparado para entablar negociaciones y quién no. Está alistando en sus filas a marionetas y traidores a su propio país.

Por la experiencia de la anterior guerra de Chechenia sabemos que esto es una vía muerta. Recuerde el incidente con el antiguo ministro para la Seguridad del Estado, Gerisjánov. Cualquier comandante, por muy famoso o célebre que sea, solo tiene que cruzar la línea de lo que es permisible para encontrarse que su condición ha cambiado y se ha convertido en un traidor. Hoy cruza esa línea y mañana se encuentra con que no tiene a nadie detrás y se ha quedado solo. Cuando eso ocurre, el traidor ya no es útil a nadie, ni para nosotros ni para nuestros adversarios.

¿Cómo ve la posibilidad de unas negociaciones de paz con el comandante Geláyev conducidas por el bando federal? Seguramente sabe que hace poco el bando federal ha hecho publicidad precisamente de esas negociaciones. Víktor Kazantsev, el representante presidencial, lo anunció.

¿Geláyev, dice? ¿Qué pasa con él? A cualquiera, incluyendo a Geláyev, que traspasa el límite de lo permisible debe aguardarle el mismo destino que tuvo Gerisjánov. Por el lado checheno, está claro que hay que parar esta guerra. Los chechenos no la necesitan —los muertos son principalmente civiles—, pero también somos conscientes de lo que le espera a nuestra gente si no persistimos, si nos rendimos, si nos ponemos de rodillas. Un general ruso, cuyo nombre no recuerdo, dijo: «Tenemos que destruirlos a todos, hasta los cinco años; luego, los cogemos y los metemos en campos de reeducación». He oído que otros decían: «Deberíamos pasar por puntos de filtraje a todos lo que tengan entre diez y sesenta años». Es decir, romperles las costillas y dejarlos tullidos. Incluso algunos intelectuales han dicho: «Tenemos que levantar la Gran Muralla China a lo largo de la autopista de Bakú».

Ese es el destino que le espera a mi pueblo. Dios no quiera que perdamos. Para salvar a nuestra gente del genocidio nuestra única opción es defendernos. Solo eso. Y defendernos es lo que haremos.

¿Quién, desde su punto de vista, es el principal enemigo de las negociaciones de paz entre el bando de ustedes y el federal? ¿Es posible algún tipo de negociación? ¿Cuál puede ser su resultado?

Mis representantes están sondeando constantemente a los líderes rusos y los funcionarios de más alto rango. Mi gente les dice que ya ha habido bastante guerra, que es hora de sentarse a negociar, pero entonces oímos gritos triunfalistas: «¡Qué queréis decir con negociaciones! Para nosotros las negociaciones significan la muerte política. ¿Cómo vamos a explicárselo a nuestra gente?», y cosas por el estilo.

Entonces mis representantes contestan: «Pero hay que poner fin a la guerra, ¿acaso no os dais cuenta?», a lo que ellos responden: «Sí, hay que poner fin a la guerra». La siguiente pregunta es: «Sí, pero ¿cómo?».

En mi opinión, el problema principal es que no hay ningún funcionario del Kremlin capaz de hablar serenamente y con la cabeza fría acerca de los intereses de Rusia, sobre las cuestiones que pueden beneficiar directamente a Rusia. Tiene que entenderlo, ¡no hay nadie con quién negociar!

Pero ¿cree usted que, a pesar de todo, es posible entablar negociaciones o al contrario, le parece que hemos perdido el tren y que lo único que resta es luchar hasta el amargo final?

Las negociaciones son al mismo tiempo posibles e inevitables. Las guerras solamente se acaban mediante negociaciones, y estoy seguro de que esta se acabará también de esa manera. Nuestras propuestas para un acuerdo de paz están claras para la mayoría: sentarse a la mesa de negociaciones sin condiciones preestablecidas y allí, en la mesa, decidir qué hacer a continuación y cómo mejorar nuestras relaciones. Creo que es crucial que definamos nuestras relaciones en base al tratado de paz firmado el 12 de mayo de 1997. Su segundo punto declara: «Las relaciones entre la Federación Rusa y la República de Chechenia se atendrán a los principios universales y al derecho internacional». Ese es el requisito más importante. La falta de claridad acerca de las relaciones bilaterales es la causa y la excusa para todo tipo de provocaciones y guerras.

Esto define mi posición ante las supuestas negociaciones y contactos con Némtsov [líder del partido Unión de Fuerzas de Derecha]. No sé nada de ellos y no les he dado autorización ante nadie por la sencilla razón de que no se puede negociar con Némtsov aunque lo que pretendiera fuera construir la Gran Muralla China en la autopista de Bakú.

¿Qué sabe acerca del tan cacareado asesinato de Adam Deníev en Avturí? Desde la primavera de este año, Deníev se presentaba como la mano derecha de la administración de Ajmat-Hadji Kadírov; pero, tras su muerte, incluso los miembros de dicha administración han sido incapaces de encontrar documentos que confirmen esa designación.

No tengo la menor idea sobre de quién era Deníev la mano derecha. Para nosotros carece de interés. La primera posibilidad que se me ocurre es que, al darse cuenta de que tienen la guerra perdida, los servicios de inteligencia rusos se están deshaciendo de los testigos incómodos, tal como ocurrió en la guerra anterior.

Hay otra posibilidad: solo en su aldea natal de Avturí, Deníev tenía once enemigos de sangre declarados. Lo más probable es que cualquiera de ellos estuviera listo para vengarse a la primera ocasión.

El bando checheno no se beneficia especialmente de la muerte de Deníev, a pesar de que nuestros servicios de información lo tienen clasificado como traidor y que por ese motivo, tarde o temprano, debería comparecer ante un tribunal de la *sharia*, según el código penal de la República de Chechenia.

No veo qué sentido tiene disparar contra ese tipo de personas desde las sombras o emprender acciones terroristas contra ellos. En cuanto al aspecto económico, sobre el cual el Kremlin ha insistido mucho, no me consta que Deníev estuviera impidiendo que nos llegaran fuentes de financiación.

Otra acusación que se formula últimamente contra usted es que estaba involucrado en el brutal asesinato de un pastor y tres de sus ayudantes, el 17 de abril, en su aldea natal de Alleroi, en el distrito de Kurchalói.

Recibí informes de la inteligencia que decían que el 17 de abril de 2001 una patrulla de reconocimiento, formada por tropas rusas, había asesinado brutalmente a un pastor y a sus tres ayudantes a plena luz del día en Alleroi. Fueron asesinados entre las 12 y las 16 horas, cerca del barranco donde se hallaron sus cuerpos. En el barro se encontraron numerosas huellas de botas de soldados. Según parece, antes de que los mataran de un tiro, los obligaron a tenderse boca abajo en el suelo y después les dispararon en la cabeza.

Los nombres de las víctimas son Jozhajmed Alsultánov, un pastor de cuarenta y cuatro años que era hermano de Saidajmet Alsultánov, que fue guardaespaldas del presidente de Chechenia, asesinado en 1998; Islam, el hijo de Jozhajmed; y dos sobrinos, Shamján y Shajid Umarjadzhiev.

Nuestras investigaciones preliminares han puesto de relieve que, en la tarde del 17 de abril, el cuñado mayor de Kadírov estaba celebrando una fiesta a la que asistió el propio Kadírov con unos cuantos guardaespaldas. Se habían localizado tropas de reconocimiento rusas en las afueras sudeste y nordeste de la aldea, y suponemos que el grupo que asesinó al pastor formaba parte de ellas.

UN TESTIGO DE LA ACUSACIÓN SE CONVIERTE EN TESTIGO DE LA DEFENSA. EL CASO ZAKÁYEV: LA ÚLTIMA SENSACIÓN DE LOS TRIBUNALES INGLESES

28 de julio de 2003

En la mañana del 24 de julio de 2003 había poca gente en el tribunal n.º 3 de los juzgados de Bow Street. A pesar de que la vista estaba en pleno resumen del caso del gobierno de la Federación Rusa contra Ajmed Zakáyev, la parte rusa ya había indicado que el día tendría escaso interés, como siempre suele hacer cuando va a llevarse a cabo el interrogatorio cruzado de un testigo de la defensa de Zakáyev. En esa ocasión había una llamativa ausencia de miembros de nuestra oficina del fiscal, que habitualmente aprovechan cualquier oportunidad para viajar a Londres. Serguéi Fridinski, fiscal general adjunto de la Región Federal Sur y encargado de asegurarse de la repatriación del representante especial de Masjádov, había decidido no hacer el viaje. Ígor Mednik, investigador de la oficina del fiscal del Distrito Sur y segundo responsable del caso Zakáyev, también había optado por hacer caso omiso del testigo de la defensa de Zakáyev.

Mal hecho. Mednik y Fridinski se habrían sentido sorprendidos al descubrir que un testigo de la acusación, una supuesta víctima de Zakáyev, iba a comparecer ante el juez Timothy Workman no como tal, sino como testigo de la defensa. En los documentos del caso enviados desde Moscú y preparados por Mednik, Duk-Vaja Dushuyev figura como el antiguo guardaespaldas de Zakáyev que, en diciembre de 2002, declaró que en enero de 1996, siguiendo órdenes del individuo cuya repatriación se solicitaba, él y otros guardaespaldas habían tomado como rehén a dos sacerdotes ortodoxos que se hallaban en Chechenia en misión de paz, con la intención de retenerlos y pedir un rescate. Los secuestrados eran el padre Anatoli Chistuosov, que posteriormente falleció en cautividad, y el padre Sergius Zhigulin, cuyo nombre monástico es «padre Philip», y que ya había testificado ante el tribunal.

Antecedentes

Ajmed Zakáyev, nacido en 1959, en Kazajistán, licenciado en coreografía por la Universidad de Cultura y Conocimiento de Grozni y en el Instituto para las Artes de Vorónezh. Entre 1981 y 1990, actor de la Compañía Janpasha Nuradilov, del Teatro Dramático de Grozni.

A partir de 1991: presidente de la Unión de Trabajadores de Teatro de Chechenia y miembro del Consejo de la Unión de Trabajadores de Teatro de Rusia.

A partir de 1994: ministro de Cultura de Chechenia.

A partir de 1995: desde el inicio de la primera guerra chechena, comandante del frente de Urús-Martán. Ascendido a brigadier general, ayudante en Asuntos de Seguridad Nacional del presidente de Ichkeria y miembro de la delegación que preparó los acuerdos de Jasaviurt que pusieron fin a la primera guerra chechena en 1996.

En 1997 presentó su candidatura a la presidencia de Chechenia.
A partir de 1998: viceprimer ministro. A partir de la segunda guerra
chechena, comandante de una brigada de operaciones especiales.
En marzo de 2002: herido y evacuado de Chechenia.
A partir de 2001: representante especial del presidente Aslán Mas-
jádov.

La oficina del fiscal general ruso presentó una solicitud de extradición de Zakáyev ante la Interpol. Esto condujo a su detención
por primera vez el 30 de octubre 2002, en Copenhague. El 3 de
diciembre de 2002 fue puesto en libertad por los tribunales daneses,
que denegaron la extradición alegando que las pruebas eran insuficientes. El 5 de diciembre de 2002, Zakáyev llegó a Londres, donde
fue detenido en el aeropuerto de Heathrow pero puesto en libertad
bajo fianza tres horas más tarde. Tras una serie de sesiones técnicas, la
vista del caso empezó en los juzgados de Bow Street el 9 de junio
de 2003.

Un checheno bajito se acerca al estrado de los testigos, situado a la
derecha del juez. Tiene las piernas anormalmente tiesas y parece
forzar sus pies para que caminen mientras procura no mirar a nadie
y disimular todo lo posible sus dificultades para moverse. Se trata de
Duk-Vaja Dushuyev. A pesar de que estamos en Londres, la segunda
guerra chechena me ha adiestrado para reconocer en el acto el problema. Duk-Vaja camina igual que muchos otros hombres de Chechenia que han sobrevivido a la «operación antiterrorista», pero han
salido de ella con extremidades rotas y mal curadas.

—¿Sobre qué debo jurar? —pregunta el testigo al traductor al
llegar al estrado. Su sonrisa no parece real, sino más bien una máscara—. ¿Sobre la Biblia o sobre el Corán?

—Como guste.

Tras prestar juramento, Duk-Vaja explica que nació en 1968. Es
decir, tiene solo treinta y cinco años, aunque aparenta unos cincuenta.

El letrado Edward Fitzgerald, en representación de la defensa de
Zakáyev, empieza el interrogatorio.

—¿Declaró contra el señor Zakáyev el 2 de diciembre de 2002?

—Sí.

—¿Es esta su declaración?

Entregan a Duk-Vaja los documentos del caso enviados a Londres por la oficina del fiscal general, y el testigo confirma que se trata del texto del interrogatorio que le hizo en Grozni Konstantin Krivorotov, el investigador de la sección de Casos Especialmente Graves de la oficina del fiscal de Chechenia. Dice así: «Aproximadamente, el 6 de octubre de 1996 me enteré de que podía convertirme en guardaespaldas para el Ministerio de Cultura de la República de Chechenia. Durante unos cuatro meses, me turné en labores de vigilancia del edificio del Ministerio de Cultura. En febrero de 1997 [nombre tachado] me propuso trabajar como guardaespaldas de Zakáyev de forma permanente. Acepté y, desde febrero de 1997 hasta febrero de 2000, estuve prácticamente todo el tiempo junto a Zakáyev. En una de las visitas de Zakáyev a Urús-Martán me tocó acompañarlo junto con [nombre tachado]. Antes de eso ya me había fijado en la cadena de metal que [nombre tachado] llevaba colgando del cinturón. Le pregunté de dónde la había sacado, a lo que [nombre tachado] me contestó que se la había cogido a un monje ortodoxo que llevaba un crucifijo colgando de ella. [Nombre tachado] me dijo que en 1995 dos sacerdotes habían llegado a Urús-Martán para negociar la liberación de unos soldados rusos. Zakáyev ordenó que los secuestraran para pedir un rescate de 500.000 dólares por ellos, con el fin de comprar armas y equipo para los combatientes de la resistencia.

»Obedeciendo las órdenes de Zakáyev, [nombre tachado] reclutó cinco o seis miembros del cuerpo de guardaespaldas para que realizaran el secuestro. Para llevar a cabo el plan con éxito, [nombre tachado] se cambió de ropa y ordenó a sus subordinados que hicieran lo mismo y se pusieran uniformes de la milicia. Pregunté a [nombre tachado] quién estaría dispuesto a pagar tanto dinero por la liberación de dos sacerdotes, a lo cual me respondió que el Papa estaba preparado para pagar un millón de dólares y que el patriarca Alexis II [de la Iglesia ortodoxa rusa] había prometido otro medio millón. Por lo que me explicó, supe que Zakáyev no había conseguido cobrar rescate alguno. Desde el principio de la operación antiterrorista, es decir, desde principios de 1999, Zakáyev estaba al mando del llamado "frente de Chernorechiye", que ofrecía resistencia armada a los ejércitos de la Federación Rusa en su aproximación a Grozni. Durante ese período, estuve constantemente junto a Zakáyev. Opusimos resistencia armada a las tropas rusas hasta febrero de 2000, cuando se produjo una retirada masiva de Grozni. En esa época, Zakáyev estaba paralizado. Fue entonces cuando lo vi por última vez».

—Sí, esta fue mi declaración.

—Usted declaró que Zakáyev ordenó secuestrar a los dos sacerdotes.

—Así es.

—¿Y es esa la verdad?

—No, no lo es.

—¿Y por qué lo dijo?

—Me obligaron.

—Pero ¿por qué? ¿Qué ocurrió antes?

—Yo vivía en Grozni. En noviembre de 2002, a un camarada mío y a mí nos pararon en un control. Mostramos nuestra documentación. Había dos vehículos blindados cerca. Unos hombres armados y ocultos con pasamontañas saltaron de ellos y nos encañonaron. Sin explicarnos nada nos esposaron, nos cubrieron la cabeza con sacos y nos metieron en los blindados. Uno de los soldados se sentó encima de mí al arrancar. Condujeron durante unos veinte minutos.

—¿Adónde los llevaron?

—No lo sé exactamente, pero creo que fue a Jankalá. Allí me cogieron por los brazos y me arrastraron unos treinta metros. Me dijeron que levantara las piernas y me arrojaron a un pozo. Cerraron la tapa de hierro y me dejaron allí seis días.

—¿Le interrogaron durante ese tiempo?

—Sí, todos los días.

—¿Quién?

—No lo sé exactamente. Tenía la cabeza tapada constantemente, pero sé que eran rusos. Luego descubrí que pertenecían al BSF. Me sacaron del pozo y me llevaron a unas instalaciones. Durante el primer interrogatorio me advirtieron que no debía utilizar las palabras «no lo sé» o «no» porque, si lo hacía, me matarían en el acto.

—¿Sabían que usted conocía a Zakáyev?

—Sí. Me dijeron que les contase cómo había luchado con él en Daguestán y también en el batallón islámico *jamaat*, que Zakáyev mandaba. «¡Has decapitado soldados rusos!», me gritaron. Yo les dije que no era verdad, pero me contestaron que daba igual y empezaron a torturarme.

—¿Cómo lo torturaron?

—Con electricidad, también me dieron patadas y creo que utilizaron porras, pero para entonces ya no podía ver. En uno de los interrogatorios me preguntaron si sabía el teléfono de Zakáyev. Dije que no. En aquella época, Zakáyev se encontraba bajo arresto, en Dinamarca. Me dijeron que tenían equipo telefónico y el número. Me ataron a una silla, sujetaron algo a mis pies, uno de ellos marcó un número diciendo que era una llamada a mi amigo de Copenhague y empezó la electricidad. Eso se repitió todos los días. Cuando acabaron, volvieron a echarme al pozo y allí me quedé.

—¿En noviembre?

—Sí. Ya era invierno, y hacía frío. El pozo era demasiado pequeño para que pudiera ponerme en pie. Tenía la cabeza aplastada contra la tapa de hierro y no podía sentarme. El suelo estaba lleno de agua. Al final, le dije que haría todo lo que quisieran. Ya no podía soportar más la tortura. Tiene que entenderlo, soy humano... Por favor, entiéndalo.

Un consternado silencio se abate sobre la sala. Nadie se mueve. El juez ha dejado de hojear papeles y, al igual que los demás, mira fijamente a Duk-Vaja. ¿Acaso no lo cree?

—Me dijeron que firmara una declaración diciendo que Zakáyev había ordenado a sus guardaespaldas que secuestraran a los sacerdotes. Yo les dije que no conocía a Zakáyev en aquella época y que no podía saber lo que había hecho. «No importa —me contestaron— lo sabemos. Lo único que tiene que hacer es firmar.» Luego me advirtieron que si alguna vez se me ocurría desmentir aquella declaración «me despellejarían vivo». A continuación me llevaron al cuartel general del BSF de Chechenia, en el centro de Grozni. Allí me quitaron las esposas por primera vez y la capucha y firmé el papel que me pusieron delante.

—¿Incluyendo esa mención al Papa?

—Sí.

—¿Mientras firmaba lo filmaron con una cámara de vídeo?

—Me dijeron que primero debía aprenderme de memoria el texto que me habían dado para firmar y me advirtieron que no debía titubear ante la cámara cuando empezaran a hacerme preguntas, que debía simular que respondía. Me llevaron a una habitación donde había seis o siete soldados y un par de civiles. Uno de ellos me dijo que era del programa *Top Secret*, de la NTV.

—¿Y todo eso ocurrió en el edificio del BSF, en Grozni?

—Sí.

—¿Adónde lo llevaron después de la grabación?

—A la cárcel de Grozni, pero antes a los juzgados. Habían organizado una especie de documentos. Yo estaba muy mal, lleno de golpes y moretones, pero el juez (del tribunal del distrito de Staropromislovski) no me preguntó nada, simplemente me arrestó durante diez días, para dar tiempo a que se me curaran las heridas. Después de eso me trasladaron a la cárcel, pero allí no me aceptaron porque decían que me moriría y no querían cargar con la responsabilidad. Esa noche me llevaron a otra cárcel donde sí me aceptaron. Estuve allí dos meses.

—¿Sabía usted que su declaración contra Zakáyev fue televisada?

—Sí. Los celadores de la cárcel me dijeron que la habían pasado en todos los canales. Dos meses después, me llevaron de nuevo ante los tribunales. Allí había un checheno que era del BSF y al que conocía porque habíamos ido juntos al colegio. Me advirtió: «Sabes para qué te están poniendo en libertad, ¿no? Es para matarte y después echar la culpa a Zakáyev. Piensan decir que asesina a los que declaran contra él. Si quieres vivir, sal hoy mismo de Grozni». Eso fue lo que hice.

El juez británico es muy hábil a la hora de reservarse sus pensamientos. Se supone que los jueces no deben decir gran cosa, un «sí» o un «no» de vez en cuando y cosas como «señor Zakáyev, la próxi-

ma vista tendrá lugar el día tal o cual. Si no comparece será detenido», pero la tradicional flema británica se ha visto alterada ante semejante retrato de la justicia rusa, y el juez osa comentar: «Esta es
una situación extraordinaria y supone un importante cambio de los
acontecimientos». A continuación, exige una rápida respuesta a una
serie de preguntas fundamentales, por ejemplo: por qué la oficina
del fiscal general ruso, ha asegurado al tribunal que el testigo Dushuyev estaba en peligro por culpa de Zakáyev, y si esa era la razón de
que su nombre hubiera sido omitido de los documentos de extradición presentados ante Gran Bretaña cuando la realidad es que Dushuyev estaba en la cárcel y, en consecuencia, custodiado por los mismos
que hacían tales aseveraciones. ¿Acaso la fiscalía había intentado engañar deliberadamente al tribunal? El juez está indignado.

En Gran Bretaña, engañar a un tribunal constituye una falta
grave. El sistema funciona de tal manera que Zakáyev dispone de
abogados defensores, y la oficina del fiscal general de abogados que
son los que presentan la demanda de extradición. Estos últimos son
designados por el Servicio de la Fiscalía de la Corona (SFC), que
trabaja conjuntamente con la oficina del fiscal general. La situación
pone en evidencia que ha habido un intento deliberado de engañar
al tribunal en el que han incurrido los letrados del SFC cuando se
han fiado indebidamente de sus colegas rusos. Los letrados del SFC
se enfrentarán a una investigación disciplinaria y a las sanciones correspondientes, lo cual podría representar un duro golpe para sus
reputaciones y una indeleble mancha en sus carreras que la profesión
no perdonará. Gran Bretaña no admite esa clase de juegos.

En consecuencia, los letrados del SFC se ven en un apuro y
obligados a defender su reputación, repentinamente puesta en duda.
Lo que el tribunal pasa a tratar en esos momentos es esta muestra de
la justicia del Kremlin y el hecho de que no se tenía noticia de algo
así ni siquiera en los juicios de la era de Stalin. Los letrados solicitan
humildemente al juez un aplazamiento hasta el 8 de septiembre y
repiten: «Se trata de cargos muy serios. […] No estamos preparados.
[…] Ahora mismo no tenemos ningún comentario que hacer…».
Sin embargo, el juez insiste en que quiere una contestación hoy mismo y sin falta, y les da dos horas para que se pongan en contacto con

Moscú (seguramente con Fridinski). Cuando el juez oiga las respuestas, decidirá cómo seguir adelante con el juicio.

Las dos horas resultan insuficientes, y el juez Workman accede a conceder a la oficina del fiscal general un plazo hasta el 1 de septiembre para presentar explicaciones por escrito, advirtiéndole de que el caso se reabrirá el día 8 de ese mes. Añade con total claridad que la vista no durará más de cuatro o cinco días, tras los cuales se retirará a deliberar el veredicto.

¿Qué acabamos de presenciar? Pues un intento de contagiar a Europa con nuestras corruptas prácticas legales y su costumbre de montar casos cuando y como conviene a nuestras autoridades. En este caso, nos hemos dado con un canto en los dientes.

El Estado ruso no se ha salido con la suya en Gran Bretaña. Era imposible porque los británicos no tienen la menor intención de permitir que nuestro virus los infecte, y no se los puede culpar. Pero ¿qué nos va a pasar a nosotros, los ciudadanos de Rusia, teniendo a los gángsteres de las fuerzas de seguridad contra nosotros? Los británicos sobrevivirán a nuestra invasión y sencillamente tomarán nota de con qué clase de gente están tratando en el sistema legal ruso. Y, naturalmente, no extraditarán a Zakáyev.

Pero ¿qué pasa con nosotros, los ciudadanos? No debemos agachar la cabeza, sino hacernos oír. Si no nos sentimos empujados a defender a Zakáyev, al menos deberíamos levantarnos en nuestra propia defensa. El sistema estatal supone una amenaza letal. Cualquiera puede ser torturado. Estamos ante actos terroristas perpetrados por el régimen contra todos nosotros.

CHECHENIA-LONDRES: OTRA MARAVILLA JUDICIAL
EN EL CASO ZAKÁYEV

11 de septiembre de 2003

En Londres, en los juzgados de Bow Street, durante la vista del caso de extradición de Ajmed Zakáyev, que se reanudó el día 8 de septiembre, ha seguido produciéndose el prodigio de que conozcamos la verdad de la guerra de Chechenia a través del ejercicio de la ley. Esto es algo a lo que rara vez estamos acostumbrados en Rusia, y de ahí nuestro interés. En esta ocasión, a su excelencia el juez Timothy Workman le ha sido presentada información acerca del completo dominio que la fiscalía rusa y otras instituciones guardianas de la ley ejercen sobre la administración de justicia de Chechenia y por qué, como resultado de dicha servidumbre, debemos recurrir al sistema legal británico.

Les recuerdo a nuestros lectores que el acontecimiento principal en el caso de Zakáyev, el 24 de julio, fue el interrogatorio cruzado de Duk-Vaja Dushuyev, de Grozni, que en la documentación presentada por el fiscal ruso figuraba como testigo de la acusación; pero que, ante el tribunal británico y bajo juramento, empezó a declarar como testigo de la defensa, relatando de qué modo, entre noviembre y diciembre de 2002, fue torturado en Chechenia por miembros del BSF que lo obligaron a firmar una falsa declaración contra Zakáyev, a lo cual él accedió. Ha sido esta trama la que, los días 8 y 9 de septiembre, dio un nuevo y sensacional giro.

El investigador Konstantin Krivorotov en persona ha demostrado haberse convertido en la versión parlante del Código de Procedimiento Penal ruso. Cada vez que era preguntado por el tribunal, aunque fuera una simple pregunta que solo requiriera un sí o un no, el investigador de casos graves de la oficina del fiscal de Chechenia respondía con una larga parrafada citando dicho Código, explicando largo y tendido lo benigno que era, las bendiciones que derramaba sobre los detenidos pendientes de investigación y las enormes oportunidades que daba a los representantes de los servicios de investigación para tratar a los sospechosos humanitariamente.

Nada venía al caso, pero daba lo mismo porque no había forma de detener al investigador cuando estaba lanzado con los principios del derecho ruso. Se enfadaba, exigía que no lo interrumpieran e incluso blandía un dedo amenazador contra los corteses letrados británicos.

¿Y por qué todo eso?, quizá se pregunten ustedes. Sencillamente, el investigador Krivorotov tenía otro cometido: había ido allí a despistar, confundir y desviar el caso de los detalles del mismo, ya que los aspectos del calvario de Duk-Vaja Dushuyev son potencialmente letales para la demanda de extradición.

Pero cada cosa en su sitio. Krivorotov, el ardiente defensor del Código de Procedimiento Penal, se hallaba en Londres solo a causa del testimonio de Dushuyev. A finales de noviembre de 2002, la oficina del fiscal general, que había presentado la demanda de extradición de Zakáyev ante las autoridades danesas y enviado una documentación muy poco consistente para justificarla, vio que Zakáyev iba a ser puesto en libertad. En ese momento, Dushuyev fue detenido en un control rutinario de Grozni y llevado a Jankalá, encapuchado y esposado. Allí, bajo tortura, se le ofreció la posibilidad de salvar la vida a cambio de firmar una declaración falsa contra Zakáyev. Acto seguido, fue conducido al edificio del BSF, en la calle Garazhnaya de Grozni, situado puerta con puerta con la oficina del fiscal. El investigador Krivorotov redactó varias declaraciones que Dushuyev tuvo que firmar. Entonces se llamó a un equipo de la televisión para que filmara la declaración del guardaespaldas de Zakáyev, que fue exhibida en la televisión. Dushuyev permaneció dos meses en prisión acusado de unos cargos que en Chechenia son pura rutina: «pertenencia a un grupo paramilitar ilegal». Sin embargo, los cargos fueron retirados posteriormente a cambio de su confesión y fue puesto en libertad. Dushuyev abandonó Chechenia ese mismo día y deambuló de país en país hasta que decidió presentarse ante los abogados de Zakáyev y reconocer lo que había hecho. Esa había sido la cadena de acontecimientos que lo habían llevado, a él y a Krivorotov, ante el juez Workman.

—Dígame, señor Krivorotov, ¿habría podido el señor Dushuyev denunciar algún tratamiento inadecuado hacia su persona durante la investigación y antes de esta vista en Londres? —James Lewis, un abogado que actúa en representación de Krivorotov, hace una pregunta que le parece importante. El señor Lewis trabaja para el Servicio de la Fiscalía de la Corona, que (tal como funcionan las cosas en Gran Bretaña) presenta la demanda de extradición de Ajmed Zakáyev solicitada por el fiscal general ruso.

—Existe un procedimiento muy claro —declara Krivorotov, manteniéndose tenazmente en el terreno de la teoría—. Dushuyev tuvo varias oportunidades para denunciar los intolerables métodos que habían sido utilizados contra él. En primer lugar, y en la investigación preliminar, ante mí. El Código de Procedimiento Penal...

El tribunal está al borde de la desesperación. Únicamente parece complacido Serguéi Fridinski, fiscal general adjunto de la Región Federal del Sur, que ha prometido públicamente que devolvería a Zakáyev a Rusia. Hoy se encuentra en Londres y sonríe para sus adentros con satisfacción mientras Krivorotov sigue con sus maniobras de diversión.

—¿Creían que Dushuyev era culpable cuando usted presentó cargos contra él? —En estos momentos es el abogado de Zakáyev, Edward Fitzgerald, quien pregunta. Se aproxima dando un rodeo, y no está claro por qué le interesa ese detalle en concreto—. ¿Era ilegal ser guardaespaldas de Zakáyev? Al fin y al cabo, el gobierno al que pertenecía Zakáyev había sido reconocido por el presidente Yeltsin.

—Para mí constituye una novedad que dicho gobierno hubiera sido reconocido por el presidente. —El investigador Krivorotov responde con sinceridad por primera vez. Está realmente sorprendido, pero se recobra enseguida—. Según la Constitución rusa, no cabe que el ministerio de una república autoproclamada tenga un cuerpo de guardaespaldas armados. En esa época, Dushuyev llevaba armas de forma ilegal. Desde 1999, Dushuyev era miembro de un grupo paramilitar ilegal, el Frente de Chernorechiye. Por eso se presentaron cargos contra él.

—En otras palabras, se consideraba que cualquiera que se resistiera a las tropas rusas en 1999 estaba cometiendo un delito.

—¡Desde luego! —Krivorotov se encoge de hombros y mira inexpresivamente a Fridinski mientras suelta las frases que ha memorizado—. Cualquiera que se oponga a las tropas federales es culpable de poner en peligro a la sociedad, de acuerdo con el Código de Procedimiento Penal, desde luego.

El caso prosigue, volviendo inexorablemente a la cuestión central para la que Rusia no tiene respuesta: ¿qué está ocurriendo en Chechenia desde el punto de vista de la legalidad? ¿Quién resiste a quién allí y por qué? ¿Cómo se va a resolver la situación?

Esta vez, el señor Fitzgerald es interrumpido por el señor Lewis, a cuyo oído el indignado fiscal general adjunto Fridinski acaba de susurrar algo. No se permite discutir los aspectos políticos de la oficina del fiscal.

—Bien, explique de qué forma se proporcionó asistencia letrada al señor Dushuyev.

El lector debe saber que Aisa Tatáyev, del Servicio de Asistencia Jurídica del distrito de Staropromislovski, se puso en contacto con Dushuyev cuando este llevaba varios días encerrado en un pozo inundado de Jankalá, de donde lo sacaban regularmente para interrogarlo bajo tortura. Su recomendación fue: «Cuéntales todo lo que deseen saber».

—Los abogados defensores pueden ser escogidos por los acusados o designados por el tribunal. Yo sabía dónde podía encontrar a Tatáyev, de modo que la hice llamar. Es decir, la invité personalmente.

—¿Cómo anotó usted el interrogatorio de Dushuyev? ¿Escribió usted todo lo que dijo?

—Tengo mi propio método. Primero, escucho todo lo que la persona dice y después lo anoto y le hago preguntas complementarias. Dushuyev llegó con una admisión de culpabilidad, así que primero lo escuché y después anoté.

La versión oficial, enviada a Londres con la firma de Fridinski la víspera de la vista de esta mañana, dice que la base de Jankalá nunca estuvo involucrada, que no hubo torturas y que Dushuyev se lo inventó todo, que el 1 de diciembre de 2002 se presentó voluntariamente en la oficina del fiscal de Chechenia para confesar que era culpable de haber formado parte de una banda armada ilegal y que el asunto de Zakáyev solo afloró por casualidad en el transcurso de la conversación.

—En ese caso, ¿por qué en los documentos que usted rellenó se dice tan poco acerca de lo que Dushuyev hizo y en cambio hay toda una página sobre los actos de Zakáyev que, además, eran de oídas? Se supone que usted estaba investigando los delitos de Dushuyev, ¿no es así?

El investigador Krivorotov da un nuevo bandazo y vuelve a perderse en las profundidades del Código de Procedimiento Penal.

—Está bien, pero ¿estaba usted al tanto de la solicitud de extradición de Zakáyev presentada por su gobierno?

—Sí y me di cuenta de que la confesión de Dushuyev sería utilizada, en el caso de Zakáyev, en su contra.

—Entonces, ¿por qué en los archivos no hay ninguna indicación de que el testigo estuviera siendo investigado?

—¿Qué sentido habría tenido eso?

—¿Sabía usted que la declaración de Dushuyev sería filmada por un equipo de televisión en el edificio del BSF?

—Lo imaginé. El Departamento de Prensa del BSF había hecho la petición correspondiente.

—¿Por escrito?

—Verbalmente.

—Dushuyev había sido detenido, se hallaba bajo su custodia y usted lo entregó a los miembros del BSF, que se lo llevaron a sus dependencias para filmarlo. ¿Fue así?

—Sí. —Krivorotov está perdiendo la paciencia y vuelve a blandir el dedo al tribunal—. Hablar con la prensa o no era un derecho que correspondía a Dushuyev.

—¿Y no se le ocurrió pensar que esa declaración filmada en la que Dushuyev acusaba de oídas a Zakáyev de delitos muy graves, entre ellos tráfico ilegal de armas, podía perjudicar el caso de Zakáyev?

—No entiendo la pregunta.

—¿No le parece extraño que Dushuyev fuera su sospechoso pero que el BSF tuviera acceso a él cuando quisiera? ¿Cómo es que el BSF sabía siquiera que Dushuyev estaba en sus manos? ¿Informó usted de ello al BSF? Y de ser así, ¿por qué?

—No, yo no informé al BSF. —Por primera vez, Krivorotov parece decir la verdad—. Cuando Dushuyev se presentó en la oficina del fiscal reconociendo su culpabilidad iba acompañado por miembros del BSF. En consecuencia les entregué a Dushuyev para que lo filmaran.

Q.E.D. Y de ese modo pisó la piel de plátano el investigador Krivorotov. Su confesión estaba cargada de consecuencias: significaba que todos los documentos oficiales, incluyendo los firmados por el fiscal general adjunto Fridinski, eran falsos y que el tribunal no

129

podía darles credibilidad porque se había demostrado que contenían mentiras. Es más, de ellos se desprendió que Dushuyev tenía razón al asegurar que la oficina del fiscal de Chechenia no trabajaba de forma independiente, que había pergeñado los documentos que le habían parecido necesarios y que, en realidad, legitimaba las torturas que los testigos sufrían a manos del BSF.

—No me parece importante a quién acudió primero Dushuyev, si al BSF o a nosotros.

Krivorotov se ha dado cuenta de lo que acaba de decir. Explica que la mayoría de los que llegan reconociéndose culpables van primero al BSF y después este los lleva a la oficina del fiscal para formalizar su confesión. Pero cuanto más insiste, más evidente se hace la falta de legalidad imperante en Chechenia con el beneplácito de la oficina del fiscal.

—¿Realmente no sabe que el BSF tortura a la gente para conseguir las pruebas que necesita?

A pesar de que el letrado Fitzgerald aparenta calma, resulta evidente que sabe que ha ganado. En algún momento, durante las vistas del lunes y el martes, ha dado la impresión de hallarse en un callejón sin salida. Un bando decía una cosa; y el otro, la contraria, de manera que no había forma de reconciliar ambas. El descuido del investigador Krivorotov, reconociendo que había sido precisamente el BSF el que le había entregado a Dushuyev, había sido hábilmente preparado por Fitzgerald. Una victoria de la sutileza y la maestría sobre la mentira.

—No sé nada de torturas.

Krivorotov es invitado a familiarizarse con las conclusiones oficiales del Comité Europeo sobre la Tortura, precisamente en este punto. El investigador se ve obligado a asegurar que no sabe lo que ocurre en la oficina contigua, pero no ha pasado un minuto y ya lo vemos hipnotizado de nuevo por el Código de Procedimiento Penal.

—En la oficina del fiscal estamos obligados a tomar iniciativas legales cada vez que salen a la luz hechos como estos.

¡Naturalmente que lo están! ¡El problema es que durante años han hecho caso omiso!

Fue así como el investigador Krivorotov pasó de ser un testigo de la acusación a convertirse en uno de la defensa y a hacer imposible que prosperara cualquier demanda de extradición. ¿Por qué? Pues porque ante el tribunal quedó demostrado que las fuerzas de seguridad que operan en el territorio de Chechenia lo hacen de forma totalmente arbitraria y al margen de la ley. Esa es la razón de que Krivorotov pudiera someter a los miembros del tribunal londinense a largos discursos sobre cómo se suponía que debían ser las cosas en teoría. Desde luego, él sabía bien que no había ninguna relación entre la teoría y la realidad. ¡Pobre infeliz! Todo vale, nada está mal, y la barbarie se convierte en norma.

Exactamente a las 13.00 horas, hora de Greenwich, el juez Workman interrumpe al investigador Krivorotov con las palabras mágicas:

—Una hora para comer.

Según la tradición, nada hay más importante que esa hora. Al mismo tiempo, tan inflexible regla exige que cualquier testigo cuyo interrogatorio no haya finalizado no pueda hablar con nadie de los asuntos que le conciernen como tal. Eso significa que, mientras todo el mundo almuerza, el investigador Krivorotov se tiene que quedar junto a la puerta del tribunal como una estatua de sal, fumando nerviosamente. El fiscal general adjunto Fridinski llega del restaurante italiano de la calle de enfrente, y otros intervinientes en el caso entran para la sesión de la tarde. No puedo evitar sentir lástima por Krivorotov y, en un impulso de extraordinaria humanidad, me acerco y le ofrezco un sándwich. ¡Por Dios, cómo ha saltado!

—¡No! —niega con la cabeza, como si le hubiera ofrecido una dosis doble de arsénico.

—Es que tengo dos y me sobra uno.

—¡No!

El investigador Krivorotov se pone colorado y se da la vuelta, como si no nos conociéramos. Algo no marcha bien.

La oficina del fiscal general pierde: las costas las pagará el contribuyente ruso

17 de noviembre de 2003

La gente puede tener puntos de vista opuestos: puede adorar a Zakáyev u odiarlo; puede respaldar las atrocidades del Kremlin en Chechenia o denunciarlas; puede regocijarse ante el entusiasmo que Putin despierta entre los líderes occidentales o espantarse; pero el 13 de noviembre de 2003, poco después de las doce del mediodía, hora de Greenwich, toda la nación rusa recibió una merecida coz de Europa. La oficina del fiscal general llevaba tiempo pidiéndola. En los juzgados de Bow Street, en el caso del gobierno de la Federación Rusa contra Ajmed Zakáyev, su excelencia el juez Timothy Workman leyó una tajante sentencia que iba mucho más allá de lo que los más optimistas podían haber esperado cuando nos aseguraron que Ajmed Zakáyev no sería extraditado.

La negativa del juez Workman a conceder la extradición se basaba, en primer lugar, en el hecho de que Rusia carece de un sistema judicial independiente, lo cual hace imposible cualquier expectativa de un juicio imparcial; segundo, en el hecho de que el racismo está arraigando en nuestro país; y tercero, teniendo en cuenta que lo que está sucediendo en Chechenia no es una rebelión ni una «operación antiterrorista», sino una guerra civil sin paliativos instigada por el gobierno ruso, todo ello va en contra de la obligación de dicho gobierno, que no es otra que evitar la guerra, o ponerle fin y no fomentarla dentro de sus fronteras.

El veredicto se anunció no en la sala del tribunal donde se habían desarrollado las vistas, sino en una grandiosa sala ceremonial donde había algo parecido a un trono, instalado a considerable altura. Allí se sentó el juez Workman. El traductor juró mantenerse fiel al texto, y su señoría empezó: «La Federación Rusa solicita la extradición de Ajmed Zakáyev basándose en unas trece alegaciones de conducta que, de haberse producido en el Reino Unido, habrían equivalido al delito de instigar a terceros a asesinar, a tres cargos de asesinato, a dos cargos de tortura intencionada con lesiones, un cargo de detención ilegal y seis cargos de conspiración con terceros para llevar a cabo actos que implicaban necesariamente delitos de asesinato, lesiones y secuestro».

El juez prosiguió: «Me satisface que los acontecimientos de Chechenia ocurridos entre 1995 y 1996 correspondan jurídicamente a un conflicto bélico interno. De hecho, muchos observadores lo han considerado una guerra civil. En apoyo de esa decisión, he tenido en cuenta la dimensión de los combates —el bombardeo sistemático de Grozni, que produjo más de cien mil víctimas; el reconocimiento del conflicto en términos de alto el fuego y de tratado de paz— y me ha sido imposible aceptar la opinión expresada por un testigo de que la decisión del gobierno de bombardear Grozni fuera una operación antiterrorista.

»Tras haberme asegurado de que lo anterior equivalía a un conflicto bélico interno que se enmarca en el ámbito de la Convención de Ginebra, he llegado a la conclusión de que esos delitos de presunta conspiración para tomar territorios concretos de Chechenia mediante el uso de las armas u oponiendo resistencia armada no son delitos susceptibles de extradición porque dicha conducta en esas circunstancias no sería constitutiva de delito en nuestro país. Basándome en lo dicho, propongo desestimar los cargos número siete, ocho, nueve y trece».

El siguiente apartado de la sentencia llevaba el elocuente título de «Abuso de procedimiento». Esto tiene que ver con los métodos profesionales de la oficina del fiscal general ruso, cuyos representantes brillaban por su ausencia. Ayer circularon rumores de que Serguéi Fridinski, responsable de la extradición de Zakáyev y que había dado su palabra al presidente de que lograría el regreso del imputado, había sido advertido por el Servicio de la Fiscalía de la Corona de que lo más seguro era que el veredicto le fuera adverso. Como resultado, todo el equipo había decidido ahorrarse semejante humillación pública.

No resulta difícil comprender su punto de vista: los testimonios de los testigos de cargo resultaron no ser fiables. Vale la pena recordar quiénes componían el grupo reunido por Fridinski: Ajmar Zavgáyev, un senador representante de Chechenia que se dispone a entrar en la

Duma; Yuri Kalinin, viceministro de Justicia, responsable del sistema penitenciario; Konstantin Krivorotov, investigador de la oficina del fiscal de Chechenia; Yuri Bessarábov, profesor de derecho en el Instituto de Investigación de la oficina del fiscal general; y Stanislav Iliásov, ministro para Chechenia del gobierno ruso. Ninguno de ellos debería seguir en su puesto tras semejante ridículo público.

«Los presuntos delitos por los que se reclama al señor Zakáyev ocurrieron en 1995 y 1996. Dichos delitos tuvieron que resultar evidentes para las autoridades de entonces, y dos testigos me aseguraron que presentaron declaración ante la fiscalía poco después de los hechos. Sin embargo, tuvieron que transcurrir seis años hasta que se tomara la decisión de obrar contra Zakáyev, y no fue hasta el 25 de octubre de 2002 que Interpol hizo circular la petición rusa para su detención. Durante los años 2001 y 2002, el señor Zakáyev actuó como enviado de paz y viajó en numerosas ocasiones; sin embargo, su paradero seguía siendo desconocido para las autoridades rusas. De hecho, el 18 de noviembre de 2001, Zakáyev voló hasta el aeropuerto de Moscú en un intento de negociación de desarme. Allí se reunió con representantes del gobierno a los que se había asegurado que no se había iniciado ninguna causa contra Zakáyev. Según parece, en ese momento se prescindió del hecho de que dos meses antes se había tomado la decisión de detener al señor Zakáyev. El señor Fridinski, el fiscal responsable de este caso, ha explicado que no tenían la menor idea de que Zakáyev fuera a estar presente en aquella reunión en el aeropuerto de Moscú. Si bien estoy dispuesto a aceptar que el señor Fridinski no lo sabía, me resulta sorprendente que la orden de detención de alguien tan conocido por haber cometido tan graves delitos no fuera tenida en cuenta por las autoridades rusas de inmigración.

»Además del retraso en la detención, está claro que también hubo dilación en la investigación y preparación del caso por parte de la fiscalía. A pesar de que dos testigos afirmaron que habían prestado declaración inmediatamente después de los acontecimientos, dichas declaraciones no han sido aportadas por la defensa. Con la excepción de quien declaró el 13 de marzo de 2000 (un testigo anónimo), los otros once testigos hicieron sus declaraciones después de que el señor Zakáyev fuera detenido. Con respecto a cuatro de dichos declarantes, sus testimonios no fueron recogidos hasta después de que la petición de extradición presentada a las autoridades danesas fuera denegada por estas. Hay que señalar que en dicha petición se alegaba que el señor Zakáyev había estado implicado en la toma de rehenes del teatro de Moscú y que había asesinado al padre Sergius (ahora conocido como padre Philip). Ambas acusaciones fueron posteriormente retiradas, y el padre Philip incluso ha declarado ante este tribunal.

»También he constatado que el Kremlin negó la existencia de cargos penales contra el señor Zakáyev cuando seguía vigente una orden de detención, y también que el gobierno ruso siguió negociando con el señor Zakáyev a pesar de la existencia de esa orden, así como que no se produjo el menor intento de solicitar su extradición hasta que se celebró la Conferencia Mundial sobre Chechenia y se llevó a cabo la toma de rehenes del teatro de Moscú. También he tomado constancia de las declaraciones del ministro de Asuntos Exteriores ruso en las que vincula al señor Zakáyev con Osama bin Laden.

»Cuando sumamos todos estos factores, la conclusión inevitable es que sería injusto y opresivo extraditar al señor Zakáyev para que sea juzgado en Rusia.

»He comprobado que los testimonios aportados por el señor De Waal, el señor Ribakov y el señor Ribkin han sido exactos y precisos, y de sus palabras concluyo que resulta más que probable que la motivación del gobierno de la Federación Rusa fuera y sea impedir que el señor Zakáyev siga participando en las negociaciones de paz y desacreditarlo por su moderación. En consecuencia, concluyo que es un hecho que el gobierno ruso solicita la extradición con el propósito de juzgar al señor Zakáyev por su nacionalidad y sus opiniones políticas. Soy de la opinión de que el señor Zakáyev tiene derecho a beneficiarse de la protección que le brinda la sección 6 (i)(c) [del Convenio Europeo de Extradición].

»No es sino a pesar mío que debo llegar a la inevitable conclusión de que, si las autoridades están dispuestas a recurrir a la tortura de testigos, existe verdadero riesgo de que el señor Zakáyev será también sometido a tortura; y no me cabe duda de que semejante trato y su detención habrán sido por causa de su nacionalidad y opiniones políticas. En consecuencia, dictamino que el señor Zakáyev tiene derecho a ampararse en la sección 6 (i)(d) y no cabe su extradición para que sea sometido a juicio en la Federación Rusa.

»En aplicación de todo lo anterior, retiro todos los cargos contra el demandado.»

Así concluye el juicio. El magistrado guarda silencio, mientras la animación reina en la sala. La gente intenta felicitar a Zakáyev, pero el juicio aún no ha terminado. Edward Fitzgerald, el abogado de Zakáyev, se levanta. Sus dudas van más allá de la sentencia y se refieren a quién va a costear el procedimiento. El juez acepta tranquilamente hacerse cargo de las cuentas, como es costumbre en Gran Bretaña. Eso significa que está claro quién va a pagar. Las costas del caso, que ha durado más de un año, corresponderán a la parte demandante, es decir, a ustedes y a mí, puesto que somos nosotros quienes hemos puesto en el cargo a unos funcionarios de la fiscalía que no han sabido trabajar conforme a derecho y que solo han brillado por ejecutar las órdenes políticas que han recibido, tal como ha quedado demostrado ante el tribunal londinense.

Todos se han llevado su justo merecido: Zakáyev está libre, y el pasaporte le será devuelto en un futuro inmediato para que pueda seguir viajando por todo el mundo; ateniéndose a los principios del derecho británico, los representantes del Servicio de la Fiscalía de la Corona, que representaban a la oficina del fiscal general ruso, han aconsejado al señor Fridinski que se olvide de apelar porque no tendría la menor posibilidad de prosperar y solo conduciría a un final aún más bochornoso; todos los cargos han sido retirados por carecer de fundamento legal, lo cual significa que no se aceptarían nuevas pruebas. La oficina del fiscal general ha recibido una bofetada en plena cara.

Sin embargo, lo anterior no es más que el detalle. El 13 de noviembre, en Londres, se establecieron tres verdades fundamentales. La primera es que, por primera vez en muchos años de una guerra monstruosa, las autoridades federales y las chechenas se han comunicado entre ellas en un lenguaje legal en lugar del de las armas, los barridos de seguridad, las emboscadas y las explosiones. El foro para ello ha sido un tribunal británico, que ha demostrado que solo le interesaban las pruebas fundamentadas y que no quería saber nada de cuestiones políticas.

La segunda es que, tras un largo examen de las pruebas, en estos momentos recogido en varios legajos, ha quedado probado ante un tribunal —no en los periódicos o en la televisión, no en los salones del poder establecido ni en ninguna conferencia— que, como muchos de nosotros ya sabíamos pero no podíamos demostrar, lo que está ocurriendo en Chechenia no es una «operación antiterrorista», sino una guerra en toda regla.

La tercera es que, tras el veredicto del tribunal londinense, resulta imposible seguir fingiendo que nuestro país se encamina por las vías de la democracia. No tenemos reformas, sino autoritarismo, tribunales obsequiosos con el poder, torturas en los centros de detención y discriminación racial. El marco de las relaciones internacionales se está desmoronando porque en este tribunal se ha demostrado que el régimen ruso habla de algo que no existe. Rusia es un país radicalmente distinto del que los políticos dicen que es. Tenemos una guerra brutal, racismo y violencia como forma de resolver los problemas.

Este es el final de la historia de las aventuras judiciales de Zakáyev en Londres. El gobierno quería demostrar al mundo lo estupendos que somos y cómo nos atenemos a la ley, pero solamente ha conseguido demostrar nuestra verdadera naturaleza. El gobierno ruso se ha convertido en el hazmerreír de toda Europa porque carece de verdadera sustancia y no es más que una simple fachada.

El hecho de que la sentencia del tribunal iba a perjudicar a la oficina del fiscal general ruso quedó claro en Sheremetievo-II, el aeropuerto de Moscú donde cogí un vuelo a Londres para escuchar el veredicto.

Presenté mi pasaporte. El joven guardia fronterizo tecleó en su ordenador un buen rato, y al fin dijo:

—Tiene usted problemas.

—¿Qué clase de problemas?

—Ya sabe qué problemas.

—No, no lo sé.

Lo que le había salido en la pantalla era que la portadora de ese pasaporte debía ser detenida y sometida a toda una serie de incomodidades entre las que figuraban numerosos y humillantes registros personales.

—¿Por qué? —quise saber.

—Eso es secreto militar —respondió.

Me habría gustado pensar que estaba bromeando, pero no había el menor rastro de sonrisa.

Llegó la mujer encargada del turno, una chica atractiva, Yuliya Demina, y se llevó una serie de cosas que no tenía derecho a llevarse: mi pasaporte y mi billete. Me ordenó que me quedara de pie en un sitio concreto, que no me moviera y salió. Tardó un buen rato en volver, y el avión estaba a punto de despegar. El joven guardia de inmigración salió de su garita y parloteó de nuevo acerca de «problemas que usted ya conoce».

—¿Va a tener dificultades para volver?

—¿A qué se refiere?

—Por ejemplo, a que no le permitan entrar.

En esta era, la era de la segunda guerra chechena, esto es lo habitual. Uno puede convertirse en nadie en cualquier momento, especialmente si ha sido testigo de algo. Tal como quedó demostrado en Londres —adonde me permitieron volar en el último minuto—, no hacen falta leyes para ello.

Tercera parte: los Kadírov

EL SUPERMERCADO DE LA GUERRA. AHORA, EXTERMINAR
CHECHENOS SE HA CONVERTIDO EN UN AUTOSERVICIO

26 de junio de 2000

El Kremlin sigue con su michurinista labor de cultivar y abonar la guerra civil en Chechenia con la misma dedicación que el padre de la hibridación soviética. Su contribución más reciente la hizo el 8 de junio, cuando el presidente firmó una orden designando a Ajmat-Hadji Kadírov, de cuarenta y nueve años, «jefe de Chechenia», es decir, director de la administración provisional. Para la mayoría de la población, el nombre de Kadírov es sinónimo de conflicto y división. Lo llaman «el muftí intermediario», y es el enlace entre los bandidos chechenos y esos influyentes ciudadanos de Moscú cuya principal prioridad consiste en prolongar la política de intimidación en el Cáucaso Norte.

Las tres semanas transcurridas desde el 8 de junio únicamente han servido para confirmar las peores expectativas con respecto al nombramiento de Kadírov. El conflicto entre chechenos se ha reavivado con inusitado vigor, y las nuevas imágenes siguen el mismo guión que cuando estalló la guerra civil en Tayikistán.

En estas tres semanas, únicamente tres de los dieciocho cabezas de distrito han aceptado trabajar a las órdenes del muftí intermediario. Doce de ellos enviaron una tajante demanda al presidente Putin —la «Carta de los Doce»— en la que avisan de sabotajes en caso de que el nombramiento no sea revocado. Cuando Moscú decidió hacer caso omiso, una reunión de los responsables administrativos, celebrada en Gudermés el 16 de junio, estudió una propuesta para intentar convencer al centro de que al menos demorara la subida al trono de Kadírov unos meses, hasta que hubiera finalizado la temporada de cosecha. La razón era que la gente necesitaba cosechar lo que había sembrado con tanto trabajo, sin miedo a que la llegada al poder de Kadírov fuera el anticipo de futuras operaciones bélicas o a que su cuadrilla, cuya existencia el propio Kadírov ya no se molesta en desmentir, se dedicara a apropiarse descaradamente de todas y cada una de las hectáreas que han sido regadas con sangre y lágrimas.

Es más, los miembros de la administración provisional, encabezados por su anterior máximo representante, Yakub Deníev, están abandonando Chechenia. También ellos enviaron una petición al Kremlin (la «Carta de los Cuarenta y Cuatro») en la que afirmaban de manera categórica que les resultaba moralmente inaceptable trabajar con alguien que había declarado la *yihad* contra Moscú únicamente para que Moscú le entregara el trono de Chechenia y que, en esos momentos, exigía también que le entregaran el control del presupuesto.

Se ha derramado sangre. Umar Idrísov, un conocido imán de Urús-Martán, ha sido asesinado, y en el acto empezaron los juegos malabares de los relaciones públicas en lo referente a esa trágica muerte. Como si respondieran a órdenes de lo más alto, los medios de comunicación declararon que el imán había sido partidario de Kadírov, cosa que nunca fue. De hecho, Idrísov fue uno de sus más decididos adversarios y se negó siempre a reconocerlo como muftí o a respaldar sus intenciones de que lo eligieran líder espiritual de Chechenia. La gente ha relacionado enseguida el asesinato del imán con las mentiras de los medios de comunicación y ha llegado a la conclusión de que Moscú está hinchando artificialmente la importancia de Kadírov y dando la impresión de que el imán fue asesinado por apoyarlo.

¿Cuáles son los principales reproches que los chechenos hacen al muftí intermediario?

En primer lugar, el dinero. En 1992, Kadírov fue el tesorero de una peregrinación en masa a La Meca de los musulmanes de Chechenia. Recaudó entre 300 y 500 dólares de cada peregrino, aunque al final fue el rey de Arabia Saudí quien pagó toda la peregrinación chechena; pero Kadírov no devolvió los 220.000 dólares recaudados. Se organizó un escándalo y se presentó una querella contra él. Kadírov pasó seis meses en la cárcel, hasta que la oficina del fiscal sobreseyó el caso, y el reo fue puesto en libertad por orden del presidente Dudáyev.

El siguiente detalle de su perfil es más reciente y hace referencia a una de las primeras iniciativas de Kadírov tras su nombramiento que, de paso, nos hablan de su catadura ética. Budruddin Djamalámov, que en estos momentos es el ex director del departamento de enlace de la administración provisional con los servicios de seguridad, explica: «Mi suegro, Nasuja-Hadji Ajmádov, construyó una mezquita en 1989 en Kurchalói, que más tarde fue convertida en madrasa. Mi suegro la financió lo mejor que pudo, pero en la primavera pidió ayuda a la administración provisional. Al ver que a los niños al menos se les enseñaba algo allí, Koshman (el representante del gobierno ruso en Chechenia) aceptó. Fue entonces cuando se produjo el nombramiento de Kadírov. Naturalmente, le fueron entregados todos los papeles con los presupuestos detallados, las listas de personal y las agendas de horarios. Lo primero que hizo fue escribir en su propio nombre: "Kadírov: 3.000 rublos". Y a continuación exigió que el personal fuera aumentado con sus parientes como falsos maestros. Mi suegro, asqueado, renunció».

En segundo lugar, Kadírov no es muftí, puesto que ya existe un muftí anterior: Mohamed Bashir-Hadji Arsanukáyev, elegido en 1992 por un consejo de ulemas (delegados de todos los distritos), siguiendo la costumbre chechena. Arsanukáyev, uno de los teólogos más eminentes de la República, no tardó en caer en desgracia ante el presidente Dudáyev por criticar sus acciones que dividían al pueblo checheno. La historia del ascenso de Kadírov como contrapeso de Arsanukáyev dice que, en agosto de 1995, se celebró en Vedenó una famosa asamblea de los comandantes guerrilleros. Allí, Dudáyev proclamó la fundación de un nuevo Estado: la República Islámica de Ichkeria y, a continuación, nombró muftí a Kadírov, que hasta entonces no había sido más que un desconocido y poco popular mulá, que no tuvo inconveniente en declarar la *yihad* (la guerra santa) contra Rusia. El nombramiento era contrario a la tradición chechena, de modo que la gente siempre consideró a Kadírov como poco más que un simple capellán o muftí de campaña para los comandantes guerrilleros. A partir de febrero de 1996, Kadírov orquestó una campaña de persecución contra todos los miembros del muftiato de Arsanukáyev. Los mulás fueron secuestrados y asesinados; y el muftiato electo, destruido. Tanto los presidentes Dudáyev, Yandarbíev como Masjádov confirmaron el estatus de Kadírov sin consultar con los ulemas.

Masjádov incluso lo recompensó con varios pozos de petróleo de la región de Nozhai-Yurt y en los distritos rurales de Grozni, que lo convirtieron en un hombre sumamente rico y le permitieron mantener un destacamento de mercenarios bien armados. En la primavera de 1999, comenzó entre los miembros de la clase dirigente de Chechenia una de las periódicas redistribuciones de influencias, y Kadírov se enemistó con Shamil Basáyev, que estaba usurpando sus intereses petroleros. Esa fue la verdadera razón de que Kadírov condenara la incursión de Basáyev contra Daguestán (suceso que el gobierno ruso utilizó como pretexto para justificar el inicio de la segunda guerra chechena). Las diferencias entre los dos se agravaron y, en agosto de 1999, Masjádov apartó a Kadírov del cargo de muftí. Kadírov se negó a obedecer y actualmente, después de haber cambiado de bando y apoyar a las fuerzas federales —las mismas contra las que declaró la *yihad*—, sigue proclamándose muftí de Chechenia.

Yakub Deníev, que hasta que se retiró el 20 de junio fue la cabeza principal de la administración provisional y trabajó como tal durante ocho meses de guerra, dice: «Kadírov es la peor de las opciones posibles para Chechenia. Su nombramiento constituye un insulto y una humillación para la mayoría de los chechenos, además de una bofetada para el clero. No hay forma de eludir el hecho de que es un ladrón. Ciertamente, su nombramiento supone una confirmación de que la fase militar de la operación no solo continuará, sino que irá a más. En estos momentos, por parte de Moscú no existe el menor deseo de paz, y Kadírov se encuentra como pez en el agua en medio del conflicto. Su política pretende ahondar las divisiones entre el pueblo checheno. Uno no suele encontrarse con personajes dedicados a la confrontación, pero Kadírov bate todos los récords en ese aspecto».

¿Para qué necesita el Kremlin todo esto? ¿Qué espera alcanzar con semejante provocación? Parece que nos hallamos en una transición hacia una nueva fase de lo que se llama «operación antiterrorista». Dado que la actividad guerrillera no da señales de menguar, y que la muela cariada que es Chechenia no puede arrancarse utilizando métodos militares, la intención parece ser la de destruir Chechenia mediante el conocido método de sumirla en conflictos intestinos.

Occidente hará la vista gorda y adoptará la posición de que «solo están luchando entre ellos». Nadie en Rusia se molestará por la carnicería, y eso a pesar de que habrá sido instigada por los de arriba.

BOCETOS PARA UN RETRATO DE AJMAT-HADJI KADÍROV

16 de septiembre de 2002

El «jefe de Chechenia», Ajmat-Hadji Kadírov, controla su propio grupo paramilitar ilegal, un grupo que se dedica a secuestrar y que dispone de su propia cárcel en el pueblo de Tsentorói.

¿Cómo es posible? Primero, veremos el descarnado testimonio de un testigo ocular que logró salir con vida. Las explicaciones necesarias pueden llegar después.

«Frente a la casa donde vive Kadírov, en Tsentorói, a unos veinte o treinta metros de distancia y cerca del camino y del pozo de agua, hay un pequeño edificio de una sola planta. Los kadirovitas lo llaman su "cuartel general". Los guardaespaldas del jefe de la República suelen estar allí. El edificio tiene cinco habitaciones, una de las cuales se destina permanentemente a celda para los prisioneros.

»Detrás del cuartel general se ha construido un cobertizo que alberga otras tres celdas que siempre están ocupadas por detenidos.

»¿Quiénes son estos? Primero, gente a la que han pillado colocando explosivos; segundo, gente relacionada con los wahabíes del *jamaat*; tercero, gente de diversa extracción. Sus casos son juzgados por Ramzán, el hijo pequeño de Kadírov. Es como un tribunal ordinario, solo que presidido por Ramzán.

»La gente a la que no encuentra culpable de nada serio puede pasar en las celdas un tiempo indeterminado. Las condenas las establecen Ramzán y Ruslán, el jefe del "servicio de seguridad" de Kadírov. Los que son hallados culpables de algo grave son enviados a la Granja de la Juventud Soviética n.° 15, situada a unos quince o veinte kilómetros al oeste de Grozni. Lo que aguarda a los detenidos una vez allí es algo que nadie sabe.

»La Granja de la Juventud Soviética n.° 15 tiene la reputación de ser el paraíso de los secuestradores. Durante el gobierno de Masjádov también hubo muchos secuestradores con sus víctimas en esa aldea. La hermana de Zavgáyev estuvo retenida allí durante un año y ocho meses, por ejemplo. En la actualidad, los mismos delincuentes siguen en el mismo sitio, solo que legitimados por la protección de Kadírov.»

Antes de explicar detalladamente de qué va todo esto, debería mencionar que he seleccionado este relato por ser representativo de muchos otros. Las personas que han tenido la desgracia de toparse con el «servicio de seguridad» de Kadírov describen prácticamente lo mismo, y los que han logrado escapar y se han prestado a declarar, lo han hecho con la condición de permanecer en el anonimato.

¿Qué está ocurriendo actualmente en Chechenia? Tengo la profunda convicción de que lo que está pasando es una guerra civil en toda regla, provocada deliberadamente por una presunta «operación antiterrorista» que dura hace ya tres años y que ha visto alzarse a hermano contra hermano, a familias enteras contra otras.

La zona está abarrotada de destacamentos armados de todo tipo. Principalmente son tropas del ejército ruso, unidades de operaciones especiales, pelotones de acción rápida, unidades especiales de la milicia, grupos alfa y demás. A esas fuerzas se oponen los llamados «luchadores de la resistencia», grupos paramilitares ilegales, un conjunto de combatientes de lo más diverso que, en su mayoría, responden únicamente ante su propia conciencia.

Sin embargo, durante los últimos seis meses ha aparecido una nueva fuerza de castigo, una especie de relleno del sándwich checheno en el sentido de que no se alinea con ninguno de ambos bandos, a pesar de que mantiene claras afinidades ideológicas con los federales.

Estas unidades de castigo son conocidas como «los kadirovitas», bautizadas así en honor de su organizador, Ajmat-Hadji Kadírov, que hace dos años fue nombrado jefe de la República por el presidente Putin.

Los kadirovitas son también un grupo paramilitar ilegal. Normalmente, la gente se refiere a ellos como el «servicio de seguridad» de Kadírov, lo cual podría aportarles un vestigio de legitimidad, pero no es el caso. El ministro de Justicia checheno ha confirmado que el «servicio de seguridad» de Kadírov no está registrado en ninguna parte y, en consecuencia, no tiene más derecho legal a existir que la brigada de Basáyev o lo que queda de los destacamentos de Jattab o Baráyev.

Sin embargo, existe y se encuentra a sus anchas en medio de la guerra civil. El «servicio de seguridad» no tiene el menor deseo de que llegue la famosa «dictadura de la ley» prometida por Putin, más bien al contrario.

Al principio, las cosas no pintaban tan mal. El destacamento personal de seguridad de Kadírov estaba formado básicamente por sus parientes; pero, con el transcurso del tiempo, ha degenerado en un monstruoso híbrido en la mejor tradición de la policía secreta del zar y de los NKVD-KGB soviéticos.

Naturalmente, las cárceles secretas y las torturas son un asunto de alto secreto; de hecho, los kadirovitas no son idiotas y procuran no dejar testigos. Sin embargo, la vida moderna de Chechenia ha conspirado contra ellos.

Una de las tragedias más terribles que sufre el país es la de los desaparecidos. En la actualidad hay más de tres mil, aunque nadie es capaz de dar una cifra exacta. Sus parientes se pasan la vida buscando sobre tierra y también bajo tierra, tanto los del bando ruso como los del otro. Podemos estar seguros de que, cuando acabe la guerra, los mejores investigadores de Rusia serán los familiares de los desaparecidos.

Han sido esos «investigadores» a la fuerza los que han destapado a los kadirovitas. Durante bastante tiempo, el rastro de los secuestros y desapariciones ha conducido tercamente al pueblo de Tsentorói, famoso por ser el lugar donde vive Kadírov. Las pruebas señalaban hacia las edificaciones vecinas a su casa, y más en concreto a la finca rústica y a los edificios ocupados por sus guardaespaldas. Otro camino conducía firmemente hacia la Granja de la Juventud Soviética n.º 15, una aldea situada en la carretera de Grozni.

Poco a poco, empezó a surgir un patrón recurrente: si bien algunos salían de las celdas y cámaras de tortura de Tsentorói y volvían a la libertad, todo lo que salía de la Granja n.º 15 era el frío de las tumbas. A veces, por casualidad, los huesos de aquellos que habían sido rastreados hasta la Granja n.º 15 eran encontrados tirados por ahí o semienterrados por perros.

Con el tiempo surgió otra información: Kadírov está muy ocupado comprando parcelas de terreno por todo Tsentorói, desplazando a otros pueblos a familias enteras que le resultan indeseables y sustituyéndolas por las familias de sus guardaespaldas. Drácula está construyendo su propio castillo, alejado de las miradas inquisidoras, y los que lo acompañan están unidos a él por el poderoso vínculo de una culpabilidad compartida.

Muchas conversaciones con familiares y parientes de desaparecidos que han visto cómo todos los caminos los llevaban hasta Tsentorói y la Granja de la Juventud Soviética n.º 15 demuestran que, al principio, la gente simplemente no creía que los kadirovitas se atreverían a volver a los antiguos métodos, a los secuestros famosos de la época de Masjádov, antes de que Ajmat-Hadji Kadírov hubiera renacido como un caballero respetuoso de la ley y temeroso del Kremlin.

Sin embargo, poco a poco los hechos empezaron a hablar por sí solos. Se produjeron actos terroristas, y los hombres de Kadírov responsables de los asesinatos fueron enviados al otro mundo conforme a las normas de las deudas de sangre. Ha habido numerosos informes de convoyes de Kadírov que han sido tiroteados o volados por los aires. Él nunca ha sufrido personalmente, pero han muerto varios sobrinos y primos que componían su servicio de seguridad.

Podemos estar de acuerdo en este planteamiento de asuntos que son de vida o muerte o rechazarlos categóricamente, pero lo que ustedes o yo pensemos no va a cambiar nada. Dado que la mayoría de las fuerzas del orden que operan actualmente en Chechenia están plenamente al tanto de las fechorías del «servicio de seguridad» de Kadírov pero no se molestan en levantar un dedo para impedirlas, ¿qué se puede hacer para acabar con esto? Y desde una perspectiva más amplia, ¿cómo es posible que los distintos servicios de inteligencia que operan en Chechenia hayan permitido que las cosas llegaran a este punto?

Hay dos respuestas, una lógica y la otra irracional. Empecemos por la segunda: la política general de los servicios que mantienen bajo vigilancia el territorio donde se despliega la «operación antiterrorista» es muy sencilla: «Dejemos que luchen entre ellos, cuanto más derramamiento de sangre, mejor». Partiendo de esta premisa, el reinado de Kadírov es justo lo que se necesita.

La respuesta lógica es que tanto Kadírov como los servicios de inteligencia desean destruir a Masjádov y a sus seguidores por los medios que sean. Por el momento, son aliados en este objetivo común, y sus intereses se solapan hasta tal punto que cada uno hace la vista gorda ante los desmanes del otro. Hay dos aspectos que vale la pena subrayar aquí: el primero es que las cámaras de tortura de Kadírov llevaron la guerra contra Rusia en la época de la República Islámica de Ichkeria, que sus integrantes fueron miembros activos de ese gobierno o que, como poco, simpatizaban con él. Kadírov ha demostrado en más de una ocasión que no está dispuesto a tolerar ningún tipo de competencia ni rivalidad, pero hace una excepción con los guerrilleros que han cambiado de bando y se han pasado al suyo, renegados como Suleimán Yamadáyev, el secuestrador de Gudermés, nombrado para el cargo de vicecomisario de Guerra checheno (en lo que equivale a poner al zorro a vigilar las gallinas), posición desde la que puede enseñorearse sobre sus antiguos camaradas, a muchos de los cuales ha enviado a las celdas de Tsentorói.

El otro aspecto es que, desde comienzos de este año, hay algo recurrente en los relatos de los que han presenciado secuestros —que posteriormente han conducido hacia Tsentorói y la Granja de la Juventud Soviética n.º 15—: individuos enmascarados, con micrófonos y vestidos con ropas de combate entran sigilosamente en casa de las víctimas, comunicándose entre ellos en susurros. Son conocidos como los Silenciosos por el silencio en que trabajan, coordinándose por radio y moviéndose con zapatos de suela de goma. Se han dado casos de familiares que dormían en habitaciones contiguas que no se despertaron hasta que los Silenciosos cerraron la puerta al marcharse, y fue entonces cuando la madre entró en el cuarto donde sus hijos dormían y se dio cuenta de que se los habían llevado.

Esta técnica es uno de los *modus operandi* de Kadírov. Los secuestradores no son kadirovitas, sino seguramente agentes del Directorio Central de Inteligencia (GRU); lo cual lleva a la desagradable conclusión de que los agentes del GRU están actuando bajo órdenes directas de los kadirovitas, secuestrando ciudadanos siguiendo sus instrucciones y, en caso de equivocarse de víctima, entregándola a los tiernos cuidados del «servicio de seguridad» de Kadírov.

He hablado lo suficiente con los funcionarios de la oficina del fiscal de Chechenia acerca de las pandillas de Kadírov para saber que son plenamente conscientes de lo que está ocurriendo y han intentado oponerse a este caos de ilegalidad; pero, al mismo tiempo, también han admitido que el «servicio de seguridad» de Kadírov actúa como lo hace debido a que se encuentra fuera del alcance del brazo de la ley, gracias a una íntima relación con las autoridades rusas.

Esta situación no va a durar eternamente. Los intereses de unos y de otros acabarán divergiendo, y cuando eso suceda Kadírov y los kadirovitas se encontrarán en una posición muy poco envidiable. Es difícil imaginar algún rincón del planeta donde puedan hallar refugio.

ABUSO DE RECURSOS ADMINISTRATIVOS Y MILITARES, AMBICIÓN DESATADA CON TENDENCIAS GANGSTERILES, SOLO QUE ESTA VEZ LAS ELECCIONES NO SON EN RUSIA, SINO EN CHECHENIA

23 de septiembre de 2002

Seguimos esbozando un perfil de Ajmat-Hadji Kadírov, el «jefe» de la República de Chechenia designado por el presidente Putin hace más de dos años.

¿Por qué se permite a Kadírov que se comporte sin limitación alguna? Como de costumbre, cuando las cosas son complicadas, las explicaciones son sencillas. En este caso, las respuestas son brutales y cínicas. Las víctimas cuyo rastro conduce a Tsentorói son torturadas y desaparecen debido exclusivamente a la debilidad electoral de Kadírov.

El antiguo muftí está poseído por el deseo de ser elegido democráticamente. Sea cual sea el coste, ambiciona sentirse igual que Masjádov y disfrutar de su misma legitimidad. Puede que Kadírov sea en la actualidad jefe de la República Chechena, pero se debe exclusivamente a que ha sido designado para el cargo, lo cual no es lo mismo. De hecho, su poder es ridículo; pero él quiere un poder auténtico y lo quiere con tanta intensidad que todo sentido común queda descartado.

En consecuencia, el grupo paramilitar conocido comúnmente como el «servicio de seguridad» se dedica a perseguir a sus enemigos, lo cual significa todos aquellos que serían rivales políticos si el militarizado proceso político llegara a desembocar algún día en unas elecciones.

Sus principales enemigos son los llamados ichkerios, es decir, los que apoyaron la creación de la República Islámica de Ichkeria y sirvieron a su presidente, Aslán Masjádov; los wahabíes, miembros de los grupos *jamaat*, terroristas que simpatizan con cualquiera de los anteriores; y por último, todos los relacionados con los ideales separatistas de Dzhojar Dudáyev, que era partidario de la idea de que Chechenia debía independizarse de Rusia.

Todos ellos son los objetivos contra los cuales Kadírov dirige sus principales esfuerzos. Como es natural, dichos esfuerzos cuentan con el apoyo del Mando Militar Conjunto y del BSF, que son responsables de llevar a cabo la «operación antiterrorista en el Cáucaso Norte». Dado que hace tiempo que ha desaparecido cualquier debate sobre qué medios son aceptables para combatir el terrorismo y cualquier crítica a un uso excesivo de la violencia, el manifiesto entusiasmo de Kadírov hacia los pelotones de ejecución no sorprende a nadie.

La ausencia de toda restricción alimenta la depravación y permite a Kadírov ajustar cuentas con cualquiera que lo haya ofendido en el pasado. Esto es algo que va más allá del enfrentamiento político o ideológico. Al principio, los objetivos de los guardaespaldas parecían ser individuos seleccionados al azar; pero lo cierto es que muchos de ellos son personas que en su juventud ofendieron de un modo u otro a Kadírov o no apoyaron debidamente su carrera religiosa.

La tercera y especial categoría de personas que es probable que sean asesinadas por el «servicio de seguridad» de Kadírov son los líderes extraoficiales de las aldeas y pueblos chechenos, personas que, obligadas por la situación militar, por la desesperación de los aldeanos ante lo que está ocurriendo y porque carecen de protección, se han vuelto muy activas en sus respectivos distritos y aldeas y han demostrado tener capacidad de liderazgo. El jefe de la República ha intuido en su creciente popularidad una amenaza a sus perspectivas electorales. Y no se trata de que esas personas esperaran ser elegidas —Turko Dikáyev, por ejemplo, no abrigaba semejante ambición—, simplemente habían demostrado que eran capaces de movilizar sus aldeas y que no era probable que estuvieran dispuestos a hacerlo en el futuro en beneficio de Kadírov.

Turko Dikáyev fue uno de los amigos personales de Kadírov, y su relación se remontaba a tiempo atrás; sin embargo, eso no lo salvó. En los últimos meses, Turko había pasado a formar parte de la categoría de líderes populares extraoficiales. No fue algo que buscara de manera deliberada, sino únicamente la consecuencia de una asfixiante burocracia, que lo llevó a realizar actividades que los demás estaban demasiado asustados para hacer.

El resultado fue que este mes de agosto, en unas misteriosas circunstancias que inducen a pensar en la complicidad del «servicio de seguridad» de Kadírov, Turko Dikáyev fue asesinado. En esos momentos, como personaje responsable y popular que era, se había convertido en el responsable administrativo de Tsotsan-Yurt, en el distrito de Kurchalói. La historia reciente del lugar resulta desoladora. El día de Año Nuevo de 2002 fue objeto de uno de los barridos de seguridad más brutales que se recuerdan en Chechenia. Ese 1 de enero, los soldados entraron en las casas, deseando un «triste Año Nuevo» a sus habitantes. El jefe de la aldea simplemente huyó. Los soldados estaban dispuestos a negociar la devolución de los cuerpos, pero solo con el jefe de la aldea, y fue entonces cuando Turko, como miembro del Consejo de Ancianos, asumió la responsabilidad.

Nos conocimos a principios de marzo. En la plaza mayor de Tsotsan-Yurt había un velatorio permanente en recuerdo de las víctimas del barrido de seguridad. Turko llevaba días sin dormir y se encontraba en un penoso estado por una subida de la presión arterial. En primavera, las incesantes incursiones del ejército contra la aldea fueron sustituidas por un nuevo horror: prácticamente día sí y día también, aparecían cuerpos mutilados, arrojados en las afueras. Los aldeanos vivían en un estado de permanente pánico y espanto. Recurrieron a Turko, pero a él le fue imposible convencer a ningún funcionario de Grozni para que visitara la aldea. Hizo todo lo que pudo para aliviar la situación de sus convecinos, intentando negociar con los federales, y yendo a Grozni personalmente para solicitar audiencia a su viejo amigo, Kadírov.

Este se negó a recibirlo y ni siquiera le permitió sentarse en la sala de espera. Entretanto, el jefe del «servicio de seguridad» se paseaba por los pasillos del edificio del gobierno diciendo a todo aquel que quisiera escucharlo que la brutalidad era la única manera de tratar a Tsotsan-Yurt, que no era más que un bastión y un símbolo de la anarquía.

Seamos claros: Kadírov dejó que la aldea se las arreglara por su cuenta sin su ayuda. Abdicó de sus responsabilidades en Tsotsan-Yurt, y lo único que Turko hizo fue negarse a traicionar a sus convecinos. Aceptó esa autoridad e hizo todo lo que pudo por ellos en los momentos de mayor dificultad. Por ello se ganó su respeto y, de paso, no se mordió la lengua a la hora de hacer público que había perdido la fe en las cualidades morales de Kadírov. Así pues, fue asesinado.

Turko tenía el presentimiento de que algo así podía pasarle y me dijo que veía a Kadírov como el mayor peligro para su persona. Igual que una locomotora sin control, Kadírov avanzaba a toda máquina hacia unas elecciones que él mismo había organizado, y de paso apartaba a un lado a cualquiera que pudiera cruzarse en su camino o hablar desfavorablemente de él.

Esto responde a nuestra pregunta principal de por qué el régimen de Kadírov es como es. Su gente está allanando el camino para que su jefe sea elegido presidente. Sus guardaespaldas secuestran y torturan a sus víctimas, su nefasto hijo —conjuntamente con el jefe del «servicio de seguridad»— las juzga, y después, estas desaparecen. No sabe hablar de otra cosa que de su inminente victoria sobre Masjádov. Cada vez que se le pregunta, vuelve sobre el asunto.

Kadírov sabe que solo unas elecciones sellarán su victoria definitiva sobre su antiguo camarada, su antiguo pupilo espiritual y en la actualidad su enemigo número uno. Incluso tiene pensada una nueva Constitución para Chechenia, un marco jurídico que pueda servir mejor a sus fines, porque las elecciones deben ser constitucionales. La que tienen actualmente los chechenos data de la época de los presidentes Dudáyev y Masjádov, y conforme a ella, Chechenia ya tiene presidente.

Kadírov ha acordado con el Kremlin que noviembre sería el mejor momento para un referéndum sobre la nueva Constitución. Necesitan darse prisa, mientras Chechenia sigue abarrotada de tropas rusas que pueden votar como es debido una vez que tenga despejado el camino al trono.

Solo se le ha escapado un detalle. En este tétrico relato de pasión homicida, el Kremlin —con su terco apoyo a Kadírov que libera a este de cualquier atadura moral— insiste en hacer caso omiso del hecho de que su delfín solo es capaz de ganar unas elecciones donde las fuerzas de seguridad, que se cuentan por miles, hayan distorsionado el voto democrático.

Los dos años que ha gobernado con el beneplácito del Kremlin, Kadírov los ha dedicado no a ganarse el respeto de su electorado, sino a perder el poco que tenía. Si bien Putin lo eligió como una incógnita que permitía toda clase de manipulaciones, Kadírov no tiene esa opción. Es un sujeto nocivo, y toda Chechenia lo sabe. ¿Cómo es posible entregar las riendas del gobierno de un país a personas como Kadírov, que no tienen la menor probabilidad de lograr la aprobación del electorado? La consecuencia es que tiene que recurrir a medidas extremas. ¿Acaso Putin no es culpable de ir contra un pueblo que está infinitamente cansado de esperar que lo liberen de la imposición de la guerra, con sus desastres, funerales, cadáveres y torturas?

Señor presidente, si usted no conoce el nombre de nadie decente en Chechenia, pregunte a los que sí lo saben. Es muy sencillo, y salvaría vidas.

P.D.: en *Novaya Gazeta* hemos tenido una discusión sobre si debíamos escribir «servicio de seguridad» o servicio de seguridad, «operación antiterrorista» u operación antiterrorista. Las opiniones estaban divididas. Desde un punto de vista gramatical, las comillas sobraban; sin embargo, la realidad actual de Chechenia es tan engañosa que resulta imposible atenerse a las reglas gramaticales. En Chechenia todo está entre comillas porque se está llevando a cabo una guerra ilegal en una zona cuya existencia es en sí misma ilegal. Un gobierno ilegítimo produce soldados al margen de la ley. Han apretado tanto el nudo que resulta difícil imaginar cómo puede deshacerse, incluso suponiendo que un momento de mágica iluminación sobreviniera a los que tienen el poder y, con suerte, un mínimo sentido de responsabilidad.

SE HA DECLARADO UNA DEUDA DE SANGRE CONTRA LA FAMILIA DEL «PRESIDENTE EN FUNCIONES» DE CHECHENIA

16 de junio de 2003

En la lejana aldea chechena de Bachi-Yurt, unos «individuos enmascarados y vestidos con ropa militar de camuflaje» que solo hablaban checheno, ejecutaron a cuatro miembros de la familia Abláyev-Dautjadzhiev: tres hombres, de entre cuarenta y cinco y cincuenta y cinco años, junto con una mujer de veintisiete, que deja un hijo recién nacido de dos meses y otros de cuatro y cinco años. Sus ejecutores fueron a por ellos en plena noche y les dijeron que se estaban cobrando una deuda de sangre por los sucesos del 14 de mayo, cuando unas terroristas suicidas intentaron atentar contra la vida del «presidente en funciones de la República de Chechenia», Ajmat-Hadji

Kadírov, cerca del pueblo de Ilasján-Yurt, que fallaron en su objetivo, pero mataron a cinco guardaespaldas en el intento. Los ejecutores añadieron que se trataba de sus camaradas y que, por lo tanto, estaban allí para cobrarse una deuda de sangre.

Hasta el momento, no se ha levantado monumento alguno en las tumbas de los ejecutados, y los hombres de la familia de los cuatro que murieron no visitan el cementerio. Eso significa que también ellos han declarado una deuda de sangre por su muerte, pero esta vez contra Ramzán Kadírov, el hijo menor del «presidente en funciones», quien, con el pleno apoyo de su padre y ocupando el cargo de comandante de una mítica «Unidad Especial del Ministerio del Interior», se dedica con su brigada al robo, al asesinato y en general a ajustar cuentas con todos aquellos a quienes considera sus enemigos.

«Shajidat y Aimani no podían ser culpables —dice Zinaida Dautjadzhieva, meneando la cabeza y sin enjugarse más los enrojecidos ojos. Es abuela, y en mayo seis miembros de su familia fueron asesinados—. ¿Por qué murió mi hija? La arrastraron hasta aquí, el sótano, donde tenemos una cocina. Yo les grité: "¡Llevadme a mí, ella tiene un recién nacido!", y ellos me contestaron: "Tú no eres pariente. No te necesitamos". Sus hijos lloraban. Los enmascarados sacaron a todo el mundo de sus camas. "¿Quién eres tú?", "¿Quiénes sois vosotros?", preguntaban. Se llevaron a cuantos quisieron al sótano y allí les pegaron un tiro. Mi Liza fue la primera. ¿Para qué? Shajidat y Aimani no eran culpables de haber provocado aquella explosión. Todo el mundo lo sabe.»

Las mujeres que nos rodean lloran como gatitos, gimiendo silenciosamente. El anciano padre de Liza se desmorona. Resulta insoportable porque todo el mundo puede ver qué vendrá después.

Sin embargo, antes conviene hacer una cronología de esta última desgracia que se abatió sobre Bachi-Yurt, y comprender por qué ocurrió lo que ocurrió.

El 14 de mayo se produjo un ataque terrorista en Ilasján-Yurt, un pueblo del distrito de Gudermés, durante un mitin del partido Rusia Unida que coincidió con el día del Nacimiento del Profeta. Hubo muchas bajas. La televisión chechena había invitado a la gente a que acudiera a un campo, cerca de Ilasján-Yurt, prometiendo que Kadírov daría un mitin en el que además haría regalos de su parte y de la del partido. Fue solo después de las bombas cuando Kadírov manifestó ante las cámaras de televisión que la reunión de Ilasján-Yurt era una celebración religiosa. La publicidad retransmitida por los medios de comunicación los días previos al 14 había dejado bien claro que el acto formaba parte de la campaña electoral de los candidatos de Rusia Unida, que recibían apoyo de los recursos administrativos del Estado. Los cabezas de las administraciones rurales recibieron instrucciones de fletar autobuses para llevar a su gente a Ilasján-Yurt a fin de aumentar el número de asistentes.

La gente llegó a pie y en vehículos. Días antes del acto, la televisión local anunció que Kadírov hablaría y que, como demostración de clemencia, se entrevistaría con las madres de los niños desaparecidos durante los barridos de seguridad. Miles de personas se dejaron engatusar. Un factor crucial de la multitudinaria asistencia fue la idea de que Kadírov quizá hiciera un anuncio acerca del paradero de algunos de los desaparecidos. En Chechenia, estos se cuentan por miles, y sus familiares buscan en todos los rincones de la República con la esperanza de encontrar el rastro de sus seres queridos.

Entre la multitud se encontraban Shajidat Baimurádova, su hermana Aimani Visayeva, una anciana pensionista madre de once hijos y Zulai Abdurzákova. Estaban allí por una buena razón. Un elemento típico del paisaje checheno actual son estas madres que buscan a sus hijos infructuosamente, confiando en toparse por azar con algún agente de las fuerzas de seguridad honrado, y que siempre llevan montones de documentos y papeles encima.

El 13 de mayo, el día antes del mitin, Shajidat y Aimani fueron a casa del padre de Kadírov, en Tsentorói, para pedirle que las ayudara a concertar una reunión con el «presidente en funciones» en la que pudieran entregarle las cartas y los documentos que tenían. El padre les recomendó que fueran a Ilasján-Yurt, diciéndoles que sería mejor que se reunieran con él allí. Siguieron su consejo. El 14 de mayo ocurrió lo que ocurrió, y esa misma noche la oficina del fiscal hizo públicos los nombres de esas tres mujeres, identificándolas como las terroristas suicidas. El 16 de mayo, tras el análisis de los médicos forenses realizado en la morgue de Jasaviurt, los cuerpos de Shajidat y Aimani fueron devueltos a sus familiares y enterrados un día después en Bachi-Yurt, su hogar de siempre.

Los bandidos que irrumpieron en plena noche gritaban: «¿Por qué las habéis enterrado aquí?».

—¿Y bien? —les pregunté—. ¿Por qué lo hicisteis, cuando en realidad vivían en otro pueblo?

—Para que descansaran junto a la tumba de su madre. En vida ya no tenían a nadie —responden sus familiares, que están convencidos de que Shajidat y Aimani no eran las terroristas suicidas.

—Las dos tenían demasiadas cosas de las que ocuparse. Además, no era su forma de ser.

Al final del día de los funerales, dos hombres, Román Edílov y Arbi Salmaniev, se presentaron en la casa familiar. Aunque el apellido de Shajidat y del hermano de Aimani es Dautjadzhiev, el de soltera es Abláyev porque su padre tuvo más de una esposa y algunos de sus hijos adoptaron el apellido de la madre. Los Abláyev y los Dautjadzhiev viven en casas contiguas de Bachi-Yurt. El velatorio iba a tener lugar después de los funerales de Shajidat y Aimani.

Edílov y Salmaniev son bien conocidos en Bachi-Yurt. El primero acaba de ser nombrado jefe de la oficina de Asuntos de Interior del distrito de Kurchalói. Antes de eso era miembro del «servicio de seguridad» de Kadírov o, como lo expresan los lugareños, de la «banda de Ramzán». La gente lo considera el encargado en Kurchalói de defender los intereses de la familia gobernante. Salmaniev, su mano derecha y también soldado de Kadírov, vive en Bachi-Yurt.

Salmaniev y Edílov declararon que las familias eran culpables del acto terrorista cometido por Shajidat y Aimani. «Ahora —dijeron— tendréis que pagar con sangre por el atentado contra la vida de Kadírov y la muerte de los soldados de Ramzán.»

—¿Sabía que esto iba a ocurrir? —le pregunto a Ajmat Temirsultánov, el cadí (juez islámico) del distrito de Kurchalói e imán de Bachi-Yurt.

El anciano, respetado, enfermo y encorvado, se hace el sordo para no tener que contestar. Insisto, pero sin resultado. A pesar de ser cadí e imán, está irremediablemente asustado de perder el favor de los Kadírov. Se trata de un miedo que se percibe por toda Chechenia, de un miedo que hace un año era desconocido. La gente lo ha aprendido con el derramamiento de sangre, y solo los más valientes se atreven a susurrar: «Le tenemos miedo a Kadírov».

—¿Alguien más, alguna otra familia de gente que murió en Ilasján-Yurt tiene que cobrarse todavía una deuda de sangre con ustedes? ¿Les han advertido? —le pregunté a Zinaida Dautjadzhieva.

El ritual para declarar una deuda de sangre es muy estricto y no es algo que se pueda tomar a la ligera; además, tiene que intervenir un cadí o un imán.

—No, nadie tiene que cobrarse nada con nosotros porque todos saben que Shajidat y Aimani eran inocentes. La oficina del fiscal reconoció haber cometido un error.

Y así fue. Un examen exhaustivo de los cuerpos de Shajidat y Aimani, realizado ante la insistencia del equipo investigador encargado de las pesquisas del atentado, demostró que ni siquiera había necesidad de un análisis forense de los cadáveres, puesto que las heridas demostraban claramente que no habían sido ellas. Alguien se fue de la lengua y dictó una sentencia de muerte.

Iván Nikitin es un joven alto. Calza zapatillas deportivas y lleva un fusil al hombro. Es el cabecilla del equipo que investiga el «acto de sabotaje y terrorismo» que corresponde a la causa penal n.° 32046. El grupo ha sido organizado por la oficina del fiscal y tiene su sede en Gudermés, cerca de Ilasján-Yurt, para poder interrogar a los testigos más fácilmente.

—Esas mujeres, Baimurádova, Visayeva y Abdurzákova, no llevaban los artefactos explosivos —me confirma Nikitin—. Simplemente estaban de pie a dos metros del epicentro de la explosión. Se lo dije al cadí Temirsultánov cuando vino a preguntarme si eran culpables o no, porque me di cuenta de que me lo preguntaba para evitar una deuda de sangre.

—Dígame entonces, ¿por qué la oficina del fiscal se dio tanta prisa en declarar que ellas fueron las que se hicieron estallar? Aquí tenemos cuatro mujeres inocentes que han muerto, una de ellas tenía un recién nacido de dos meses al que amamantaba.

Nikitin lo sabe perfectamente. Suspira y se escabulle como puede con un «todo es culpa de los medios de comunicación». En realidad, fue ni más ni menos que Serguéi Fridinski —el fiscal general adjunto ruso para la Región Federal del Sur y superior inmediato de Nikitin— quien hizo públicos los nombres de las supuestas terroristas antes de que hubiera plena certeza de su identidad. Nikitin declina hacer comentarios y me remite «a los de arriba». No hace falta decir que «los de arriba», los funcionarios de la oficina del fiscal de Chechenia, no tienen la menor prisa por hacer comentarios acerca de sus irresponsables declaraciones.

De regreso en Bachi-Yurt, Zina Dautjadzhieva, la madre de la ejecutada Liza, tampoco tiene mucho más que comentar. Siente mucho miedo de decir algo que pueda lamentar, algo que pueda resultar fatal a cualquiera de sus otros hijos.

—Tiene que comprenderlo. Los kadirovitas están por todas partes, y actualmente declarar una deuda de sangre contra Kadírov es...

Los aldeanos de Bachi-Yurt intentan explicar la situación, pero no pueden.

—¿Es qué?

—Es demasiado, es una sentencia de muerte. Así es la vida por aquí.

Parece que no hay nadie capaz de protegerlos, ni la oficina del fiscal ni el presidente Putin ni las Naciones Unidas.

Edílov y Salmaniev se marcharon, y puesto que sus acusaciones parecían tan absurdas, tan contrarias a las normas y costumbres, los hombres se quedaron en casa. Nadie corrió a esconderse, como suele suceder cuando alguien declara una deuda de sangre o se dispone a hacerlo. Todos se quedaron en casa, y la noche del 17 de mayo fueron ejecutados: dos hijos de Aimani, Janpash y Movsar Visáyev, un hermano de Aimani, Said Mohamed Abláyev, y Shajidat, su sobrina.

¿Por qué? Pues porque esto se ha convertido en una costumbre. Los kadirovitas pueden hacer lo que les plazca, incluso cosas prohibidas por la tradición. Viven como si no hubiera un mañana, haciendo caso omiso de las leyes, escritas o no escritas. Si Ramzán quiere terrenos en Gudermés para su gasolinera, se apodera de ellos sin molestarse siquiera en informar al Ministerio de Educación, al que pertenece la parcela y donde se ha de levantar un instituto de magisterio.

Así pues, en lugar de que Gudermés tenga un instituto de magisterio, lo que tiene es la gasolinera de Ramzán. Así ocurre con los negocios, donde hay dinero de por medio; pero lo mismo se aplica a la sangre, a los torrentes de sangre que los kadirovitas derraman. Puesto que ellos se encargan del derramamiento, todo el mundo en Chechenia sabe que si alguien desea vengarse de otro por haber derramado sangre lo que tiene que hacer es enrolarse en las fuerzas de Ramzán. Allí le darán la bienvenida, un arma y toda clase de bendiciones para el desquite. Los Kadírov se dedican al negocio de poner a todo el mundo en contra de todo el mundo. ¿Y para qué? Pues para consolidar su propio poder. Allí donde no existe el orden solo queda la sangre y el miedo a afianzar la base del propio trono.

¿Urnas electorales o urnas funerarias?

25 de agosto de 2003

Las luchas por el poder no son nunca nobles ni limpias, pero la lucha por el poder en Chechenia, que se desarrolla contra el telón de fondo de una guerra que cumple su quinto aniversario, resulta tan nauseabunda como un traidor por partida doble.

Ibrahim tiene aspecto de pirata. Las cicatrices le asoman bajo el cabello, y oculta sus ojos tras unas negras gafas. Fue gravemente herido. Camina con dificultad, apoyando el peso primero en una pierna y después en la otra, una prueba habitual de que lo golpearon en los riñones. Ibrahim Garsiev, de treinta y seis años y padre de familia, procede de Tangi-Chu y es guardaespaldas de Rustam Saiduláyev, el hermano de Malik Saiduláyev, el político de la oposición.

El 7 de agosto volvía a casa en coche a través del distrito de Urús-Martán cuando fue detenido por unos «individuos enmascarados desconocidos que vestían ropa militar»: la clásica historia chechena. Lo desarmaron, lo llevaron a la comisaría de la milicia del distrito y empezaron a interrogarlo.

«Querían que confesara haber volado un depósito de agua militar en Tangi-Chu y haber matado a Batálov, el jefe de la oficina del oistrito contra el crimen organizado —me cuenta Ibrahim—, pero eso era solo una tapadera. El jefe del Departamento de Investigación Criminal es un tipo decente, y me dijo: "Mira, al menos reconoce que tenías una granada de mano. Eso será mejor para ti. Así solo irás a la cárcel durante un año. De lo contrario, los kadirovitas te matarán. Son ellos los que quieren tu cabeza".»

Sin embargo, Ibrahim no abrió la boca. Poco después, le pusieron una capucha, lo metieron en un coche y se lo llevaron.

En Chechenia, los kadirovitas constituyen unidades subordinadas a Ramzán Kadírov, el hijo del «jefe de Chechenia». Ramzán es el responsable del «servicio de seguridad» de papá y se comporta de un modo que recuerda a Alexander Korzhákov, el guardaespaldas del presidente Yeltsin, que interpretaba su papel con tanta dedicación que se comportaba como el segundo en la escala jerárquica de la nación.

Un ejemplo de lo anterior en acción: cómo se recaudan los fondos para la campaña electoral de Ajmat-Hadji Kadírov. Tal como reconocen la mayoría de los ministros del gobierno checheno, Ramzán dicta la cantidad con la que cada ministerio debe contribuir. No estamos hablando de miles de rublos, sino de miles de dólares. El ministro confecciona una lista prorrateando la cantidad entre los funcionarios de acuerdo con el cargo que ocupan. Los viceministros deben contribuir con 5.000 dólares, mientras que a los jefes de departamento se les calcula entre 1.000 y 2.000 dólares por cabeza. Los funcionarios son advertidos de que si el ministerio no logra entregar la cantidad requerida por Ramzán, serán despedidos. Los funcionarios viven con el miedo permanente a perder sus empleos porque los sueldos a cargo del Estado constituyen la única fuente de ingresos estables en Chechenia. Como resultado, la mitad del país está endeudada con la otra mitad. Todo el mundo ha pedido prestado y vuelto a pedir con tal de no malquistarse con la familia Kadírov.

Después de los funcionarios, les llega el turno a los mercados chechenos. Estos representan la segunda fuente de ingresos más importante de la República. Las desgraciadas mujeres chechenas —maestras, médicos, amas de casa, enfermeras y periodistas— son las que están en los mercados, y así es como la mayoría de familias han logrado alimentar a los suyos durante la guerra. Los hombres se quedan en casa, intentando evitar los barridos de seguridad y los controles, de modo que son las mujeres chechenas las que se ocupan de comerciar. Y toda comerciante debe satisfacer un tributo destinado a Ajmat-Hadji. El sistema es siempre el mismo: Ramzán marca una cantidad al director del mercado que, a su vez, la prorratea entre todos.

Como es natural, los funcionarios no protestan, pero las mujeres fueron a la huelga. A cada una le habían calculado quinientos dólares (en Chechenia, los servicios políticos son, como verán, bastante caros); de modo que dijeron que no volverían a los mercados hasta que la cantidad fuera más razonable. No obstante, la huelga se deshizo cuando los kadirovitas amenazaron con asesinar a las familias de algunas cabecillas, y las mujeres acabaron entregando el dinero. Ya pueden juzgar por ustedes mismos lo justas y democráticas que van a ser las elecciones.

En Chechenia, la palabra «kadirovita» se aplica a un amplio número de organizaciones, anárquicas y descentralizadas, todas ellas armadas hasta los dientes con todo tipo de armamento que incluye fusiles de tiro rápido israelíes y letales Beretta, prohibidos en el territorio de la Federación Rusa.

Oficialmente, el destacamento de seguridad de Ajmat-Hadji lo componen 61 personas, pero si incluimos las unidades controladas por Ramzán, las unidades armadas de la milicia y las diversas unidades de operaciones especiales de las que abundan en Chechenia y en las que Ramzán ha logrado infiltrar hombres de su confianza, la cifra oficial asciende a 1.200 individuos.

De todas maneras, la realidad es que en Chechenia los kadirovitas suman varios miles. Ellos mismos se calculan entre 3.000 y 5.000. ¿De dónde vienen? Las divisiones que controla Kadírov actualmente aceptan en sus filas a cualquiera que esté dispuesto a seguir combatiendo; por ejemplo, antiguos resistentes que han sido amnistiados. En efecto, la amnistía decretada por la Duma rusa obliga a que los amnistiados sean asimilados por los destacamentos de Kadírov. Las antiguas unidades de resistentes amnistiados forman ahora la espina dorsal de los kadirovitas. Este verano reclutaron en todos los centros de distrito y en la mayoría de pueblos. Los miembros de la resistencia y los combatientes que rechazaron la amnistía planteada en esos términos atestiguan que los que se rindieron eran principalmente los delincuentes y marginales de sus comunidades.

A pesar de que los kadirovitas aseguran que están limpiando Chechenia de extremistas wahabíes, en la práctica lo que están haciendo es limpiar la República de todos aquellos a quienes consideran una molestia; es decir, en estos momentos, a los enemigos políticos de Ajmat-Hadji.

Otro ejemplo reciente: el destacamento de Movladi Baisárov, que tiene su base en la aldea de la Granja de la Juventud Soviética n.º 15, cerca de Grozni —y cuyo anterior comandante había sido uno de los subordinados de Masjádov, Vaja Arsánov—, se ha pasado directamente de las filas de los separatistas a las de los kadirovitas.

Hace poco, los hombres de Baisárov secuestraron a tres oficiales del BSF e intentaron intercambiarlos por uno de sus camaradas, que había sido detenido por su participación en otro secuestro. Los basairovitas se salieron con la suya porque ahora se los considera kadirovitas.

Fue precisamente en la comisaría de la milicia del distrito de Urús-Martán donde Ibrahim Garsiev se encontró con uno de esos renegados, en concreto con un individuo que había participado en varios secuestros importantes en la época de Masjádov, un tipo con una orden de busca y captura de las autoridades federales pero que se ha convertido en el segundo de a bordo de la comisaría de la milicia del distrito de Urús-Martán.

Fue ese delincuente quien organizó el secuestro de Garsiev, sabiendo que trabajaba en el destacamento de seguridad de Saiduláyev, y solicitó los servicios de un grupo de «individuos enmascarados desconocidos que vestían ropa militar». Ibrahim fue llevado a rastras y no tardó en encontrarse ante Ramzán Kadírov, en el patio de su casa-fortaleza de Tsentorói.

¿Fue interrogado por Ramzán personalmente?

Sí. Me preguntó qué clase de vehículo utilizaba Saiduláyev y cuántos guardaespaldas tenía. No contesté, así que me golpearon en todo el cuerpo con un palo. Ramzán me propinó la paliza. Luego me colgaron por los brazos de un árbol y siguieron pegándome. Ramzán no era la única persona que dirigía aquello. Había otro que, después, me dijeron que había sido el jefe de personal de Basáyev pero que se había convertido en el comandante de reconocimiento de Ramzán. Este dijo que regalaría su reloj de oro a quien se le ocurriera la muerte más cruel para mí.

¿Cuántos eran?

Sesenta o setenta.

¿Quién ganó?

El antiguo jefe de personal de Basáyev. Dijo que tenían que colgarme de las muñecas y hacerme miles de cortes en la piel. Se fueron a un rincón a deliberar. Pensé que estaban decidiendo cómo matarme, pero cuando regresaron empezaron a pegarme otra vez, aunque de forma intermitente. Me pegaban y me preguntaban: «¿Vas a hablar?». La tercera vez dije que no aguantaba más y que haría lo que me pidieran.

¿Y qué querían?

Querían que llevara una mina terrestre a casa de Rustam y volara a Malik Saiduláyev cuando este llegara. Dije que lo haría. Ramzán me gritó: «¿Creéis que voy a dejar que consigáis la presidencia? Aunque Malik salga elegido, os liquidaré a todos vosotros».

¿Estaba hablando de organizar el asesinato de Malik Saiduláyev? ¿Ramzán se lo estaba encargando a usted e iban a entregarle una mina terrestre?

Sí.

¿Y si usted hubiera dicho que no?

Me habrían matado.

¿Qué ocurrió después de que usted aceptara?

Dejaron de pegarme y sacaron a otros prisioneros de las celdas. Las celdas están dispuestas de tal modo que dan al patio de Ramzán. Vi a tres. No sé qué habían hecho. A dos de ellos les pegaron un tiro en las piernas ante mis ojos. Al tercero, que ya había recibido un disparo en las piernas, lo metieron en un coche y se lo llevaron. Entonces me dieron té, como si fuera uno de ellos. También me dieron de comer. Llamaron a unas mujeres que bailaron y cantaron para nosotros. Al día siguiente me dejaron ir. Se supone que debo avisarlos cuando Malik vaya a visitar a su hermano, entonces me darán la mina. Me he escondido y me he llevado a mi familia lejos de aquí. Ramzán me advirtió que si no hacía lo que había prometido me mataría a mí y a toda mi familia. He enviado una declaración firmada al fiscal general. Si Kadírov llega a convertirse en presidente, mi única opción será unirme a un grupo paramilitar para luchar contra él. ¿Qué más puedo hacer? Tenemos que sobrevivir. No les dejaré que me cojan con vida por segunda vez.

Oculto tras sus gafas de sol, Ibrahim se aleja cojeando. Todo lo que le ha ocurrido este mes de agosto es típico de la vida en Chechenia. Basta con sustituir los nombres de los que han sido torturados en el mismo lugar y con el mismo propósito. La verdadera campaña preelectoral organizada por los emisarios de Kadírov es una campaña de intimidación generalizada bajo el lema «Con Kadírov o la muerte».

Lo que vemos en el horizonte son realmente las elecciones de la desesperación. El Kremlin ha creado un monstruo peor que el que lo precedía y ahora no le resulta tan fácil deshacerse de él. Si Kadírov gana, será inevitable que ajuste cuentas con sus adversarios, y estos contraatacarán, de modo que habrá más derramamientos de sangre, más atrocidades, desconfianza y radicalismo. Será la guerra, y ya pueden llamarla «guerra civil» o «tercera guerra chechena».

POR QUÉ KADÍROV LA TOMÓ CON EL ANCIANO BALÚ: EL PODER
PRESIDENCIAL EN LA ZONA DE LA LLAMADA «OPERACIÓN
ANTITERRORISTA»

20 de noviembre de 2003

¿Desea Kadírov ser un presidente de verdad? ¿Quiere estar a la altura de los resultados electorales declarados el 5 de octubre y, conforme a la Constitución, proteger al pueblo de Chechenia de la guerra, el secuestro, las hambrunas y la humillación? ¿Qué está haciendo? ¿Qué clase de apaño se ha llevado el pueblo checheno?

Durante los últimos cinco meses, Marat Isákov ha buscado aquí y allá a su padre, de setenta y siete años, Said Mohamed-Hadji Isákov, anciano del pueblo de Dishne-Vedenó, un hombre respetado en su región y conocido por tener autoridad, ser recto y devoto. De hecho, según dice de él la gente de Vedenó, es «puro como el oro». Ha peregrinado diez veces a La Meca, se ha enfrentado con los wahabíes y no hay casa de los alrededores donde el «viejo Balú», como es cariñosamente conocido, no haya enterrado a los difuntos, reconciliado a los enemigos o aconsejado a los jóvenes.

Sin embargo, en opinión de Kadírov, el anciano Isákov es un obstáculo desde hace tiempo. El «viejo Balú» no lo ha apoyado, ha denunciado sus métodos y, el 21 de junio de este año, en el período que medió entre el referéndum del 23 de marzo y las elecciones del 5 de octubre, cuando Kadírov estaba barriendo a toda la oposición, Said Mohamed-Hadji Isákov fue secuestrado por «personal militar no identificado» en una calle próxima a su casa de Dishne-Vedenó cuando se dirigía a un velatorio. Su familia no tiene la menor duda de que los kadirovitas están detrás del secuestro.

Zeinap, su esposa de setenta y cinco años, que le ha dado diez hijos y ha compartido sesenta años de su vida con él, escribió cartas a todas las personas que se le ocurrieron, desde el fiscal del distrito de Vedenó, pasando por el patriarca Alexis hasta llegar al presidente Putin. En ellas adjuntó copias del expediente laboral de su marido como trabajador de la serrería de Vedenó y como herrero, los premios que ha recibido y sus numerosos éxitos en competiciones socialistas. Todo fue inútil: «Los ministerios de la Federación Rusa no se hallan en posesión de ninguna información relativa a las circunstancias de la detención del señor Isákov en el territorio de la República de Chechenia». En la Chechenia actual, esto supone una forma de rechazo oficial que no deja el menor resquicio a la esperanza. La comunicación llegó a manos de Zeinap firmada por el fiscal militar de la Unidad 20116 del ejército, el coronel juez I. Jolmski.

Es como si la tierra se hubiera tragado a Balú, un hombre que «disfrutaba de una indiscutible autoridad entre todas las capas de la población», como lo expresó la reclamación colectiva que la Asamblea de Ciudadanos del Distrito de Vedenó elevó al presidente Putin para reclamar que les devolvieran a su anciano.

—Fue curioso cómo gente que había decidido ayudarnos, gente que incluso entró en bases militares, en Jankalá, de repente cambió de actitud un par de días después —dice Marat, uno de los siete hijos de Said-Mohamed—. Un día decían: «Sí, lo he visto. Seguro que lo ponen en libertad». Y al siguiente: «No, no sé nada».

—¿Por qué cree que pasa eso?

—Es como si hubieran descubierto algo y no quisieran saber nada.

Zeinap continúa:

—Está enfermo y tiene que medicarse. Tiene la tensión alta y problemas de estómago. Tengo la sensación de que ya no está entre nosotros. No habría durado tanto tiempo en la cárcel. Al menos podrían devolvernos sus restos. Fuimos a ver al padre de Kadírov para presentarle nuestra petición, pero su guardaespaldas me gritó y me echó. Cuando un combatiente de la resistencia muere en la lucha, los soldados devuelven los restos a la familia a cambio de quince mil rublos. Sin embargo, aquí tenemos a alguien que no es culpable de nada, y ninguno de sus hijos ha participado en nada, pero ni siquiera nos devuelven el cuerpo. Fui a ver al comandante del ejército en Vedenó y le dije: «Cuando alguien es culpable, lo llevan a juicio, pero ¿cuando es inocente simplemente desaparece?». El comandante no tuvo nada que decir.

El viejo Balú era tan inflexible como legendario. Nunca se inclinó ante nadie e hizo caso omiso de las exigencias de Kadírov a los mulás y a los líderes religiosos y no apremió a sus vecinos del pueblo para que votaran a favor de la nueva Constitución en el referéndum del 23 de marzo. Casi todo el mundo protestó, pero acabó haciendo lo que le decían. Es más, Said Mohamed rechazó categóricamente los métodos empleados por Kadírov para gobernar Chechenia; por ejemplo, cuando se anunció que el ayuno islámico no se iba a observar según el mismo calendario, sino que iba a posponerse una semana. Fue la manera que tuvo Kadírov de comprobar qué mulás estaban dispuestos a desafiarlo. La mayoría de ellos estaban asustados y aceptaron, aunque con escaso entusiasmo. Deseaban seguir con vida. Pero Said Mohamed no se sometió y declaró públicamente: «Debemos temer al Todopoderoso, no a Kadírov». Naturalmente, esas palabras llegaron a oídos de Kadírov y su venganza no se hizo esperar.

«Kadírov solo estaba averiguando qué mulás estaban de su parte —dice un vecino de Said—. Teníamos mucho miedo por el viejo Balú. Le rogamos que fuera a casa de su hijo, en Moscú. Kadírov estaba quitando de en medio a todos los que tuvieran algo de autoridad y no estuvieran de su parte, pero Mohamed se negó: "Soy demasiado viejo para huir", nos dijo.»

Poco antes de que lo hicieran desaparecer, el viejo Balú fue a Ilasján-Yurt, donde una vez al año se celebra un festival islámico que es importante para los chechenos y donde todos rezan juntos. Cuando llegó al pueblo, el anciano vio que el partido Rusia Unida estaba celebrando un acto electoral en pleno festival religioso y que, como no podía ser de otra manera, Kadírov en persona estaba allí. Isákov no ocultó su disgusto y se marchó en el acto. Nuevamente, Kadírov fue informado.

Normalmente, la gente fuerte no tiene problemas a la hora de respetar la autoridad de otras personas igualmente fuertes. Son los débiles los que buscan venganza. Pasó muy poco tiempo antes de que fueran en busca del anciano. Toda una columna de vehículos blindados, casi doscientos soldados para capturar a un viejo enfermo.

Said Mohamed salió fuera. Zeinap intentó disuadirlo, pero él le contestó que no le harían daño. Lo habían identificado cientos de veces. Cruzó la puerta y esa fue la última vez que alguien lo vio. Zeinap oyó los motores de la columna blindada y cómo esta daba media vuelta y se alejaba. Ella y sus hijos escribieron cartas a todas las instituciones habidas y por haber. Los vecinos del pueblo celebraron una asamblea para exigir al ejército y a Kadírov que les devolvieran a su respetado anciano. La oficina del fiscal incluso abrió la causa penal n.° 24049, pero las contestaciones oficiales —cuando llegaron— fueron un muro infranqueable: «Entre el 20 y el 23 de junio, los miembros de las tropas federales no han llevado a cabo medidas especiales (barridos de seguridad) en el pueblo de Dishne-Vedenó».

«Solo hicieron ver que investigaban —asegura Marat—. Se lo llevaron los kadirovitas. Kadírov obliga a los mulás a corromperse, pero mi padre era distinto. Kadírov aparta a la gente verdaderamente religiosa que sabe separar la religión del dinero. En nuestra familia siempre ha sido así. Nos hemos mantenido alejados de la política y hemos evitado entablar amistad con los funcionarios del gobierno.»

Casi todos los mulás de Chechenia que opinaron que los métodos de Kadírov eran inaceptables y lo manifestaron públicamente han sido eliminados. Y lo mismo es cierto para todos los responsables de la administración rural del país. (El sistema administrativo checheno se basa en grandes pueblos de entre 15.000 y 20.000 habitantes.) Pero, entretanto, ¿qué pasa con el presidente de la República de Chechenia?

Tras ser proclamado presidente, a Ajmat-Hadji Kadírov se le encuentra pocas veces en su despacho, y la forma en que pasa su tiempo difícilmente puede describirse como «liderando la República». La vida de Kadírov se reparte entre su casa-fortaleza de Tsentorói y Moscú, aunque pasa la mayor parte del tiempo en la capital. Eso no debería constituir ninguna sorpresa. Kadírov no puede desprenderse de su pasado y sigue considerando que su primera prioridad, mucho antes que trabajar para su pueblo, es tener contento al Kremlin. Últimamente, su trabajo en Moscú ha consistido en no perder de vista el lento y prolongado retiro de Alexander Voloshin, el jefe de la administración presidencial del presidente Putin. Kadírov nunca se ha alejado del Kremlin mientras ha durado porque el hecho de que lo sentaran en el poder fue el canto del cisne del proyecto de Voloshin y, sin él, no tendría nada. Empezó a ponerse nervioso cuando el oligarca Mijaíl Jodorkovski fue encarcelado, y entonces inició sus frecuentes viajes a Moscú en busca de un nuevo padrino que fuera igualmente poderoso.

Sin embargo, en Chechenia también resulta un espectáculo grotesco. La comitiva que organiza cuando viaja de Tsentorói a Grozni para trabajar (por decir algo) es aún más espectacular que la de Putin cuando se mueve por Moscú: todas las carreteras y caminos se cortan y todos los súbditos de Kadírov, tanto los que van en coche como a pie, quedan sometidos a una especie de estado de excepción. Tiene miedo de que cualquiera de ellos pueda decidir hacer saltar en pedazos al campeón de su nueva y maravillosa vida.

El ideal presidencial de Kadírov también va quedando claro poco a poco. Últimamente ha empezado a intuir que es el Turkmenbashí, el padre de todos los turkmenos, el que ha convertido Turkmenistán en el más opresivo de los despotismos orientales que se aplican los territorios post soviéticos. El Turkmenbashí tiene un miedo cerval a su gente y elimina cualquier indicio de disensión; da carta blanca a sus funcionarios para que roben a placer, y controla personalmente las tramas de corrupción. Tiene un ejército de brutales mercenarios e influyentes padrinos más allá de sus fronteras.

¿Quién podría negar que todos los dictadores de este mundo comparten cierto parecido familiar? Kadírov tiene a Putin y al Kremlin como mentores; su letal campaña contra el viejo Isákov y los mulás; se mueve con aires regios e iguala la sociedad mediante el sencillo método de cortar cualquier cabeza que ose asomarse por encima del parapeto. En cuanto a la corrupción y el funcionariado, la Chechenia de Kadírov es el parque de atracciones de los sobornos y las corruptelas.

Un ejemplo reciente es lo ocurrido con los pagos de compensación prometidos, que fueron uno de los principales argumentos de la campaña electoral de Kadírov y un tema del que Putin y él hablaron interminablemente por televisión. Ha llegado el mes de noviembre, y todavía no se ha pagado ninguna compensación. La forma en que lo montó Kadírov fue organizar una serie de comisiones de pagos especiales (con el consiguiente aumento del número de funcionarios) encabezadas por un grupo de turbios personajes. El resultado ha sido que se ha desencadenado una guerra entre dichos funcionarios y los ciudadanos que han perdido sus casas y un techo bajo el que cobijarse. El propósito de esta campaña es saquear los fondos de compensación. Del mismo modo que controla el oleoducto, del mismo modo que el Turkmenbashí controla el gaseoducto, Kadírov ha regalado el fondo de compensación a los funcionarios.

Los funcionarios de mayor rango se aplican tenazmente a la labor tras haber aprendido a dominar la conocida técnica del «tubo de pasta de dientes» para sacar un porcentaje, un soborno. Primero se aseguran de que nadie sea capaz de reunir la documentación que demuestre que tiene derecho a una compensación y conseguir de ese modo el dinero. La gente debe registrarse y volverse a registrar. Hay que peinar las listas y contrastarlas, y los que se ven expulsados de ellas tienen que hacer esfuerzos titánicos para que los incluyan nuevamente, esfuerzos que se expresan en términos de un porcentaje detraído del monto de la compensación.

En estos momentos, la población es tan conformista que ya no se queja. En Avturí, la única persona del pueblo que ha cobrado compensación recibió 175.000 rublos en lugar de los 350.000 que acreditaba. El resto fue vampirizado. Sin embargo, está contenta y agradecida a Kadírov. En Grozni no fui capaz de encontrar a nadie tan afortunado que dijera: «Oh, sí. He cobrado mi compensación y ahora me estoy construyendo una nueva casa».

O bien Kadírov no sabe lo que está pasando o las promesas de Putin no son más que fuegos fatuos. Pero créanme, cuando hay dinero de por medio, Kadírov sabe todo lo que hay que saber.

Ajmat-Hadji Kadírov aparece en la televisión rusa junto a Putin más a menudo que Mijaíl Kasiánov, el primer ministro ruso. Kadírov es a quien el presidente Putin presenta insistentemente ante el este y el oeste como «el nuevo rostro de la nueva Chechenia». La nueva Chechenia se halla en su segundo mes de vida, y nadie sabe nada del paradero del «viejo Balú». Tampoco hay nadie que se atreva a contradecir a Kadírov. El callejón sin salida checheno de Putin, la tierra de desesperación de Kadírov. A finales de 2003, la «paz» tras las «elecciones».

Utilizar un pozo de encierro como urna electoral: Chechenia regresa a la Edad Media

17 de noviembre de 2005

Durante los más de seis años que lleva durando la última guerra, los chechenos se han acostumbrado hasta tal punto a que haya consultas electorales fraudulentas que el anuncio de unas inminentes elecciones al Parlamento no ha suscitado ningún interés apreciable. Además, los abusos que siguen dominando en la República no hacen sino consolidar la apatía popular. Todo depende exclusivamente de si se ha pagado o no. Los funcionarios y los servicios de seguridad locales cobran su tributo o lo exigen. Los secuestros siguen siendo moneda corriente todos los días, y en ese sentido nada ha cambiado, salvo que ahora solo hay dos razones para los secuestros: o bien es porque alguien no ha pagado (en el caso de los funcionarios) o bien porque alguien no ha comprado su libertad (en el caso de los combatientes de la resistencia renegados).

Mi viejo amigo Mohamed, de Gudermés, es un personaje destacado de la República. Hombre amable y educado, escribió hace unos años un libro sobre el artista checheno Pável Zajárov. El pomposo Kadírov padre convirtió a Mohamed, que en aquella época tenía a muchos huérfanos viviendo en su casa y estaba muy necesitado de fondos, en ministro de Trabajo y Obra Social. Más tarde, lo nombró ministro de Asuntos Sociales. La pregunta es ¿Mohamed robó?

Hace poco, los kadirovitas lo secuestraron y se lo llevaron a Tsentorói, donde se encuentra la principal «base de reeducación» de Chechenia y donde se han excavado numerosos pozos de castigo con ese propósito. Le dieron una paliza y le presentaron una factura por valor de 200.000 dólares si no quería engrosar la lista de activistas pro derechos humanos desaparecidos sin dejar rastro. Al parecer, los 200.000 dólares eran parte de una deuda que no había liquidado, más los intereses correspondientes.

Mohamed les dio el dinero en efectivo y en el acto. Ellos le cepillaron el traje, se lo plancharon y devolvieron a aquel funcionario —cuyo trabajo consiste en apoyar a los socialmente desfavorecidos— a su despacho. En otras palabras, un grupo de servidores del Estado arrancaron dinero a la fuerza a otro.

En un incidente similar se vio implicado el joven líder del distrito de Shalí, Ajmed, que también había sido invitado por Kadírov para que trabajara como jefe de la administración de Togliatti. Hace poco, secuestraron a Ajmed, lo llevaron a Tsentorói, le golpearon y le ordenaron que pagara 100.000 dólares por su rescate. Entregó el dinero, pero se quedó sin trabajo igualmente porque los esbirros de Kadírov llegaron a la conclusión de que no era de fiar y no vieron posibilidades de alcanzar un acuerdo satisfactorio con él. Ajmed huyó al extranjero en el acto, y en estos momentos el jefe de la administración del distrito de Shalí es un tal Edward Zakáyev, «uno de los nuestros» sin discusión, y por más señas amigo de Kadírov hijo y no de Kadírov padre.

¿Qué son estas deudas de las que hemos hablado, qué proporciones tienen y cómo es posible que se den entre funcionarios de un mismo aparato administrativo?

Hace apenas un año, durante los meses que siguieron al ascenso de Kadírov hijo, el término «de nuestro lado» empezó a utilizarse en Chechenia para referirse a la gente considerada leal. Es cierto que «leal» se aplica a la persona incapaz de engañar o de falsedad; pero ahora «de nuestro lado» significa cualquiera que roba y está en situación de pagar tributo. Todos los funcionarios y miembros de los cuerpos de seguridad pagan dicho tributo a sus superiores inmediatos —la banda de Kadírov—, y cuanto mayor es el rango del funcionario en cuestión, más debe pagar. Un miembro de los cuerpos de seguridad o de la seguridad social paga con regularidad. Por ejemplo, se exige que cada comisaría de la milicia abone 1.000 dólares por cada persona que trabaja en ella: ciento cincuenta milicianos equivalen a 150.000 dólares que se remiten mensualmente a Tsentorói.

Y que Dios ampare al que intente escamotear la más mínima cantidad. Los kadirovitas disponen de un sistema de control endiabladamente eficaz, mucho más que la unidad puesta en marcha por Putin para cazar a Basáyev. Si uno no paga el tributo correspondiente o si intenta quedarse con algo recibe una buena colleja y se le aumenta la cantidad con la multa correspondiente. El que no paga por segunda vez es mejor que huya a toda prisa si no quiere ser secuestrado con fatales consecuencias.

En otras palabras, hay un mercado dirigido por unos jefes que hacen sus rondas y recaudan sus porcentajes. Esos jefes constituyen una pandilla de gángsteres que, en Chechenia, cuentan con el padrinazgo de las más altas autoridades del Estado ruso. En consecuencia, todo funciona absolutamente en términos de robo con violencia y depravación, ya sea la política o la economía, o incluso la designación de los candidatos al cargo de diputados. Ni siquiera el hecho de pertenecer a Rusia Unida, el partido de Putin, confiere inmunidad. Es necesario pagar y prometer que se seguirá pagando.

Un último ejemplo es el de un hombre próximo a los Kadírov, Taus, el más leal de los leales, su perro guardián de la chechenización. Taus vivió durante mucho tiempo con la familia Kadírov. Respetaba a Ajmat-Hadji, lo servía y siguió haciéndolo con Ramzán, a quien conocía desde que era pequeño. Taus aspiraba a convertirse en un político de altura. Fue el arquitecto del acuerdo sobre cómo debía repartirse el poder entre los regímenes ruso y checheno y una de las personas que Súrkov mencionó al Kremlin. Deseaba ser el líder del Parlamento y, durante un tiempo, disfrutó del rango de presidente del Consejo de Estado de la República de Chechenia, una institución cuasiparlamentaria que rubricaba todas las decisiones políticas en nombre de Ajmat-Hadji y Ramzán.

Pero entonces se produjo un enfrentamiento y, al final, ni siquiera el más leal de los leales pudo soportar la desmedida insolencia de la banda de Kadírov y las desmedidas exacciones que reclamaban. Apoyándose en su antigua posición como viejo camarada, tuvo la osadía de protestar ante el chiflado de Ramzán, que lo hizo apalear en público, igual que a un perro, como si lo más normal fuera ordenar que dieran palizas a todos los que no le caían bien. Para terminar, le dio un puñetazo y lo echó a patadas.

Taus se marchó y, antes de las elecciones, Ramzán nombró a otro líder del Parlamento, a Dukvajá, del Ministerio de Agricultura, para que fuera viceprimer ministro. Dicho sea de paso, el Ministerio de Agricultura paga a Tsentorói aún más que otros ministerios. Dukvajá seguramente decidió que esa decisión lo ayudaría en su trayectoria política.

¿Adónde quiero llegar? A que en vísperas de esta última ronda electoral al estilo europeo, Chechenia se ha convertido por fin en el gran bazar del bey, donde el bey es el único oligarca, con sus Hummer y sus inodoros dorados; un brutal aparato de represión que no se detiene ante nada y que constituye otra manifestación del síndrome del Turkmenbashí. ¿Saben a qué se dedica el Parlamento de Turkmenistán? Pues a rubricar las decisiones del Turkmenbashí. En Chechenia, el régimen de un Turkmenbashí ha dotado al país de una fachada de aspecto europeo que le sirve para rubricar cualquier capricho que se le antoje.

Por supuesto, uno no tiene más remedio que apiadarse de los infelices que corren a entregar dinero para comprar su derecho a convertirse en unos don nadie, como hizo el año pasado Alú Aljánov al ser elegido «democráticamente» presidente de la República de Chechenia. Sin embargo, cada cual toma sus propias decisiones y si bien están aquellos que aspiran a correr a entregar el dinero, hay otros que se han negado categóricamente a ser candidatos a pesar de que los han apremiado para ello.

Sin embargo, hay algo que resulta insoportable. ¿Para qué, desde el inicio de la segunda guerra chechena, en 1999, miles de personas han entregado la vida? ¿Para llegar a esto? ¿Y por qué los que siguen con vida sufren tanto y soportan una vida privados de todas las comodidades del siglo XXI en las ruinas de sus destrozados hogares?

Cuesta reconocerlo, pero no queda más remedio: todos los sacrificios que se han hecho han quedado reducidos a la nada por culpa del régimen instaurado. A medida que se acercan las elecciones de 2005, retrocedemos a 1997, el año en que Masjádov era el impotente jefe del Estado, y la ley de las armas de Basáyev, ascendida a la categoría de política nacional, dominaba todo y a todos.

El año 1997 condujo a la guerra de 1999. La situación actual tampoco puede durar. Una nueva guerra, en esta tierra que ha llorado hasta el punto de no tener más lágrimas que derramar, resulta más que probable. Apúntenlo en sus diarios. Las elecciones son dentro de diez días.

Un vídeo en primicia en Chechenia

20 de marzo de 2006

La semana pasada, el sector de la sociedad rusa que se interesa por estos asuntos se sintió intrigado cuando en internet aparecieron un par de fotografías de Alguien que se Parccía a Ramzán Kadírov (en adelante APRK, para abreviar). Las imágenes eran instantáneas sacadas de un vídeo grabado con un móvil, y se decía que estaban en manos de una página web checheno-canadiense. En las imágenes, APRK aparecía abrazando a una atractiva morena con un sujetador rojo sin intentar disimular lo más mínimo la satisfacción que ello le producía.

El escándalo saltó en el acto. Los guardianes de la moralidad se desgañitaron, la oficina del fiscal de Chechenia se las arregló para dar un cambio de velocidad nunca visto y abrió una causa penal contra los perpetradores de semejante infamia, pero no, es obligado decir, para averiguar la identidad de APRK.

No obstante, esas dos fotos eran un simple juego de niños. «El vídeo de la sauna», como fue bautizado, no era nada comparado con otros vídeos en los que aparecía APRK y sus secuaces, realizados igualmente con la ayuda de móviles y que han llegado a manos de *Novaya Gazeta*.

Muy bien, pues: escena 1. (Cronológicamente, el primer vídeo, fue también el primero en llegar a nuestra oficina.) Una calle típica de Grozni, evidentemente a finales del otoño de 2005, tal vez en noviembre. Un incidente local sin importancia: un accidente de carretera entre un vehículo blindado de transporte de tropas (en Chechenia no hay un APC que no sea federal) y el coche de alguien perteneciente a unas presuntas fuerzas chechenas de seguridad. Numerosos individuos con el uniforme del «servicio de seguridad» de Kadírov entran desde fuera de plano. En la multitud también hay miembros de la patrulla de carreteras de la milicia. El gentío corre hacia donde los soldados del APC accidentado yacen en el suelo.

Un federal que sigue en pie es empujado por hombres con uniforme kadirovita y tirado al suelo donde yacen los demás. La multitud se amontona alrededor. Vuelan brazos, puños y culatas de rifles. El ojo del móvil sigue la evolución del suceso.

Un miembro de la patrulla de carreteras grita en checheno: «¡Dejad de pegarles! ¡Dispersaos! ¡Aslanbek!». Los que filman con el móvil dicen en checheno: «¡Todavía no han tenido bastante!». Y añaden en ruso: «¡Bastardos!». Y en checheno: «¡Les enseñaremos a faltar al respeto a Ramzán!».

Al final, la multitud se dispersa. Los cuerpos de los soldados tirados en la embarrada cuneta son abandonados, inertes y con el rostro en el fango. Uno de ellos recibe una patada en la cabeza. No reacciona. Están muertos o inconscientes. Una cosa sí está clara: les han propinado una soberana paliza.

Escena 2: seguramente enero de este año o puede que diciembre del anterior. Una apretada multitud de individuos vestidos con uniformes de combate en un mercado de Grozni o de Gudermés. Por los altavoces del mercado suena la letra de una canción pop rusa: «Hay armonía en el mundo...». APRK es fácilmente visible entre el gentío.

La filmación se realiza desde la ventanilla de un vehículo. Los dos individuos implicados en ella hablan en voz baja, en checheno: «¿Qué está haciendo, metiéndolo en el maletero?». «Sí, están metiendo a otro.» «Sí, son dos.» «¿Lo ves? También es un Lada 10.» «¿Ramzán está subiendo al Lada 10?» «¡Por tu culpa no puedo oír lo que dicen!»

La multitud de hombres con uniformes de combate está dando vueltas. APRK dirige el cotarro desde el centro de la *melée*. Los paramilitares están sujetando a alguien que no se resiste y a quien meten en el maletero de un Lada 10 blanco. Luego meten a otro hombre que está menos dispuesto. Un paramilitar le pega. Al final cierran el maletero y los vehículos se preparan para partir.

APRK ya se ha subido al estribo del coche. Llevado por la emoción de dirigir el secuestro, levanta el brazo igual que Lenin en el vagón de ferrocarril blindado de la estación de Finlandia, en 1917. «¿Qué está haciendo en ese Lada?», exclaman los que filman. Y con razón, en Chechenia, los peces gordos viajan en jeep blindados.

Escena 3: la escena 3 es, en realidad, «el vídeo de la sauna», del cual se hicieron públicas dos instantáneas la semana pasada. Lo notable de este clip es lo que no se mostró. Después de que APRK abraza a la chica del sujetador rojo, se ve una acción incomprensible: APRK empuja varias veces a la joven de rojo y la atrae hacia sí, riendo. La chica intenta bailar mientras él le dice algo en mal ruso, pero entonces grita en checheno a alguien que está fuera de plano: «¡Vamos, quítate los pantalones!». Y repite: «¡Que le den un poco de champú [*sic*] para que se quite los pantalones!». Todo lo anterior entre risas. APRK está disfrutando a lo grande, relajado y suelto.

Por fin, la escena se hace algo más comprensible. APRK quiere que su alegre dama ponga los ojos en alguien que, obedeciendo sus instrucciones, se está bajando los pantalones fuera de plano. A continuación vemos a un apurado joven con una gorra negra de béisbol que se baja el pantalón. O le acaban de dar una paliza o está mentalmente tocado o se encuentra bajo los efectos de algún narcótico. Se mueve lentamente, pero obedece las órdenes.

Por su lado, APRK está claramente con un subidón. Se aleja de la joven lanzando gritos de alegría y se acerca al tipo de la gorra con el móvil en la mano y empieza a fotografiar las partes bajas del infeliz. La joven de rojo desaparece mientras el cámara se concentra en APRK, que sigue riendo y fotografiando los atributos personales del hombre de la gorra. Se lo está pasando en grande. ¿Cómo? Pues fotografiando la humillación de alguien que se ha bajado los pantalones obedeciendo sus órdenes y ni siquiera pretende ocultar su rostro. El sexo habría sido mejor; esto es enfermizo.

Sin embargo, la pregunta relevante es quién ha decidido difundir este material y por qué, por qué precisamente ahora. ¿Quién es el público al que va dirigido?

Los responsables, sin la menor duda, son los que estaban con APRK, sus leales soldados y guardaespaldas, sus «hermanos». Nadie más podría haberlo hecho. Bueno, podría, pero lo habrían asesinado en cuanto hubieran descubierto que el vídeo se había difundido fuera de ese cerrado círculo.

Todos los kadirovitas tienen móviles de última generación, especialmente los que ocupan los niveles más altos del escalafón, los más próximos al Gran Hombre. Disponen de grandes cantidades de dinero fácil y así es como se divierten. Graban todo y a todos, pero sobre todo a sí mismos y sus amoríos. Lo he visto personalmente, y los he oído presumir de lo estupendos que son sus móviles, mucho mejores que el mío.

Sin embargo, grabar episodios ilegales como el del vehículo blindado o el del maletero no es una actividad propia de alguien cuya ambición sea seguir con vida y mantenerse cerca del jefe en el futuro. Es hora de hacerse una pregunta: ¿quién les ha permitido que se tomaran estas libertades?

No hace mucho, varias decenas de kadirovitas del distrito de Vedenó entregaron su lealtad a los combatientes de la resistencia. Fue algo que apenas se difundió, pero el hecho de su traición no lo niegan ni en Jankalá, los generales del cuartel general desde donde dirigen las constantes monstruosidades que se llevan a cabo en el Cáucaso Norte.

Podemos suponer que son estos kadirovitas renegados los que han distribuido ese material comprometedor que tenían en su poder. ¿Acaso eso los ayudó a ser aceptados en las filas de los resistentes, que es de donde han salido la mayoría de los kadirovitas? No resulta probable. Esas grabaciones son algo accidental, y por el momento el porqué no los liquidaron cuando intentaron regresar con sus antiguos colegas sigue siendo una pregunta sin respuesta.

¿Quién es el público al que va dirigido el vídeo? Esa es la pregunta importante. ¿Quién es el presunto consumidor de las grabaciones de APRK hechas con móviles? Hace tiempo que nadie se hace ilusiones con Ramzán. Incluso en los círculos del Kremlin, la mayoría es consciente de que ha cometido un grave error eligiendo a la familia Kadírov para que sea su compañera en Chechenia.

¿Los votantes chechenos? La influencia del electorado checheno ya no interesa a nadie. Se ha elegido un Parlamento que, cuando llegue el momento, designará presidente a Ramzán Kadírov. Sus diputados no constituyen una amenaza para nadie. Veneran a su presidente con las rodillas temblorosas, y ese vídeo no los afecta para nada.

No me cabe la menor duda de que ese vídeo se ha difundido exclusivamente para el beneficio de una sola persona: de Putin. Es para ser exhibido en un auditorio cuyo único espectador se obstina en pretender que no le afecta la vileza de lo que improvisó con los elementos que tenía más a mano.

P.D.: Hemos solicitado formalmente que la oficina del fiscal general trate esto como si fuera la declaración de un testigo. Estamos dispuestos a entregar todas las grabaciones que obran en poder de *Novaya Gazeta*.

[La respuesta fue que el 24 de abril de 2006 la oficina del fiscal de Chechenia abrió una investigación sobre el ataque al vehículo blindado federal, ocurrido el 7 de octubre de 2005, cerca de Grozni. Los otros vídeos serán examinados dentro de las causas que ya están abiertas.]

UNA CABEZA EN UNA TUBERÍA DE GAS: LA BARBARIE MEDIEVAL DE KADÍROV EN JULIO DE 2006

3 de agosto de 2006

Según un informe del Centro Memorial de los Derechos Humanos, el 28 de julio, en el distrito de Kurchalói, un grupo de kadirovitas armados exhibieron una cabeza decapitada en una tubería de gas, en medio del pueblo. Se trataba de la culminación de los acontecimientos ocurridos la noche anterior. Alrededor de la medianoche, dos combatientes de la resistencia habían sufrido una emboscada en las afueras del pueblo. Hubo un tiroteo y uno de ellos, Jozh-Ajmed Disháyev, habitante de Kurchalói, murió, mientras que el otro, Adam Badáyev, fue capturado.

Al amanecer, una veintena de vehículos llenos de hombres armados se reunieron ante la oficina del Ministerio del Interior del distrito y colocaron la cabeza de Disháyev en la tubería del gas. Debajo de ella colgaron un pantalón ensangrentado. Disháyev fue identificado por los residentes que vivían cerca del edificio del Ministerio del Interior.

Todo lo anterior fue dirigido por Idris Gaibov, ayudante del primer ministro Kadírov y antiguo jefe de la administración del distrito de Kurchalói. Hubo testigos que lo oyeron llamar por teléfono al primer ministro e informarle de que habían matado al «diablo número uno» de Kurchalói y colgado su cabeza (los kadirovitas se refieren a los wahabíes llamándolos «diablos»). Después de eso, los kadirovitas pasaron las dos horas siguientes fotografiando la cabeza con sus cámaras de vídeo y sus teléfonos móviles.

La mañana del 29 de julio, unos milicianos de la oficina del Ministerio del Interior del distrito de Kurchalói retiraron la cabeza, pero el ensangrentado pantalón permaneció donde estaba. Al mismo tiempo, funcionarios del Ministerio del Interior y miembros de la oficina del fiscal empezaron a trabajar en el lugar del enfrentamiento. La gente del lugar oyó a uno de los funcionarios preguntar a uno de sus subordinados: «¿Han acabado ya de coser la cabeza?». Al poco tiempo, el cuerpo de Disháyev fue llevado al escenario de los hechos con la cabeza cosida al tronco.

El Centro Memorial de los Derechos Humanos cree que la profanación del cadáver de Disháyev fue una venganza personal de Gaibov. Los aldeanos dicen que el 10 de junio Disháyev mató a Adam Gaibov, sobrino de Gaibov, que era soldado en el batallón de Yug, y también lo decapitó.

Seamos claros con lo ocurrido. Un funcionario del gobierno civil, ayudante del primer ministro de un gobierno que forma parte de la Federación Rusa, dio órdenes a unos soldados que no se hallaban bajo su mando para que decapitaran un cuerpo humano. El primer ministro del territorio estaba al corriente de lo que ocurría o, al menos, informado de ello mientras sucedía, pero no hizo el menor intento de intervenir. Los kadirovitas, que actualmente son reconocidos como empleados del Ministerio del Interior ruso, llevaron a cabo la orden. Los funcionarios de la oficina del fiscal, la institución encargada de supervisar la correcta aplicación de la ley, sabedora de lo ocurrido, se limitó a apremiar a los responsables para que se dieran prisa cosiendo la cabeza. Por último, todas estas barbaridades se llevaron a cabo ante la mirada de los niños y adultos de Kurchalói.

La pregunta que debemos hacer es si esto forma parte de nuestra nueva «democracia soberana» o de un simple efecto colateral.

Esperamos con impaciencia saber algo de la oficina del fiscal militar, los dominios de Serguéi Fridinski, cuyo deber consiste en supervisar el comportamiento de los miembros del Ministerio del Interior ruso; y asimismo de Yuri Chaika, el fiscal general, no solo de los funcionarios de más alto nivel, sino también de los miembros menos distinguidos de la oficina del fiscal.

La oficina del fiscal de Chechenia ha confirmado el informe anterior, tanto en lo que se refiere a la decapitación del cuerpo como a su posterior cosido, ocurrido entre el 28 y el 29 de julio en Kurchalói; sin embargo, todavía no se tiene constancia de que se haya abierto una investigación.

Vasili Pánchenko, el jefe del Servicio de Prensa de las tropas del Ministerio del Interior, ha explicado a *Novaya Gazeta*: «A fecha de 2 de agosto, en el cuartel general de las tropas del Ministerio del Interior no se ha recibido ninguna petición de la oficina del fiscal ni del comandante del Mando Militar Conjunto de la región del Cáucaso Norte. Por lo tanto, resulta imposible hacer comentario alguno. No obstante, estamos preparados para contestar cualquier pregunta de la oficina del fiscal relativa a las tropas del Ministerio del Interior».

El Servicio de Prensa del presidente de la República Chechena, Alú Aljánov, ha declinado hacer comentario alguno.

Deponer las armas, deshacerse de Kadírov

14 de agosto de 2006

Una amnistía es algo bueno. La esperanza siempre es mejor que la falta de esperanza; pero ¿cómo está funcionando la amnistía de 2006 para los combatientes de la resistencia? ¿Por qué los que se han rendido (oficialmente son ochenta) se han comportado como lo han hecho? ¿Quiénes son? ¿Qué hace falta añadir a la ley de amnistía que empezará su tramitación parlamentaria en septiembre en la Duma para estimular a otros a seguir su ejemplo? ¿Qué condiciones y qué garantías hay que dar a los que depongan las armas?

Buscando respuesta a estas preguntas, he viajado por Ingusetia, Daguestán y, naturalmente, Chechenia y he encontrado que la situación es muy distinta de como se presenta en los informes de los servicios de inteligencia.

Primer descubrimiento, y el más importante: los que han depuesto las armas, tal como asegura la propaganda oficial, sencillamente no existen. Ninguno de los que se ocultan en las montañas, en los bosques o en los sótanos se ha presentado en la oficina del fiscal ni se ha comprometido a permanecer en su lugar de residencia habitual. ¿Por qué no? ¿Cuál es la verdadera situación?

Empecemos por Daguestán e Ingusetia, porque la situación en Chechenia es radicalmente distinta a la de esas otras dos repúblicas. En la actualidad, Daguestán constituye la base de los *jamaats* más activos del Cáucaso Norte. En la terminología antiterrorista de nuestros servicios de inteligencia, los *jamaats* son grupos armados ilegales. Hay mucha gente en los *jamaats* que podrían rendirse si decidieran hacerlo.

Sin embargo, rendirse al estilo de Daguestán tiene un perfil típicamente económico, y ya existe una tarifa. Hay que pagar 60.000 rublos al fiscal para que este formalice la rendición junto con el reconocimiento de culpabilidad, y si no se tienen los 60.000 rublos, hay que afrontar las consecuencias, que Putin ha descrito como «medidas activas contra los que no están dispuestos a deponer las armas». En Daguestán dicen con sorna que las estadísticas acerca de cuántos son los que buscan aprovecharse de la amnistía solo nos dicen hasta qué punto prosperan los funcionarios responsables del proceso.

El 8 de agosto circuló la noticia de que Bitar Bitárov, el fiscal del distrito de Buinaksk, había muerto como consecuencia de un nuevo atentado terrorista con bomba. Durante los años que ha durado la segunda guerra chechena, este distrito ha sido el más sangriento de Daguestán en cuanto a actos terroristas, operaciones secretas y escaramuzas. Bitárov ha muerto, pero no es probable que este asesinato esté relacionado con la nueva amnistía y las oportunidades de hacer dinero que ofrece. Los combatientes de la resistencia saben perfectamente —y me lo han dicho— que, teniendo en cuenta el nivel de corrupción imperante en Daguestán, los 60.000 rublos tendrán que pagarlos siempre, al margen de quién sea designado para sustituir al fiscal asesinado.

Mi siguiente parada fue Ingusetia, donde operan los *jamaats* más militantes y audaces. Allí, solo tres personas han depuesto las armas. Sus declaraciones aparecieron en la televisión, pero las tres han sido secuestradas hace varios meses. El procedimiento fue el habitual en Ingusetia: fueron secuestrados por miembros de «servicios de seguridad no identificados» y posteriormente aparecieron en las instalaciones carcelarias de Vladikavkás, acusados de haber formado parte de grupos paramilitares.

Un detalle común a todos ellos es que se hallan encarcelados. Es decir, están exactamente en la misma situación en la que se encontraban antes de declarar que deseaban ser amnistiados. A ninguno de ellos se le ha permitido volver a casa. La investigación sobre los tres corre a cargo de un equipo de la oficina del fiscal general encabezado por Konstantin Krivorotov. Se suponía que sus esfuerzos por erradicar las causas que condujeron a los sucesos de Beslán debían enfriar el entusiasmo hacia la actividad terrorista en el Cáucaso Norte; pero, por desgracia, han tenido el efecto contrario. Durante dos años, su labor investigadora ha consistido en señalar como terroristas a gente ordinaria mientras los verdaderos campaban a sus anchas por las montañas y ponían bombas a placer.

Sabemos que los tres ingusetios que se rindieron (y que lo hicieron anunciándolo a través de sus familiares y abogados mucho antes de que Pátrushev hiciera su propuesta de amnistía) fueron torturados durante la investigación y firmaron «confesiones voluntarias». Los abogados que defienden a otros acusados investigados por el equipo de Krivorotov dicen que los investigadores nunca les han ofrecido incluirlos en la amnistía, y comentan que las declaraciones de los tres primeros no son más que parte de un trato que sus familiares han cerrado para que les reduzcan las condenas.

En otras palabras, también en Ingusetia la amnistía se parece más a una declaración de culpabilidad pactada de antemano que a una conciliación, y de ninguna manera puede considerarse que constituye un indicador de la cantidad de combatientes de la resistencia que han visto la luz y decidido volver a la vida civil. Además, los que han sido «amnistiados» han vuelto a la «vida civil» del estricto régimen de los campos de trabajo.

—¿La gente que desea aprovecharse de la amnistía recurre a ustedes o al Parlamento para que hagan de mediadores? —le pregunto a Mohamed Sali Áushev, diputado por la Asamblea del Pueblo de Ingusetia y miembro de la recientemente creada Comisión Parlamentaria sobre la Violación de los Derechos Humanos.

—No, eso es algo que no ocurre.

—¿Desde su punto de vista, esta amnistía va a suponer una mejora de la situación en Ingusetia en cuanto a número de atentados con bomba, bombardeos y enfrentamientos armados?

—Esto no es una amnistía de verdad, solo es un llamamiento a la gente para que deje las armas. Un buen número de personas ha tomado el camino de los bosques y no volverá. Naturalmente, están lo que llamaríamos «románticos». Para cualquiera de ellos, que están dudando, esta propuesta es muy importante; pero para la mayoría, digamos que el 90 por ciento, esta amnistía resulta irrelevante. Les han matado parientes y familiares y buscan venganza. No tienen nada de lo que arrepentirse y esperan que los que se arrepientan sean los que han obrado mal con ellos. La verdad es que me parece que esta amnistía no se ha hecho pensando en nosotros, sino que se pretende que tenga impacto en Chechenia.

Así pues, me voy a Chechenia, ya que tiene el papel preponderante en la región. Se dice que de los setenta individuos que han solicitado aprovecharse de la amnistía ninguno de ellos es combatiente de la resistencia. Ha habido mucha gente que por numerosas razones ha dicho que le gustaría aprovecharse de la propuesta de Pátrushev; uno era panadero de Pátrushev, otro dijo en una ocasión que simpatizaba con Masjádov, y un tercero llevaba alimentos a los bosques. Lo más cerca que hemos estado de uno de los combatientes de la resistencia que nos muestran en la televisión solía formar parte de uno de los destacamentos de Dokú Umárov; pero, examinado de cerca, resulta que incluso él lleva años comerciando en el mercado de Urús-Martán sin esconderse de nadie. Eso sí, le han dado a entender que podría resultarle beneficioso que ayudara a aumentar artificialmente las estadísticas, y eso es lo que ha hecho.

¿Qué hace falta para que la amnistía ser verdadera? Es una pregunta que he formulado a todo el mundo: a los combatientes de la resistencia que no tienen la menor intención de acogerse a la legalidad; a los que piden a sus familiares que los ayuden a entrar en contacto con las fuerzas del orden mientras exista la oportunidad; a los comandantes de los servicios de seguridad chechenos promoscovitas que, en su mayoría, son antiguos combatientes de la resistencia amnistiados por Kadírov padre y que durante mucho tiempo han sido considerados el baluarte del poder de Kadírov hijo.

Sus respuestas son sorprendentemente parecidas: «Es improbable que alguien se rinda a Kadírov».

Ahí lo tienen, y eso en una república que dice sentirse entusiasmada con Ramzán y que está llena de demostraciones de deferencia hacia él. Hay carteles suyos por todas partes: Ramzán con su padre, con Putin, solo y con su habitual expresión ceñuda, con frases como «Eres nuestro héroe» o «Estamos orgullosos de ti». Cuelgan junto a las carreteras, en la entrada de los pueblos más insignificantes, en los colegios e instituciones oficiales, en las vallas, en los portales, en las garitas de hormigón de los controles de paso… Todo el mundo en Chechenia lo adora.

Así pues, ¿por qué la gente no está dispuesta a deponer las armas ante él? Aquí es cuando ya no podemos citar nombres. Todas mis conversaciones acerca de este asunto se han desarrollado con la condición de que respete la más estricta confidencialidad.

—¿Por qué cree que hay que eliminar primero a Ramzán para que la gente salga de los bosques? —le pregunto a un influyente comandante de las fuerzas de seguridad promoscovitas de Chechenia al que conozco desde hace tiempo. Confío en él, y él confía en mí. Hemos tenido motivos para ello en momentos difíciles.

—Porque no depondrán las armas para convertirse en esclavos, y para nosotros Ramzán supone la continuación de la esclavitud. Saldrán cuando se imponga el imperio de la ley, no antes. Una segunda condición es que se les garantice un empleo que no implique llevar un rifle, que no suponga tener que enrolarse en un destacamento militar en lugar de estar en los bosques.

—¿Qué me está diciendo, que quieren que les esté esperando un puesto de trabajo? Eso es imposible, el paro aquí es el mismo para todos.

—No, me refiero a otra cosa. En la actualidad, nadie en Chechenia, ni siquiera los que nunca han luchado en nada y no tienen por qué ser amnistiados, puede estar seguro de que mañana tendrá un empleo si por alguna razón se enemista con Ramzán. Ni siquiera puede estar seguro de seguir con vida.

Luego hablamos de Eshíev. Mi informador no siente la menor simpatía hacia él, pero hay que hablar de lo ocurrido. Maierbek Eshíev, un conocido comandante guerrillero de las montañas del distrito de Vedenó y cuyo código por radio era «Mulá» se rindió con todo su destacamento acogiéndose a las garantías de Ramzán, después de que Masjádov muriera. No nos hagamos ilusiones: Eshíev es un fanático religioso.

Kadírov se apresuró a nombrarlo comandante del Centro Antiterrorista del distrito de Vedenó. Cada centro antiterrorista tiene delegaciones en los pueblos y aldeas de Chechenia, y sus oficiales provienen del viejo regimiento A. Kadírov, donde podían enrolarse antiguos combatientes. Todos ellos se hallaban bajo las órdenes directas de Ramzán. Durante mucho tiempo, el Centro Antiterrorista fue su base de poder, pero en la primavera de este año fue desmantelado. Eso se entendió como un primer intento de Moscú para aplacar el ardor de Ramzán. La mayoría de los miembros del centro fueron destinados a los batallones Norte y Sur, bajo el paraguas de las tropas del Ministerio del Interior de la Federación Rusa. El 1 de junio prestaron juramento de fidelidad a Rusia.

Hay que decir que esta iniciativa federal para aplacar a Kadírov hijo tuvo cierto éxito. Muchos excombatientes de la resistencia que se habían apuntado a los kadirovitas aprovecharon la oportunidad para distanciarse de él. Ramzán respondió volviéndose hiperactivo y trató de asegurarse de que la siguiente remesa de combatientes amnistiados fuera a parar a sus manos. La idea de la amnistía actual, que Pátrushev anunció tras la muerte de Basáyev, se debía en parte a la decisión de Kadírov de recuperar su base de poder.

Pero volvamos a Eshíev. El 10 de noviembre del pasado año, durante el Día de la Milicia, Kadírov propuso a Eshíev para una medalla que le fue concedida solemnemente por los generales del Ministerio del Interior. Muchos milicianos chechenos se negaron a entrar en la sala en esa ocasión. Posteriormente, en el invierno, una sección del destacamento de Eshíev rechazó a Kadírov y volvió a las montañas. Hubo confraternización entre la gente de Eshíev y los combatientes de la resistencia, y Ramzán acabó acusando a Eshíev de traición. Se dijo incluso que Eshíev había depuesto las armas para ganarse la confianza de Kadírov y poder asesinarlo.

La consecuencia fue que todos los miembros de la familia de Eshíev que vivían en los distritos de Vedenó y Gudermés fueron secuestrados y desaparecieron de la faz de la tierra. Eran veinticuatro en total, incluyendo mujeres y un niño de tres años. Solo un miembro muy anciano quedó con vida porque consideraron que era demasiado viejo para tener hijos.

El trágico destino de la familia Eshíev se conoció en toda Chechenia y también entre los combatientes de la resistencia. A partir de ahora nadie va a tener demasiada prisa para deponer las armas ante Ramzán.

—¿Pensaba Eshíev traicionar a Ramzán? —he preguntado a mucha gente que conozco.

—Sí —me han contestado.

Tal como señalan los comandantes de las fuerzas de seguridad promoscovitas de Chechenia, «lealtad» significaba aceptar una total sumisión a Kadírov y no resultaba una proposición interesante; sin embargo, esos días están llegando a su fin. La situación actual es que las demostraciones de lealtad a Kadírov —que permitieron medrar a muchos— están siendo sustituidas por una fuerte oposición contra él por parte de las fuerzas de seguridad. Antes del verano, las cosas eran muy distintas.

El 25 de julio, German Gref y Alexéi Kudrin, ministros de Desarrollo Económico y Finanzas respectivamente, volaron a Grozni. Se celebraba una conferencia sobre cómo financiar la reconstrucción de Chechenia. Kadírov, con su habitual estilo grosero, exigió de mala manera casi 2.000 millones de rublos para proyectos que ya se habían ejecutado, a lo que Gref y Kudrin respondieron de forma nunca vista, reclamándole la documentación completa de dichos proyectos con todas sus facturas.

Los papeles eran un caos. Se había construido, pero faltaban justificantes por valor de 4.000 millones de rublos. Gref fue sucinto en su respuesta: «Bonito intento…». Según los presentes, el tono equivalía a «allá tú, macho». Kudrin dijo claramente que no tenía intención de ir a la cárcel por culpa de Ramzán y que el dinero solo estaría disponible cuando recibiera una documentación completa de los proyectos. Kadírov se indignó: «Les enviaremos la documentación mañana por valija». Pero Kudrin no estuvo por la labor y dijo que enviaría a su propia comisión de evaluación desde Moscú para que esta determinara el coste real de los proyectos. Kadírov saltó hecho una furia, pero no tuvo más remedio que tragar.

Había mucha gente asistiendo a la reunión, y a nadie se le escapó el cambio de tono que los ministros federales adoptaron con Ramzán. También le recordaron el asunto de los fondos destinados a paliar los daños de las inundaciones, que debían ser tenidos en cuenta. Ramzán no tenía escapatoria. Dukvajá Abdurajmánov, el portavoz del Parlamento checheno, se dispuso a soltar su cantinela favorita de los últimos meses —a saber: que los rusos no habían soltado un cópec en forma de ayuda a Chechenia—, pero lo interrumpieron a media frase.

Nunca se había producido algo como aquello. En el pasado, aquellos mismos ministros se habían dirigido al «equipo de Kadírov» en un tono benévolamente paternalista. Los presentes también se fijaron en que los ministros habían rehusado ser llevados desde el aeropuerto a la reunión en los Land Cruiser negros de Kadírov y que en su lugar habían preferido la flota presidencial de Aljánov.

En un aparte, se informó a los ministros federales de que si Kadírov se convertía en presidente, la mitad de la República de Chechenia abandonaría el país. También les dijeron que lo más seguro era que nadie se apuntara a la amnistía impulsada por Ramzán.

El rumor de que Moscú estaba deshaciéndose de Ramzán corrió como la pólvora por toda Chechenia. Tras la reunión, que tuvo el efecto de un pistoletazo de salida, empezaron a producirse los primeros atisbos de motín.

El descontento se manifestó primero en el llamado «Regimiento del Petróleo», el Servicio de Seguridad Interdepartamental. Los guardias petroleros se negaron a pagar su tributo al llamado «fondo Kadírov» y advirtieron a este que no intentara que fueran contra su propia gente. Le dijeron que no dispararían y que, a partir de ese momento, no tomarían parte en los ajustes de cuentas de sus bandas de matones y que entregarían las armas y se marcharían. A continuación, los funcionarios del Ministerio de Asuntos de Emergencia se rebelaron, se negaron a pagar tributo —unos 3.000 o 4.000 rublos que les deducían del sueldo—, y presentaron una queja oficial ante la oficina del fiscal contra los que recaudaban semejante exacción. El Batallón Oeste, a las órdenes del Directorio Central de Inteligencia, fue inmediatamente tras ellos.

Al final se convirtió en una guerra abierta. Muslim Iliásov, comandante de uno de los batallones transferidos a las tropas del Ministerio del Interior y antiguo guerrillero que se había rendido a Kadírov padre, era amigo íntimo de Ramzán. Sin embargo, le tendió una emboscada. Se llamó a otros destacamentos: los batallones Este, Oeste, OMON, Norte y Sur. Muchas unidades estaban divididas entre los partidarios de Ramzán y sus oponentes. El equilibrio de fuerzas no favorecía a Ramzán, e Iliásov, que había instigado la rebelión, lo declaró enemigo y explicó el porqué: a causa de las humillaciones, los insultos y el desprecio, por la servidumbre. Ramzán se enfureció, pero tuvo que retirarse por falta de apoyo.

«Esto no durará mucho —dijo uno de los comandantes que tomó parte en los sucesos—, doy dos meses antes de que todo acabe.» Otro de sus colegas que no pudo evitar intervenir dijo «tres meses». Todos los que integran los servicios de seguridad chechenos promoscovitas están de acuerdo en que la desaparición de escena de Ramzán es solo cuestión de tiempo.

—Aunque puede pasar cualquier cosa —añaden.

—¿Qué quiere decir?

—Si Moscú decide que se queda, lo hará.

—Pero ¿quién es Moscú, en su opinión?

—Putin, personalmente. Ramzán ha pedido una reunión urgente con Súrkov.

La reunión se celebró en el Kremlin, el 9 de agosto, pero Ramzán consiguió poca cosa, aparte de salir en televisión, y se marchó con los bolsillos vacíos.

Volvamos a lo que vino después de la revuelta. Lo que vino fue el 3 de agosto, el Día del Juramento, el momento de prometer fidelidad a Ramzán Kadírov sobre el Corán. ¡Pobre Corán!

«Fuimos llamados todos a Josi-Yurt (otro nombre con el que se conoce Tsentorói) para un sacrificio —relata uno de los participantes—. Era una especie de aniversario de Ajmat-Hadji Kadírov (cincuenta y cinco años). Nos llevaron al gimnasio y nos dijeron que debíamos prestar juramento de fidelidad a Ramzán Kadírov sobre el Corán. Todos los comandantes del batallón estaban allí. El mulá leyó, y se supone que todo el mundo lo repitió. Las cámaras lo grababan todo. Después de aquello, durante varios días nos vimos en televisión, moviendo los labios. Personalmente yo juré lealtad a mi padre.» Otro comandante se echa a reír: «Yo juré ser fiel a mi esposa».

Para los participantes en aquella ceremonia no fue la primera vez, desde luego. Mis entrevistados sonríen: «Allí vimos gente que había jurado fidelidad cinco o seis veces a otros líderes sobre el Corán y que otras tantas habían faltado a su juramento. A la primera oportunidad que tengan también faltarán a este».

Se trata simplemente de la verdad. El obligado juramento solo sirvió para irritar aún más a los que ya se oponen a Ramzán.

—Ese juramento fue algo provocado por el pánico —dice uno de los comandantes, convencido—. Ramzán intentaba demostrar a Moscú que lo tiene todo controlado, que es quien manda; pero lo que le demostró a Chechenia es que está muerto de miedo.

—¿Con cuánta gente cree usted que contará Ramzán cuando llegue la hora de la verdad?

—Entre cincuenta y cien.

—¿Los de su círculo más íntimo?

—No. Solamente aquellos que vean que la deserción puede llevarlos a la cárcel. Ahora ninguno de ellos será aceptado de regreso en los bosques. Su círculo de íntimos será el primero en traicionarlo. Así son los que ha engañado para que estén a su alrededor.

Entonces, ¿qué cambio de situación se ha producido en Chechenia al final de este verano? La declaración de amnistía y el asesinato del sucesor de Masjádov como presidente de Ichkeria, Abdul Jalim Saduláyev, y también la muerte de Basáyev que la precedió parecen haber puesto fin a la inercia. Estos acontecimientos han obligado a la gente a reflexionar sobre dónde se encontraba, acerca del panorama global de Chechenia, adónde podía conducir y quién era quién. Sin duda, ha sido un paso en la dirección correcta.

También se ha producido un cambio en el hecho de que, si previamente todo el mundo en Chechenia creía que con el tiempo Ramzán sería apartado por los mismos que lo habían aupado —los rusos—, la gente de las fuerzas de seguridad —y subrayo el hecho de que son fuerzas chechenas que simpatizan con Moscú— ahora dice que son ellos los que tendrán que librar Chechenia de su presencia. Ahora se dice que el principal problema de Chechenia no son los *jamaats*, sino Ramzán, los kadirovitas y el conflicto, cada día mayor, que se relaciona con ellos.

¿Por qué?

—Porque los kadirovitas constituyen la mejor maquinaria para exterminar chechenos que se ha inventado. Esto es algo con lo que la mayoría de la gente empieza a estar de acuerdo.

Esta es la explicación que me dio cierta persona inteligente sobre la situación política ruso-chechena, un habitante de Grozni que, durante el mandato de Masjádov, se trasladó a vivir a Moscú porque los wahabíes le parecían intolerables y que regresó cuando el poder fue transferido a Nikolái Koshman, el representante del gobierno ruso, y que ahora encuentra insoportable vivir bajo la tutela de Ramzán.

—El problema es que en Moscú no se deciden a hacer obedecer la ley en Chechenia o no. Ramzán continuará hasta que Moscú lo decida. Ramzán es el símbolo de la anarquía. Los que desean salir de los bosques están esperando a que se restablezca la ley. La gente quiere legalidad.

—Pero no es simplemente cuestión de que Moscú no se haya decidido —contesto—. El problema es que ustedes, los chechenos, demuestran periódicamente que no desean vivir bajo el imperio de la ley. ¿Cómo va a decidirse Moscú si cuando menos se lo espera la gente de aquí dice «¿Jo nojchi vats?» («¿No eres checheno?»). ¿Cuál es la salida? ¿Cómo se va a obligar a los chechenos a vivir conforme a la ley? Aunque deseen someterse a la ley y no a la anarquía de Ramzán, ¿serán capaces de obedecerla? Ese es el problema. Dicho sea de paso, Masjádov se enfrentó al mismo problema a finales de la década de 1990. En 1998, en una entrevista y en presencia de otros periodistas, me dijo que la única manera de que los chechenos obedecieran la ley era imponer el islam.

—Masjádov se equivocaba, lo que se necesita no es el islam, sino las *adats*, las antiguas normas de vida chechenas, que están llenas de sentido común. Por paradójico que pueda parecer, se podría obligar a los chechenos a vivir según las leyes rusas a través de las *adats*.

—Volviendo a la amnistía, ¿la palabra de quién podría ser aceptada como garantía? ¿La de Putin? —pregunto.

—¿Recuerda la misión de Jambíev a Azerbaiyán, cuando el ex ministro de Defensa de Masjádov fue a Bakú siguiendo órdenes de Ramzán para convencer a los antiguos combatientes de la resistencia de que volvieran y se acogieran a la amnistía? Nadie volvió con él salvo dos de sus parientes, y estos fueron detenidos en la frontera. No tengo respuesta para su pregunta. Creo que las garantías no deben proceder de Ramzán ni de Putin ni de Aljánov, sino solo de la ley.

Aslán tiene treinta y un años. Acabó el colegio justo cuando la Unión Soviética se desmoronaba y Chechenia dudaba qué sistema legal aceptar. Al igual que muchos hombres de Chechenia, hace años que lleva armas y vive bajo un nombre falso. Y al igual que muchos hombres de Chechenia, le gustaría deponer las armas, pero no puede. Aslán no representa el futuro —está demasiado cansado y desilusionado para ello— pero el futuro de Chechenia bien puede depender de cómo sea tratado. Lo que sigue es una entrevista con él, prácticamente sin editar. Saquen sus propias conclusiones. Hablamos veinticuatro horas antes de que se entregara a la oficina del fiscal.

—Combatí de 2000 a 2002, cuando la guerra ya había empezado. Decidí tomar las armas porque mi hermano mayor había sido encarcelado injustamente; y el pequeño, herido grave por una bomba. Los miembros de las distintas fuerzas de seguridad no dejaban de irrumpir en nuestra casa y aterrorizarnos. No estaba preparado para aceptarlo. Era imposible quedarse en casa y esperar a ser humillado. Luché en un destacamento de doce hombres que eran leales a Masjádov.

—¿Por qué abandonó a Masjádov?

—Porque fue una lucha muy dura y muy larga. Las condiciones eran sumamente difíciles. Algunos compañeros y yo hablamos y decidimos presentarnos juntos para acogernos a la amnistía que ofrecía Ajmat-Hadji Kadírov. Me convertí en un kadirovita. Me dijeron que no tenía nada de qué preocuparme y que no tenían nada contra mí.

—¿Qué clase de trabajo hacía para Kadírov?

—Más tiros.

—¿Fue más difícil luchar para Kadírov o para Masjádov?

—Fue lo mismo. Hace poco empezaron a desmantelar el Centro Antiterrorista para crear los batallones Norte y Sur. Entonces me di cuenta de que estaba cansado de todo. No quería seguir yendo por ahí con un rifle a cuestas, de modo que entregué mi rifle y mi vehículo, pero no tardé en descubrir que la amnistía anterior no había tenido validez legal y que se habían abierto expedientes por terrorismo en virtud del artículo doscientos cinco, tercera parte, actos de terrorismo.

—¿Mantenía una actitud diferente hacia Ajmat-Hadji y hacia Ramzán?

—Sí. Ajmat-Hadji tenía una mejor cabeza sobre los hombros. Sabía lo que era necesario hacer.

—¿Le tiene miedo a Ramzán?

—No, no me da miedo, pero no me gusta.

—Tras la muerte de Ajmat-Hadji se habló mucho de que si ustedes, los kadirovitas que eran antiguos combatientes, no pasaban a engrosar las filas de Ramzán, que iba a reemplazar a su padre, acabarían volviendo a los bosques.

—Eso no era verdad. Nadie planeaba volver a los bosques. La gente no lo consideraba siquiera como última alternativa.

—¿Cuántos hay como usted, miembros de los kadirovitas desmantelados, a los que también podría interesar una amnistía?

—Conozco unos veinte. Quieren acogerse pero no tienen garantías. Todos los que han abandonado a Ramzán han descubierto que los federales todavía nos buscan por causas pendientes.

—¿Está usted dispuesto a incorporarse a un nuevo destacamento bajo la amnistía?

—No. ¿Qué diferencia hay entre ir a un destacamento o ir a la cárcel?

—¿Qué esperanzas tienen usted y esos otros veinte kadirovitas? ¿Qué desearían que ocurriera?

—Una vuelta a la legalidad. Estamos esperando a que el imperio de la ley sea restablecido. De todas maneras, los que ahora vienen directamente de las montañas no tienen la menor oportunidad, y lo saben.

—¿Qué importancia tiene para usted la muerte de Basáyev?

—Ninguna.

—¿Qué se considera usted?

—Un combatiente de la resistencia.

—¿Qué distingue a un combatiente de la resistencia de todos los demás, su deseo de combatir?

—Lo que uno debe tener es un ansia de venganza interior. No basta con el deseo de combatir.

—¿En quién cree ahora, en quién confía?

—En nadie. Puede que un poco en Aljánov porque no ha prometido nada. No creo en los que hacen grandes promesas.

—¿Y en Pátrushev o en Putin?

—No los conozco. Tendría que hablar cara a cara con ellos antes de poder confiar.

—Sin embargo, tiene intención de presentarse ante la oficina del fiscal. ¿Qué riesgo cree que hay de que lo metan en la cárcel?

—Un 80 por ciento.

—Pero piensa presentarse igualmente.

—Estoy harto de luchar.

RAMZÁN KADÍROV, EL ORGULLO DE CHECHENIA: LOS PRIMEROS CIEN DÍAS DEL NUEVO PRIMER MINISTRO

5 de junio de 2006

Dentro de unos días, Rusia y el mundo entero estarán celebrando los primeros cien días de Ramzán Kadírov en su cargo de primer ministro, o al menos eso cree el primer ministro de la República de Chechenia. Y para ello está llevando a cabo los preparativos adecuados.

Que levanten la mano los que todavía no sepan que Ramzán Kadírov es Ramzán el Constructor y que está devolviendo a la destrozada Chechenia su aspecto de preguerra, borrando cualquier huella de los combates que, con breves interrupciones, llevan produciéndose desde 1994.

La verdad es que todo el mundo lo sabe. Desde hace ya cien días, y sin importar dónde aparezca la caravana motorizada de Kadírov, resuenan sus órdenes para acelerar la construcción allí donde dirige la mirada. Han surgido mercados y gasolineras, y se han reparado los agujeros de las carreteras. Se han pintado las vallas que las bordean y desmantelado los campos de refugiados; en los hospitales se cocina sopa para los pacientes, y el terreno se marca para la construcción de futuros oleoductos. Los niños cantan «¡Dios salve a Ramzán!». No, en serio, todos los días se escuchan y se ven en la televisión de la República los himnos entonados en honor del mediador entre el Todopoderoso y el pueblo de Chechenia.

Solo hay una pregunta que resulta preocupante: ¿de dónde sale el dinero que está pagando todo esto? Parece razonable preguntarlo. La contestación oficial, que martillea en el cerebro de la población, es que todo se está haciendo con dinero del propio Ramzán. De acuerdo, es un hacha a la hora de sacar dinero a la gente, pero esto no lo está haciendo para sí mismo, sino para el pueblo.

¿Y eso es bueno? ¡Vaya si lo es, es absolutamente maravilloso! Sin embargo, por Chechenia corren todo tipo de rumores sobre el mecanismo de esta operación. Gracias al boca a boca, uno puede enterarse de cuánto tiene que aflojar exactamente cada trabajador a la familia dominante. Por ejemplo, la última serie de preparativos para la celebración de los cien días afecta al personal del Servicio de Seguridad Interdepartamental del Ministerio del Interior. (Aljánov, el ministro del Interior, es pariente de los Kadírov además de haber sido antiguo guardaespaldas de Kadírov padre.) Los oficiales al mando anunciaron durante el pase de revista matutino que las nuevas tarifas para las contribuciones al fondo para la restauración de Chechenia serían de 1.000 dólares para cada oficial y de 10.000 rublos para los miembros de la tropa (es un buen sablazo, pero ¡menuda tropa son!). Los que no quieran o no puedan pagar, serán licenciados fulminantemente.

No hay noticias de que nadie haya sido licenciado: el Servicio de Seguridad Interdepartamental se ha dedicado a persuadir a aquellos que protege, la mayoría de los cuales se han mostrado más que dispuestos a cooperar. Al fin y al cabo, era para el pueblo. Todo por el bien del pueblo.

Hay que reconocer que Kadírov hijo es un alumno aventajado a la hora de aprender de sus maestros de Moscú, incluyendo al presidente de la Federación Rusa. Lo importante no es hacer cosas, sino decir que fue uno quien las hizo. Esa es la principal lección que ha aprendido. Sumerjámonos en el contenido de la instrucción n.º 184-r del gobierno checheno, del 25 de abril de 2006, firmada por R. Kadírov, en donde aparece una lista de los proyectos financiados por inversiones de capital en 2006.

¿Con qué nos encontramos? De los veintisiete proyectos planificados solamente seis están destinados a ser financiados mediante «ingresos suplementarios», de donde cabe inferir la participación personal de Ramzán el Constructor mediante una contribución del llamado fondo regional Kadírov, que es adonde van a parar las contribuciones voluntarias de los ciudadanos. Dieciocho proyectos han sido financiados por el presupuesto federal, es decir, por nosotros, los contribuyentes rusos. Dichos proyectos abarcan la reconstrucción de todas las escuelas y colegios, las prometidas conducciones de gas a los pueblos y aldeas, la construcción de centros de atención sanitaria e incluso la restauración del Museo Estatal Ajmat-Hadji Kadírov. Otros dos proyectos son financiados conjuntamente por el presupuesto federal y el fondo de desarrollo regional. En otras palabras, Ramzán no ha desempeñado ningún papel en diecinueve proyectos de un total de veintisiete; únicamente ha tenido que vigilar que los fondos no hayan sido malversados, o bien…

Y hay que tener en cuenta ese «o bien…». Ramzán está autorizado a hacer lo que le plazca. Como único heredero de la noble misión de su padre sabe mejor que cualquier checheno cómo gastar en beneficio del pueblo. Esta afirmación se sustenta en la creencia de que Kadírov padre era el mediador entre el pueblo y el Todopoderoso, el Mejor entre los Mejores, según lo llamaban, y que ha transmitido a su hijo esa misión de representación.

Como es natural, la leyenda del Mejor entre los Mejores necesita una constante atención cosmética. Dejar que se desarrollara espontáneamente sería la mayor de las locuras, y por eso los cien días de Kadírov hijo se han fusionado naturalmente con «los preparativos de la República para celebrar el quincuagésimo quinto aniversario del nacimiento del primer presidente de la República de Chechenia, Héroe de Rusia, Ajmat Kadírov», tal como dice la orden n.º 241 del 24 de mayo de 2006, firmada por Ramzán. La extraña ocurrencia de señalar ese aniversario es, en realidad, una conveniente manera de soslayar distracciones indeseables como el Día de la Victoria. Sin duda sería inapropiado tener chechenos celebrando el 9 de mayo, que también es la fecha en que hicieron volar por los aires a Kadírov padre. Semejante consideración debe prevalecer sobre cualquier deseo de celebrar la victoria sobre el fascismo.

No se admiten iniciativas creativas acerca de cómo hay que celebrar el quincuagésimo quinto aniversario de Ajmat-Hadji Kadírov. El hijo del Mejor entre los Mejores ya ha dispuesto todos los preparativos. El documento hace una lista de ellos.

1. Citas de Kadírov que deben ser emitidas por televisión: «Mi propósito no es parar la guerra, sino ponerle fin de una vez para siempre». «Mi arma es la verdad, y ante ella todos los ejércitos son impotentes.»

2. Una lista de las personas que hay que entrevistar relacionadas con Kadírov padre. ¿Quiénes son?: en primer lugar, su hijo. «Entrevista con Ramzán Kadírov: "Mi padre me enseñó cómo hay que vivir"», seguida de «Recuerdos de Jozh-Ajmed Kadírov (un tío): "Yo lo vi crecer"», «Discurso del presidente de la Asamblea de la República de Chechenia, D.B Abdurajmánov: "A. A. Kadírov: Arquitecto de la construcción de una Chechenia en paz"».

3. Títulos de textos que hay que publicar y su contenido:

1. En el diario *Vesti*: «A. A. Kadírov, un líder de su tiempo, la necesidad histórica de su aparición en la escena política de Chechenia y Rusia».

3. En el periódico *Molodezhnaya Smena*: «A. Kadírov, el pacificador».

… 17. Emisiones en la televisión de Vainaj y de Grozni: «V. V. Putin y A. A. Kadírov: Arquitectos de las nuevas relaciones ruso-chechenas», y «A. Kadírov, el diplomático».

18. Emisiones en Radio Vainaj y en Radio Grozni: «Unió a todos los musulmanes de Chechenia».

… 34. Emisión de la serie semanal: «A. Kadírov, la autopista de la vida».

35. Emisión de un programa humorístico: «El sonriente Kadírov», a cargo del grupo Las Huellas Dactilares Chechenas.

… 38. Telegramas y mensajes de felicitación. Apreciación de los méritos de A. Kadírov.

... 42. Carteles y vallas publicitarias con el siguiente mensaje: «Llevaré la causa de mi padre a una conclusión victoriosa, R. Kadírov».

Este plan, formidable incluso según los estándares actuales, incluye una lista de publicaciones que tienen que ver la luz sin falta en el mes de junio, justo cuando finalizan los cien días de gobierno de Ramzán:

... 5. Publicación en la revista *Nana*: «A. A. Kadírov recordado por sus compañeros de armas, familia y amigos».

6. Publicación en la revista *Orga* [una revista de letras]: «Retrato de A.A. Kadírov: el artista».

7. Publicación en la revista *Vainaj*: poemas de varios autores dedicados a A. A. Kadírov.

... 10. Emisión en la tertulia «Soy un ciudadano» de la televisión y la radio estatales del programa «A. Kadírov, el hombre que restauró el buen nombre de los chechenos».

4. Eventos:

... 23. Simposio sobre «El papel y la importancia de A. Kadírov en la historia contemporánea».

24. Concurso destinado a encontrar el mejor lector. Poesía dedicada a A. Kadírov.

25. Exhibición de dibujos infantiles con el lema «Ajmat-Hadji Kadírov, el hombre que trajo la paz a nuestro hogar».

Lo siguiente será organizado por R. Aljánov, ministro del Interior: juramento de lealtad a la causa de A. A. Kadírov y presentación a la mejor unidad de la milicia de un estandarte con el retrato de A. Kadírov.

Ramzán Kadírov es todavía un hombre muy joven y no ha leído demasiada historia, pero ¿qué hay de los que crecieron hace tiempo y recuerdan cuando se hacían planes exactamente iguales a este en los comités centrales, municipales y de distrito para el centenario del nacimiento de Lenin, el septuagésimo del de Brézhnev y así *ad nauseam*?

Para ser justos, deberíamos mencionar que las celebraciones de este quincuagésimo quinto aniversario están financiadas por la Fundación A. Kadírov con fondos arrancados por sus extorsionadores al pueblo checheno.

Un notable ejemplo de las prácticas financieras de la Fundación A. Kadírov lo proporciona la reciente inauguración del concurso de belleza de Chechenia, organizado dentro de los fastos de los cien días. Como ya sabemos, Ramzán considera que es su obligación hacer que la gente que lo rodea sea lo más feliz posible durante esos días.

Tanto él como su «equipo», como se le suele llamar ahora, se han desvivido para subrayar que el concurso de belleza fue idea suya. En la actualidad es más rico de lo que su padre llegó a ser. Se ha convertido en un auténtico oligarca que gana dinero a manos llenas y lo gasta de igual modo, tal como el concurso de belleza iba a demostrar.

Cuando el jurado anunció el nombre de la ganadora y muchas chicas se habían llevado un coche como premio, se celebró una cena en un restaurante de Gudermés al que llegó Ramzán acompañado de varias decenas de guardaespaldas. A las ganadoras del concurso se les ordenó que bailaran para él y su séquito y, cuando empezaron, Kadírov hijo les dijo a sus guardaespaldas que tiraran a las chicas billetes de 100 y 1.000 rublos.

Un reportero de *Chechenskoye Obshchestvo* calculó que en el suelo de mármol del restaurante Olimpus aterrizaron billetes por valor de 30.000 dólares. Las chicas se apresuraron a recoger el dinero, y cuando una de ellas rompió a llorar, Ramzán ordenó que se le diera un reloj de lujo Chopard con diamantes incrustados. El reloj en cuestión se materializó en el acto con todas sus piedras preciosas. Las lágrimas cesaron de golpe, y un reloj comprado con el dinero de los ciudadanos de Chechenia acabó arrojado a los pies de uno de los suyos.

Los años pasarán y los sucesos también, y nadie tendrá el menor deseo de recordar los detalles de esos cien días, con sus juramentos de lealtad a la causa de Kadírov; pero ¿qué pasa con las chicas que se arrastraron por el suelo del restaurante? ¿Y con el periodista que puso su firma a un texto titulado «Kadírov, el pacificador», en un momento en que cientos de personas eran torturadas diariamente en Tsentorói? ¿Cómo vivirán consigo mismos? Me cuesta imaginarlo.

P.D.: En la mañana del 31 de mayo, unos kadirovitas (que ya no existen oficialmente, puesto que han sido reasignados al Ministerio del Interior) atraparon a unos guerrilleros en la aldea montañosa de Nestorovskaya, en Ingusetia. Tal como informó la oficina de prensa de las tropas del Ministerio del Interior ruso, «bandidos, perseguidos por miembros de la milicia, cruzaron la frontera de Chechenia e Ingusetia y se refugiaron en la casa del n.º 91, tomando como rehenes a sus habitantes».

En la casa rodeada por los kadirovitas vivían los Jaijaroyev, la familia del comandante guerrillero Ruslán Jaijaroyev, un secuestrador muerto en 1999. Con la familia se encontraba Rizván, el hijo de Ruslán, de diecinueve años, que, según testimonio de los vecinos, no era miembro de la resistencia. Cuando los resistentes hirieron a uno de los milicianos, los kadirovitas se retiraron, y se llevaron con ellos a Rizván. Lo metieron a la fuerza en el maletero de uno de los vehículos, que situaron frente a la casa, y empezaron un tiroteo que se prolongó durante dos horas. Cuando por fin se hizo el silencio, sacaron a Rizván del maletero y uno de los kadirovitas le disparó en la nuca con su pistola. Otro lo remató con su rifle. El asesinato se cometió ante la vista de los habitantes del pueblo de Nestorovskaya, una ejecución sin juicio previo cometida por hombres que actualmente forman parte de las tropas del Ministerio del Interior de la Federación Rusa.

LOS KADIROVITAS SERÁN DERROTADOS: POR EL MOMENTO, SOLO EN INGUSETIA

11 de septiembre de 2006

El 7 de septiembre se desató un intenso combate en un control de paso de las afueras de Aljasti, en la frontera checheno-ingusetia. Un grupo de hombres vestidos con ropa militar llegaron desde el lado checheno, asegurando formar parte de la escolta de seguridad del primer ministro, Ramzán Kadírov, y se impacientaron ante el «descaro» de los guardias del control. Estos pertenecían al regimiento de las tropas del Ministerio del Interior encargado de la vigilancia de la frontera administrativa, y exigieron ver los documentos, permisos militares y demás papeles necesarios para cruzar la frontera portando armas. Los kadirovitas respondieron gesticulando y disparando al aire.

Como consecuencia, tres milicianos resultaron heridos (dos de ellos siguen en el hospital). Los kadirovitas cruzaron entonces la frontera sin autorización, lo cual provocó que los funcionarios del Ministerio del Interior decretaran su inmediato arresto con la promesa añadida de darles un buen escarmiento si llegaban a encontrarlos en territorio de Ingusetia. El entorno de Ramzán hizo entonces una declaración afirmando que todo eran mentiras porque su gente no tenía por costumbre cruzar la frontera en vehículos blindados.

Fueran quienes fuesen los que se presentaron aquel 7 de septiembre en un APC —kadirovitas auténticos, ex kadirovitas reclasificados como pertenecientes a los batallones del Ministerio del Interior ruso o matones de cualquier otra especie— lo ocurrido fue una manifestación del eterno síndrome de Kadírov, cuyo rasgo distintivo es la insolencia, el matonismo y la brutalidad disfrazados de coraje. En Chechenia, los kadirovitas propinan palizas tanto como les place a hombres y mujeres, del mismo modo que los wahabíes lo hacían en la época de la República de Ichkeria de Masjádov. Decapitan a sus enemigos igual que los wahabíes, y las instituciones que representan la ley y el orden hacen la vista gorda o incluso se refieren a ese comportamiento como el resultado de la nueva conciencia nacional que ha surgido tras la irrevocable decisión del pueblo de Chechenia de inclinarse a favor de Rusia.

En la propia Chechenia no ha habido el menor intento por poner freno a esta infección; al contrario, se alienta. «¡Vamos, muchachos, nosotros somos diferentes! ¡Les demostraremos quién es el jefe! ¡Tenemos todo el derecho!» El síndrome Kadírov está calando entre los adolescentes chechenos que son conocidos como «los nuevos wahabíes» o el «Club de Fans de R. Kadírov». Se gradúan en el Club de Fans y después ocupan su lugar en la vida adulta y el mundo del trabajo.

Durante un par de años esto ha ocurrido solo en Chechenia, con brotes ocasionales en Daguestán, principalmente en el distrito fronterizo de Jasaviurt. Sin embargo, en estos momentos, el síndrome se extiende. En la actualidad, muchos chechenos que viven fuera del país e incluso fuera de Rusia se están contagiando de ese virus.

De todas maneras, los que los rodean también han evolucionado. No todo el mundo se deja convencer por los cuentos de hadas que muestran por la televisión a Kadírov como el héroe de Rusia. Son muchos los que se están cansando del síndrome Kadírov y eso ha puesto en marcha una tendencia en forma de un movimiento llamado «Te Derrotaremos». No todo el mundo está dispuesto, como tantos chechenos, a dejarse pisotear por los kadirovitas, y eso es lo que ha provocado los disturbios antichechenos de Kondopoga, en Carelia, y ahora este incidente de Aljasti.

3

El Cadete

[El fracaso de los gobernantes rusos, a pesar de sus manifestaciones públicas a favor del imperio de la ley, ha permitido que en Chechenia prosperasen los criminales de guerra. El valor y la tenacidad necesarios para hacer frente a fuerzas dedicadas a pervertir la justicia quedan ilustrados por varios casos sobre los que Anna Politkóvskaya informó. Como resultado de su trabajo, varios sinvergüenzas se han visto obligados a rendir cuentas.]

El caso Cadete: los desaparecidos

10 de septiembre de 2001

Imaginen que un grupo de individuos sin identificar y vestidos con uniforme del ejército irrumpen en sus casas, se llevan a la fuerza a un miembro de sus familias y que después…

Después nada. Alguien que existía deja de existir. Es como si hubiera sido borrado del mapa. Ya pueden correr de un lado a otro, perder la cabeza y suplicar por la menor migaja de información, que el funcionario que debería dedicarse a buscarlo le aconsejará sin más rodeos: «Olvídese». Punto final.

En este momento, la mayor tragedia de Chechenia son los desaparecidos, los que se han desvanecido sin dejar rastro. Oficialmente, se calcula que son unos mil. Extraoficialmente son el doble. Las desapariciones empezaron con la guerra y se han prolongado hasta la actualidad en aldeas, pueblos y ciudades y en distintas circunstancias;

sin embargo, todas las historias tienen en común dos características: la primera, que los desaparecidos fueron vistos por última vez en manos de soldados; la segunda es que las numerosas y ramificadas fuerzas del orden que operan actualmente en Chechenia han sido incapaces de encontrar a nadie.

Una vez al mes, en las nuevas dependencias del gobierno en Grozni, se celebra una reunión especial sobre el tema de los secuestros; lo cual no es más que una manera cualquiera de dar el asunto por despachado. Normalmente, está presidida por Vladímir Kalamánov, el representante presidencial para la Observancia de los Derechos Humanos y las Libertades en Chechenia.

El fiscal de Chechenia, Vsévolod Chérnov, es quien lleva la voz cantante la mayor parte del tiempo porque encontrar a los desaparecidos forma parte de sus responsabilidades. Por supuesto, también están presentes los representantes de las principales bases militares del ejército, que asisten con una imborrable expresión de escepticismo pintada en el rostro. Los miembros de la oficina del fiscal militar nacional mantienen un silencio sepulcral. Las reuniones se prolongan interminablemente mientras los distintos caballeros discuten cansinamente y apenas logran disimular hasta qué punto todo eso les resulta no solo aburrido sino reprobable.

Taisa Musayeva pierde la paciencia y salta. Le tiembla la voz: «¿De qué están hablando? ¡Solo les deseo una cosa, que se encuentren algún día en mi lugar! ¡Nadie se está ocupando de buscar a mi marido ni nadie tiene intención de hacerlo!». Taisa tiene veinticinco años y no sabe si sigue teniendo marido o se ha convertido en viuda.

El 2 de julio, durante los ahora famosos y brutales barridos de seguridad de las aldeas montañosas de Assinóvskaya y Sernovodsk, el marido de Taisa, Zelimján Umjánov, fue sacado de su casa de la calle Kutalov, en Sernovodsk, ante la vista de toda su familia, metido en un vehículo y conducido a destino desconocido. Con el tiempo, todo el mundo acabó por enterarse de aquellos barridos de seguridad, el presidente tuvo ocasión de decir la suya y, por primera vez en los largos meses de esta guerra, se manifestó indignado por lo absurdo de las «medidas especiales» adoptadas. El fiscal general nos aseguró a todos públicamente que estaba en marcha una meticulosa investigación.

«¡Eso fue mentira! ¡No hubo ninguna investigación!», repite su verdad Taisa. Durante dos meses, las familias de Zelimján y Apti Isígov, de veintiocho y veintidós años respectivamente, este último también secuestrado por los militares en Sernovodsk, han sido incapaces de convencer a la oficina del fiscal de Chechenia de que les tomara declaración sobre lo que habían presenciado. Los familiares han ido de un lado a otro siguiendo al fiscal Chérnov, rogándole que aceptara su testimonio como prueba, pero no lo han conseguido.

¿Qué es eso de que los fiscales de Chechenia son tan reacios a saber? ¿Quizá sea de interés al menos para sus superiores en la oficina del fiscal general ruso? Bueno, por ejemplo, lo que no quieren saber es el número de identificación del transporte blindado de tropas con el que los enmascarados secuestraron a Umjánov e Isígov, sin molestarse siquiera en mirar sus pasaportes. El número era el «4025». Tampoco quieren saber nada del código de llamada por radio del vehículo —el «88»— ni del número que correspondía al oficial al mando durante el secuestro —el «12»—. El número del camión militar Ural que acompañó al secuestro era «O 1003 KSh». El 3 de julio, tanto Umjánov como Isígov fueron vistos en la parte trasera de dicho camión. Estaba aparcado en Assinóvskaya, y los dos secuestrados se hallaban tumbados y cubiertos por una lona. Estaban vivos y pidieron agua cuando oyeron voces cerca. Hay testigos a los cuales los dos infelices lograron decir que llevaban veinticuatro horas sin poder salir de debajo de la lona.

«Creemos que la búsqueda de los desaparecidos podría completarse en cuestión de horas», escriben las madres de los hombres de Sernovodsk en una carta dirigida al presidente Putin. El 28 de agosto, tras haber perdido cualquier esperanza de hallar ayuda alguna en Chechenia, se decidieron a escribir a Moscú: «Lo único que hace falta —sugirieron al presidente— es reunir a los responsables de esas operaciones especiales (que son bien conocidos), interrogar a cierto número de soldados y oficiales (que también son conocidos) y, si resulta necesario, realizar una ronda de identificación. Hay testigos que viven en Sernovodsk».

Las madres son mujeres sencillas, que carecen de conocimientos detectivescos y que se limitan a mencionar lo obvio. No saben que cientos de otras familias chechenas han seguido el mismo camino. Casi todas ellas escribieron al presidente Putin con las informaciones que poseían y que posibilitaba que encontraran a los desaparecidos en cuestión de días. Eso suponiendo que hubiera voluntad de hacerlo. Ahí estaba la trampa.

El 2 de enero de este año, Zelimján Murdalov, un joven de veintiséis años de Grozni, caminaba por la calle cuando fue repentinamente asaltado por seis individuos vestidos con ropa de camuflaje, desnudado y metido en un coche ante los ojos de los pasajeros de un autobús que se había detenido cerca. Más tarde, dos pasajeras del autobús —una madre y una hija de setenta y tres y cuarenta años, respectivamente— se presentaron de manera voluntaria como testigos del secuestro. Intentaron ayudar y sufrieron por sus desvelos. A la anciana de setenta y tres años le rompieron la dentadura postiza cuando uno de los «soldados» le dio un puñetazo en la boca. Las dos fueron arrojadas al suelo y les dispararon por encima de la cabeza. Aun así, no se dejaron arredrar y, posteriormente, tuvieron el valor de identificar a sus agresores, miembros de la oficina temporal de Asuntos de Interior del distrito Octubre, de la Unidad Combinada de la Milicia de Jantí-Mansíisk.

Murdalov tuvo muy mala suerte. El destacamento de Jantí-Mansíisk tiene una pésima fama en Grozni. En el cuartel general de la milicia, Zelimján fue puesto en manos del mayor Alexander Prilepin, jefe de la Milicia Criminal y más conocido por el apodo de Alex, del detective Zhurávliov y también del oficial Serguéi Lapin, alias el Cadete, que llevaba su apodo tatuado en la nuca. Una investigación posterior demostró que fueron ellos quienes supervisaron y participaron en las torturas de Zelimján.

A primera hora del 3 de enero, el Cadete llevó a rastras a Murdalov hasta una celda del bloque preventivo, donde fue visto por otros prisioneros.

Sus compañeros de celda vieron el resultado de la orgía de sadismo de los milicianos. Tenía una fractura abierta en el brazo derecho y varias costillas rotas, le habían cortado la oreja derecha y se encontraba inconsciente. Creyendo que se hallaba moribundo, los prisioneros empezaron rezar por él y solicitaron la presencia de un médico. Este, tras examinar a la víctima, declaró que era esencial llevarlo al quirófano. Los oficiales se negaron, alegando que se trataba de un verdadero checheno, duro y en absoluto dispuesto a rendirse, razones por las cuales podía sobrevivir perfectamente sin tratamiento médico.

La mañana del 3 de enero, los prisioneros oyeron que alguien avisaba por radio: «El fiscal está en la frontera…». La reacción ante la inminente inspección fue: «Que espere». («La frontera» era el nombre que recibía el control de paso de la unidad.) Llegó un médico que examinó a Zelimján durante un buen rato. Luego se lo llevaron por los brazos. Por la noche les dijeron a los prisioneros que Murdalov había sido trasladado al hospital, pero que había escapado. Nadie lo creyó, y todos dieron por hecho que, dado que Murdalov no podía moverse y aún menos correr, había muerto aquella mañana y sus verdugos habían ocultado el cuerpo para evitar repercusiones. La oficina del distrito Octubre se encuentra rodeada de casas en ruinas donde se oyen explosiones constantemente. Nadie sabe qué las provoca o por qué pero, como bien sabe la población de Grozni, la zona resulta sofocante por el hedor a cadáveres.

Una vez se hubieron llevado a Murdalov, el fiscal tuvo acceso a las celdas y comprobó que allí no había nadie con ese nombre. Según parece, no se le ocurrió preguntar por qué le habían denegado el acceso durante tanto rato.

El fiscal se había presentado en la oficina de Asuntos de Interior del distrito Octubre únicamente porque se había visto obligado por los familiares de Zelimján, Rukiyat y Astemir Murdalov, que habían tirado de todos los hilos posibles. Son personas bastante conocidas en Grozni. A partir de ese momento y hasta ahora, fueron sus padres y no abogados o investigadores los que realizaron las pesquisas sobre las circunstancias que rodearon el secuestro de su hijo y quienes obligaron a la oficina del fiscal de Grozni a cumplir con su trabajo abriendo la causa penal n.º 15004 por su secuestro, tortura y posterior desaparición.

Un detalle revelador: la Unidad de la Milicia de Jantí-Mansíisk ha aterrorizado no solamente a los ciudadanos de Grozni, sino también a la oficina del fiscal. Cuando uno de los milicianos del caso Murdalov fue citado por los fiscales para que declarara, una brigada armada hasta los dientes rodeó el edificio mientras duró el interrogatorio, rompió todo tipo de mobiliario en los pasillos y no dejó de apuntar a la sede con sus lanzacohetes mientras prometía que la reducirían a cenizas si no liberaban a su camarada. No hubo reacción alguna por parte del cuartel general de Jankalá, como si supuestamente ese debiera ser el comportamiento que se espera de los soldados del Mando Militar Conjunto del Cáucaso Norte.

El 7 de enero, tras llegar a la conclusión de que había intervenido en la tortura de Zelimján, los investigadores del caso decidieron arrestar al detective Zhurávliov, de la oficina Octubre. Sin embargo, el jefe del departamento, el coronel Valeri Kondákov, se apresuró a redactar una orden con fecha de dos días antes, enviándolo a su casa de Nizhnevartovsk. Según los testigos, el propio Kondákov estaba implicado en lo ocurrido a Zelimján y no tenía el menor deseo de que alguien empezara a irse de la lengua en la oficina del fiscal. El 18 de enero, se repitió el mismo truco: un intento de detener a Lapin, el Cadete, se frustró cuando Kondákov lo envió a casa a toda prisa. Finalmente, el 7 de febrero, todo el contingente de Jantí-Mansíisk regresó a Nizhnevartovsk tras haber completado noventa días de servicio (que es el período habitual para las tropas rusas destacadas en Chechenia).

Allí se convirtieron en prácticamente inaccesibles, ya sea para ser interrogados o arrestados, como si Nizhnevartovsk no fuera una ciudad siberiana de un cuarto de millón de habitantes, sino algún remoto rincón de Sudamérica donde se refugian los criminales de guerra. Por ejemplo, el 12 de marzo, la oficina del fiscal de Grozni envió a dos de sus funcionarios a Nizhnevartovsk para que detuvieran al Cadete y lo escoltaran bajo vigilancia de regreso a Chechenia, donde supuestamente había cometido el delito. El 2 de abril volvieron llevando consigo únicamente una declaración firmada por el Cadete en la que este se comprometía a no abandonar Nizhnevartovsk. El 20 de ese mismo mes, los investigadores del caso fueron informados de que el juzgado municipal de Nizhnevartovsk lo había liberado incluso de su compromiso firmado, y también se enteraron de que el fiscal adjunto de la ciudad había declarado que no pensaba entregar a ningún conciudadano que tuviera que enfrentarse a cargos relacionados con la desaparición de chechenos y que había que cerrar el caso. Este parece haber llegado a un callejón sin salida. Durante los últimos ocho meses, la fuerza conjunta de los cuerpos y fuerzas de seguridad rusos se ha demostrado insuficiente para resolver la cuestión.

De todo ello se deduce que el delito de Murdalov fue hallarse en el lugar equivocado en el momento equivocado. El 2 de enero, los milicianos habían necesitado con urgencia un informador checheno para acusar falsamente a un sospechoso y de ese modo poder informar de un éxito a sus superiores. El destacamento de Jantí-Mansíisk echó el guante al primero que pasó por allí e intentó obligarlo a colaborar utilizando sus métodos habituales. Tan simple como eso.

¿Por qué? Esa es la única pregunta que la madre de Zelimján quiere que le contesten tras haber perdido a su hijo. Astemir, el padre, ha perdido más de veinte kilos de peso y reconoce que nunca será capaz de perdonar semejante crimen.

Abdulkasim Zaurbekov, de la calle Novosadovaya, de Grozni, había empezado a trabajar en la oficina del distrito Octubre como operador temporal de grúa. A las nueve de la mañana del 17 de octubre pasado entró en el edificio para recoger su paga, firmó un recibo de 2.400 rublos y nunca más se volvió a saber de él. Su hijo de dieciocho años, Aindi, esperó a su padre en el control de seguridad hasta la medianoche, pero este nunca salió del edificio, y hasta la fecha sigue sin haber noticias suyas.

El 27 de agosto del año pasado, Mohamed Umárov fue secuestrado al amanecer en su casa de la calle Kliuchevaya, en el distrito de Staropromislovski, en Grozni, por varios individuos vestidos con ropa de camuflaje. A las nueve de la mañana, sus padres, Ruslán y Leila, fueron capaces de identificar a varios de los secuestradores como miembros de la oficina del comandante del distrito. Al final, lograron que la oficina del fiscal abriera una causa penal, pero entonces los soldados regresaron a sus casas y eso puso punto final a sus esperanzas.

Incluso la siempre reacia a correr riesgos, Eva Jubalkova, una funcionaria que trabajaba en la Misión del Consejo de Europa de Znamenskoye, acabó proporcionando una estadística que demostraba que de las solicitudes relativas a desaparecidos enviadas por la oficina de Vladímir Kalamánov, el representante especial del presidente, a la oficina del fiscal y a otras organizaciones de la ley y el orden de Chechenia, el 55 por ciento no han recibido respuesta alguna. Las contestaciones del 45 por ciento restante han sido en su mayoría insuficientes y negativas. El rechazo de las fuerzas de seguridad a implicarse en casos de desaparecidos a manos del ejército no puede ser más flagrante.

En un momento dado, alguien está; y al siguiente, ya no. En Chechenia, cualquier encuentro con los milicianos puede tener consecuencias fatales. Quizá se trate del Cadete. Asistimos a una era de depravación en el ejército y en la milicia cuando se permite todo aquello que debería sancionarse. Por el momento, lo dicho solo se aplica a Chechenia, pero es un estado de cosas que cuenta con el consentimiento tácito de nuestros más altos líderes nacionales. ¿Qué vendrá a continuación?

DE LOS EDITORES

24 de septiembre de 2001

Estamos acostumbrados a todo tipo de amenazas, desde los puñetazos encima de la mesa dados por funcionarios hasta los murmullos telefónicos advirtiéndonos que sería «poco aconsejable» publicar según qué artículo. No les damos importancia porque hemos encontrado el antídoto. Llevamos a la imprenta cualquier oscura trama y cualquier sospecha de turbiedad porque no queremos participar en nada de eso. La nuestra es una profesión diferente, y esta es la norma que seguimos ahora.

En el n.º 65 de *Novaya Gazeta* publicamos un informe de Anna Politkóvskaya titulado «Los desaparecidos», un trabajo de investigación periodística basado en materiales de la oficina del fiscal y en declaraciones de testigos que aportaba citas específicas de ciertos oficiales de la Unidad Combinada de la Milicia de Jantí-Mansíisk, incluyendo las de Serguéi Lapin, apodado el Cadete. Citamos: «Una investigación posterior demostró que habían sido ellos (el Cadete y otros oficiales) los que habían dirigido y participado en las torturas a Zelimján». La causa abierta contra el Cadete se encuentra en punto muerto. El juzgado municipal de Nizhnevartovsk lo ha eximido de cumplir con la obligación de no salir de la ciudad, y según parece ha decidido aprovecharse de dicha circunstancia.

La semana pasada llegó una carta al buzón de correo electrónico del departamento de investigación de *Novaya Gazeta*. Decía así:

> Existe información fiable de que un oficial del Departamento de Investigación Criminal que ha prestado servicio en la República de Chechenia y utiliza el nombre en clave [no un alias] del Cadete ha recibido entrenamiento especial del BSF en materia de sabotaje, como tirador de precisión y tiene aptitudes de supervivencia en condiciones extremas mientras lleva a cabo operaciones de combate. Su actual paradero es desconocido, pero hay indicios de que está en posesión de armas de fuego y que tiene intención de visitar Moscú. ¿Pueden ustedes arrojar alguna luz acerca de por qué este miembro de la oficina del Ministerio del Interior caído en desgracia puede querer venir a Moscú?

El asunto del encabezamiento del correo electrónico es «Los desaparecidos», y el remitente es Cadet@email.ru.

No tenemos intención de comprobar si se trata de una broma pesada, un fraude, una seria advertencia o una amenaza. No es esa la función de los periodistas. Nuestro deber consiste simplemente en informar a nuestros lectores y a las autoridades acerca de la información que ha llegado a nuestras manos y confiar en que las fuerzas y cuerpos de seguridad del Estado emprenderán las acciones oportunas. Es su obligación profesional rastrear al autor de este mensaje y aclarar los motivos que lo han llevado a escribir a nuestro periódico.

Entretanto, seguimos cumpliendo con nuestra obligación publicando otro artículo de Anna Politkóvskaya desde Grozni.

[Tras la aparición del artículo, el 10 de septiembre de 2001, empezaron a llegar a las oficinas del periódico cartas amenazadoras contra Anna Politkóvskaya.]

No nos retractaremos

Novaya Gazeta, 15 de octubre de 2001

Este es el segundo correo electrónico que hemos recibido:

> Perdone que la moleste, pero solo tiene diez días para publicar una retractación de su artículo «Los desaparecidos». De lo contrario, el oficial de la milicia que han contratado no podrá protegerla.
> Sinceramente suyo, el Cadete.

Inmediatamente enviamos a alguien a investigar el Directorio del Ministerio del Interior en Jantí-Mansíisk, donde trabaja la supuesta fuente de las amenazas para averiguar si el agente de operaciones especiales que responde al nombre en clave del Cadete tenía alguna relación con ellas. No descartamos la posibilidad de que todo este asunto sea un fraude. En el momento de entrar en prensa, todavía no hemos recibido respuesta alguna.

Que nadie tenga la menor duda de que tomaremos las medidas necesarias para proteger a nuestra colega. Y dicho sea de paso: *Novaya Gazeta* no contesta ultimátums.

Al ministro del Interior de la Federación Rusa, B. V. Grizlov:

> Apreciado Borís Viacheslavovich,
> En el n.º 65 de *Novaya Gazeta* publicamos el artículo «Los desaparecidos», de Anna Politkóvskaya, que describe las atrocidades perpetradas por ciertos miembros de la milicia en Chechenia. Tras su aparición, han empezado a llegar a esta redacción por correo electrónico todo tipo de amenazas firmadas en nombre de los que aparecen en dicho artículo.
> Los periodistas que trabajan para *Novaya Gazeta* son objeto de una creciente violencia. En mayo de 2000, Ígor Domnikov fue asesi-

nado y en diciembre de ese mismo año Oleg Lurie fue víctima de una brutal agresión. Los culpables de ambos delitos siguen campando a sus anchas. Esto me hace pensar que esas amenazas no deben tomarse a la ligera y que pueden materializarse. En mi opinión, la vida y el bienestar de Anna Politkóvskaya corren serio peligro.

En consecuencia, le solicito que tome todas las medidas exigidas por la ley para identificar y detener a los culpables y evitar que se cometa un crimen contra un periodista.

Sinceramente suyo,

Yu. P. Shchekochijin

Vicepresidente del Comité de Seguridad de la Duma del Estado

[Director adjunto de *Novaya Gazeta*]

15 de octubre de 2001

Adjuntas cinco páginas

SILENCIAR LOS TESTIGOS: POR QUÉ LA UNIDAD COMBINADA DE LA MILICIA DE JANTÍ-MANSÍISK REGRESA A CHECHENIA

11 de marzo de 2002

En este número de *Novaya Gazeta* tendríamos que haber publicado un artículo totalmente diferente sobre Chechenia, continuando con la crónica de uno de los más horrendos barridos de seguridad ocurridos en 2002 en Starie Atagi. Sin embargo, nos vemos obligados a posponerlo hasta el próximo lunes para poder describir hoy unos sucesos que pueden ocasionar fatales consecuencias si retrasamos su publicación.

A medida que pasa el tiempo, tenemos la creciente impresión de que hay distintos estados paralelos funcionando al mismo tiempo dentro de Rusia y que están enfrentados unos con otros. Es más, incluso en el seno de un mismo ministerio de seguridad encontramos que coexisten sistemas estatales distintos que no solamente asumen tareas y objetivos diferentes, sino que tienen estructuras que no se parecen en nada. El resultado es una tragedia tras otra cuando un sistema protege a alguien al tiempo que otro lo ataca como represalia.

Recordarán que hace más de un año los jantí campaban a sus anchas por Grozni. Así es como eran conocidos los soldados de la Unidad Combinada de la Milicia de Jantí-Mansíisk, muchos de los cuales prestaban servicio en la oficina temporal de Asuntos de Interior del distrito Octubre, en Grozni. Actualmente, estas oficinas de distrito temporales se han convertido en una verdadera espina clavada en el cuerpo de Chechenia. Las oficinas de distrito permanentes están atendidas por milicianos locales, pero las temporales cuentan con personal llegado de los cuatro costados del país, normalmente para períodos de noventa días de servicio según los planes diseñados por Moscú.

Durante mucho tiempo, la oficina temporal Octubre fue uno de los lugares más temidos de Grozni y ha aparecido en *Novaya Gazeta* en más de una ocasión. ¿Había alguien al mando de los grupos del Ministerio del Interior de Chechenia con el valor suficiente para poner freno a la brutalidad asesina de los jantí, algún comandante paternalista sentado en Jankalá con la responsabilidad de restaurar el imperio de la ley en la República, para lo cual, según los planes establecidos, estaban la oficina del distrito Octubre?

No. Ni uno. Había muchos generales, pero ningún hombre valiente de esa clase. Incluso los fiscales son reacios a investigar los entresijos de la oficina del distrito Octubre, porque temen a los jantí tanto como cualquier otro ser vivo de Chechenia.

6 de marzo de 2002. Grozni. La primavera es desacostumbradamente templada. Se han abierto incluso los capullos de las lilas y sonríen a los habitantes de la ciudad, que han tiritado todo el invierno. Sin embargo, Rukiyat Murdalova llora en silenciosa desesperación. Estamos conduciendo a través de Minutka, la plaza del centro de esta derruida ciudad, donde el 2 de enero de 2001 los jantí apresaron a Zelimján, el hijo de veintiséis años de Rukiyat, lo metieron maniatado en un coche, y de paso dieron una paliza a dos mujeres que intentaban proteger (una de ellas una anciana de setenta y tres años) a un joven que simplemente paseaba por la calle. En estos momentos, las dos son testigos de la acusación en una

causa abierta contra los jantí, y este es un detalle importante de nuestra historia.

Zelimján fue llevado a la oficina temporal Octubre. Como ha quedado probado por el equipo de investigación, el mayor Prilepin (alias Alex) no solo dirigió las sesiones de tortura, sino que participó directamente en ellas conjuntamente con el mayor Lapin (alias el Cadete) y el detective Zhurávliov. La sesión fue tan inquisitorial, tan brutal y patológica que no la describiré aquí a pesar de que lo sé todo acerca de los bestiales y monstruosos actos que fueron perpetrados esa noche del 2 de enero de 2001 por esos oficiales del Ministerio del Interior.

¿Hubo testigos? Los hubo, y son ellos quienes actualmente constituyen el centro de la cuestión. Hubo testigos que sobrevivieron y que han dado testimonio del estado en que el Cadete arrastró a Zelimján a la celda preventiva de la oficina Octubre. También han declarado cómo y quién sacó al moribundo de allí la mañana del 3 de octubre, tras lo cual desapareció sin dejar rastro.

Rukiyat llora. «¿Dónde está Zelim? ¿Dónde está mi hijo? ¿Ha dicho algo Lapin? Explícame...» Han pasado un año y dos meses. Estamos frente a la verja de la oficina del fiscal de la República de Chechenia, en la calle Garazhnaya. No nos han dejado pasar, y los guardias ríen y se burlan de nosotros. No se molestan en disimular que obedecen órdenes. Nos hallamos justo delante de las ventanas de Vsévolod Chérnov, el fiscal de Chechenia. De vez en cuando, las cortinas de persianilla de color crema se abren ligeramente. El fiscal mira furtivamente y se pregunta qué ocurre.

La oficina del fiscal de Grozni ha abierto la causa n.º 15004 únicamente porque los padres de Zelimján, Rukiyat y Astemir, han logrado algo que parece imposible en las circunstancias actuales de Chechenia, donde la ley y los cuerpos y fuerzas de seguridad, incluyendo la mismísima oficina del fiscal, han dejado casi de funcionar cuando se trata de crímenes de guerra por miedo a incurrir en la ira de los soldados que se han vuelto locos. Rukiyat y Astemir no son investigadores ni abogados, pero han suplido todo el sistema legal de la República y han vendido sus bienes para poder llevar a cabo su propia investigación y visitar todos los centros de detención preventiva del Cáucaso Norte. Su máxima prioridad es encontrar a su hijo, vivo o muerto, pero también están decididos a que quienes se lo arrancaron el 2 de enero de 2001 comparezcan ante la justicia. ¿Querrían ustedes algo distinto de estar en su lugar?

Sin embargo, han sido precisamente los cuerpos y las fuerzas de seguridad del Estado los que les han ofrecido mayor resistencia. El superior inmediato de los jantí, el coronel Valeri Kondákov, oficial al mando de la Unidad Combinada de la Milicia, hizo todo lo posible para que sus camaradas que estaban siendo investigados pudieran desaparecer sigilosamente de Chechenia y regresar a Siberia. ¿Y luego qué? Luego nada. A pesar de que los investigadores de la oficina del fiscal fueron a Nizhnevartovsk para detener a los sospechosos, los jantí les escupieron en la cara, y tanto la oficina del fiscal de Nizhnevartovsk como los oficiales superiores de la milicia salieron en defensa del Cadete y sus cómplices. Los investigadores se lavaron las manos y se marcharon. Una gente que ha cometido las atroces brutalidades no solamente sigue disfrutando de la libertad, sino estando a sueldo del Ministerio del Interior con rango de oficiales como guardianes de la ley en nombre del Estado. Esta situación se ha prolongado uno, dos, hasta seis meses, y uno no puede menos que preguntarse si en Rusia funciona un verdadero Ministerio del Interior o simplemente una especie de sustituto virtual, y lo mismo vale cuestionarse en cuanto a la oficina del fiscal y el presidente. ¿O es que solo sirven para aparecer en televisión y soltar absurdos discursos de línea dura?

El 10 de septiembre de 2001, *Novaya Gazeta* publicó un artículo, «Los desaparecidos», sobre el principal problema que tiene Chechenia hoy día: los miles de personas que han desaparecido sin dejar rastro tras haber caído en manos de los federales. Explicamos, entre otras, la historia de Zelimján Murdalov y recibimos una pronta respuesta acorde con un Estado donde hay muchos estados. No provino del Ministerio del Interior ni de la oficina del fiscal general ni del presidente, sino del Cadete en persona, que claramente se consideraba señor de la vida. El Cadete estaba tan indignado que, primero, envió amenazas al periódico y después otra dándonos diez días para retractarnos de nuestras acusaciones; de lo contrario, la autora del artículo, que lo es también de este, sería asesinada. A todo ello siguieron una serie de solicitudes de protección por parte de los directores, dirigidas al ministro del Interior, Borís Grizlov, y de artículos en los medios de comunicación de todo el mundo acerca de lo que está ocurriendo en Rusia con los oficiales que han prestado servicio en Chechenia. El resultado fue que, a finales de enero de este año, el Cadete fue arrestado y enviado bajo custodia a Grozni, conforme a lo que dicta la ley, al lugar donde se cometió el crimen.

Por fin ha ocurrido algo que es extremadamente infrecuente en Chechenia, donde la mayoría de los soldados, con la complicidad de sus superiores, han creado un caos absoluto, y donde el fiscal, que hace todo lo posible por evitarlos, es objeto de burlas.

Con el Cadete entre rejas nos pareció que, gracias principalmente a la insistencia de *Novaya Gazeta*, la ley podría seguir su curso, puesto que el caso iba a ser elevado al más alto nivel.

Estábamos equivocados. El 8 de febrero, la autora de estas líneas fue citada en Grozni, en la oficina del fiscal de la República, para «colaborar en las investigaciones relacionadas con la causa n.º 15004» y para ser interrogada como alguien que había sido injustamente tratada. Por supuesto, *Novaya Gazeta* creyó que era su deber dar la conformidad, ya que creía firmemente haber ayudado a la oficina del fiscal a restablecer el imperio de la ley y que era su deber seguir haciéndolo.

Las cosas se torcieron nada más llegar yo a Chechenia. Vladímir Ignatenko, el funcionario encargado de la investigación, se comportó de forma tan impropia que, a ratos, no pude sino tener la impresión de que su objetivo, más que mantener unidos y dispuestos a los testigos, era desmoralizarlos, coaccionarlos para que se negaran a declarar y, en consecuencia, torpedear el caso. En un momento dado, ya tarde por la noche, tras alargar deliberadamente el interrogatorio hasta que hubiera oscurecido y estuviera en vigor el toque de queda, Ignatenko ordenó a los guardias de seguridad que me llevaran más allá del perímetro de la oficina del fiscal. En Grozni, eso equivale a… Bueno, equivale a lo que el Cadete había prometido en septiembre. En otra ocasión, me obligó a permanecer varias horas bajo vigilancia en «el quiosco», un terreno situado no lejos de la oficina del fiscal, visible desde ella pero fuera de su territorio y control. Helada y hambrienta, me negaron el permiso para utilizar el aseo o el teléfono para que pudiera avisar a mi periódico sobre lo que estaba ocurriendo. Me dieron agua de forma esporádica y siempre bajo vigilancia. Algunos miembros de la oficina del fiscal bromearon conmigo: «Considérese bajo arresto administrativo». Muchas gracias.

Omitiré los detalles de la campaña de humillación a la que fui sometida durante varios días. Fue lo bastante descortés como para hacer que perdiera todo respeto por aquellos que llevan uniformes de combate y se llaman fiscales en Chechenia. Todos mis intentos de ver a Chérnov para saber qué estaba pasando fracasaron. Estaba demasiado ocupado. En una ocasión, había ido a la sauna; en otra, a comer; y en otra, a cenar. Al menos eso dijo su personal de seguridad.

Sin embargo, nada de esto tiene realmente importancia. Lo que importa son los testigos, sin los cuales el caso fracasará ante los tribunales, permitiendo que el Cadete salga de esta historia, no solo en libertad, sino disfrutando de un aura de mártir entre sus camaradas.

Ignatenko me aseguró que los representantes del Centro Memorial de los Derechos Humanos, que conocen bien a los testigos de Grozni, se habían negado supuestamente a participar en la investigación a menos que los remuneraran. Fue un comentario ridículo. He llegado a conocer muy bien a esas personas a lo largo de la segunda guerra chechena, y los he visto arriesgar la vida para conseguir información exacta sobre lo que ocurría, haciendo generosamente un trabajo que, en realidad, corresponde a la oficina del fiscal. No creí las palabras de Ignatenko y me dispuse a comprobar su veracidad.

He aquí lo que averigüé: en realidad, los testigos tienen miedo de declarar. Dan vueltas por la ciudad, intentando mantenerse con vida y proteger a sus familias, pero sus posibilidades de lograrlo son cada vez menores porque los jantí han regresado. Según una decisión tomada por las autoridades del Ministerio del Interior ruso, la Unidad Combinada de la Milicia de Jantí-Mansíisk regresa para otra temporada de servicio en Grozni.

Así pues, parece que la mano derecha del Ministerio del Interior, controlado por el ministro Borís Grizlov, está haciendo todo lo que puede para llevar ante la justicia a dicha unidad; mientras que, al mismo tiempo, la mano izquierda está haciendo lo contrario: facilitando como sea que aquellos que han alzado la voz contra un criminal de guerra tengan que enfrentarse a sus opresores.

¿Y qué hay de la oficina del fiscal de Grozni? ¿Qué pasa con Ignatenko? Pues que tiemblan de miedo.

Un detalle crucial: nadie, ni los testigos ni los de la oficina del fiscal que están contra el Cadete, duda ni por un momento de que la razón del regreso de los jantí sea otra que la de vengarse y ayudar a su antiguo camarada. La forma en que pueden lograrlo es silenciando a los testigos y resolverlo a tiros con los investigadores. Cosas parecidas han ocurrido antes en Chechenia, y es sabido que las fuerzas y los cuerpos de seguridad rusos siempre han fallado a la hora de proteger a los testigos de crímenes de guerra en Chechenia y también cuando se ha tratado del asesinato de sus propios colegas, miembros de la oficina del fiscal.

Cuando los testigos se presentaron ante Ignatenko en busca de protección, preguntando adónde podían enviar a sus hijos y encontrar seguridad para ellos mismos, este se los quitó de encima porque es el primero en estar aterrorizado por las consecuencias, naturalmente. En Chechenia llaman a esto el «miedo checheno», y todo el mundo entiende que lo que significa es miedo al ejército. Un miedo que impide a Ignatenko levantar un dedo para ayudarse a sí mismo o a la gente que, sin tener culpa de nada, ha sido gravemente maltratada y ha tenido el valor de responder.

Como si la noticia del regreso de la unidad Jantí-Mansíisk no fuera suficiente, la oficina del fiscal empezó a recibir fuertes presiones de la oficina del fiscal general de Moscú. No soy de las que creen en el azar o las coincidencias. Tal como él mismo me reconoció al final, Ignatenko fue sometido a una intensa presión y acabó cediendo. Tuvo miedo y terminó por trasladar la presión a los indefensos testigos y, desgraciadamente, también a mí, entre otros.

¿Es Ignatenko capaz de luchar habiendo sido condecorado con la Medalla al Valor durante la primera guerra chechena y ostentando el rango de teniente coronel? No, no es capaz, y es una lástima. Lamentablemente, esta conclusión cuenta con el respaldo de la forma en que ha llevado casos parecidos desde que entró a trabajar en la oficina del fiscal. Hubo un caso en el que unos médicos del Ministerio de Asuntos de Emergencia fueron asesinados, que quedó en nada cuando Ignatenko se negó a profundizar más. Como consecuencia, un hombre que tenía coartada se encuentra actualmente en la cárcel mientras que los asesinos campan en libertad. ¿Por qué permitió Ignatenko que ocurriera tal cosa? Pues porque quería conservar su trabajo, quería evitarse «problemas personales». Se vio presionado por sus superiores, que deseaban que cerrara el caso, y estuvo a la altura de lo que esperaban de él. Los defensores de los derechos humanos en Chechenia pintan a Ignatenko como un experto en tumbar casos presentados contra las fuerzas armadas.

¿Será un investigador tan maleable capaz de llevar a buen término un caso contra los jantí, un caso que reclama el mayor coraje personal? ¿Podemos dar por hecho que todo irá como la seda ahora que el Cadete ha sido por fin detenido y que por fin se hará justicia? No nos engañemos.

Insistimos en que la Unidad Combinada de Jantí-Mansíisk sea devuelta a casa sin demora. Consideramos que esta tendría que haber sido la primera prioridad del investigador Ignatenko y del fiscal checheno Chérnov. Eso asumiendo desde luego que todavía aspiren a ver triunfar la ley sobre el derecho del más fuerte para de ese modo impartir su particular visión de la justicia.

Creemos firmemente que los jantí no tienen por qué asomar nuevamente sus feas caras en Chechenia. Se han convertido en personas no gratas a perpetuidad. No nos cabe la menor duda de que los testigos del caso contra el Cadete deben ser protegidos por las instituciones del Estado. De lo contrario, resultará evidente que el Estado no está haciendo su trabajo y que únicamente interviene para alentar los comportamientos criminales del ejército.

Insistimos en que, al menos, debería abrirse una investigación centrada en la conducta de los generales del cuartel general del Ministerio del Interior que han decidido que los jantí vuelvan a Chechenia. Dichos generales están promoviendo que se sigan cometiendo crímenes de guerra en Chechenia, y su decisión equivale a obstruir el curso de la justicia. Si esto ha sido simplemente el resultado de la incompetencia, confiamos en que se produzca una declaración de los organismos cuya tarea consiste en planificar el despliegue de tropas en Chechenia, junto con una disculpa por su falta de cuidado y por no haber sabido apreciar la situación. Quien haya sido responsable de ello, de manera deliberada o no, está amenazando seriamente la investigación de los crímenes de la Unidad Combinada de la Milicia de Jantí-Mansíisk.

PRUEBAS MATERIALES EN LAS FIABLES MANOS DE LOS SOSPECHOSOS

8 de abril de 2002

El 11 de marzo publicamos un reportaje, «Silenciar a los testigos», acerca de la ambigua situación en que se hallaba la causa n.º 15004, en el que uno de los jantí, el mayor Lapin, alias el Cadete está acusado de torturar y asesinar en enero de 2001 a un joven de Grozni llamado Zelimján Murdalov.

El 11 de marzo llamamos al Ministerio del Interior para que retirara inmediatamente de Grozni la Unidad Combinada de la Milicia de Jantí-Mansíisk y le exigimos que el Estado brindara protección a los testigos del caso. Por último, solicitamos que se iniciara una investigación de la conducta de los oficiales de alto rango del Cuartel General del Ministerio del Interior ruso encargados de planificar los despliegues de tropas en Chechenia.

El 19 de marzo, con escasas esperanzas de que en dicho ministerio hubieran leído las cuestiones planteadas por *Novaya Gazeta*, los directores enviaron una solicitud formal, para ser entregada en mano, dirigida a Borís Grizlov, ministro del Interior Ruso. El Centro Memorial de los Derechos Humanos también dirigió las mismas demandas a los líderes políticos del país.

Por desgracia, Moscú se encuentra muy lejos de Grozni, y esa misma semana, entre el 11 y el 19 de marzo, parte de la milicia de Jantí-Mansíisk fue enviada sin el menor contratiempo a Grozni. Se movieron más deprisa que nosotros. Mientras estábamos escribiendo sentidas demandas, intentando localizar a los ministros para entregarles en mano nuestras indignadas cartas y esperando al menos algún tipo de respuesta por su parte, confiando en que la siguiente llamada fuera del despacho de Grizlov, el 15 de marzo los jantí hicieron una visita a la improvisada vivienda que los padres de Zelimján tienen en la ciudad.

Únicamente Rukiyat, su madre, estaba en casa. Unos individuos enmascarados llegaron en vehículos sin matrícula (una cuestión trivial en Chechenia, por mucho que el general Moltenskoi, comandante en jefe del Mando Militar Conjunto, haga grandes discursos al respecto) y advirtieron a Rukiyat que tuviera cuidado porque los jantí estaban de regreso. Cuando se marcharon, ¿en qué estado debía de hallarse Rukiyat? No quiero ni pensarlo. Pueden imaginar ustedes mismos lo que significa vivir entre ruinas, en un lugar sin ley donde si alguien decide matarlos nadie oirá sus gritos pidiendo socorro.

Había razones para aquella visita de los jantí. Nada más llegar a la oficina temporal de Asuntos de Interior del distrito Octubre, vieron que su camarada, el Cadete, en esos momentos encarcelado en Grozni, empezaba a delatar a sus compañeros.

Primero pidió que detuvieran al oficial que lo había llevado a cometer aquellos hechos, Alex, para usar su nombre en clave, pero conocido en el mundo exterior como el mayor Alexander Prilepin.

En segundo lugar, cuando lo llevaron a la escena del delito, en los terrenos de la oficina temporal Octubre, por fin indicó dónde se encontraba el pozo en el que los jantí arrojaban los cuerpos de aquellos a los que habían torturado y asesinado.

No obstante, las irregularidades fueron a peor. La oficina del fiscal de Chechenia no hizo el menor intento de excavar aquel pozo, argumentando que era época de lluvias. Como norma, en Chechenia son los parientes y familiares de los desaparecidos quienes realizan ese tipo de exhumaciones; pero allí eso fue imposible por tratarse de una zona de alta seguridad. Como consecuencia, la vigilancia del pozo, cuyo contenido podría haberse convertido en una prueba irrefutable de los crímenes cometidos por los jantí, fue asignada a estos mismos. ¿Qué creen ustedes, habrán tenido tiempo suficiente

Anna en la infancia.

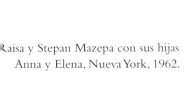

Raisa y Stepan Mazepa con sus hijas
Anna y Elena, Nueva York, 1962.

n la Escuela n.º 33 de Moscú, 1971.

Las tres amigas del colegio:
Masha, Anna y Lena.

Anna tras obtener la graduación en la
escuela de secundaria, 1975.

La boda, abril de 1978.

Una familia: Alexander, Iliá, Anna y Vera, verano de 1980.

Los niños.
La fotografía preferida de Anna.

En una fiesta con su marido Alexander, principios de la década de 1990.

Con Alexander y el doberman Martin, finales de la década de 199(

Con su hermana
Elena, Londres,
2002.

En el vuelo a Tura,
donde una pequeña
delegación de *Novaya
Gazeta* erigió un
monumento en el
centro geográfico de
Rusia, diciembre
de 2000.

En el aeropuerto de Vnúkovo, Moscú, febrero de 2001, de regreso tras su detención por las tropas rusas.

El asalto al *Nord-Ost*. Anna y otras personas llevan agua y zumo a los rehenes, Moscú, 25 de octubre de 2002.

Entrega del Premio Global para el Periodismo por los Derechos Humanos concedido por Amnistía Internacional, Londres, julio de 2001.

Premio Olof Palme «por su coraje y su valor a la hora de trabajar en circunstancias difíciles y peligrosas», Estocolmo, enero de 2005.

2006-10-07 14:22:21

La última imagen de Anna Politkóvskaya captada por la cámara CCTV de un supermercado, de octubre de 2006.

Marzo de 2002.

para destruir todas las pruebas, es decir, hacer desaparecer los huesos de sus víctimas?

El llanto de las madres, las hermanas y las esposas de los desaparecidos se oye constantemente en Grozni. En consecuencia:

Exigimos que el ministro del Interior ruso nos diga cuánto tiempo más se permitirá que los jantí permanezcan en Grozni.

Insistimos en que el ministro Borís Grizlov intervenga inmediatamente en esta farsa.

Solicitamos que a las familias les sean devueltos los restos mortales de sus seres queridos.

Rogamos a los principales líderes rusos que empiecen a comportarse como seres humanos.

Hola, oficina del fiscal general. ¿Hay alguien ahí? ¿Qué está ocurriendo con la causa n.° 15004 que, según informaciones en poder de *Novaya Gazeta*, ha sido rápidamente apartada de Chechenia? ¿Dónde se halla? ¿Le están arrancando páginas y sustituyéndolas por otras? ¿Qué garantía tenemos de que el expediente llegue algún día a los tribunales?

Entreguen estos resultados a la sociedad, ¡sin demora!

¿ENCARCELAR A LOS TESTIGOS? UNO DE LOS CRIMINALES DE GUERRA MÁS BRUTALES DE LA SEGUNDA GUERRA CHECHENA HA SALIDO DE LA CÁRCEL

8 de julio de 2002

Serguéi Lapin ha salido de la cárcel preventiva de Piatigorsk. Esa ha sido la sentencia del juzgado municipal de Piatigorsk, que ha actuado a petición de los abogados de Lapin de la Junta Regional de la oficina del fiscal general en el Cáucaso Norte. El fundamento jurídico para ponerlo en libertad es sencillo: el Cadete no representa un peligro para la sociedad y puede disfrutar de la libertad mientras aguarda el juicio.

Lapin fue arrestado en febrero de 2002 y conducido bajo vigilancia al centro de prisión preventiva de Grozni. Durante un tiempo, la investigación de la causa n.° 15004 avanzó a buen ritmo; pero, entonces, el ambiente que la rodeaba empezó a cambiar, y el Cadete fue trasladado a la cárcel de Piatigorsk. Los investigadores asignados al caso fueron dispersados como vidrios en un calidoscopio y acabaron todos en Essentuki en lugar de Chechenia. La consecuencia fue que nadie se tomó el asunto de las excavaciones de las fosas comunes de la oficina temporal del Ministerio del Interior del distrito Octubre como algo urgente.

Al final, lo que habíamos sospechado se convirtió en una certeza. Los materiales de la investigación habían sido palmariamente expurgados, y de las acusaciones desaparecieron cargos que eran esenciales para hacer comparecer ante la justicia a otros que habían cometido los mismos delitos que y con Lapin. En algunos pasajes, la manipulación era casi de risa: los fiscales empezaron a referirse a los oficiales que estaban siendo tan cuidadosamente exculpados como «un grupo de individuos no identificados», y eso al final de una investigación en la que no solo había testigos, sino también documentos que dejaban meridianamente claro quién había estado de servicio en la oficina, en qué días y a qué horas.

Sin embargo, lo que no resultó gracioso fue cuando la Unidad Jantí-Mansíisk regresó a Grozni (por orden del presidente Putin, según fuimos oficialmente informados por Iván Golúbev, viceministro del Interior de la Federación Rusa), y los testigos del caso, que hasta entonces habían tenido que arreglárselas como habían podido, ya no pudieron dormir dos noches seguidas en una misma cama.

Y ahora nos enteramos de que han soltado a Lapin hasta que se celebre el juicio.

Hay algo en Rusia que no marcha bien. La vida está patas arriba, y la ley carece de sustancia. Los servicios públicos trabajan a favor de un criminal: abogados, fiscales, tribunales e incluso —y es triste decirlo— la opinión pública. Para las víctimas hay escasa o ninguna ayuda, especialmente si se trata de víctimas chechenas. En la actualidad, la parte que más ha sufrido, la familia Murdalov, no tiene siquiera abogado, ni de pago ni de oficio, a pesar de que la ley así lo exige. Tampoco reciben protección de la oficina del fiscal porque no tienen dinero, ya que lo gastaron todo hace tiempo buscando a su hijo.

Sin embargo, Lapin disfruta de todo lo anterior. Cuenta con la simpatía de la oficina del fiscal y con la comprensión de los tribunales, tiene un abogado y unos colegas que lo aprecian, y gracias a sus esfuerzos anda libre por ahí.

Esperamos una pronta respuesta del fiscal general, Vladímir Ustínov. ¿Son conformes a derecho esas actuaciones de los miembros de la oficina del fiscal? ¿Por qué debe ser pronta la respuesta? Porque en cualquier momento puede ser demasiado tarde. En Rusia hay un problema importante con los oficiales que han servido en Chechenia. Las estimaciones más prudentes dan a entender que el Cadete tiene casi medio millón de camaradas en armas en Rusia, toda una gran ciudad de Cadetes.

De los editores:

Fue El Cadete quien, en más de una ocasión, amenazó con matar a nuestra columnista Anna Politkóvskaya, tras lo cual fue puesta primero bajo la protección del Ministerio del Interior y posteriormente obligada a mudarse al extranjero. El Cadete reconoció tales hechos sin mostrar el menor remordimiento. Exigimos que [...] el ciudadano Lapin vuelva a ser detenido, puesto que estamos convencidos de que la vida de los testigos y de nuestra columnista vuelven a estar amenazadas.

AGUJEROS EN LAS CAJAS FUERTES DE LOS FISCALES: DESAPARECEN IMPORTANTES DOCUMENTOS DEL CASO DEL CADETE

8 de agosto de 2002

Se ha descubierto un problema importante concerniente a la causa n.º 15004: han desaparecido documentos de vital importancia, y eso a pesar de que estaban grapados al caso, habían sido numerados e indexados de la manera adecuada, colocados en la caja fuerte del investigador Ivanteyev, de la Junta de la oficina del fiscal general del Cáucaso Norte, una caja fuerte ubicada en Essentuki y cerrada con una llave custodiada por el mismísimo Ivanteyev. Y a pesar de todo…

Para ser sinceros, esta última desaparición de documentos no ha sido algo inesperado. Tal como se ha llevado el caso en los últimos meses, estaba claro que llegaría a los tribunales debidamente expurgado en beneficio de Lapin. Y también esa parecía ser la opinión de los miembros de la oficina del fiscal de Essentuki.

Pero ¡sorpresa, sorpresa! Resulta que en las cajas fuertes de *Novaya Gazeta* hay copias de los documentos que faltan, y que, a diferencia de las de la oficina del fiscal de Essentuki, no tienen agujeros por donde pueden desaparecer documentos por los que ciertos delincuentes, como solía decir el inolvidable detective Gleb Zheglov, «darían lo que fuera». Conservamos las copias por si se producía algún desgraciado accidente. No todo el mundo de Nizhnevartovsk está de parte de Lapin. No pregunten cómo llegaron a nuestras manos esas copias. Por el momento, hasta que empiecen las vistas del juicio, solo podemos decir que salieron de las entrañas de la tierra.

Así pues, queridos lectores, les invitamos a que vean las fotografías de miembros de la Unidad de la Milicia de Jantí-Mansíisk desmandándose por las calles de Grozni, y tal como aparecen en las fotos incorporadas a la causa n.º 15004, identificando a los cómplices del Cadete.

Miren atentamente esas caras. No hay nada infrecuente en ellas. Se parecen a las de cualquiera. Son la gente que nos rodea. Son como nosotros. Sin embargo, esos rostros pertenecen a individuos que han torturado y asesinado o que lo mismo han servido para un barrido que para un fregado a la hora de torturar, asesinar y hacer volar en pedazos los cuerpos de sus víctimas.

¿Por qué lo hicieron? No busquen razones especiales: simplemente lo hicieron. Odiaban a sus víctimas. Odiar constituye el mantra de los jantí, un mantra sancionado desde las más altas instancias del Estado. Esa gente ha sido pulverizada (no solo figurada, sino también literalmente) a su mayor gloria, decenas de ellos iguales que ellos mismos. Seguramente no habríamos publicado esas fotos de los jantí porque forman parte de una causa penal y no deberían ser hechas públicas. Sin embargo, la oficina del fiscal no nos ha dejado otra alternativa.

Además de las fotos, también han desaparecido registros de los interrogatorios del testigo Daláyev. Lapin, intentando que se autoinculpase, le trituró los dientes con una lima. El testimonio de Daláyev es importante con respecto a la desaparición de Murdalov porque fue la última persona que lo vio cuando fue arrastrado hasta una de las celdas de la oficina del distrito Octubre tras ser torturado por Lapin en persona, un miliciano ruso que llevaba su apodo del Cadete afeitado en la nuca. No negaremos que nosotros también estamos buscando esos registros para que la Constitución Rusa pueda ganar esta batalla contra los que se supone que están ahí para protegerla y para que el tribunal esté en posesión de toda la información disponible.

Por último, unas cuantas palabras acerca del modo en que la Junta de la oficina del fiscal general de la Federación Rusa en el Cáucaso Norte trabaja en la actualidad. Es el centro al que se envían todos los casos de crímenes de guerra ocurridos en Chechenia. ¿Cómo pueden suceder esa clase de cosas? ¿Por qué tiene que ser tan tenaz la oficina del fiscal en su intento de exonerar criminales de guerra? ¿Cómo es posible que esa institución haya quedado reducida a Essentuki p.l.c., una empresa estatal de responsabilidad extraordinariamente limitada?

Desde el comienzo de la segunda guerra chechena, la oficina del fiscal se ha ganado la reputación de ser sumisa a la voluntad del Kremlin y se ha comportado como un vagón de equipajes que traquetea en la distante retaguardia del ejército en todos los asuntos que tienen que ver con crímenes de guerra. En estos momentos estamos recogiendo los frutos de sus fracasos. Tal como les explicarán todos, desde el fiscal del distrito hasta el fiscal general en persona, para poder presentar una acusación contra alguien de servicio que haya sido visto dedicándose al pillaje, al robo, a secuestrar gente, a mercadear con cadáveres, a torturar y asesinar (por mencionar únicamente los crímenes de guerra más corrientes en Chechenia) es esencial lograr que el caso tenga resonancia. Un caso tiene resonancia cuando los fiscales reciben una bofetada de la opinión pública, de las páginas de los periódicos o de la televisión. El simple hecho de que se hayan producido asesinatos, secuestros, pillaje o sucesos por el estilo no basta para que los fiscales se pongan a trabajar.

Así han sido las cosas durante los últimos tres años, desde el comienzo de la guerra en sí. Durante ese tiempo, decenas de personas que trabajaban para la oficina del fiscal han recibido premios del gobierno, títulos y ascensos por deshonrar su profesión, mientras que los pocos activistas honrados que tratan de cumplir con su deber son purgados de esas apretadas filas y algunos incluso han sido asesinados en Chechenia en circunstancias misteriosas, como por ejemplo el intrépido Alexander Leushin, el primer investigador que se ocupó del caso del Cadete. Intentaba conseguir una orden de detención cuando unos «agresores no identificados» lo mataron de un tiro.

Por supuesto, la expresión «no metas las narices» se ha convertido en un reflejo pavloviano para los fiscales que trabajan en Chechenia y Essentuki. Por todo ello, tenemos nuevamente una región en nuestro país donde las leyes de la Federación Rusa no se aplican. Se llama Chechenia, y allí los soldados pueden hacer lo que les apetezca. Las causas presentadas contra ellos, incluso cuando han sido abiertas, se expurgan en Essentuki con un cariñoso guiño hacia los asesinos y una extraordinaria frialdad para con sus víctimas.

EL CASO DEL CADETE: UNA CAUSA CRIMINAL SE ABRE ENTRE AMENAZAS DE MUERTE A LA COLUMNISTA DE *NOVAYA GAZETA* ANNA POLITKÓVSKAYA

5 de septiembre de 2002

Perdone que la moleste, pero solo tiene diez días para publicar una retractación de su artículo «Los desaparecidos». De lo contrario, el oficial de la milicia que han contratado no podrá protegerla.

Sinceramente suyo, el Cadete.

Este fue el segundo mensaje con su firma que llegó al buzón del correo electrónico de *Novaya Gazeta*. Nos vimos obligados a tomar medidas de seguridad adicionales, y Anna Politkóvskaya se marchó de Rusia, acogiéndose al Programa de Protección de Periodistas.

Pasó casi un año. Entretanto, se presentaron cargos contra el Cadete y otros oficiales por secuestro, asesinato, profanación de cadáveres y otros delitos de suma gravedad.

Entonces ocurrió algo extraño: empezaron a desaparecer documentos del expediente del caso, los testigos tuvieron miedo de declarar y el principio por el que Anna Politkóvskaya había sido clasificada como víctima (haber recibido amenazas de muerte) fue desestimado. Para rematar tal absurdo, el sospechoso Lapin fue puesto en libertad tras firmar una declaración jurada por la que se comprometía a no salir de Nizhnevartovsk.

Novaya Gazeta ha escrito en más de una ocasión sobre este escandaloso asunto que, con éxito variable, se ha convertido en una lucha contra la anarquía. He aquí el último documento que hemos recibido:

Notificación.

Por la presente le informo de que su solicitud del 26 de octubre de 2001, dirigida al jefe del Directorio de Asuntos de Interior de la Región Autónoma de Jantí Mansíisk referente a la recepción, el 15 de septiembre de 2001, en la redacción de *Novaya Gazeta*, de un mensaje referente a la partida hacia Moscú de un agente del Departamento de Investigación Criminal del Departamento de Asuntos de Interior [nombre en código: el Cadete] que había recibido entrenamiento en técnicas de sabotaje y tiro de precisión, ha sido examinada y, el 14 de diciembre de 2001, se ha denegado la apertura de una causa criminal.

El 29 de julio de 2002, el fiscal de la Región Autónoma de Jantí-Mansíisk retiró la directiva que rehusaba instar una causa criminal, y en estos momentos se ha abierto un caso bajo el artículo 119 del Código Penal de la Federación Rusa [amenazas de muerte o lesiones graves].

V. A. Churikov.

Investigador de la oficina del fiscal, Nizhnevartovsk.

Este es otro delito grave por el cual se está investigando al Cadete y no podemos sino felicitarnos por el triunfo de la ley y el derecho que supone. No obstante, la cuestión sigue siendo si el Cadete, que supuestamente no constituye «ninguna amenaza para la sociedad» y ahora se halla en libertad, representa una amenaza para Anna Politkóvskaya, a quien amenazó con matar. Además, ¿qué hay de los demás testigos y víctimas?

Creemos que la respuesta solo puede ser «Sí, tajantemente». Nos gustaría conocer el punto de vista de la oficina del fiscal.

Novaya Gazeta

«DEJEN DE PREOCUPARSE...»: EL CADETE RECONOCE SU CULPABILIDAD E INTENTA DISCULPARSE

5 de diciembre de 2002

No se puede hacer comparecer ante la justicia a una persona mentalmente enferma. Hay que compadecerse de ella y someterla a tratamiento. Serguéi Lapin, con quien los lectores de este periódico están familiarizados por su apodo del Cadete, ha escrito a nuestra redacción. Lee *Novaya Gazeta* y, en consecuencia, publicamos la carta de un lector.

> Moscú
> Para A. Politkóvskaya
> Querida Anna,
> He leído un artículo sobre mi persona en el último número de *Novaya Gazeta*, el n.º 36, dirigido al fiscal y titulado «Las vidas de los periodistas de *Novaya Gazeta* vuelven a estar amenazadas» que estuvo motivado por las cartas que le escribí desde la prisión preventiva de Piatigorsk, pero he cambiado de opinión. Es decir, he cambiado mi decisión de matarla con un rifle de mira telescópica, especialmente porque no tengo ninguno y sería una tontería por mi parte pagar para comprarme uno solo por usted. Deje de preocuparse. No la necesito. Esto mismo ha sido lo que le he dicho al tribunal y por eso han considerado que no represento una amenaza para la sociedad y me han

soltado. Las escribí porque no tenía nada que hacer y fue una especie de broma. No soy tan idiota como para escribirle cartas amenazándola de muerte y diciéndole mi ubicación exacta. Estaba bromeando, de modo que puedo escribirle otra carta que podrá publicar en su columna para que todo el mundo la lea y conozca mi talento literario. Puede formar parte de mis dos cartas a usted. Creo que me recuerda a alguien, pero quizá solo me lo parezca porque todo forma parte de mi obra literaria y de nadie más. En fin, esto es lo que escribe el Cadete:

ARREPENTIMIENTO
Le escribo esta carta
Porque quiero que vea
Que me da igual si estoy en deuda con usted
O si me mira con desprecio.
Al principio pensé en no decir ni pío
Y usted nunca lo habría sabido
Y habría pensado que había enmudecido.
Pero entonces pensé que era una lástima
Y por eso escribo ahora estos versos.
Son difíciles de rimar
y hacer que salgan bien.
Torturarla y quizá pegarle un tiro
Y cortarle la garganta y estrangularla estando borracho...
    El Cadete

La carta no necesita más comentarios. Este antiguo oficial de la milicia sencillamente está muy enfermo, una condición frecuente teniendo en cuenta cómo se ha desarrollado la guerra de Chechenia bajo la dirección de nuestro comandante supremo, Vladímir Putin. La mayoría de los soldados que han prestado servicio en Chechenia necesitan una intensa rehabilitación, pero no la reciben, y la máquina del gobierno que los arrojó a esa tragedia ahora les escupe desde las alturas del Kremlin, igual que hace con todos nosotros.

No tomaremos medidas contra un individuo enfermo. Lo perdono y acepto su «arrepentimiento».

Sin embargo, dejemos claro que, en nuestra opinión, Serguéi Lapin debería ser condenado por los crímenes que cometió en Grozni, y que este periódico hará todo lo que esté en su mano para informar cumplidamente del juicio del caso n.º 15004. Pondremos todo de nuestra parte para evitar que este sujeto sea perversamente presentado como un nuevo «héroe de Rusia» —al estilo del ex coronel Budánov— y no como el feroz torturador y asesino que es.

El cuerpo de guardia de serguéi lapin el Cadete: ¿cuántas oficinas del fiscal hay en rusia?

7 de agosto de 2003

Ocurren cosas raras. Las oficinas del fiscal de las distintas zonas de Rusia están declarando su independencia unilateral. Al parecer, no hay jerarquía que las controle y carecen de objetivos y obligaciones establecidos a escala nacional. En pocas palabras, no existe el imperio de la ley. Dentro de sus propias regiones, cada una interpreta el derecho a su manera. Su lucha por mantenerse independientes las unas de las otras de la ciudad, del distrito, de la región o de la oficina del fiscal general de la nación queda demostrada en cómo caminan en direcciones opuestas en la causa del Cadete n.º 200201389/46.

Novaya Gazeta ha escrito en más de una ocasión acerca de este interminable asunto. Nuestra indignación ante el hecho de que, después de todo lo que ha pasado, el Cadete siguiera como oficial de la milicia en Nizhnevartovsk, llevó a que fuera acusado formalmente y enviado a la cárcel de Piatigorsk; pero no sin antes haber tenido tiempo de ponerse en contacto con nuestras oficinas para expresar su descontento y amenazar con matarnos. Tiempo después, cuando sorprendentemente fue puesto en libertad por no constituir un peligro para la sociedad, se desdijo de sus amenazas por escrito, mencionando que no podía permitirse comprar un rifle de francotirador.

Aun así, el Cadete se enfrenta a un proceso penal al tiempo que contribuye tanto como puede a las luchas intestinas que enfrentan a las distintas oficinas del fiscal de Rusia. Tan pronto como la oficina del fiscal del distrito de Basmanni, en Moscú, me citó para interrogarme por segunda vez (la primera fue el 30 de julio), el investigador G. Rodiónov escribió para solicitar que entregáramos el original de la carta de Lapin en la que este se retractaba de sus amenazas de muerte y que hacía tiempo que habíamos entregado a la oficina del fiscal de Nizhnevartovsk. El 2 de agosto, dejaron en mi puerta una carta oficial: la notificación n.º 104402 del 24 de julio de 2003, de la oficina del fiscal de Nizhnevartovsk.

> Por la presente le notifico que como resultado de las investigaciones preliminares del caso 200201389/46 he expedido la orden de que el caso sea cerrado por no haber cometido el encausado S. Lapin ningún delito de los tipificados en el artículo 109 del Código Penal de la Federación Rusa.
>
> E. N. Shchinov.
> Investigador jefe de la oficina del fiscal de Nizhnevartovsk.

Hay que reparar en que la fecha es una semana anterior a mi interrogatorio en la oficina del fiscal de Moscú, donde me habían asegurado que el caso seguía adelante y de ahí las nuevas preguntas. Por ejemplo, se requería un nuevo análisis grafológico de la carta. Sin embargo, en estos momentos el investigador jefe Shchinov parece haber cerrado el caso definitivamente.

¿A cuál de nuestras oficinas del fiscal, ambas territorialmente soberanas, debemos creer? ¿En qué hombro debo descansar mi fatigada cabeza y buscar protección? La pregunta va en serio. Y eso no es todo. Además de las oficinas de la ciudad y el distrito, está la oficina del fiscal de la Región Federal del Sur, bajo la dirección de Serguéi Fridinski, de donde siguen emanando mandamientos sobre el caso del Cadete. Y luego está la oficina del fiscal general, directamente subordinada al fiscal general en persona, Vladímir Ustínov. Entre todos tienen su cuarta versión de cómo pueden desarrollarse los acontecimientos.

Ha pasado casi un año, durante el cual el caso se ha abierto y cerrado en cinco ocasiones por distintas oficinas. La oficina del fiscal general lo abre y dicta mandamientos, la de Nizhnevartovsk lo cierra y no quiere recibir documento alguno. La oficina de la Región Federal del Sur lo reabre, pero la de Basmanni lo pierde y se olvida de él.

Podríamos simplemente resignarnos y atribuirlo a la ancestral incapacidad rusa para actuar con coherencia. El teléfono no funciona, el fax está desconectado, ha habido un chaparrón y se espera tormenta de nieve. Se ha producido un revuelo de papeleo burocrático. Pero ¿qué pasa si alguien realmente necesita que el Estado le proteja de un chalado con ansias de venganza? El enfeudamiento de las distintas oficinas del fiscal descarta cualquier posibilidad de que esa ayuda pueda hacerse efectiva.

Existe otra posible explicación para lo que sucede, que se resume en la expresión «Nos están dando cuerda». Los estamentos oficiales están haciendo todo lo posible para asegurarse de que el Cadete, que se halla encausado por crímenes cometidos durante la segunda guerra chechena, tenga todas las oportunidades de eludir la acción de la justicia.

¡Atención, lector! Si por alguna razón su asesino ha fallado en su cometido, tenga cuidado con las oficinas del fiscal. Son el verdadero Cuerpo de Cadetes, la Asociación Nacional de Socorro a los Acusados. Si su asesino no ha demostrado aún su valía, puede estar seguro de que hallará un ambiente receptivo en la oficina del fiscal. Si no en una, seguro que en otra, porque todas trabajan independientemente.

¿Debería ser arrestado el Cadete por darse a la fuga?

23 de octubre de 2003

Hoy el Cadete, Serguéi Lapin, hasta hace poco miliciano de Nizhnevartovsk, es uno de los más de un millón de efectivos militares que han prestado servicio en Chechenia. Salió de allí con una pésima fama de secuestrador y torturador. Por si fuera poco, ahora ha demostrado ser un cobarde: el 14 de octubre, ni él ni su abogado comparecieron en la vista de su caso.

Repasemos los antecedentes. En enero de 2001, no había en Grozni ningún lugar más temido que la calle Pável Musorov, donde los jantí —la Unidad Combinada de la Milicia de Jantí-Mansíisk— tenían su cuartel general. El 2 de enero, un grupo donde figuraba Lapin secuestró en plena calle al joven de veintiséis años Zelimján Murdalov. Lo llevaron a la sede de los jantí, lo torturaron brutalmente y después desapareció sin dejar rastro. Fue la típica atrocidad chechena, pero en este caso tuvo consecuencias atípicas porque no solo fue posible encausar a Lapin por ella, sino que además tuvo que comparecer ante los tribunales.

Es más, lo hizo ante uno de Grozni a pesar de los numerosos intentos del Tribunal Supremo de Chechenia de torpedear el que iba a ser el primer juicio de un soldado federal. Solo gracias a la determinación del Tribunal Supremo ruso el juicio de Lapin se celebró en el tribunal del distrito Octubre de Grozni. El juez que lo presidió fue Maierbek Mezhidov, un profesional que había ejercido la judicatura bajo todo tipo de regímenes políticos. Cuando pronunció las palabras rituales, «Se abre la vista del juicio de…», la voz del canoso juez temblaba, igual que si fuera un colegial aprestándose a un examen. «Está asustado», comentó comprensivamente la gente que había ido a presenciar la vista. Desde luego. El miedo es algo con lo que los habitantes de Grozni conviven a diario: el miedo a sufrir el mismo destino que Zelimján Murdalov acompaña las palabras y los actos de los que han vivido durante años rodeados por el abrazo de la guerra y la muerte. A pesar de que supuestamente disfrutan de la protección personal del presidente, los jueces no son ninguna excepción. El presidente está lejos, en el Kremlin, y los jantí, que en las jornadas previas a la celebración del juicio se han dedicado a amedrentar a todos los relacionados de un modo u otro con el caso, están muy cerca. No hay forma de escapar de ellos en Grozni.

—El acusado, Lapin, no ha comparecido ante este tribunal —dice Mezhidov con voz trémula—. No se ha recibido explicación alguna. ¿Cuáles son los alegatos?

En su nerviosismo, el juez se olvida del procedimiento y llama primero al abogado del demandante antes que al fiscal. Stanislav Markélov es el primer abogado ruso que, en el transcurso de esta guerra, se ha atrevido a viajar a Chechenia para defender los intereses de una familia de Grozni que busca a su hijo desaparecido. Se muestra lacónico pero preciso y solicita que Lapin sea detenido y conducido a la fuerza ante el tribunal.

—En el pasado, el acusado ha entorpecido en varias ocasiones la marcha de la investigación sin aportar razones que lo justificaran —dice Markélov—. Es algo que constituye un flagrante desprecio hacia las leyes rusas, y este tribunal debería tomar las medidas oportunas.

El juez parece horrorizado. Ese abogado de Moscú habla con una franqueza nunca oída en Grozni. Sin embargo, no hay forma de soslayar el hecho de que la conducta de Lapin es de un descaro sin igual. Fue condición ineludible de su puesta en libertad —concedida hace más de un año, cuando el juzgado municipal de Piatigorsk decidió que este torturador y secuestrador «no constituía una amenaza para la sociedad»— que se presentaría ante los tribunales en cuanto estos lo citaran.

—¿Y usted, Murdalov? —pregunta el juez.

—No solo estoy de acuerdo con mi abogado, sino que además insisto en ello —responde bruscamente Astemir Murdalov, el padre del desaparecido.

Estamos ante un héroe. Gracias a sus solitarios y titánicos esfuerzos ha conseguido hacer la mayor parte de la labor de investigación del caso, labor que correspondía a la oficina del fiscal.

—Invito al representante del ministerio fiscal a que manifieste lo que crea oportuno —dice con voz trémula el juez.

El papel de fiscal ha recaído en Antonina Zhurávliova.

—Me inclino por compartir esa opinión, pero tras familiarizarme con los documentos…

Zhurávliova se ha dado cuenta de que, sorprendentemente (o quizá deliberadamente), el tribunal ha estado siguiéndole la corriente al Cadete. El juez Mezhidov sencillamente se ha olvidado de dar los pasos procesales adecuados para asegurarse la asistencia del acusado. ¿Es eso creíble en un caso de tanta importancia, cuyo resultado esperan con ansiedad miles de personas cuyos familiares han desaparecido también en manos de los federales de Chechenia, cuando por fin se presenta la oportunidad de recurrir a la ley para determinar lo ocurrido a uno de ellos, al menos?

La fiscal Zhurávliova insiste en que el tribunal debe atenerse a la ley al pie de la letra:

—Este tribunal debería hacer circular un mandamiento entre sus alguaciles para advertir al abogado Derda (el letrado de Lapin) a través del Colegio de Abogados de Stávropol y plantear ante el colegio una acción disciplinaria contra él.

—Este tribunal se retira a deliberar —murmura el juez Mezhidov, saliendo a toda prisa.

No tenemos que esperar demasiado. Hablamos en voz baja con las demás personas presentes en la sala. Shanján Jaisumov tiene la mirada perdida. Ha venido porque lleva tres años buscando en vano a su hermano, Sharip, que fue secuestrado en su propia casa por los jantí, que tienen su base justo enfrente.

—Llamamos Buchenwald a su base porque podemos oír por todo el pueblo los gemidos que salen de allí. Sé exactamente quiénes son los jantí que participaron en el secuestro de mi hermano. Se llaman Rauf Baibekov, Andréi Karpenko y Rashid Yagofarov. Varios investigadores han sido reemplazados durante el caso. El actual es Konstantin Krivorotov, de la oficina del fiscal de Chechenia, a quien pedí que interrogara a un testigo que podía mostrarle un lugar donde los jantí emparedaban a las víctimas de sus secuestros mientras aún seguían con vida. Quizá habríamos podido encontrar allí los huesos de mi hermano. Le pedí a Krivorotov que inspeccionara ese enladrillado, pero me dijo que tenía prohibido ir a la escena del crimen porque resultaba demasiado peligroso. ¿Qué me dice de eso? He escrito cartas a Putin, a Grizlov, a Pátrushev…

Alaudín Sadíkov, un antiguo profesor de educación física de cincuenta y tres años, también se halla presente en la sala. Los jantí lo cazaron en la calle el 25 de marzo de 2001, lo torturaron y le cortaron la oreja izquierda. Más tarde, uno de ellos, Ígor Vanin, que es el encargado de las celdas de la oficina del distrito Octubre, se pavoneó con la oreja de Alaudin prendida en la solapa, como si fuera una medalla. Alaudin sobrevivió de milagro y actualmente su caso está en manos del investigador Krivorotov.

—Le pedí que la encontrara, pero me dijo: «Solo le cortaron un trozo de carne que en realidad no necesita. Mi rango no me permite interrogar a la persona que le cortó la oreja. Tiene usted que hacerse cargo de mi situación». Ahora no puedo oír, estoy medio sordo.

El juez Mezhidov regresa a la sala y balbucea su mandamiento:

—... que sea obligado a comparecer.

Ni una palabra de las medidas que la fiscal Zhurávliova solicitaba, ninguna respuesta al comportamiento del abogado de Lapin. A juzgar por el tono de Mezhidov, se diría que está amonestando a un colegial travieso.

Grozni es presa del miedo que paraliza cualquier iniciativa civil y fomenta la apatía. La siguiente vista del caso Lapin queda fijada para el 24 de octubre. Es de esperar que al menos los periodistas chechenos, de los cuales solo había hoy un representante en la sala para dar cuenta de este caso sin precedentes, se sobrepondrán a su miedo. Quién sabe si, tras ellos, las autoridades judiciales se armarán de valor y darán alguna esperanza a los que viven en Chechenia de que no todo está perdido y que todavía resulta posible conocer la verdad.

CADETOFILIA TOTAL POR PARTE DE LA OFICINA DEL FISCAL

3 de noviembre de 2003

El 30 de octubre, el juicio del Cadete en Grozni fue pospuesto indefinidamente debido a la insistencia de la oficina del fiscal.

La vista estaba prevista para las 10:00 horas, pero el juez Mezhidov decidió conspicuamente no hacer acto de presencia. A mediodía, el público empezó a ponerse nervioso. ¿Se había puesto enfermo el magistrado? Los guardias de seguridad me confiaron confidencialmente que el juez había salido del edificio.

¿Qué estaba ocurriendo? Los que conocían el asunto explicaron que aquella mañana, temprano, habían desconectado el teléfono de los juzgados de la calle Popovich. Aquello había dejado aislado al juez Mezhidov, sin una línea de comunicación por la que recibir instrucciones. En ese momento, la oficina del fiscal intervino con otro de sus trucos. A las 10:10 horas, Antonina Zhurávliova se presentó en el despacho de Mezhidov. Se trata de una rubia imponente y elegantemente vestida de Stávropol que es a la vez el fiscal y funcionario de la fiscalía en el caso del Cadete. Informó a Mezhidov de que la oficina del fiscal estaba indignada por su forma de comportarse y que había presentado una apelación ante el Tribunal Supremo de Chechenia por conducta inapropiada en la vista anterior, cuando Mezhidov se había atrevido a rechazar la demanda del Cadete para que el juicio fuera trasladado a algún lugar alejado de Chechenia donde se sintiera menos en peligro. Zhurávliova siguió intimidando al juez y lo conminó a que esa mañana no se atreviera a ordenar la detención del Cadete. Uno no debe sino admirar su sentido previsor, puesto que ese era el mandamiento judicial que todo el mundo esperaba.

Mezhidov estaba destrozado. Ni siquiera podía llamar por teléfono. Se ausentó rápidamente y fue a consultar a sus superiores del Tribunal Supremo de Chechenia. ¿Cómo tenía que obrar en el caso del Cadete, con la oficina del fiscal en pie de guerra contra él?

A las 12:13 corrió el rumor de que había regresado, y unos minutos más tarde Mezhidov dio comienzo a la vista. Stanislav Markélov, en representación de los demandantes, pidió en el acto la detención del insolente acusado y presentó al tribunal la opinión de Yuri Sávenko, presidente de la Asociación de Psiquiatras Independientes de Rusia, un experto con las más altas cualificaciones profesionales y cuarenta y dos años de servicio. Su pregunta fue si el Cadete no estaba en condiciones de asistir a la vista a causa de «problemas de adaptación», que eran la razón que había dado para justificar su ausencia.

«Según los estudios más recientes, tal como aparece en la clasificación internacional de enfermedades, una disfunción adaptativa es un estado de angustia prolongada a causa del estrés. Se acompaña de una productividad reducida de la actividad normal y se considera que se halla en el límite entre una reacción normal ante el estrés o a la desdicha y un desorden mental menor. En el abanico de las alteraciones mentales, esta es la de menor importancia, no resulta en absoluto peligrosa y no puede usarse como excusa para no comparecer ante un tribunal. Tampoco se la considera fundamento suficiente para dar pie a un informe médico de incapacidad laboral. De hecho, una de las causas más comunes de disfunción adaptativa es una situación o expectativa indefinida de sucesos desagradables, como por ejemplo la inminente celebración de un juicio. Desde el punto de vista de la práctica psicoterapéutica, en estos casos se recomienda el contacto con dichos sucesos más que evitarlos.»

El juez adjuntó el informe al expediente del caso y cedió la palabra a la señora Zhurávliova. Su discurso fue entrecortado e incoherente —no se trata de una gran oradora—, pero su sentido no tenía equivocación posible. Fue la típica intervención de una abogada, buscando cualquier excusa imaginable para no molestar al Cadete arrestándolo y, en consecuencia, pasando por alto deliberadamente su imperdonable desprecio a las leyes rusas.

—Sí, claro, el acusado no está aquí, pero ¿fue advertido el médico que firmó el certificado de Lapin de su responsabilidad por dar falso testimonio? (¿quién se suponía que debía hacerlo, el Cadete? ¿Acaso no era ese el trabajo de la oficina del fiscal?). Tengo otra petición. Su señoría ha rechazado la solicitud del Cadete para que la vista fuera colegiada (el 24 de octubre, este solicitó que el caso estuviera presidido por más de un juez). Sin embargo, su señoría dictaminó en sentido contrario en julio. La oficina del fiscal ha presentado una apelación y este juicio debe posponerse hasta que la cuestión quede resuelta.

Pero la cuestión que debe ser examinada no es por qué el Cadete ha mostrado tan abiertamente su desprecio hacia el tribunal. Al contrario, lo que se debe analizar es el comportamiento del juez Mezhidov y su atrevimiento al solicitar que «S.V. Lapin debe comparecer sin falta en el juzgado el 30 de octubre». Se trata de un ejemplo del caótico mundo de espejos deformados de las oficinas del fiscal rusas. Vivimos en una época en que la oficina del fiscal es verdaderamente independiente. Independiente de la ley, de la lógica, de la decencia y de la conciencia. Pero, al mismo tiempo, los fiscales son totalmente dependientes de las instrucciones que reciben desde arriba, del partido y de la línea del gobierno tal como se plantean desde el Kremlin. En este caso, la institución que está haciendo todo lo posible para facilitar la vida de un asesino y secuestrador es la oficina del fiscal de la Región Federal del Sur, encabezada por Serguéi Fridinski, fiscal general adjunto de Rusia. Conforme a la ley, debería estar haciendo exactamente lo contrario, es decir, ajustándose al derecho y velando por los derechos de las víctimas.

El juez Mezhidov sale apresuradamente del tribunal. Resulta doloroso mirar a Astemir Murdalov, el padre de la víctima del Cadete. Se lleva las manos a la cabeza, como si le fuera a estallar. Mientras tanto, la fiscal Zhurávliova abre sin el menor disimulo una novela de detectives de Marinina. El juez no tarda en volver.

—La vista se pospone indefinidamente.

Mezhidov ha sido aplastado: evidentemente, el Tribunal Supremo de Chechenia le ha aconsejado que se resigne. Satisfecha con su maniobra, Zhurávliova se marcha de la sala en el acto, con paso vivo. Una vez más, el Cadete se ha librado. Astemir Murdalov exclama su desesperación. El público permanece en silencio, como si le hubieran escupido o castigado. La verdad es que hay que preguntarse cómo se va a hacer cumplir la ley y poner fin a los secuestros y las ejecuciones extrajudiciales si los tribunales y la oficina del fiscal, las dos principales instituciones de un territorio asolado por la guerra, no están dispuestas a ello.

El tiroteado y quemado edificio del tribunal del distrito Octubre está lleno de pintadas que proclaman «¡Lobos de la yihad!». Muy elocuente. Lo que la oficina del fiscal y los tribunales de Chechenia están haciendo es seguir el juego a los que hicieron esa pintada. Los fiscales, al igual que el corrompido aparato de la llamada «guerra contra el terrorismo en el Cáucaso Norte», son los verdaderos grupos de apoyo al terrorismo.

El tribunal acordonado por los guardaespaldas
del acusado

29 de noviembre de 2004

En Grozni prosiguen los primeros trámites de la historia de la «operación antiterrorista» para que comparezca ante los tribunales el oficial federal Serguéi Lapin.

En el tribunal del distrito Octubre, bajo la presidencia del juez Mezhidov, la investigación legal del caso lleva prolongándose desde hace año y medio; pero solo ahora, en las últimas vistas de finales de noviembre de 2004, ha sido posible que se produjeran avances. Ha dado comienzo el examen de los cargos contra Lapin según el artículo 286 del Código Penal, «Excederse en el ejercicio de su poder oficial»; del 111, «Causar lesiones graves intencionadamente», y del 292, «Falsedad».

Hasta la fecha, este «luchador contra el terrorismo» ha desafiado abiertamente al tribunal y ha seguido normalmente con su vida. A pesar de la gravedad de los delitos que se le imputan, nuestro querido ministro del Interior, discretamente y sin atraer publicidad alguna, lo recolocó como oficial de la milicia y, en estos momentos, en libertad con la condición de no salir de Nizhnevartovsk, vuelve a trabajar en el Departamento de Investigación Criminal de la oficina de Asuntos de Interior de la ciudad de Nizhnevartovsk.

A pesar de todo ello, en las vistas de noviembre, el Cadete se comportó como alguien curtido en esas lides y cambió su historia insolentemente por sexta vez, negándose tajantemente a reconocer culpabilidad alguna e intentando culpar de todo a sus colegas de la «operación antiterrorista» que habían muerto. Un comportamiento muy varonil, ¿no les parece?

Maierbek Mezhidov es el juez que preside el tribunal del distrito Octubre, en Grozni, situado en el ruinoso edificio del antiguo Departamento de Seguridad de Ichkeria, en la calle Popovich. Visto desde delante, esa cuadrada construcción parece más un bloque de pisos; pero, visto desde atrás, se comprende que es poco más que una fachada. Menos de la mitad de la planta baja ha sido toscamente acondicionada para que pueda desempeñar tareas de administración de justicia. En el interior hace más frío que en una nevera y las escasas bombillas de la era soviética proporcionan tan poca luz que la lectura que el juez Mezhidov (que ya está entrado en años) ha de hacer de los informes y documentos constituye un acto de verdadera heroicidad en aras de la justicia.

Otro acto heroico es administrar justicia en un edificio que ha sido rodeado. ¿En qué otro lugar podríamos encontrar algo parecido? Esta mañana, unos individuos vestidos con uniformes de combate, con la cabeza rapada y armados con fusiles de asalto se han presentado ante el edificio del tribunal en vehículos blindados y han apuntado con sus armas a cualquiera que saliera o entrara de allí. A algunos de nosotros también nos gritaron con su pintoresco lenguaje.

Son los guardaespaldas del acusado. El Cadete llega con ellos y se marcha con ellos. Incluso sale a fumar con ellos durante los recesos, y los miembros de la brigada lo cubren con sus cuerpos. El oficial al mando de esta unidad del Ministerio del Interior se presenta como Oleg. Tiene un aspecto absolutamente canalla y sostiene un fusil de asalto en los brazos. Nos explica que actúa siguiendo órdenes verbales del comandante de las tropas del Ministerio del Interior en Chechenia para proteger a Lapin.

—¿De quién?

—Eso ya lo sabe usted —me espeta Oleg.

De los chechenos, seguramente.

Y de Aleta, la tía de Zelimján, al que Lapin torturó hasta matarlo, y que se desmayó cuando el tribunal leyó lo que los jantí le habían hecho a su sobrino entre el 2 y el 3 de enero de 2001; o de Astemir Murdalov, el padre de Zelimján, que agacha la cabeza y se mesa los blancos cabellos; o de las víctimas de los jantí que sobrevivieron milagrosamente y lograron salir de las celdas de la oficina temporal del Ministerio del Interior del distrito Octubre de Grozni; de las esposas y madres de los que fueron secuestrados por los jantí y que escuchan todas y cada una de las palabras que dicen tanto el juez como el Cadete, con la esperanza de enterarse de algo sobre el paradero de sus maridos, hijos o hermanos.

Todos esos chechenos se apelotonan en un lado de la sala mientras Lapin y su brigada particular sonríen despectivamente. El conjunto forma un monstruoso cuadro de un Estado que alienta a los asesinos de uniforme.

Por fin comienza la vista. Solo el aliento de los presentes en la fría sala irá menguando gradualmente el helado ambiente. Hace un poco más de calor, pero la gente sigue tiritando a causa de la humedad cuando el Cadete solicita hablar. Suena igual que un gángster y desmiente su anterior testimonio.

El juez: Entonces ¿por qué lo dijo?
El Cadete: Tenía miedo. Fui torturado. Fui torturado durante un mes en el Directorio Checheno para Combatir el Crimen Organizado.
El juez: ¿Quién lo torturó?
El Cadete: El investigador Baitáyev. Habría admitido haber asesinado incluso al presidente Kennedy. No tenía elección, debía decir algo.

El Cadete adopta un tono lastimero. Su aseveración de que fue torturado durante la investigación preliminar se repetirá varias veces, y el cuadro que aparece es el siguiente: cada vez que Baitáyev o Moróz (el fiscal en funciones de Grozni por aquel entonces) interrogaron al Cadete lo sometieron a intolerables presiones tanto físicas como psicológicas. «Confiesa tu culpabilidad —le decían—, o de lo contrario te enviaremos a la cárcel.»

—No quería que me metieran en una de esas celdas, de modo que confesé.

—Pero todo esto ocurría en presencia de un abogado —le recuerda el juez.

—¿Qué abogado? Abalayeva decía que a la gente como yo había que cortarle el cuello.

Vladímir Rozetov (fiscal del distrito Octubre y funcionario de la fiscalía en el juicio): ¿Sufrió usted algún tipo de lesiones físicas cuando estuvo encerrado en las celdas del Directorio?
El Cadete: Sí, y me encerraron sin cepillo ni pasta de dientes. ¿Se lo puede imaginar?
Letrado Stanislav Markélov (abogado del demandante): ¿Por qué no hay en el expediente ninguna declaración suya diciendo que fue tratado con dureza?

El letrado Grigori Degtiarev (un abogado de Nizhnevartovsk encargado de la defensa del Cadete) alza la voz hasta casi gritar, un extraño comportamiento que casi contagia al juez:

—Mi defendido ha sido traumatizado mentalmente y presenta síntomas de desórdenes por estrés postraumático. ¡Usted no tiene derecho a…!

Se trata de una bravata. En las vistas anteriores ha quedado demostrado que el Cadete no sufre de nada parecido.

Juez: Anteriormente, usted dijo que se llevó a Murdalov del recinto de la oficina temporal, tras lo cual desapareció. ¿Por qué lo niega ahora?

El Cadete: Lo dije porque Moróz me presionó psicológicamente cuando me interrogaba.

Fiscal Rozetov (con voz baja y resentida): Desde entonces Moróz ha sido asesinado.

Juez Mezhidov: ¿Se quejó usted del comportamiento de Moróz?

El Cadete: Decidí que era mejor no hacerlo.

Esta historia de la presión psicológica de Moróz no es más que otro cuento, y aquí debemos hacer una breve digresión: en 2001, cuando el Cadete fue citado por primera vez por Moróz para ser interrogado en la oficina del fiscal de Grozni, los jantí hicieron una demostración de fuerza y rodearon el edificio, apuntándolo con sus armas y lanzacohetes el tiempo que el Cadete estuvo con Moróz. Mientras duró el interrogatorio, se pasearon por el edificio, amenazando a todos los que trabajaban allí con vengarse. Sin duda hubo presión psicológica, pero no fue de los fiscales, sino que fueron ellos los que tuvieron que sufrirla.

Juez Mezhidov: ¿Quién le presionaba en Nizhnevartovsk? Allí usted estaba lejos de Chechenia.

El Cadete: Los fiscales Din y Leushin, que llegaron de la República de Chechenia para interrogarme. (Leushin también ha sido asesinado.)

El Cadete cambia su tono lastimero por otro grosero y a menudo señala amenazadoramente con el dedo al juez:

—Creo que fue Taimasjánov [Salim Taimasjánov, un oficial de la oficina Octubre] quien le dio la paliza a Murdalov. Fue él quien lo sacó de la celda y se lo llevó a otra parte.

El juez: Usted no ha declarado en contra de Moróz ni de Taimasjánov mientras vivían, pero cuando se enteró de que habían muerto cambió inmediatamente su testimonio. ¿Cómo se explica eso?

El Cadete: Cuando a uno lo torturan durante días, acaba firmando lo que sea. No tenía otra elección.

Desde su asiento, Astemir Murdalov pregunta oportunamente: «¿Y nuestra gente, qué elección tenía?».

Al final, a los letrados se les empieza a acabar la paciencia. El fiscal Rozetov pide al juez que lea la declaración anterior de Lapin para recordarle lo que dijo, pues existen notables discrepancias. El juez da lectura a los interrogatorios anteriores del Cadete, realizados en Nizhnevartovsk, su lugar de residencia; en Piatigorsk, en Grozni y en otros lugares con diferentes investigadores: «Rechazo los servicios de un abogado, puedo encargarme de mi propia defensa»; «Me declaro inocente de los cargos»; «He prestado declaración voluntariamente»; «Estoy listo para repetir mi testimonio en presencia de las personas a las que menciona».

El Cadete aparta el Código Penal y el Procesal que hay en la mesa. Está irritado y no se molesta en disimularlo.

Pregunta del investigador: ¿Quién le está influenciando? ¿Por qué cambia constantemente de testimonio?

Respuesta: Nadie me influye. Estoy cambiando mi testimonio ahora por primera vez porque no me tomé en serio el procedimiento.

Este último y revelador comentario es ciertamente la verdad. La inmensa mayoría de tropas federales destacadas en Chechenia no imaginan jamás que se les pueda aplicar el Código Penal por secuestrar y asesinar a la población civil. Entre ellos, cualquiera que haya matado a un checheno se convierte en un héroe y en un cobarde si no lo hace. Esto es así desde hace cinco años, y el Cadete, que de repente se ve compareciendo ante la justicia, constituye la única excepción a la impunidad. Durante las vistas del juicio del mes de noviembre, el Cadete repitió varias veces: «Nunca pensé que se tomarían en serio este asunto». Así pues, mintió descaradamente una y otra vez.

La próxima vista será el 15 de diciembre, y entonces interrogarán a los testigos de la acusación.

El Cadete recibe una condena más larga que Budánov: termina el primer juicio de un criminal de guerra

31 de marzo de 2005

El 29 de marzo, el juez que preside el tribunal del distrito Octubre de Grozni ha dictado por fin sentencia en el caso de Serguéi Lapin. El juicio ha durado un año y medio y en más de una ocasión ha dado la impresión de que podía venirse abajo.

Los cargos contra Lapin, la sentencia y las circunstancias en las que un criminal de guerra ha sido finalmente hallado culpable en Grozni no tienen precedentes. Esta es la primera vez en toda la segunda guerra chechena que se han presentado cargos contra un oficial de las tropas federales por algo que en Chechenia resulta habitual: la tortura y secuestro de civiles.

Ha sido sumamente difícil que se llegara a la condena, y únicamente la firme actitud del Tribunal Supremo de Rusia ha permitido que se superaran las tremendas presiones del Ministerio del Interior. Al principio, la milicia del ministerio hizo todo lo posible para asegurarse de que Lapin fuera juzgado en cualquier parte menos en Chechenia; luego, cuando el Tribunal Supremo se negó a ceder, se dedicó abiertamente a intimidar a los que participaban en el juicio que se desarrollaba en Grozni.

Sin embargo, tanto el juez Mezhidov como el fiscal Vladímir Rozetov se mantuvieron firmes. El resultado es que Lapin cumplirá once años de trabajos forzados y otros tres adicionales de incapacitación para trabajar en los cuerpos y fuerzas de seguridad del Estado. También ha habido una sanción verbal para los responsables del Directorio de Asuntos de Interior de Jantí-Mansíisk, que han hecho todo lo posible por obstruir el curso de la justicia y ocultar los brutales crímenes del condenado.

En nuestro próximo número daremos cuenta de los detalles.

Lapin, un brutal torturador, es hallado culpable, pero se niega a inculpar a sus cómplices

4 de abril de 2005

Tal como informamos, el 29 de marzo, en Grozni, se dictó la sentencia del caso de Serguéi Lapin (conocido como el Cadete). El torturador fue condenado a once años de trabajos forzados. Citemos primero algunos pasajes de la sentencia:

> Tras hacerse cargo de Murdalov de manos del investigador Zhurávliov, Lapin se lo llevó a su oficina donde, durante varias horas y acompañado de otros colegas que no han sido identificados en esta investigación, lo sometieron a tortura, propinándole numerosos golpes —con la mano, los pies y una porra de goma, modelo PR-73— por todo el cuerpo que le causaron lesiones tales como un traumatismo craneoencefálico, acompañado de una prolongada pérdida del conocimiento, convulsiones y paradas respiratorias. Cuando los oficiales responsables de las celdas, tras haber visto el estado en que se encontraba Murdalov, se negaron a hacerse cargo de él, Lapin redactó un informe exculpatorio en nombre de Murdalov en el que aseguraba que las lesiones se las había causado él mismo cuando había caído de una altura equivalente a su estatura.

> El testigo N. G. Maliukin (por aquel entonces oficial médico en la oficina temporal de Asuntos de Interior) declaró que el 2 de enero

de 2001, alrededor de las nueve de la noche, examinó a Murdalov en su celda y estuvo con él hasta la medianoche. Durante ese tiempo, Murdalov sufrió varios ataques en los que los músculos de su cuerpo se contrajeron violentamente, le castañetearon los dientes y los ojos se le pusieron en blanco. También dejó de respirar y se quedó inconsciente. Maliukin administró cuatro inyecciones a Murdalov y, alrededor de la medianoche, salió de la celda.

El testigo K. D. Jadáyev (un compañero de celda) ha explicado al tribunal que la noche del 2 de enero, Lapin, acompañado de otros tres o cuatro, metieron a Murdalov en la celda. Murdalov no se tenía en pie. Le habían arrancado la oreja derecha, y le colgaba de un jirón de piel. Tenía el brazo roto y la ropa manchada. Un médico lo examinó y el testigo le oyó decir a un oficial superior, Prilepin, que Murdalov tenía una fractura múltiple en el brazo, un traumatismo craneoencefálico, los testículos aplastados y que necesitaba atención quirúrgica urgente porque no sobreviviría con aquellas heridas. El médico se fue. Media hora más tarde, los individuos que estaban con el testigo en la celda empezaron a gritar al oficial encargado y le informaron de que Murdalov agonizaba. El oficial les aconsejó que rezaran por él, según el ritual musulmán. Murdalov aguantó en su estado de agonía hasta la mañana del 3 de enero, cuando Lapin, Prilepin y varios hombres más se lo llevaron a rastras. Era incapaz de ponerse en pie. El testigo dice estar seguro de que, con aquellas heridas, Murdalov tuvo que morir y que los oficiales de la milicia seguro que ocultaron el cadáver. Lapin era sumamente cruel en sus interrogatorios a los detenidos. Daláyev y Gazháyev contaron al testigo que Lapin los había torturado con electricidad, palos y martillos. A Daláyev le arrancaron la piel del pecho con unos alicates, le echaron perros y le pegaron una paliza mientras le clavaban un clavo en la clavícula. Durante la tortura no dejaron de preguntarle dónde se escondían los combatientes de la resistencia.

El testigo S. K. Batálov declaró que mientras comprobaba la declaración del demandante, Astemir Murdalov, miembros de la oficina del fiscal descubrieron en un terreno contiguo a la oficina temporal de Asuntos de Interior los cuerpos de tres muchachos que habían sido vistos yendo en bicicleta por el vecindario. Los cuerpos estaban mutilados. Les habían arrancado los ojos y el cuero cabelludo. Se ha abierto una causa aparte con respecto a los individuos sin identificar que conspiraron con Lapin en la comisión de estos delitos.

La mañana del 3 de enero, Lapin, temiendo que las lesiones que había infligido a Murdalov se conocieran, y conspirando con otros oficiales que no han sido identificados por esta investigación, firmaron una orden de puesta en libertad con el nombre de Murdalov y marcaron la casilla del documento que confirmaba que le habían sido devueltos sus efectos personales. A continuación, los oficiales de la oficina temporal que no han sido identificados, actuando con el conocimiento y consentimiento de Lapin, sacaron a Murdalov del bloque de celdas y se lo llevaron a paradero desconocido.

Está claro lo que ocurrió. El testimonio de los testigos, aceptado por el tribunal, no deja margen para la duda. Pero queda una pregunta fundamental: ¿dónde está la víctima? Zelimján Murdalov sigue siendo uno de tantos desaparecidos, y el juicio no ha hecho nada para aclarar dicha cuestión. Durante más de cuatro años, mucha gente ha hecho todo lo posible para que se llegara a este veredicto. Siguieron el rastro de Lapin cuando huyó, desenmascararon los informes médicos falsos que pretendían justificar que se encontraba demasiado enfermo para comparecer ante el tribunal. Soportaron el comportamiento violento y desafiante de Lapin y sus colegas del Directorio de Asuntos de Interior de Jantí-Mansíisk durante las vistas. ¿Y todo para qué? ¿Para una condena de once años de trabajos forzados?

No, claro que no. La familia Murdalov empezó esta desesperanzada campaña contra el sistema —algo que ninguna de las miles de familias chechenas que la precedieron en circunstancias similares tuvo el valor de hacer— porque quería encontrar a su hijo. Los Murdalov esperaban que el Estado les proporcionara la respuesta a esa pregunta puesto que Lapin es un funcionario del gobierno.

Pero no han tenido contestación. De vez en cuando, durante el juicio, Lapin, dirigiéndose a Astemir, se limitó a repetir: «Yo no lo maté, yo no lo maté», y «Solo estoy aquí para demostrar al padre que yo no maté a su hijo». El juez Mezhidov le preguntó: «¿Lo mataron? Y si así fue, ¿quién lo hizo? En caso contrario, ¿dónde está ahora?».

Pero no consiguió una respuesta y no pudo hacer más. Según nuestro actual Código de Procedimiento Penal, un juez no puede indagar más allá de los cargos presentados por el ministerio fiscal, y las oficinas del fiscal de la República de Chechenia y la oficina del fiscal de la Región Federal del Sur no solo no presentaron más cargos, sino que llevaron el caso de un modo que permitió que los sádicos camaradas de Lapin siguieran sin ser identificados. A pesar de que los testigos mencionaron en su testimonio el nombre de los superiores directos de Lapin —Prilepin y Kondákov— que estuvieron presentes cuando el acusado cometió los crímenes por los que se lo acusa, no fueron citados como testigos de la defensa, y el tribunal no pudo hacer nada para cambiarlo porque la ley estaba del lado de los torturadores.

Esto significa que la sentencia dictada constituye un compromiso entre la justicia y la inmunidad legal de esos oficiales federales, un resultado a medias. Solo será satisfactorio cuando Zelimján Murdalov o su cuerpo sea encontrado. Y eso ocurrirá únicamente cuando Prilepin y Kondákov —o puede que alguien en un escalafón superior de la cadena de mando— sea llevado ante la justicia.

El juicio ha subrayado una vez más el desgraciado hecho de que en Rusia el secuestro de personas por parte de funcionarios del Estado y las brutalidades extrajudiciales cometidas por ellos (nuestro propio Abu Ghraib) siguen porque el Estado, bajo la apariencia de la oficina del fiscal, cubre a todos aquellos que lucen el suficiente número de estrellas en las hombreras. El Estado no se molesta en buscar a los desaparecidos, y las familias quedan abandonadas a su suerte.

¿Quién ha pagado este caso? ¿Cómo ha sido posible este veredicto? Los Murdalov tenían un buen abogado. El juicio en sí ha durado año y medio y estuvo precedido de una larga y ardua investigación. Los buenos abogados hay que pagarlos y tanto más porque buena parte del trabajo del caso tuvo que hacerse en el Tribunal Supremo de Moscú, lo que requería un abogado moscovita. Por primera vez en un juicio celebrado en la zona de la «operación antiterrorista», un moscovita, y lo que es más importante, un abogado ruso, Stanislav Markélov, ha representado los derechos de una familia chechena. Markélov ha sido un pionero. Todos los que vieron cómo se comportó en Grozni admiraron su valor, su autodominio y profesionalidad en situaciones sumamente incómodas.*

Así pues, ¿quién pagó a Markélov, que tuvo que volar constantemente —a veces hasta una vez por semana— hasta el Cáucaso Norte? Que conste en la historia de la segunda guerra chechena que toda la carga económica del juicio contra Lapin la soportó la oficina londinense de Amnistía Internacional, la famosa organización pro derechos humanos. Aministía Internacional se hizo cargo porque nadie más quiso, no hubo ni una ONG rusa que se ofreciera. Los hombres de negocios chechenos, sin excepción, dejaron pasar la oportunidad de apoyar tan crucial e histórico proceso, un juicio de una importancia vital para los miles de familias chechenas de la República que se encuentran en la misma situación de los Murdalov. Lamentablemente, en lugar de hacer algo constructivo, los chechenos acomodados se rascan alegremente el bolsillo cuando los federales piden rescate por alguien que han secuestrado; pagan el rescate y, de esa manera, prestan apoyo económico a la anarquía de los federales y al terrorismo de Estado. Es una vergüenza.

Aparte de poner el dinero, Amnistía Internacional también organizó una campaña mundial de peticiones exigiendo un juicio justo. Llegaron miles de cartas dirigidas a Putin, cartas que posteriormente fueron incorporadas al expediente del caso. El juez Mezhidov no pudo hacer caso omiso de ellas y las mencionó durante el juicio. Esas cartas reforzaron su posición y, para ser justos, hay que reconocer que también él se portó heroicamente. Durante el tiempo que duró el juicio, estuvo caminando por el filo de la navaja porque no salió de Grozni.

¿Serán estériles los esfuerzos de tantas personas o por fin los federales se verán obligados a admitir que no pueden secuestrar y ase-

---

* El 19 de enero de 2009, Stanislav Markelov fue tiroteado en el centro de Moscú junto con Anastasia Babúrova, una periodista *free-lance* que trabajaba para *Novaya Gazeta*. Salía de una rueda de prensa en la que había protestado contra la puesta en libertad anticipada del violador y asesino ex coronel Budánov. Anna Politkóvskaya había sido decisiva a la hora de aportar pruebas contra Budánov. Ni el presidente Medvédev ni el primer ministro Putin se dignaron hacer declaraciones.

sinar en Chechenia con total impunidad? ¿Comprenderán los habitantes de Chechenia que no deben permitir que los intimiden y que tienen que plantar cara a los criminales de guerra, igual que ha hecho la familia Murdalov? Que Dios les dé fuerzas. Por el momento, no hay otra manera de poner freno a las matanzas y las ejecuciones extrajudiciales de Chechenia.

MANDAMIENTOS PARA EL ARRESTO DE DOS JANTÍ MÁS: LOS CÓMPLICES DEL CADETE HUYEN

9 de febrero de 2006

Ha salido a la luz información acerca del papel desempeñado por los superiores del Cadete en el crimen que este cometió. El 18 de noviembre del año pasado, la oficina del fiscal de Chechenia abrió una nueva causa penal contra Alexander Prilepin (alias Alex) y V. Minin, basándose en los artículos 286 y 111 del Código Penal ruso.

Los primeros intentos de interrogar a los superiores del Cadete, que pueden ayudar a explicar lo sucedido a Zelimján Murdalov, se han topado con la fuerte oposición de sus camaradas de los directorios de Interior de Jantí-Mansíisk y de Nizhnevartovsk. Prilepin y Minin se han negado a reunirse con los investigadores.

En estos momentos, penden sobre sus cabezas dos mandamientos librados por la oficina del fiscal de Chechenia para que sean detenidos.*

---

* En el otoño de 2006, los investigadores de la oficina del fiscal general que fueron a Jantí-Mansíisk para examinar la línea de investigación del asesinato de Anna Politkóvskaya descubrieron que Pripelin y Minin habían estado viviendo todo el tiempo en sus domicilios habituales y yendo a trabajar normalmente sin que nadie se interesara por ellos.

4

Nord-Ost

[El 23 de octubre de 2002, la toma de rehenes entre el público de un musical llamado *Nord-Ost* por parte de terroristas chechenos saltó a los titulares de todo el mundo. Anna, que intentó negociar en el interior del teatro con los secuestradores, al final pudo mostrar con indudable certeza, gracias a la información proporcionada por su confidente del BSF, Alexander Litvinenko —posteriormente asesinado en Londres con polonio radiactivo—, que todo el suceso y su trágico desenlace había sido otro producto del régimen ruso.]

ANNA POLITKÓVSKAYA TIENE DIFICULTADES AL VOLVER A MOSCÚ PARA COLABORAR EN LA NEGOCIACIÓN CON LOS TERRORISTAS

24 de octubre de 2002*

De los editores de *Novaya Gazeta*

12.30 horas

La columnista de *Novaya Gazeta*, Anna Politkóvskaya, está preparada para entablar negociaciones con los que han capturado rehenes en Moscú. Su actitud es comprensiva hacia sus demandas, pero desaprueba sus métodos para poner fin a la guerra de Chechenia. Los

---

* Fecha en la web de *Novaya Gazeta*.

civiles no deben sufrir las consecuencias de los errores cometidos por las autoridades del Estado.

Anna Politkóvskaya se encuentra en estos momentos en Washington D. C., donde participa en conversaciones con el Departamento de Estado y representantes de la Casa Blanca, con el fin de encontrar una solución pacífica para el conflicto de Chechenia. También participan en esos debates Iliás Ajmádov, un respetado político checheno; el doctor Zbigniew Brzezinski, antiguo secretario de Estado; y lord Judd, que ha estado en Chechenia en representación del Consejo de Europa. De ese modo, a pesar de hallarse lejos de Rusia, Anna intervino en la satisfacción de las exigencias de los que habían capturado a los rehenes en Moscú.

En cuanto regrese a la capital, cosa que no ocurrirá antes de trece horas, puesto que el primer avión que sale de Washington hacia allí lo hace dentro de cuatro horas y media, se dirigirá a la escena del secuestro y se pondrá en contacto con los secuestradores. Por desgracia, los representantes de la embajada de Estados Unidos nos piden que esperemos hasta las 9.00, hora local (en estos momentos en Washington son las 5.00) para buscar ayuda oficial. Creemos que pedimos un favor muy pequeño al solicitar que alguien pueda coger el primer vuelo que sale de Washington hacia Moscú. Hay vidas en juego —incluyendo las de los ciudadanos estadounidenses que figuran entre los rehenes— que dependen de este favor. Anna Politkóvskaya es la única persona en quien confían los secuestradores y la que han solicitado para que actúe como mediadora en las negociaciones.

Apremiamos a los estadounidenses a que ayuden a Anna Politkóvskaya a regresar a Moscú lo antes posible.

13.30 horas

Por el momento, la cuestión de facilitar un vuelo de emergencia desde Washington D. C. hasta Moscú para la columnista de *Novaya Gazeta* Anna Politkóvskaya sigue sin resolverse. Los secuestradores de Moscú han expresado su deseo de negociar con ella.

Puesto que Anna se encuentra en estos momentos en Estados Unidos, hemos recurrido a la embajada de ese país en busca de ayuda y hemos recibido una respuesta del señor Paul Carter, del Departamento Legal. En ella nos dice que están dispuestos a ayudar, pero que necesitan la confirmación del Ministerio de Asuntos Exteriores ruso en el sentido de que se trata de una iniciativa del gobierno y que el Estado se encuentra preparado para negociar en lugar de resolver el problema por la fuerza.

Hemos llamado al Departamento Estadounidense del Ministerio de Asuntos Exteriores ruso, que nos ha confirmado que el señor Carter los ha llamado, pero le ha dicho que, puesto que este asunto se halla fuera de su jurisdicción, no podían tomar ninguna decisión y no se involucrarían para facilitar el regreso a Rusia de Anna Politkóvskaya. Nos recomendaron que llamáramos a la sección de Información Operacional de Exteriores, cuyo director, Vladímir Oshurkov, nos ha dicho que no tenía información para los medios de comunicación. Preguntamos si ellos pensaban pedir ayuda a los estadounidenses, a lo que el señor Oshurkov contestó: «¿Se puede saber qué tiene que ver el Ministerio de Asuntos Exteriores en todo esto? ¿Por qué debería molestarse el ministerio en hacer que Politkóvskaya vuelva a Rusia? Para eso está el personal de los departamentos de seguridad. Si ellos consideran necesario que Anna Politkóvskaya regrese para negociar con los terroristas, tendrá su avión. No es algo que competa al Ministerio de Asuntos Exteriores».

Para poder volver a validar su billete, Anna necesita más de 1.000 dólares. Si nuestro Ministerio de Exteriores (que representa al gobierno ruso) no desea solucionar el problema, torpedeando las negociaciones con los secuestradores y poniendo en peligro la vida de los rehenes, encontraremos el dinero por nuestros propios medios.

14.30 horas

La última información es que Anna Politkóvskaya regresa a Rusia en el primer vuelo disponible.

NORD-OST: EL PRECIO DE LAS CONVERSACIONES

28 de octubre de 2002

Mi implicación personal en la crisis empezó, más o menos, a las 14.00 horas del 25 de octubre. Por primera vez había hablado por el móvil con los secuestradores, y ellos se habían avenido a una reunión. A las 13.30 llegué al cuartel general de la operación de seguridad. Pasó otra media hora mientras lo coordinábamos todo: alguien desconocido resolvía cuestiones tras puertas que permanecían cerradas.

Por fin me condujeron hasta un perímetro de seguridad hecho de camiones y alguien me dijo: «Inténtalo, quizá puedas conseguirlo». Entonces el doctor Leonid Roshal (jefe del Centro Médico de Desastres) y yo nos dirigimos hacia la entrada. Daba mucho miedo.

Entramos en el edificio y gritamos: «¡Hola! ¿Hay alguien aquí?».

No hubo respuesta. Tuve la impresión de que el edificio estaba completamente desierto.

Grité: «¡Soy yo, Politkóvskaya!». Lentamente empecé a subir por la escalinata de la derecha. El doctor dijo que sabía el camino. En el vestíbulo de la primera planta reinaban igualmente el silencio y la oscuridad y hacía frío. No se veía un alma. Volví a gritar: «¡Soy Politkóvskaya!». Por fin un hombre apareció de detrás de lo que había sido el mostrador del bar.

Llevaba una máscara negra, pero mal puesta, de modo que pude ver claramente sus rasgos. No se mostró hostil conmigo, pero sí hacia el doctor. ¿Por qué? No lo sé, pero hice lo que pude para poner calma en una situación que parecía caldearse por momentos. «¿Para qué ha venido, doctor? ¿Acaso quiere darle un empujoncito a su carrera?», se burló el hombre. El doctor Roshal es académico, tiene setenta años y ha conseguido tanto en su vida que no tiene que preocuparse por su carrera.

Se lo dije, y empezamos una discusión. Enseguida pensé que había que volver a calmar los ánimos, de lo contrario estaba claro cómo podía acabar aquello.

El hombre se retiró a la oscuridad del vestíbulo, mascullando: «¿Por qué dice que también trata a los niños chechenos, doctor?».

Hizo unos cuantos comentarios incoherentes que venían a decir que el hecho de haber mencionado que también atendía a los niños chechenos demostraba que no creía que fueran iguales a los otros niños e incluso que quizá los chechenos tampoco eran seres humanos.

Se trataba de una cantinela que me resultaba familiar y la interrumpí, no porque fuera lo más inteligente que podía hacer, sino porque ya estaba harta. «Todos somos iguales —le dije—, todos tenemos la misma piel, los mismos huesos y la misma sangre.» Una idea tan poco original tuvo un efecto inesperadamente conciliador. Pedí permiso para sentarme en la única silla que había en medio del vestíbulo, a unos cinco metros del bar, porque me temblaban las piernas.

El permiso fue inmediato. Mis zapatos resbalaron en una repugnante sustancia roja tirada en la moqueta. Contemplé cautelosamente aquella asquerosidad, deseosa de no parecer demasiado interesada, pero aún más ansiosa de no poner el pie en un montón de sangre coagulada. Gracias a Dios, solo se trataba de una especie de postre, seguramente fruta y helado. Temblé un poco menos.

Esperamos unos veinte minutos más o menos, mientras iban a buscar al líder. Mientras aguardábamos, se asomaron varias cabezas enmascaradas. Algunos pasamontañas les ocultaban las facciones, otros no tanto.

—¿Fue usted la que ayudó a la gente de Jotuni contra el regimiento de paracaidistas? —me preguntaron las cabezas.

—Sí.

Las cabezas parecían satisfechas. Jotuni, una aldea del distrito de Vedenó, resultó ser mi salvoconducto. Si había estado allí, era digna de que hablaran conmigo.

—¿De dónde es usted? —le pregunté al hombre del bar.

—De Tovzeni —me contestó—. Muchos de nosotros somos de Tovzeni y del distrito de Vedenó en general.

A esto siguió un confuso ir y venir de hombres enmascarados, señal de que algo serio se cocía. El tiempo que pasaba, que desaparecía en la nada, me llenaba de un estúpido presentimiento. El líder todavía no había aparecido. Quizá fueran a pegarnos un tiro allí mismo.

Al final apareció un individuo vestido con uniforme de combate. Era corpulento, con la misma complexión que los oficiales de operaciones especiales rusos, que dan mucha importancia a su forma física.

—Sígame —me dijo.

Las piernas me temblaban, pero me levanté y lo seguí. El líder era él.

Acabamos en un mugriento cuarto auxiliar, junto a los restos de un bufé tras el cual había un grifo de agua. Alguien se puso detrás de mí y me volví. Comprendí que eso hacía que pareciera nerviosa, pero no podía hacer otra cosa. Hasta ese momento no tenía demasiada experiencia en hablar con terroristas en circunstancias tan intimidatorias como aquellas. El hombre me devolvió a la fría lógica.

—¡No mire a su espalda! Está hablando conmigo, de modo que míreme a mí.

—¿Quién es usted? ¿Cómo debo llamarlo? —pregunté sin esperar verdaderamente una respuesta.

—Bakar. Abubakar.

Se había levantado el pasamontañas. Su rostro era franco y de altos pómulos, también muy típico de nuestros militares. Tenía un fusil sobre la rodilla, y solo lo puso detrás al final de nuestra conversación, casi disculpándose.

—Estoy tan acostumbrado a llevarlo que no me doy cuenta de que está. Duermo con él, como con él. Siempre está conmigo.

Aun sin aquella explicación, yo ya lo había comprendido.

—¿Qué edad tiene? —le pregunté.

—Veintinueve.

—¿Ha luchado en las dos guerras?

—Sí.

—¿No pasó un tiempo en Georgia?

—No. Nunca he salido de Chechenia.

Bakar pertenecía a la nueva generación de chechenos que durante los últimos diez años no han conocido otra cosa que un fusil y los bosques. Dejó el colegio, y la vida en las montañas se convirtió en su única opción. Un destino desprovisto de opciones.

—Qué tal si vamos al grano.

—De acuerdo.

—Primero, los niños de más edad que hay aquí. Tiene que dejar que se vayan. Son solo niños.

Serguéi Yastrzhembski, ayudante del presidente de la Federación Rusa, me había pedido que lo planteara como la primera prioridad.

—¿Niños? Aquí no hay niños. En los barridos de seguridad que hacen ustedes se llevan a los nuestros mayores de doce años. Ahora vamos a retener a los suyos.

—¿En represalia?

—Para que sepan lo que se siente.

Volví varias veces al asunto de los niños, insistiendo en que al menos les permitiera algún alivio; por ejemplo, que me permitiera llevarles comida. La respuesta fue un «no» categórico.

—¿Dejan comer a los nuestros durante los barridos de seguridad? Pues los suyos también pueden pasar sin comida.

Tenía otras cuatro peticiones en mi lista: comida para los rehenes, artículos de higiene personal para las mujeres, agua, mantas. Conseguí que me permitieran llevar agua y zumos. Para poder entrar tendría que gritar desde la entrada, entonces me dejarían pasar.

—¿Me dejarán hacer varios viajes? No puedo cargar con demasiadas cosas en uno solo. Quizá podría hacerme acompañar por alguien.

—De acuerdo.

—¿Le parece bien si es otro de nuestros periodistas?

—Sí, y también alguien de la Cruz Roja.

—Gracias.

Empecé a preguntarle qué querían, pero políticamente Bakar estaba hecho un lío. No era más que un simple soldado. Me explicó profusamente de qué iba eso, pero con escasa claridad. De lo que me dijo, identifiqué cuatro puntos principales: el primero era que Putin «debía dar la orden», es decir, declarar el fin de la guerra; el segundo, que en un plazo de veinticuatro horas tenía que demostrar que no eran palabras vacías, por ejemplo retirando algún contingente de los distritos.

—¿De qué distrito? ¿Del de ustedes, el de Vedenó?

—¿Quién es usted, una agente del GRU? Me está interrogando igual que el GRU. ¡No tengo más que decirle! ¡Váyase!

Llegados a ese punto, me resultaba imposible marcharme, por mucho que lo deseara. Me oí suplicar, tono que evidentemente era el equivocado.

—Por favor, entiéndalo. Necesito saber qué es lo que quieren, y necesito saberlo con exactitud, de lo contrario…

A veces me hago un lío. Me devanaba los sesos con un problema insoluble: ¿cómo aliviar en lo posible el sufrimiento de los rehenes, teniendo en cuenta que los secuestradores habían accedido a hablar conmigo, pero sin perder mi credibilidad ante ellos? Me estaba haciendo un lío. A menudo me ocurre que no sé qué decir a continuación, de modo que farfullé una serie de incoherencias, esperando que Bakar no dijera «¡Eso es!», porque entonces tendría que marcharme con las manos vacías y sin haber podido negociar nada para los rehenes. Cuando nos acercamos al tercer punto de su plan, Borís Némtsov (presidente de la coalición política Unión de Fuerzas de Derecha) llamó a Bakar por el móvil. Era un teléfono que los secuestradores habían arrebatado a uno de los rehenes, un músico del *Nord-Ost*, y ahora lo utilizaban para todas sus conversaciones.

Mientras hablaba con Némtsov, Bakar se puso muy nervioso. Luego, me contó que Némtsov intentaba engañarlo. Némtsov dijo el día anterior que era posible poner fin a la guerra de Chechenia; pero el 25 de octubre se reanudaron los barridos de seguridad. Entonces pregunté:

—¿A quién va a creer? ¿En quién confiaría si le dijeran que las tropas se estaban retirando?

Resultó que solo en lord Judd, el observador para Chechenia del Consejo de Europa.

Llegamos a su tercer punto, que era sencillo: si se cumplían los dos primeros, liberarían a los rehenes.

—¿Y ustedes?

—Nosotros nos quedaremos para luchar. Nos comportaremos como verdaderos soldados y moriremos en combate.

—Pero ¿quiénes son ustedes en realidad? —pregunté, asustada de mi propia audacia.

—El Batallón de Reconocimiento y Sabotaje.

—¿Y están todos aquí?

—No, solo unos cuantos. Hicimos una selección para esta operación y solo hemos venido los mejores. Si morimos, habrá otros que proseguirán la lucha en nuestro lugar.

—¿Aceptan la autoridad de Masjádov?

La pregunta le molestó, y se enfadó mucho. Su airada contestación podría resumirse como sigue: «Sí, Masjádov es nuestro presidente, pero nosotros luchamos por nuestra cuenta».

Eso no hizo más que confirmar mis peores temores. Aquel grupo era uno de los muchos que operaban de manera independiente en Chechenia y que hacían la guerra por su cuenta. Evidentemente, Masjádov les sobraba porque consideraban que no era lo bastante duro. Proseguí.

—Pero ustedes saben que hay conversaciones de paz, que Ajmádov las está manteniendo en Estados Unidos; y Zakáyev, en Europa. Ambos representan a Masjádov. ¿No sería bueno que hablara con ellos ahora? Deje que me ponga en contacto. La suya y la de ellos es la misma causa.

—¿Para qué? Nosotros no los reconocemos como interlocutores. Mientras nosotros morimos en los bosques, ellos siguen con sus lentas negociaciones porque no es sobre sus cabezas sobre las que sigue lloviendo. Estamos hartos de ellos.

No existía un verdadero cuarto punto, aparte de algunos vehementes comentarios del propio Bakar: «La gente nos ha pedido durante año y medio que viniéramos aquí como terroristas suicidas», y «Hemos venido aquí para morir». De eso no me cupo la menor duda. Se trataba de hombres y mujeres condenados de antemano, dispuestos a morir y a llevarse con ellos tanta gente como fuera posible.

El móvil volvió a sonar. Bakar escuchó. Se trataba de una llamada de su casa, del distrito de Vedenó, en Chechenia. Enseguida empezó a gritar y a rabiar.

—¡No me llaméis aquí nunca más! Esto es la oficina. ¡Estáis interfiriendo en mis asuntos!

—¿Puedo hablar con los rehenes?

—No.

Pero cinco minutos después se volvió y le dijo a uno de sus «hermanos», que estaba sentado a mi espalda:

—De acuerdo, trae a uno.

El hombre salió y volvió de la sala de platea con una aterroriza-da y atractiva joven llamada Masha. Los rehenes no habían comido nada, y ella estaba tan débil y asustada que apenas podía hablar.

Sus farfulleos irritaron a Bakar, que ordenó que se la llevaran.

—Traed otro rehén, alguien mayor.

Entretanto, me explicó lo nobles que eran todos, que tenían a muchas chicas guapas en su poder —Masha era realmente muy gua-pa— pero que no sentían el menor deseo. Reservaban todas sus fuerzas para la lucha por la liberación de su tierra. Comprendí que quería decir que debía sentirme agradecida de que no hubieran vio-lado a Masha.

—No me creerá, pero moralmente nos sentimos mejor estando aquí que en cualquier otro momento de los tres años que llevamos de guerra. Por fin estamos haciendo algo, y nos sentimos tranquilos y bien. Nos sentimos mejor que nunca. Estaremos encantados de morir. El hecho de entrar a formar parte de la historia constituye un gran honor. No me cree, ¿verdad? Puedo ver que no me cree.

Lo cierto era que lo creía a pies juntillas. Era la clase de discurso que llevaba un año escuchando entre los combatientes chechenos. Decepcionados por la inacción de Masjádov, muchas unidades de la resistencia habían pasado el invierno en los bosques, inactivas, y en esos momentos los hombres estaban hartos. No podían salir de los bosques, y tampoco pelear. Necesitaban algo que hacer, pero no les llegaba orden alguna de su comandante en jefe. A medida que ese estado de ánimo ha ido cundiendo, las unidades se han disuelto o se han lanzado a hacer la guerra por su cuenta, una guerra sobre la que Masjádov no tiene autoridad alguna.

El «hermano» trajo a otra joven en estado de agotamiento ner-vioso.

—Soy Anna Andriyanovna, corresponsal del *Moskovskaya Prav-da*. Por favor, todos los que están fuera deben comprender que esta-mos convencidos de que vamos a morir. Nos damos cuenta de que Rusia nos ha abandonado. Somos un segundo *Kursk* (un submarino que se hundió con toda su tripulación al poco de haber subido Pu-tin al poder). Si quieren salvarnos, salgan a la calle a manifestarse. Si la mitad de Moscú se lo pide a Putin, nos salvaremos. Tenemos claro que si morimos hoy aquí, mañana habrá otra matanza en Chechenia que acabará volviéndose contra Rusia y causando otra carnicería.

Ania hablaba incesantemente. Bakar se estaba poniendo nervioso, pero ella no se percataba. Nuevamente temí que decidiera ponerse en plan autoritario. Por fin se llevaron a la joven, y convinimos que yo organizaría las cosas enseguida para poder llevar un poco de agua al edificio. Bakar añadió inesperadamente.

—Y también puede llevar zumo.

—¿Para usted?

—No. Nosotros estamos dispuestos para morir y no vamos a comer ni beber nada. Es para ellos.

—¿No me dejaría traer un poco de comida, aunque solo fuera para los niños?

—No. Si nuestros hijos se mueren de hambre, los suyos también.

Salí y vi que el doctor Roshal ya se había marchado. Fuera se había puesto a llover en el peor momento. Pensé que no tenía paraguas y que parecería una gallina mojada, pero tenía que pensar en algo.

Hicimos un recorrido por la gente que había cerca. Los periodistas fueron los primeros en ocultarse, y los bomberos también. Alguien corrió a la tienda más próxima para comprar zumo. Nos encontramos con que los representantes del gobierno no tenían cambio en esos momentos. Me pareció raro, pero no había tiempo para pensar en ello, solo la idea de que teníamos que actuar deprisa, antes de que los secuestradores cambiaran de parecer.

Trajeron el zumo. Roman Shleinov (un colega de *Novaya Gazeta*) y yo cogimos dos paquetes en brazos cada uno e intentamos caminar. A nuestra derecha iba un funcionario del Ministerio de Interior y, a la izquierda, un oficial del BSF que discutían entre sí. El del Ministerio del Interior tenía órdenes de dejarnos entrar, ya que llevábamos auxilio a los rehenes y representaba la oportunidad de prolongar el contacto con los secuestradores. El del BSF tenía órdenes de no dejarnos pasar.

Empezaron a discutir. Seguía lloviendo, y nos quedamos allí como idiotas, a plena vista de los francotiradores que, según me parecía, solo esperaban a que alguien empezara a disparar. Al fin, el agente del BSF dio su consentimiento.

—Está bien, pueden pasar.

Cargamos con un lote y después con otro. Empezó a oscurecer. Los pistoleros nos habían dicho que lo lleváramos antes de que se hiciera de noche, pero pasaba un tiempo criminalmente largo mientras el Estado se las arreglaba para aparecer con el zumo del siguiente lote.

La tercera vez, permitieron que saliera a recibirnos un grupo de rehenes varones. Tuve miedo de decirles algo, por si los secuestradores empezaban a disparar. Me limité a decir «Hola», y ellos a contestar. Podían salir en fila india. Un joven con camisa blanca y traje de noche me adelantó. Seguramente tocaba en la orquesta. Me susurró:

—Nos han dicho que esta noche, a las diez, empezarán liquidarnos. Pase el mensaje.

La siguiente vez asentí al pasar junto a él, para darle a entender que había retransmitido la información a las autoridades competentes. Los secuestradores hacían bajar a los rehenes por la escalera para recibirnos, seguramente para demostrar lo bien que los trataban. Mi músico cogió la caja de zumo y me susurró «Entendido», antes de entrar.

De repente, los pistoleros empezaron a ponerse nerviosos, a gritar y a caminar arriba y abajo. Un rehén gritó desde lo alto:

—Traigan desinfectante. Lo necesitamos de verdad y lo hemos pedido.

Lo obligaron a retroceder. Pregunté si podía llevarles el desinfectante, pero recibí una negativa categórica.

—¿Y un poco de comida? Solo para los niños, por favor…

—Nosotros nos morimos de hambre. ¡Que también ellos se mueran de hambre! ¡Márchese!

Este día histórico acabó y fue seguido del asalto. En estos momentos me pregunto si hicimos todo lo posible para impedir esas muertes. ¿El resultado de sesenta y siete rehenes muertos (sin contar los que fallecieron posteriormente en el hospital) fue realmente una gran victoria? ¿Mi intervención de última hora sirvió de algo a alguien? Quiero creer que sí, pero podríamos haber hecho más.

Demasiadas cosas han quedado atrás, y mucho nos espera. La tragedia del *Nord-Ost*, para la que hubo muchas razones, no será el final. A partir de ahora, tendremos que vivir con miedo constante cada vez que nuestros hijos o nuestros ancianos salgan a la calle y nos preguntaremos si volveremos a verlos. Así es como los habitantes de Chechenia han vivido estos últimos años.

Únicamente hay dos alternativas: la primera consiste en reconocer por fin que un mayor uso de la excesiva violencia que utilizamos allí —más sangre, más matanzas, secuestros y humillaciones— solo hará que haya más gente deseando vengarse al precio que sea y que el número de voluntarios dispuestos a inmolarse matando sea mayor.

Y puesto que esta guerra se va a librar, no en los campos de batalla, sino entre nosotros, implicando a personas totalmente inocentes —usted y yo, todos nosotros—, podemos estar seguros de que habrá un nuevo *Nord-Ost* y de que nadie estará a salvo quedándose en su casa. Un adversario acorralado siempre encontrará el modo de ingeniárselas para contraatacar.

La segunda opción está plagada de dificultades, pero al menos representa un gesto en la dirección adecuada. Debemos empezar a hablar con Masjádov, un hombre que se aferra a los restos del poder que todavía conserva. De lo contrario, estaremos condenados a entablar negociaciones como la del *Nord-Ost*, en un contexto de desesperanza y estando en juego la vida de rehenes.

Cincuenta y siete horas

4 de noviembre de 2002

Los últimos días han transcurrido en un febril delirio. Moscú está enterrando a los rehenes. Hoy igual que ayer e igual que mañana. Resulta insoportable. Los rostros de los muertos están tranquilos, no contorsionados, como si sencillamente se hubieran quedado dormidos. Y lo cierto es que eso fue lo que hicieron porque Rusia no supo administrar el gas (utilizado antes del asalto) con la concentración adecuada.

Tengo como norma no escribir informaciones desde los entierros, pero esta será una excepción. Lena, mi vieja y querida amiga, ha enterrado a su hijo Andriusha y a su marido, Serguéi. El 23 de octubre los tres fueron juntos al teatro. Permanecieron sentados juntos y esperaron juntos que llegara algún tipo de ayuda, pero solo Lena sobrevivió.

Los ataúdes de Andriusha y Serguéi yacían uno junto a otro en la iglesia, con una estrecha separación entre ellos. Había tanta gente que resultaba imposible abrirse paso. Nadie hizo discursos, no había políticos, solo Lena, que caminaba arriba y abajo por ese espacio, murmurando para sus adentros. Cuando se detenía, apoyaba una mano en cada ataúd e intentaba no derrumbarse. Bajaba la cabeza entre los féretros y parecía un pájaro con las alas extendidas o alguien herido intentando ponerse en pie.

Yo también me siento terrible e inevitablemente culpable por lo que le ha ocurrido a Lena, y solo yo sé por qué. Pero es demasiado tarde para hacer algo al respecto.

Después del funeral volé a París para estar unas horas allí y enseguida lamenté haberlo hecho. La cadena de televisión France 2 me había invitado a participar en su programa nocturno de más audiencia. Acepté únicamente porque me comentaron lo poco que en Occidente se sabe acerca de lo que está ocurriendo en «el Este».

En el programa me iba a acompañar un famoso de la televisión, Thiérry Ardisson, y un conocido cantante cantaría justo antes. No apunté el nombre y no puedo recordar cómo se llamaba. También asistiría el ministro de Sanidad del gobierno checheno, en la época en que Masjádov estaba en el poder, un tal Umar. Se habló largo y tendido de los chechenos y de lo larga y tenazmente que llevaban luchando por su libertad. El cantante opinaba que era terrible, lo mismo que el presentador. Solo dispuse de un breve momento para decir… ¿Para decir qué, ahora que tenía la oportunidad?

Hablé poco y mal. No estuve acertada. Fue un desastre, desde luego, porque cuando a uno le dan la oportunidad de exponer sus puntos de vista debería estar preparado. Sin embargo, por mucho que lo intenté, me sentía extraña en aquel entorno. Estábamos en longitudes de onda distintas. Nadie del público deseaba oír hablar acerca de lo que, recién llegada yo de aquellos funerales, más me interesaba: de las víctimas y las terribles consecuencias. El ministro de Sanidad ichkerio (que en realidad no tenía nada que ver con nada y estaba completamente fuera de lugar) se vio convertido en el centro de un torbellino de exclamaciones de rendida admiración de una mujer francesa de mi edad. Su superficial y frívolo romanticismo me produjo náuseas porque estaban tan alejados de la realidad como... Bueno, como el resto de nosotros, solo que para ellos todos los chechenos son buenos y todos los rusos malos.

Regresé a Moscú. El Congreso Mundial Checheno se estaba celebrando en Copenhague justo tras el asalto, y era objeto de una oleada de protestas del Kremlin que condujeron a numerosas anulaciones de visitas y reuniones de alto nivel. (Moscú tenía que vérselas con el regalo envenenado del gobierno danés que suponía la detención de Zakáyev.) El 1 de noviembre, los participantes de Moscú en el congreso, de acuerdo con su resolución final, depositaron una corona donde habían muerto las víctimas del *Nord-Ost*.

Me invitaron a unirme a ellos, pero no lo hice. Mi primera razón fue que por principio evito caminar en fila y que nunca he depositado nada en ninguna parte como integrante de una multitud. La segunda razón era aún más sencilla: seguía en el avión. Sin embargo, existía una tercera y más poderosa que me entristece y no sé cómo explicar, pero necesito hacerlo.

Había algo que no funcionaba en aquella ceremonia de la corona. No era porque, como piensa ahora mucha gente, «los chechenos tienen la culpa de todo», y tampoco era porque tenga algo en contra de ellos, porque no lo tengo.

Sin embargo, no me había gustado la forma en que la mayoría de los chechenos que conocía se habían comportado durante aquellas cincuenta y siete horas, cuando todo pendía de un hilo y cuando el público del teatro podía volar en pedazos en cualquier momento, cuando un mensaje dirigido por chechenos influyentes a los que estaban bajo las órdenes de Baráyev podría haber tenido más peso que cualquier cosa que los demás hubieran podido decir. Al menos eso es lo que yo sentía. Pero nadie dijo nada, no hubo declaración alguna y, en estos momentos, su silencio se ha convertido en un hecho histórico. Esa era la otra razón por la que aquella mujer francesa me daba náuseas.

Únicamente Aslambek Aslajánov, checheno y diputado en la Duma, entró para hablar con los terroristas a pesar de que su iniciativa podría haber tenido nefastas consecuencias para él. Al fin y al cabo, es general en el Ministerio del Interior y claramente un federal para los que habían capturado los rehenes del teatro. Sin embargo, Aslajánov entró a pesar de tener niños pequeños en casa. Entró y es algo de lo que debe quedar constancia.

Pero ¿dónde estaban todos los demás? ¿Dónde estaba el empresario y político Malik Saiduláyev? ¿Dónde estaban los Umar? (He olvidado sus apellidos, pero no voy a molestarme en averiguarlo.) Me refiero al rico Umar no sé qué que es propietario de un hotel cerca de la estación Kíevski, en Moscú. ¿Y qué hay de Bislán Gantamírov, que en su día fue alcalde de Grozni? ¿Y de Salambek Jadzhíev? Podría continuar la lista interminable.

Ninguno de ellos se manifestó, ni siquiera Kadírov, a quien los chechenos de Moscú asedian hasta tal punto cuando llega de Grozni que uno tiene la sensación de que hay algo turbio por ambas partes. A su avanzada edad, Kadírov se ha cubierto para siempre de vergüenza al poner su vida por encima de la de los cincuenta inocentes espectadores del musical *Nord-Ost*. Como máxima autoridad de Chechenia designada por Putin, los terroristas lo invitaron a ir y sustituir a los rehenes, pero él no fue, y posteriormente alegó que no «se había enterado».

Durante aquellas cincuenta y siete horas, los chechenos de Moscú se limitaron a susurrar por los rincones. Fue algo imperdonable. Ni siquiera criticaron a Kadírov ni intentaron convencerlo para que pasara a la historia como el hombre que había salvado las vidas de cincuenta mujeres y niños. Durante cincuenta y siete horas, la llamada «diáspora chechena» desapareció en pleno —salvo uno— y algunos de sus miembros no reaparecieron hasta el congreso de Copenhague.

Mi opinión es que esto deja un regusto amargo. No es así como esa gente tenía que haberse comportado. Quizá estoy equivocada y

más adelante me explicarán que los chechenos se sentían aterrorizados por las consecuencias y que su principal prioridad es sobrevivir
en una sociedad que está, más que nunca, en contra de ellos y todas
esas cosas.

No dudo de que sea cierto, pero ¿de verdad hay que asignar
categorías al miedo? La diáspora parecía indiferente al hecho de que
los rehenes estaban aún más aterrorizados ante lo que parecía su
muerte inminente e inevitable, y que para más de un centenar de
ellos (y todavía no sabemos cuántos más) esas cincuenta y siete horas
mirando a la muerte fueron las últimas de su vida. Esa es la razón de
que en estos momentos estemos asistiendo a un funeral tras otro en
los que los sacerdotes se quedan sin voz porque incluso sus bien en-
trenadas cuerdas vocales no pueden con tantos servicios fúnebres.

Así pues, ¿por qué deberíamos simpatizar con los miedos de la
diáspora chechena? En absoluto. Tendrán que disculparme, pero rechazo de plano su miedo. Todos los que se vieron implicados estaban
aterrados, incluyendo los que organizaron el asalto y los que lo padecieron. Volvamos por lo tanto a la pregunta principal: ¿por qué los
chechenos se comportaron como lo hicieron durante aquellas cincuenta y siete horas?

Porque son cobardes. Enfrentados a sus propias generaciones,
más jóvenes, que se han convertido en radicales, todos ellos se aco-
bardaron y dieron media vuelta. Aunque también es posible que
consideraran que todo estaba por debajo de su categoría. Piensan
que están muy alto, pero ya vemos lo bajo que han caído.

También eso es un hecho histórico. El mito del valor incompa-
rable de la nación chechena se ha convertido en historia, a la del
período anterior al 23 de octubre de 2002.

En Chechenia prosiguen los barridos de seguridad. Se tortura a
la gente, y esta sufre igual que antes. Pueblos y aldeas están sometidos a bloqueo. La zona más allá de la barrera se ha convertido nuevamente en el campo de entrenamiento del ejército. En el lado de
acá, las cosas están mejor, pero no mucho.

Un miembro del grupo terrorista del Nord-Ost sobrevivió: lo hemos encontrado

28 de abril de 2003

Hace seis meses se produjo el atentado terrorista del musical *Nord-Ost*. Desde entonces nos hemos preguntado muchas veces cómo es posible que sucediera tal cosa. ¿Cómo llegaron a Moscú? ¿Quién lo permitió y por qué? Y ahora descubrimos que hay un testigo, un testigo que formaba parte del grupo terrorista.

Al principio, era solamente la información de que uno de los que formaban parte del grupo que capturó a los rehenes seguía con vida.

Verificamos la información repetidas veces, analizamos la lista del grupo de Baráyev publicada por la prensa, hicimos averiguaciones y rastreamos al hombre cuyo nombre figura oficialmente en la lista de los terroristas.

¿Era usted miembro del grupo de Baráyev que capturó a los rehenes del Nord-Ost?
Sí, lo era.
¿Entró en el teatro con ellos?
Sí.

Leo un documento acreditativo con la palabra «PRENSA», en mayúsculas, contra un fondo negro: «Janpash Nurdievich Terkibáyev, *Rossiyskaya Gazeta*, Corresponsal especial. Pase n.° 1165». Lo firma un tal Gorbenko. Es correcto: el director de *Rossiyskaya Gazeta* se llama así.

¿De qué asuntos escribe usted? ¿Sobre Chechenia?
No hay respuesta.
¿Acude a trabajar a la redacción del periódico? ¿En qué departamento está? ¿Quién es su director?
De nuevo no hay respuesta. Finge que no entiende el ruso. Muy bien, pero ¿cómo se puede ser corresponsal del principal periódico gubernamental si no se habla ruso? Los rasgados y mongoloides ojos

de Janpash, que tienen poco de chechenos, reflejan incomprensión. No finge. Realmente no entiende de qué estoy hablando. No es un periodista ruso.

¿Este pase se lo entregó alguien a modo de tapadera?

Sonríe taimadamente.

No me importaría escribir. Simplemente no he tenido tiempo de pensar en ello. Recibí este pase el 7 de abril. ¿Ve la fecha? No necesito ir a la oficina. Trabajo en el Servicio de Información del presidente.

¿A las órdenes de Pórshnev? ¿Qué trabajo hace?

[Ígor Pórshnev dirige el Servicio de Información de la administración presidencial de Putin, cosa que lo convierte en el superior inmediato de Janpash.] Pero el nombre de Pórshnev solo despierta ignorancia en el corresponsal especial de *Rossiyskaya Gazeta*. Janpash no tiene ni idea de quién es.

Cuando es necesario me reúno con Yastrzhembski [el ayudante presidencial]. Trabajo para él. Aquí tiene una foto de los dos juntos.

Sin duda, en ella aparece Janpash fotografiado con Serguéi Yastrzhembski. El ayudante presidencial parece disgustado y mira más allá de la cámara. Por su parte, Janpash, que se encuentra en estos momentos sentado ante mí en el hotel Sputnik de la avenida Lenin, en Moscú, mira a la cámara como si dijera: «¡Eh, somos nosotros!». De la foto se desprende claramente lo incómodo que resultaba para Yastrzhembski, y se deduce que lo hizo por la insistencia del individuo que me está contando la complicada historia de su vida mientras subraya los distintos puntos de su relato con fotos que va sacando de su maletín. «Esos somos Masjádov y yo, Yastreb y yo, Masjádov y yo de nuevo, Arsánov y yo, yo en el Kremlin, Saiduláyev y yo, Gil-Robles (el comisario para los Derechos Humanos del Consejo de Europa) y yo.»

Examino atentamente las imágenes y unas cuantas me parecen claramente un fotomontaje. (Más tarde fueron analizadas por expertos que lo confirmaron.) «¿De qué va esto?» Janpash parece nuevamente no comprender. Rebusca en su maletín y saca otra fotografía, esta vez de él con Margaret Thatcher y Masjádov para demostrar lo familiarizado que está con Londres. Es 1998. Masjádov lleva un sombrero de astracán, Thatcher está en medio y Janpash al otro lado. Masjádov tiene el aspecto que tenía antes de la guerra, mientras que Janpash parece el mismo que ahora. Extraño. Pero ya me está mostrando otra fotografía de sí mismo con Masjádov durante la guerra actual. Masjádov viste uniforme de combate, tiene la barba muy gris y muy mal aspecto. Janpash tampoco presenta mejor aspecto. La foto es auténtica.

¿No le da miedo pasearse por Moscú con fotos como estas? En Chechenia le pegarían un tiro en el acto por la de Masjádov. Aquí le colgarán un arma y lo encarcelarán durante años.

Estoy en esto con Súrkov, responde en un tono que empieza a ser presuntuoso. Después de lo del *Nord-Ost* fui a ver a Súrkov. Dos veces. [Vladislav Súrkov es el influyente subdirector de la administración presidencial rusa.]

¿Por qué?

Lo estaba ayudando a desarrollar una política chechena para Putin, después de lo del *Nord-Ost.*

¿Y pudo serle de ayuda?

La paz es necesaria.

Esa sí que es una idea original.

Actualmente estoy trabajando en negociaciones de paz para Yastrzhembski y Súrkov. La idea es negociar con los combatientes que se ocultan en las montañas.

¿Eso es idea suya o del Kremlin?

Mía, y tiene el apoyo del Kremlin.

¿Negociaciones con Masjádov?

No. El Kremlin no está dispuesto a negociar con él.

Entonces, ¿con quién?

Con Vaja Arsánov [antiguo vicepresidente de Ichkeria, repudiado por Masjádov]. Acabo de tener una reunión con él.

¿Dónde?

Allí.

¿Y qué piensan hacer con Masjádov?

Hay que convencerlo de que renuncie al poder hasta que haya otras elecciones presidenciales en Chechenia.

¿También está usted implicado en eso?

Sí, pero no me han pedido que me encargue del asunto. Lo estoy haciendo por mi cuenta. De hecho, es posible que no haya elecciones.

Pero si vivimos para verlas, ¿por quién apostaría?

Por Jasbulátov o Saiduláyev. Son una tercera fuerza. No apostaría ni por Masjádov ni por Kadírov. Esa es mi opinión. Después de lo del *Nord-Ost* fui yo quien organizó las negociaciones entre los diputados del Parlamento checheno y la administración presidencial, con Yastrzhembski.

Sí, eso sorprendió a mucha gente, cuando Isa Temírov junto con otros diputados chechenos aparecieron abiertamente en Moscú, hablaron en la famosa rueda de prensa, celebrada en la agencia de noticias Interfax, e hicieron un llamamiento a la gente para que votara en el referéndum. A pesar de que habían ido a verlo, aquello fue un golpe para Masjádov. ¿Estaba usted detrás de eso?

Lo estaba, responde, orgullosamente.

¿Y más adelante votó en ese referéndum?

¿Yo? No. Ríe. Soy del *teip* de la familia Charto. En Chechenia nos llaman «judíos».

¿Sería exacto decir que la tragedia del Nord-Ost se planeó para que tuviera el mismo efecto que la toma de rehenes del hospital de Budiónnovsk [en 1995, un hito que condujo al final de la primera guerra chechena], solo que esta vez para poner fin a la segunda guerra chechena?

No se trata de una pregunta baladí. Es crucial. Janpash tiene las manos metidas en todos los pasteleos de la política rusa. Conoce a todo el mundo y es aceptado en todas partes. También es capaz de organizar todo tipo de giros y cambios en el Cáucaso Norte. Si uno necesita hacer que Masjádov participe en el juego, él lo llevará hasta Masjádov. ¿Que uno quiere excluir a Masjádov? También puede ocuparse de eso. Así pues, al final me lo dice. Pero es su profesión, me confiesa, está actuando. Se licenció en la Facultad de Arte Dramático de la Universidad de Grozni. Poco importa que dicha facultad nunca existiera, y que él no recuerde el nombre de su profesor de interpretación, eso le permite asegurar ser amigo de Ajmed Zakáyev: «Trabajamos juntos en el teatro». Durante la primera guerra chechena compró una videocámara y empezó a trabajar para la televisión. Acompañó a Basáyev en la incursión contra Budiónnovsk, pero no fue encarcelado por participar en ella; al contrario: fue amnistiado en abril de 2000.

¿Dónde le entregaron los papeles de la amnistía?
En las oficinas de Argún del BSF checheno.

Este detalle es importante. La sección de Argún del BSF ha sido una de las más temidas durante esta guerra. Precisamente en el momento en que Janpash recibía de ellos su amnistía, todos los que tenían la desgracia de caer en sus manos pasaban a mejor vida. Janpash es la primera persona que he conocido que ha sobrevivido tras pasar por allí, y por si fuera poco incluso le dieron un certificado de amnistía por su implicación en los sucesos de Budiónnovsk.

Entre una guerra y otra, Janpash, como «el héroe de Budiónnovsk», se convirtió en uno de los principales asesores del presidente Masjádov a través de su Servicio de Prensa, y tenía su propio programa de televisión, *El corazón del presidente*, posteriormente rebautizado como *El camino del presidente*. Dicho esto, fue obligado a abandonar el entorno de Masjádov antes incluso de que comenzara la segunda guerra chechena, pero regresó cuando se reiniciaron las operaciones militares y de nuevo se convirtió en un furibundo yihadista. Resulta sorprendente pero, ante las mismas narices de las tropas federales y de los servicios de seguridad rusos, en plena guerra y cuando todo el mundo corría a esconderse, Janpash se las arregló para hacer un programa de televisión cuyo título podría traducirse del checheno como *Mi hogar está donde la yihad*.

Reconozco que ni entonces ni ahora creí nada todo esto.

¿Qué quiere decir? ¿Su hogar no está donde la yihad?
Eso era solo el nombre de un programa.
Tengo entendido que hace poco Masjádov le ha dado la espalda.
No Masjádov, pero sí sus representantes en el extranjero. De todas maneras, no me fío de ellos. Rajmán Dushuyev me dijo en

Turquía que había recibido una cinta de Masjádov diciendo que no quería seguir considerándome su representante; sin embargo, no llegué a oír esa grabación ni a hablar directamente con Masjádov. Hace poco no tuve ningún problema pare reunirme con Kusama y Anzor [la esposa e hijo de Masjádov] en Dubai. Me aceptaron, cené y pasé la noche en su casa.

Dubai, Turquía, Jordania, Estrasburgo… Parece que no deja de viajar. ¿Cómo consigue los visados?

Conozco a todos los chechenos. Viajo a todas partes y llamo a todo el mundo para buscar la paz y la unión.

¿Viajó a Dubai desde Bakú?

Sí.

¿Usted apareció allí después del acto terrorista de Moscú, en octubre, y pidió a los chechenos que viven allí que lo ayudaran? ¿Les dijo que era uno de los que había participado en la toma de rehenes del Nord-Ost, que había sobrevivido y que necesitaba contactar urgentemente con el mundo árabe para escapar de los que lo perseguían?

¿Cómo sabe eso?

Me lo dijeron los chechenos de Bakú, y leo los periódicos. Su nombre aparece en la lista de terroristas que estaban en el Nord-Ost. ¿Va a presentar una demanda por ello?

No, ¿por qué debería? Simplemente le pregunté a Yastrzhembski cómo había sido.

¿Y qué le dijo?

Que lo olvidara.

El último giro ascendente en la vertiginosa carrera política de Janpash Terkibáyev está relacionado con los desastrosos sucesos ocurridos entre el 23 y el 26 de octubre de 2002, cuando la toma de rehenes del *Nord-Ost* se saldó con la pérdida de numerosas vidas.

¿Conoce a Baráyev hijo desde hace mucho?

Sí. Conozco a todo el mundo en Chechenia.

Entonces, ¿tenían artefactos explosivos allí?

No, claro que no.

Después de lo del *Nord-Ost*, Janpash se convirtió en confidente de la administración presidencial del presidente Putin. Dispuso de todas las autorizaciones necesarias para permitirle moverse sin problemas de Masjádov a Yastrzhembski. Negoció en nombre de la administración de Putin con los diputados del Parlamento checheno para lograr que apoyaran el referéndum. También consiguió garantías de inmunidad para ellos, de modo que pudieran viajar a Moscú. Fue precisamente Janpash quien, como líder del grupo, los llevó a Estrasburgo para que se reunieran con altos funcionarios del Consejo de Europa y la Asamblea Parlamentaria, donde los diputados hicieron todo lo que les pidieron por orden de Dimitri Rogózin, presidente del Comité de Asuntos Exteriores de la Duma.

Naturalmente, se plantea la pregunta de por qué escogieron a Janpash. ¿Qué servicios había prestado? ¿Cómo había demostrado su lealtad? Porque, sin alguna prueba, desde luego no habría podido intervenir en nada de aquello. Llegamos ahora al momento de volver a repasar lo más importante de nuestra larga conversación.

Janpash parece ser el hombre a quien todos los implicados en la tragedia del *Nord-Ost* han estado buscando tan diligentemente. Es el confidente que hizo posible el ataque terrorista. La información que obra en manos de *Novaya Gazeta* (y que él no niega porque es presuntuoso) indica que Janpash fue un agente enviado por los servicios de inteligencia.

Entró en el edificio con los terroristas y como miembro de su grupo. Asegura que, en secreto, les permitió moverse libremente por Moscú y entrar en la función del *Nord-Ost*. Fue él quien aseguró a los terroristas que todo estaba bajo control, que había mucha gente corrupta, que los rusos una vez más habían aceptado sobornos, igual que cuando los combatientes de la resistencia de más alto rango lograron evadir el cerco de Grozni y Komsomolskaya. Les dijo que solo tenían que hacer mucho ruido y tendrían un segundo Budiónnovsk que permitiría firmar la paz. Entonces, cuando hubieran cumplido su misión, se les permitiría escapar. No a todos, pero sí a muchos. «Muchos» acabaron siendo únicamente él.

Salió del edificio antes de que diera comienzo el asalto. Tenía un plano del teatro Dubrovka, algo que no tenía ni siquiera Baráyev, que estaba al mando de los terroristas, e inicialmente tampoco la unidad de operaciones especiales que se preparaba para el asalto.

¿Cómo es posible? Porque Janpash pertenece a fuerzas que se hallan mucho más alto en la jerarquía que las tropas Vitiaz y Alfa que se jugaban la vida en el asalto al teatro.

El hecho de que estuviera diciendo la verdad sobre lo del plano no resulta finalmente tan importante. Tal como demuestran sus fotos trucadas, Janpash es capaz de mentir por un cópec. Todos los que podrían confirmar o refutar algunos detalles de su relato —como por ejemplo dónde estaba su posición de tiro— parece que han sido eliminados o son menos garrulos. ¿Había más de un agente destacado en el interior? Me parece absolutamente posible.

Lo que importa es que si había un confidente trabajando en el interior del *Nord-Ost*, significa que las autoridades lo sabían y estaban implicadas en la preparación de un acto terrorista. No importa por qué. La cuestión principal es que ellos (¿qué sección?) sabían lo que estaba ocurriendo mucho antes que el resto de nosotros. Escogieron como víctimas a los suyos, sabiendo lo que iba a pasar, con plena conciencia de que miles de personas resultarían afectadas permanentemente y cientos muertas o heridas. El régimen orquestó un nuevo *Kursk*. (¿Recuerdan los mensajes enviados por los desgraciados rehenes del teatro? «Somos como un segundo *Kursk*», «Rusia nos ha abandonado», «Rusia no nos necesita. Nos quiere muertos.» Muchos de los que estaban fuera se indignaron y creyeron que los rehenes se habían vuelto histéricos cuando en realidad estaban describiendo fielmente la situación.)

La pregunta que permanece es: ¿por qué se hizo? ¿Por qué murió toda esa gente hace seis meses?

El primer paso consiste en averiguar quién fue el responsable. Quién, dentro del régimen, estaba en el secreto. ¿el Kremlin? ¿Putin? ¿El BSF? ¿La tríada clásica de la Rusia contemporánea?

Las autoridades estatales no constituyen un todo monolítico, y tampoco los servicios de información. Definitivamente no se trata de que los oficiales y funcionarios que trabajaban en el cuartel general de la operación, instalado ante el teatro Dubrovka, fingieran evitar una tragedia a sabiendas de que se trataba de un montaje. La mayoría de ellos —como las unidades Vitiaz y Alfa, como el resto de nosotros—, estaban sinceramente convencidos y comprometidos con su trabajo.

Pero si Janpash se encontraba allí, resulta inevitable concluir que algún oscuro rincón de las autoridades lo sabía y simplemente fingió compadecerse durante aquellos tres días demenciales. Y eso cambia por completo la naturaleza de tales sucesos.

¿Cuáles eran los servicios de seguridad que lo sabían? Desde luego, no los soldados de operaciones especiales que realizaron el asalto. Si hubieran conocido el alcance de la mentira, sencillamente se habría repetido lo de 1993, cuando las unidades se negaron a lanzar un asalto (contra la Casa Blanca de Yeltsin, por órdenes de los líderes del golpe anti-Gorbachov), y el resultado habría sido completamente distinto.

Tampoco fueron los funcionarios del BSF ni los del Ministerio del Interior, que planearon de buena fe la operación para rescatar a los rehenes. No fueron ellos quienes infiltraron a Janpash en el grupo terrorista y posteriormente le proporcionaron un trabajo.

Janpash no iba a decirme quién había sido, pero está claro que el BSF y el Ministerio del Interior seguían la letra de un guión ajeno.

La inteligencia militar ha utilizado ampliamente esos métodos durante la segunda guerra chechena. En los llamados «escuadrones de la muerte», son los oficiales del GRU, el Directorio Central de Inteligencia, los que hacen el trabajo. La ejecución extrajudicial de sus conciudadanos constituye su mercancía. Y contra esos líderes manchados de sangre ni el BSF ni el Ministerio del Interior ni la oficina del fiscal pueden alzar un dedo. Es una práctica habitual de las unidades del GRU aprovecharse de los criminales chechenos y de sus víctimas, como las viudas de los pelotones de la muerte, con la intención de que sirvan de herramienta adecuada en su objetivo de intimidar a toda la sociedad rusa.

Así pues, ¿fue el GRU o alguien que todavía no conocemos? No tengo respuesta a esa pregunta, pero resulta vital que la encontremos.

¿Por qué tuvo que morir toda esa gente? ¿Por qué esa increíble carga de ciento veintinueve vidas?

Eso es lo que conseguimos cuando tiramos un poco de la manta, cuando oímos la historia de un agente doble, de un provocador de nuestra época, tan increíblemente parecido a Yevno Azev.*

Ha muerto gente, pero el provocador sigue vivo y coleando. Es el confidente político, tiene el hocico metido en el comedero, buen aspecto y, lo más importante, sigue en activo. Dentro de unos días volverá a Chechenia. ¿Qué tramará esta vez?

—Necesito veinticuatro horas para reunirme con Masjádov.

—¿Solo veinticuatro?

—Bueno, está bien. Dos días.

Janpash se muestra indulgente con los ingenuos como nosotros.

UN PLAN DE PROTECCIÓN CONTRA TESTIGOS: ¿TERRORISMO TUTELADO EN EL PAÍS DE LA DEMOCRACIA TUTELADA?

22 de diciembre de 2003

Las agencias de información han dado la noticia: «Janpash Nurdievich Terkibáyev ha muerto en un accidente de coche en Chechenia». En el curso de lo que ahora sabemos que ha sido su corta vida, este hombre de treinta y un años de Mesker-Yurt iba a desempeñar muy distintos papeles, de los cuales el más importante fue sin duda su participación en la toma de rehenes del *Nord-Ost*, en octubre de 2002.

¿Quién era Terkibáyev? A primera vista se trataba del último testigo superviviente de entre los secuestradores del teatro Dubrovka. Oficialmente en la lista de los terroristas, aseguraba haber entrado en el edificio el 23 de octubre del pasado año como integrante de la unidad de Baráyev. En realidad, tal como el propio Terkibáyev me dijo y me confirmó indirectamente, era un delator, un informador que, una vez dentro, transmitió información a los servicios secretos y desapareció poco antes de que se produjera el asalto.

---

* Un agente de la policía zarista que organizó ataques terroristas mortales y que incluso llegó a asesinar al tío del zar para tender una trampa a sus colegas del Partido Socialista Revolucionario.

Anteriormente, Janpash Terkibáyev había sido periodista con Masjádov y había presentado un programa de televisión para el presidente entre la primera y la segunda guerra de Chechenia. Después de la tragedia del *Nord-Ost*, pasó a incorporarse a la administración Putin, en cuyo nombre acompañó a una delegación de diputados chechenos al Parlamento Europeo de Estrasburgo, en abril de 2003. Solía mostrar a todos los que quisieran verlo su pase de prensa que lo identificaba como corresponsal de *Rossiyskaya Gazeta*. En pocas palabras, era siervo de más de un señor.

El momento álgido en la carrera de Terkibáyev fue sin duda el *Nord-Ost*. La suya fue una narración horripilante que demostró que se movía realmente en los círculos que decía y que, en efecto, la atrocidad fue orquestada por al menos uno de los servicios secretos rusos. Al mismo tiempo, otro servicio secreto ruso y varias unidades de las fuerzas especiales se enfrentaban a ella en una operación que culminó con el uso de armas químicas secretas contra ciudadanos rusos.

En mayo de este año, nuestro periódico publicó una entrevista con Terkibáyev, que en aquella época gozaba de una posición de seguridad. De sus revelaciones se desprende claramente que la tragedia del *Nord-Ost* benefició al original régimen conocido como «democracia tutelada rusa».

¿Qué ocurrió después de nuestra entrevista? Pues que llamamos al equipo que investigaba el *Nord-Ost* para que interrogara tanto a Terkibáyev como a la autora de estas líneas. El investigador llegó a presentarse en una ocasión en las dependencias de *Novaya Gazeta* y durante su visita escribió lo que le dio la gana, como suele ocurrir últimamente. Su interés en Terkibáyev no fue más allá del hecho de que, tras nuestro informe, Basáyev lo había amenazado de muerte por su traición.

Terkibáyev ha vivido buena parte de este año en Bakú, hasta que las cosas se pusieron tan feas para él que no tuvo más remedio que marcharse. Tarde o temprano, la gente de Basáyev lo habría eliminado, de modo que se trasladó a Chechenia. La decisión de meter la cabeza en la boca del lobo la tomó empujado por la desesperación. Las fuerzas federales ya no tenían tiempo que dedicarle, y no le quedaban otras fuentes de apoyo. Lo siguiente fue el accidente de coche.

¿Qué es lo más importante de todo esto? Tradicionalmente, como todo el mundo sabe, los agentes dobles y triples suelen acabar asesinados. Sin embargo, para nosotros esto solo contribuye a empeorar las cosas. Terkibáyev nunca fue interrogado y, en consecuencia, se ha roto un delicado eslabón de la cadena que conduce a la verdad del caso *Nord-Ost*. Se llevó con él información que tendría que haber sido conocida por todo el mundo en Rusia, las respuestas a preguntas fundamentales del *Nord-Ost* que, gracias a los esfuerzos de quienes están en la cima de la pirámide política, han quedado sin respuesta. ¿Quién prestó apoyo a la unidad de Baráyev en Moscú? (y no estamos hablado de funcionarios corruptos que concedieran visados, por mucho que, irónicamente, algunos de ellos vayan a comparecer en juicio esta misma semana).

¿Cómo consiguió el grupo de Baráyev llegar siquiera a la capital? ¿Cómo se llevaron a cabo los preparativos para un ataque terrorista contra Moscú? ¿Quién era el controlador de Terkibáyev en los servicios secretos y en cuál de ellos estaba? ¿Por qué se interrumpieron unas negociaciones que ofrecían perspectivas de arreglo para los rehenes? ¿Quién estuvo involucrado en la toma de tan criminales decisiones?

Si reducimos estas preguntas a su común denominador, indican algo que todos sospechamos pero no podemos demostrar: que se trató de un acto terrorista controlado en el que Baráyev fue manipulado y donde las mujeres suicidas que lo acompañaron no eran más que marionetas.

Un detalle importante para cualquiera interesado en tener información precisa es que no solo Terkibáyev no fue interrogado por los investigadores oficiales del caso, sino que los miembros de la comisión de investigación pública que se abrió y que sigue trabajando —aunque con tan poco entusiasmo que es como si no existiera— también lo pasaron por alto.

El momento del accidente de coche resulta igualmente revelador. Es posible que Terkibáyev estuviera a punto de hablar. La CIA había empezado a interesarse por su persona. Unos agentes de dicha organización estaban llevando a cabo (como debe ser) su propia investigación sobre la muerte de un ciudadano estadounidense que figuraba entre el público, y habían manifestado que Terkibáyev les interesaba como fuente de pruebas. (Es posible que esto fuera la razón de su marcha de Bakú: allí estaría al alcance de la CIA, mientras que en Chechenia seguramente no.)

¿Adónde nos conduce todo esto? A que «el agente no debe hablar» y a que, en consecuencia, Terkibáyev ha sido silenciado para siempre.

Esta es la principal conjetura acerca de las causas del accidente. Nadie podrá probar jamás que fue un verdadero accidente. Y aunque lo hubiera sido, nadie lo creería.

En términos generales, dada la eterna ausencia del nunca interrogado y liquidado Terkibáyev, jamás creeré que los servicios secretos de este país no están implicados en la organización de actos terroristas: han hecho todo lo que han podido para atormentarme con la idea de que sí lo están. Si se produce una nueva toma de rehenes, la primera pregunta que surgirá será: ¿quién está detrás? ¿Quiénes de los supuestamente encargados de protegernos se dedica en realidad a manipular terroristas?

UN MES ANTES DE QUE FINALICE LA INVESTIGACIÓN DEL *NORD-OST*, LAS AUTORIDADES ECHAN TIERRA A LAS RESPUESTAS A LAS PRINCIPALES PREGUNTAS Y OCULTAN LA VERDAD

19 de enero de 2004

Al final de una reunión de dos horas (entre el responsable de la investigación oficial de la toma de rehenes del *Nord-Ost* y víctimas y familiares) me vi obligada a intervenir y recordarle al señor Vladímir Kalchuk la verdad del caso Terkibáyev.

Su reacción resultó extraña: me dijo que me largara con viento fresco y que dejara de escribirle, de lo contrario filtraría a las víctimas del caso que habían descubierto el número del móvil de mi hijo en la memoria de los teléfonos que los terroristas habían utilizado. «Entonces veremos qué le hacen a usted. Puede que les interese saber qué clase de relación tienen usted y su hijo con los terroristas.»

En vista de esto, tendré que persistir en mis recordatorios al señor Kalchuk. Primero, hubo que mantener negociaciones durante el secuestro, cosa de la que me encargué; segundo, la persona que escogí para que me ayudara fue, en efecto, mi hijo, Iliá Politkóvski, que me ayudó, valiente y conscientemente, a intentar salvar la vida, entre otros, de su amigo Iliá Lisak, músico de la orquesta del *Nord-Ost*. Lisak se hallaba dentro del teatro y utilizó su relación personal con mi familia para facilitar las negociaciones de un modo asimismo valiente y con total desprecio de las posibles consecuencias para él. Fue él (actualmente sigue muy enfermo) quien entregó su móvil a los terroristas, y estos lo utilizaron para hablar conmigo y con mi hijo y acordar la hora exacta en la que yo debía entrar en el teatro. También lo utilizaron para hablar con Serguéi Yastrzhembski, el ayudante presidencial.

Estoy segura de que la abrumadora mayoría de la gente habría hecho lo mismo en circunstancias como aquellas. Según parece, el encargado de dirigir la investigación sobre la tragedia del *Nord-Ost*, no.

5

Beslán

[Una de las tragedias más sangrientas ocurridas durante la segunda guerra chechena fue la toma de rehenes de Beslán, en Osetia del Norte, ocurrida el 1 de septiembre de 2004, en la que 1.200 personas, entre ellas 770 niños, fueron secuestrados el día de comienzo del curso. Las tropas del gobierno ruso tomaron la escuela por asalto el 3 de septiembre, y causaron la muerte de 331 rehenes, de los cuales 186 fueron niños. Nuevamente en este caso dio la impresión de que la principal preocupación del régimen fue manipular la situación en su propio beneficio. El libro *Diario ruso*, de Anna Politkóvskaya, contiene otros escritos suyos sobre dicha tragedia.]

¿QUÉ LE HA PASADO A ANNA POLITKÓVSKAYA?

6 de septiembre de 2004

Por Dimitri Murátov y Serguéi Sokólov (corresponsales de *Novaya Gazeta* en Rostov del Don y Moscú)

Mientras se desarrollaba la tragedia de Beslán, cientos de nuestros colegas periodistas, funcionarios y lectores nos han preguntado qué había sido de la columnista de *Novaya Gazeta*, Anna Politkóvskaya. Creían que su presencia en Beslán podría haber sido de ayuda. Lo cierto es que ella nunca llegó a la ciudad.

La noche del 1 de septiembre, Politkóvskaya fue enviada al aeropuerto de Vnúkovo en un coche de la redacción del periódico. Antes de eso, se había puesto en contacto con cierto número de políticos rusos y también con Ajmed Zakáyev, el representante de Masjádov en Londres. Lo esencial de su propuesta era que cualquiera que pudiera ponerse en contacto con los terroristas lo hiciera sin pérdida de tiempo y sin preocuparse por las consecuencias, con tal de salvar a los niños. «Dejemos que Masjádov vaya y llegue a un acuerdo con ellos», insistió. Zakáyev informó de que Masjádov estaba dispuesto a hacerlo sin poner condiciones ni exigir garantías.

En Vnúkovo se habían cancelado todos los vuelos hacia Vladikavkás y las ciudades vecinas. Politkóvskaya intentó embarcar tres veces, y las tres fue imposible. El periódico le ordenó entonces dirigirse a Rostov y desde allí proseguir en coche. La aerolínea Karat le permitió subir a bordo de uno de sus aviones.

Politkóvskaya no había tenido ocasión de comer nada durante todo el día. Una vez en el avión —y es una persona con experiencia— rechazó cualquier alimento, ya que llevaba con ella unas galletas de fibra. Se encontraba bien, y solo pidió un té a la azafata. Diez minutos después de tomárselo, perdió el conocimiento, no sin antes haber llamado a la auxiliar de vuelo.

De lo que sucedió a partir de ese momento solo conserva recuerdos fragmentarios. Los médicos del aeropuerto de Rostov hicieron todo lo posible para sacarla del estado de coma y lo consiguieron. La labor de los doctores del Quinto Departamento de Enfermedades Infecciosas del Hospital n.º 1 de Rostov fue impecable. Con una grave escasez de medios, la revivieron con todos los medios a su disposición, llegando a rodearla con botellas de plástico llenas de agua caliente, administrándole un gota a gota y poniéndole inyecciones. Por la mañana, Anna había recobrado el conocimiento.

Grigori Yávlinski, nuestros colegas de *Izvestia* y nuestros amigos en el ejército hicieron todo lo posible por ayudar a los médicos en lo que, según ellos, constituía una tarea condenada de antemano. Queremos dar las gracias a todos ellos.

La noche del 3 de septiembre, con la ayuda de otros amigos (¡gracias, banqueros!), Anna fue trasladada en un avión privado a una de las clínicas de Moscú. Los análisis del laboratorio de Rostov no se han completado todavía. Por alguna incomprensible razón, los primeros análisis, realizados en el aeropuerto, fueron destruidos. Los médicos de Moscú dijeron claramente que no podían identificar aún la toxina, pero que Anna había sido envenenada.

Hasta que la situación no se haya aclarado, no queremos entregarnos a teorías conspirativas. Sin embargo, tanto el incidente de Andréi Babitski —un periodista de Radio Liberty que fue obligado a bajar del avión que lo llevaba de Vnúkovo al Cáucaso Norte por la sospecha de que escondía explosivos en su equipaje, lo que resultó ser falso— como lo ocurrido a Anna nos obligan a pensar que se intentó evitar por todos los medios que ciertos periodistas influyentes y respetados en Chechenia informaran de la tragedia de Beslán.

Anna Politkóvskaya se encuentra en estos momentos en su casa, bajo supervisión médica. Sus riñones, hígado y sistema endocrino han sido seriamente afectados por una toxina no identificada. No se sabe cuánto tiempo más deberá convalecer.

¿Por qué diantre todos esos funcionarios tan preocupados por la actividad de Politkóvskaya no se limitan a hacer su trabajo, por ejemplo, a evitar que se cometan actos terroristas?

LAS CHABOLAS NECESITAN PAZ, LOS PALACIOS NECESITAN GUERRA

13 de septiembre de 2004

Los tres primeros días de septiembre han demostrado una vez más que la moral y el nivel intelectual de los actuales inquilinos del Kremlin no permiten abrigar esperanzas de que no vuelva a repetirse el horror de Beslán. Es más, los días posteriores a la tragedia han demostrado que tampoco tienen intención de extraer lecciones de la matanza del colegio. Insisten en sus mentiras y evasivas y en decir que lo blanco es negro. Eso pone en peligro a nuestros hijos y nietos.

Nuestras autoridades trabajan alejados de la vista y, en los momentos de tragedia nacional, se esconden. Necesitamos personas que, como mínimo, no se escondan. A la vista de los recientes sucesos, la cuestión crucial es cómo han respondido las autoridades estatales a la tragedia de Beslán y qué han hecho para mejorar la seguridad de los ciudadanos.

Solo ha habido una respuesta visible: una reorganización administrativa de la «operación antiterrorista» en el sur de Rusia. Se ha nombrado en las distintas regiones a un oficial antiterrorista salido de las filas de las tropas del Ministerio del Interior. Tienen el rango de segundos en la escala de mando y asumen responsabilidad general por la región. En la estructura burocrática actual, que existía desde antes de lo de Beslán, cada región cuenta con una comisión antiterrorista encabezada por los presidentes Ziázikov, Aljánov, Dzasójov, Kokoyev y demás, y todos asumen plenas responsabilidades por los actos terroristas cometidos en sus respectivos territorios. Además, los nuevos oficiales antiterroristas de alto rango tendrán bajo su mando un contingente adicional de setenta soldados de operaciones especiales. El refuerzo post-Beslán de la seguridad en las regiones del sur de Rusia se resume en setenta y un agentes antiterroristas por territorio. ¿Sí? Sí. Se trata de la típica maniobra burocrática para evitar publicidad negativa.

¿Qué sabemos realmente de los responsables de las comisiones antiterroristas del sur de Rusia? Echemos un vistazo a los expedientes de esos caballeros cuya tarea era evitar que sucediera lo de Beslán y que, tras su estallido, eran personalmente responsables de dirigir la operación de rescate de los rehenes.

Cada época tiene sus propias características. La era Brézhnev se caracterizó por una cínica demencia. Con Yeltsin fue «piensa a lo grande y llévatelo a lo grande». Con Putin vivimos una era de cobardía. Echen una ojeada a quienes lo rodean.

Primero, el señor Murat Ziázikov, presidente de Ingusetia. Ziázikov lleva en el poder desde hace dos años, antes de lo cual había pasado toda su vida en las filas del KGB y el BSF. Es uno de los colegas profesionales de Putin. Nadie tiene la menor duda de que Ziázikov fue aupado al cargo de presidente de Ingusetia por la fuerza de las armas de Putin y su equipo. Bajo su mandato, los servicios secretos se han desmandado por toda Ingusetia, saltándose constantemente la Constitución. El BSF y los escuadrones de la muerte se han dedicado a secuestrar gente y, en consecuencia, los jóvenes se han ocultado en las montañas para unirse a los combatientes de la resistencia, lo cual ha producido una oleada de atentados terroristas. ¿Qué hizo Ziázikov, esa lumbrera que preside la Comisión Antiterrorista? Pues quedarse sentado en su asiento presidencial. Típico de un idiota del BSF.

Al fin y al cabo, un idiota del BSF es alguien que contempla el mundo ocultándose tras los demás. Esa es su profesión. Son combatientes invisibles contra amenazas igualmente invisibles. Los problemas empiezan cuando la amenaza se torna visible y real, y el presidente necesita salir y organizar una resistencia eficaz contra los forajidos que se apoderaron de Ingusetia el 21 de junio de 2004.*

Esa noche, decenas de personas murieron mientras Ziázikov permanecía en el sótano de su casa, esperando ver qué pasaba y cuidando de que a su muy importante pellejo no le ocurriera nada. Sin duda la vida del presidente es muy valiosa, de modo que es posible que hiciera bien escondiéndose en el sótano; pero de ningún modo lo es más que la de cualquier otro ciudadano.

El resultado de esa noche fue que se perdieron varias vidas y que dicha pérdida fue atribuible a la total ausencia de una resistencia organizada a los invasores. Otra consecuencia no menor fue que animó a los asaltantes a pensar que podían volver a intentar algo parecido en el futuro.

Así pues, echemos un vistazo al 21 de agosto de 2004 y a la conquista de Grozni por parte de los combatientes de la resistencia, en una repetición exacta de lo sucedido en Ingusetia. ¿Dónde se hallaban los favoritos de Putin entonces, Alú Aljánov y Ramzán Kadírov, que tan a menudo nos dicen por televisión que han capturado hasta el último de los resistentes? También ellos se escondieron en sus sótanos en lugar de ponerse al frente de la lucha contra los resis-

---

* La noche del 21 de junio de 2004, unos trescientos rebeldes de la resistencia ocuparon la ciudad de Nazrán. Murieron 98 personas y otras 100 resultaron heridas. Los asaltantes capturaron 1.056 armas de fuego y quemaron varios edificios administrativos, incluyendo las dependencias de la oficina de Asuntos de Interior del distrito de Nazrán.

tentes. También ellos intentaron salvar sus preciosas vidas para futuras batallas contra el terrorismo internacional. En esa ocasión, el resultado fue la pérdida de más de cincuenta vidas y una inyección de moral para la resistencia.

Por fin llegamos a Beslán, donde unos desalmados rodearon a unos niños con explosivos y exigieron el fin de la infame guerra de Chechenia. ¿Qué tendrían que haber hecho esa mañana del 1 de septiembre Ziázikov, Aljánov y el temible Kadírov, responsable de ocuparse de los terroristas de su territorio y que habían dado toda clase de seguridades a Putin de que no pasarían? Todos ellos, junto con Masjádov, cuyo nombre enarbolaban aquellos desalmados, tendrían que haberse presentado en el colegio, con todos los medios a su disposición y sin intentar discutir acerca de garantías sobre su seguridad personal, para intentar convencer a esos bestias, que ellos mismos habían creado, de que soltaran a los niños. Solo después de eso podrían haberse enzarzado en discusiones sobre quién tenía razón y quién no.

Pero ¿qué ocurrió? Pues que ni Ziázikov ni Aljánov ni Kadírov ni Masjádov se presentaron en el colegio. Creyeron que sus vidas estaban por encima de las de cientos de niños y se rajaron. En mi opinión, y especialmente a la luz de las consecuencias que tuvieron sus acciones, esos cobardes no son mejores que los criminales.

La gente enterada dice ahora que habría sido una locura que ellos se hubieran presentado en Beslán para negociar, una locura porque habría significado una muerte segura. Es posible, ¿y qué? Los que son culpables deben asumir su responsabilidad. Lo que ocurrió al final fue que unos niños cargaron con las consecuencias de la cobardía y la estupidez que, como recordarán, clamaban a coro durante las elecciones: «¡Asumimos plenamente nuestra responsabilidad!».

Recordarán también que, antes de eso, la única persona en nuestra historia reciente que decidió salvar su propio pellejo antes que las vidas de mujeres y niños fue Kadírov padre (que en cualquier caso ha sido asesinado el 9 de mayo de este año). En octubre de 2002, cuando los terroristas que se habían apoderado del teatro Dubrovka anunciaron que estaban dispuestos a liberar cincuenta mujeres si Ajmat-Hadji Kadírov se presentaba ante ellos, este se negó. Poco después, Putin declaró que Ajmat-Hadji era su candidato favorito para Chechenia.

Ziázikov, Kadírov hijo y Aljánov son los actuales favoritos de Putin y han hecho exactamente lo mismo. La única persona que se atrevió a ir fue el expresidente de Ingusetia, Ruslán Áushev, y lo que recibió fue un desaire por parte del Kremlin. En estos momentos, la nueva iniciativa antiterrorista consiste en asignar a cada uno de esos cobardes un oficial de alto rango y un contingente de setenta soldados de operaciones especiales. Eso es lo que evitará futuros ataques terroristas.

Salvo que los cobardes son incapaces de evitar los ataques terroristas: la cobardía carece de poder ante el terror, obviamente. Esos oficiales de alto rango solo pueden servir para preservar las vidas de esos tres peces gordos la próxima vez que las cosas se pongas feas. No harán nada por el resto de nosotros.

La conclusión es sencilla: no se puede permitir que Ziázikov, Aljánov y Ramzán Kadírov permanezcan más tiempo en sus cargos. Constituye una sentencia de muerte, pero no para ellos, sino para nosotros. Y eso es solo lo primero. En segundo lugar, ¿qué podemos oponer al terrorismo? ¿Cómo vamos a contener la marea de actos terroristas y poco a poco acabar con ellos? Lo que más necesitamos son unas autoridades valientes con un plan transparente para combatirlos. ¿Y después qué? ¿Qué hace falta cambiar en el Cáucaso Norte para minimizar la posibilidad de que se repitan actos terroristas en el futuro?

He aquí lo que yo propongo. Se trata del plan de una periodista que se ha mostrado muy crítica con lo que ha estado ocurriendo en nuestro país durante el primer trimestre de la presidencia de Putin y que sigue igual en estos momentos. Son ideas sobre cómo es posible regular de manera gradual la crisis chechena; y que dicha crisis constituye la raíz de todo lo que ha ocurrido en Beslán, e inmediatamente antes de lo de Beslán, es algo que nadie parece dudar, salvo el propio Putin.

He aquí lo que deberíamos hacer ahora con los ataques suicidas en el Cáucaso Norte, con Masjádov, con el hecho de que las filas de la resistencia han aumentado este año más que todos los años juntos de la segunda guerra chechena, con los destacamentos de mercenarios que campan a sus anchas por ese territorio y los vecinos, con el creciente número de personas que buscan venganza por el asesinato o la desaparición de sus seres queridos, con la crueldad y depravación sin precedentes de nuestras tropas; con los pelotones de la muerte federales que operan al margen de la Constitución, persiguiendo civiles y llevando a cabo ejecuciones extrajudiciales; con los federales que «guerrean» solo por las estadísticas, por las recompensas y los ascensos y no para localizar y eliminar a los rebeldes; con la absoluta corrupción del régimen de Kadírov, apoyado por el Kremlin y odiado por la población; y como resultado, con el nivel de desconfianza hacia las autoridades federales por parte de todas las capas de sociedad chechena, desconfianza que sobrepasa cualquier medida.

¿Qué me da derecho a pronunciarme sobre este asunto y proponer un plan? Solo mi experiencia de haber trabajado en Chechenia durante muchos años. Por supuesto, es la experiencia de una periodista, que se basa principalmente en constantes encuentros con la población civil en todos sus niveles; con los que son profederales y los que son antifederales, con los que desempeñan un papel activo en la resistencia y con sus oponentes, con niños y jóvenes, con viejos, con mujeres, con kadirovitas y milicianos, con tropas de operaciones especiales y con los burócratas de Kadírov, con los mulás, con los muftís y con todos los demás.

Mi trabajo ha consistido en patearme aldea tras aldea, pueblo tras pueblo, ciudad tras ciudad y preguntar, preguntar y preguntar intentando comprender al mismo tiempo conforme a qué código moral vive la gente, con qué se conformará y qué le parecerá inaceptable.

En otras palabras, mi trabajo de periodista ha consistido en realizar un trabajo de investigación social, mes tras mes, desde el verano de 1999, en todos los pueblos y ciudades de Chechenia acerca de la crucial cuestión de qué hay que hacer para llevar la paz a este territorio. ¿Qué papel creen los individuos que pueden desempeñar en ese proceso? ¿Dónde está el futuro de Chechenia, con Rusia o sin ella? Si es con ella, entonces, ¿cómo se va a producir la reconciliación cuando Masjádov haya sido efectivamente suprimido de la ecuación como negociador en potencia? ¿Es posible entablar negociaciones precisamente con aquellos que lo han apartado?

Propuestas para zanjar la crisis chechena

1. Organizar un Consejo Federal para la Solución de la Crisis Chechena (un ente colegiado asesor). El principal requisito previo es que no debería incluir a representantes de los ministerios de seguridad ni burócratas, porque nadie confía en ellos. Debería estar compuesto únicamente por representantes de la sociedad civil, escogidos entre los que han trabajado en Chechenia como observadores de derechos humanos durante los años de la guerra. Son ellos quienes se han ganado el respeto y la confianza de la población, y no los que se han quedado tras las vallas de seguridad de las dependencias gubernamentales de Grozni. También debería incluir figuras de la vida pública rusa que se han opuesto a la guerra, fuera cual fuese el bando ganador, y que han abogado por un acuerdo de paz y un proceso político con las debidas garantías (y no las ridículas elecciones que se han celebrado dos veces en Chechenia y que han sido ampliamente rechazadas por la población).

2. Desde el momento en que se haya creado dicho consejo, no se podrán tomar decisiones políticas ni económicas relativas a Chechenia sin que hayan sido previamente aprobadas por este.

3. El consejo trazará un plan con acciones específicas, concretadas en puntos, y lo anunciará públicamente. El objetivo es que todos los puntos del plan sean transparentes para los habitantes de Chechenia: qué se va a hacer, cuándo y en qué plazos para acabar con el conflicto.

4. Las negociaciones políticas con Masjádov son esenciales, a pesar de que una mayoría de la población ya no lo respeta. No obstante, resulta necesario llevar a cabo dichas negocia-

ciones, cuyo objetivo sería brindar a Masjádov la oportunidad de disculparse ante su pueblo y marcharse o responder ante la ley por lo ocurrido. Esto es importante, no solamente para él, sino también para los que en su momento lo eligieron. Se trata de un elemento importante que la mayoría de la población considera necesario como punto de partida para poder iniciar un proceso de paz.

5. Una disculpa pública e inexcusable del Centro Federal para las víctimas civiles de la guerra.

6. Una desmilitarización completa de todo el territorio de Chechenia como primera condición para un acuerdo político. Será imposible conseguirlo si antes no se han retirado todas las tropas. Estas podrán permanecer en sus bases de despliegue durante un tiempo previamente establecido y limitado que contará con una fecha límite para su retirada. Asimismo será necesario definir y hacer públicas las condiciones de la retirada de las tropas junto con las sanciones aplicables en caso de su infracción.

7. La única manera de hacer efectiva dicha desmilitarización, teniendo en cuenta la desconfianza absoluta que reina entre las tropas federales y los servicios de inteligencia, la población y los kadirovitas es que se lleve a cabo en presencia de observadores internacionales con categoría suficiente para que la población tenga confianza en ellos (ONU, OSCE, APCE, etc). Dichos observadores son vistos como los únicos garantes posibles de una desmilitarización. Sería posible proceder al desarme obligatorio de todos aquellos que poseen armas de modo ilegal, pero la población solo lo aceptará si se produce en presencia de observadores internacionales. Y sin la participación de personal militar federal.

8. La presencia de observadores internacionales resulta esencial durante todo el proceso de transición y hasta que las pasiones se hayan enfriado. Una petición del Centro Federal a la comunidad internacional solicitando observadores no debe ser vista como un gesto de debilidad, sino de fortaleza.

9. El liderazgo político durante el período de transición debería estar en manos de un «gobernador ruso», que es el término preferido por la mayoría con rango de representante plenipotenciario del presidente ruso para la solución del conflicto checheno. Podría tratarse de un viceprimer ministro con poderes especiales. Será posible mantener durante un tiempo en la presidencia a Alú Aljánov, pero queda descartado que Ramzán Kadírov siga en el cargo porque concita demasiados odios.

10. El criterio principal para el representante ruso es que debe ser un civil. Él o ella no solo deberían ser conocidos y respetados por la sociedad chechena, sino que deberían tener antecedentes de haberse opuesto a la guerra sin haberse plegado a la «línea del partido».

11. Resulta esencial que haya una oficina chechena del representante ruso en Grozni, con representantes de la sociedad civil rusos y chechenos que sean buenos conocedores de la situación y de las necesidades de la gente durante los años de guerra. Debería tratarse de individuos que hayan trabajado en pleno conflicto como observadores de derechos humanos y se hayan ganado el respeto de la población. Nada de burócratas.

12. Las instituciones económicas para el gobierno de la república deberían hallarse subordinadas a la oficina del representante ruso; y los ingresos, bajo el control de la sociedad civil y de los miembros del Consejo Federal que tengan una reputación intachable.

13. Debe organizarse de forma gradual un debate público acerca del futuro de Chechenia. ¿Debe ser una república presidencial o parlamentaria? Esto es algo que no se puede decidir desde Moscú. Una decisión de Moscú no sería aceptada y perjudicaría el entendimiento nacional.

14. Debe articularse un debate sobre el tipo de Constitución en el que la población pueda participar. Resulta esencial hacerlo abiertamente, discutiéndolo con el actual «doble poder» constitucional, en el que una parte de la población no acep-

ta la Constitución de 1992 mientras que la otra no acepta la de 2003. Un debate así puede aportar cierta normalización y unas elecciones verdaderamente libres y justas conforme a una única Constitución en las que todo el mundo tendrá libertad para participar.

15. Por último, tras unos años de este proceso de paz y desmilitarización, deberían celebrarse elecciones libres de acuerdo con el modelo de una república presidencial o parlamentaria adoptado por la mayoría de la población.

Otros pueden tener otros planes y razones diferentes a las mías. Ninguna está de más. En Rusia hemos tenido una convención constitucional, dejemos que tengan la suya en Chechenia para que puedan debatir las distintas opciones. No queda tiempo. Necesitamos una puesta en común de ideas y la necesitamos pronto, sin que nadie presuma de quién ha sido invitado primero o segundo y sin la habitual actitud canallesca de la élite política.

Necesitamos estrujarnos el cerebro si queremos sobrevivir. Que sea en memoria de los niños de Beslán.

Los cobardes solo pueden ayudar rindiéndose. Ya se han rendido lo suficiente.

DUDAS CRECIENTES

1 de diciembre de 2005

Están acabadas. Las conclusiones de la comisión parlamentaria de la matanza de Beslán se han hecho públicas en una sesión del Parlamento de Osetia del Norte. La inercia ha sido vencida, y eso solo puede ser bueno.

Sin embargo, algunas de las conclusiones del informe suscitan una extraña impresión. Por ejemplo, el señor Kesáyev, presidente de la comisión, nos asegura que el primer contacto telefónico con los separatistas se produjo veintiocho horas después de que empezara el ataque terrorista; es decir, hacia el mediodía del 2 de septiembre. Eso es incorrecto. El contacto se estableció dos horas después del inicio del ataque terrorista, la mañana del 1 de septiembre, como bien saben desde hace tiempo todos los que se han tomado cierto interés en el asunto. ¿Quién inició esos contactos? Da la casualidad que fui yo, y por eso lo sé. En realidad, este dato de cuándo se estableció contacto con el bando de Masjádov fue posteriormente registrado como prueba en la Comisión Parlamentaria de Alexander Torshin. Volví a declarar lo mismo ante el Sóviet de la Federación, y posteriormente el señor Torshin lo utilizó cuando habló de la tragedia de Beslán en televisión, con ocasión de su primer aniversario. El documental fue televisado, y debo suponer que alguien de la comisión de Kesáyev debió de verlo.

Según dicha comisión, los líderes osetios Dzasójov y Mamsurov intentaron ponerse en contacto con Masjádov, pero no lo consiguieron. También eso es incorrecto. El 3 de septiembre, Dzasójov habló con Zakáyev, en esos momentos enviado especial de Masjádov en Europa. Zakáyev solo le pidió un corredor por el que Masjádov pudiera viajar. Dzasójov prometió organizarlo, pero no volvió a descolgar el móvil, y el asalto comenzó.

Otra conclusión del informe: se afirma que, en cualquier caso, esos contactos carecían de objeto porque Masjádov y Zakáyev eran cómplices en la organización de actos terroristas. Eso lleva a la aseveración de que los líderes de Osetia del Norte hicieron lo correcto al negarse a negociar con una parte tan culpable.

Las investigaciones de Beslán no tienen en cuenta el punto más importante: que esas cuestiones (si los tanques abrieron fuego contra la escuela y cuándo lo hicieron, si había helicópteros sobrevolando) nunca habrían sido necesarias si los líderes hubieran negociado. Sin embargo, instancias superiores de Moscú dieron la orden de atacar, y sus subordinados de Vladikavkás hicieron lo que se les decía. Al adoptar la línea dura convirtieron la tragedia en una operación militar a gran escala con consecuencias catastróficas.

Parece legítimo preguntar qué objeto tuvo realmente esa investigación. ¿Fue por las víctimas en primer lugar, para que quedara claro quién era responsable de la muerte de sus seres queridos? ¿Fue por la sociedad, para evitar que se repita algo parecido?

Evitar que se repita no significa asegurarse de que, durante el próximo ataque terrorista, el general de turno del BSF lo piense dos veces antes de hacer intervenir los tanques y, en lugar de eso, opte por utilizar un arma secreta, silenciosa e incolora, que no deja olor y no puede detectarse.

No es eso lo que se pretende. Para evitar que se repita resulta esencial que la próxima vez las autoridades entablen negociaciones desde el primer momento, sabiendo qué están dispuestas a negociar, teniendo negociadores a mano y estando dispuestas a llevar a término ese plan de forma tan rotunda que nunca más concluya con disparos y explosiones.

«EL PRESIDENTE SIMPLEMENTE HA DESAPARECIDO DE LA LISTA DE TESTIGOS»

23 de enero de 2006

La primera reunión del nuevo año de la Comisión Federal Parlamentaria sobre Beslán, presidida por Alexander Torshin, se celebrará el 26 de enero de este año. Como ya se ha informado, se ha producido una ruptura. El 28 de diciembre, justo antes de las vacaciones de Año Nuevo, en lugar del informe prometido, se presentó una relación de los trabajos efectuados por la comisión en los últimos dieciséis meses. La relación era claramente superficial y derivaba de las afirmaciones de la investigación oficial. La mayoría de los miembros de la comisión guardaron silencio total, fieles a su compromiso firmado de no hablar de asuntos materiales ni de cómo progresaban los trabajos de la comisión. Sin embargo, uno de sus miembros, Yuri Ivánov, diputado comunista en la Duma, no compartía ese punto de vista y respondió a las preguntas de nuestro periódico.

Yuri Pávlovich Ivánov ha sido diputado del Partido Comunista en la Duma desde 1994 y actualmente es vicepresidente del Comité de la Duma para el Desarrollo de la Constitución. Ya no es miembro del partido, tiene sesenta y un años y es un conocido abogado. Defendió a Vladímir Kriuchkov, director del KGB durante el caso contra los conspiradores de la intentona golpista de octubre de 1993, y al Partido Comunista ante el Tribunal Constitucional.

¿Por qué los miembros de la comisión tuvieron que jurar guardar secreto? ¿Cuál es ese secreto tan terrible que ustedes guardan?

No tengo ni idea. Creo firmemente que todos los funcionarios y oficiales que han pasado por la comisión deberían haber sido interrogados abierta y públicamente, en presencia de la prensa. Se trata de un principio fundamental. La comisión trabajaba según procedimientos aprobados por Serguéi Mirónov [director del Sóviet de la Federación], pero las normas no fueron siquiera discutidas en la Duma. Me informaron de que todos los miembros de la comisión habían firmado un acuerdo de confidencialidad y aceptado las consecuencias legales que pudieran producirse en caso de incumplimiento. Debo mencionar que la ley recientemente aprobada sobre investigaciones parlamentarias no establece semejante requisito. Nuestro procedimiento especificaba que las reuniones sobre Beslán debían celebrarse a puerta cerrada, a pesar del hecho de que la legislación sobre investigaciones parlamentarias establece lo contrario; es decir, que todas las sesiones se celebren en público salvo en casos excepcionales, donde se traten asuntos que sean secreto de Estado.

Qué parte de los testimonios oídos por la comisión tenían relación con secretos de Estado?

No había asuntos clasificados ni secretos de Estado. Después de haber pasado año y medio trabajando, Alexander Torshin, el presidente, declaró que solo el uno por ciento de lo que tratábamos era secreto. Lo único que vi que me pareció secreto eran unos esquemas que señalaban la posición de los francotiradores y revelaban sus nombres, y también los de los miembros del cuerpo de blindados que dispararon contra la escuela. Eso fue todo. Incluso aunque nadie hubiera firmado nada, nunca se nos habría ocurrido hablar públicamente de eso.

Entonces, ¿por qué fue necesario rodear el trabajo de la comisión de tanto secretismo?

Borís Grizlov, el presidente de la Duma, se presentó en una de nuestras sesiones; dicho sea de paso, en una donde votaron en contra de mis propuestas. Yo había recomendado que la comisión la interrogara a usted y a Andréi Babitski, de Radio Liberty, para determinar por qué ustedes dos no pudieron llegar a Beslán y qué había habido detrás del problema en el aeropuerto de Vnúkovo y por culpa del cual Babitski fue detenido justo cuando se disponía a volar a Beslán [véase *supra*]. Seguramente recordará que varios generales del BSF y del Ministerio del Interior se reunieron en una comisaría de la milicia en el centro de Moscú, tras lo cual Alexander Pumane no solo fue asesinado sino hecho pedazos hasta tal punto que ni su madre ni su mujer pudieron identificarlo, y fue necesario recurrir a un análisis de ADN. En aquel momento se dijo que Pumane había planeado volar por los aires la comitiva presidencial en la avenida Kutúzovski y que estaba estrechamente vinculado con el terrorismo.

Sin embargo, Grizlov declaró que todo eso era irrelevante y que no tenía nada que ver con la comisión. Ni siquiera se molestaron en votar mi propuesta. La paradoja radica en que el procedimiento demostraba que Torshin era el presidente de las sesiones mientras que Grizlov, como presidente de la Duma, solo podía estar allí en calidad de observador, no asumir la presidencia ni intervenir en mis propuestas.

En beneficio de Mirónov debo decir que tuvo más tacto. Asistió con frecuencia a nuestras sesiones, pero se sentó, escuchó, pidió permiso para intervenir y no habló hasta que se lo concedieron. No obstante, Mirónov también dejó muy claro cuál debía ser el cometido de la comisión: «Tienen que canalizar, canalizar y canalizar». Entonces lo tuve claro.

¿Canalizar qué?

El estado de ánimo de la opinión pública. Nuestra tarea consistía en tranquilizarla.

Pero la única manera en que podían hacer eso era esclareciendo la verdad.

Dudo incluso de que la verdad pueda aliviar el sufrimiento de las madres de Beslán, pero quiero subrayar que, desde el principio, el director del Sóviet de la Federación consideró que la principal tarea de la comisión era canalizar la inquietud del público. Consideraba a los miembros de la comisión como una especie de relaciones públicas atrincherados. Yo, en cambio, opino que la comisión debería comunicar la verdad a la sociedad. Le ha sido confiada la tarea de determinar las causas y circunstancias del ataque terrorista y debería hacerlo con claridad. La campaña de tranquilización ha llevado a una perversa interacción entre la sociedad y las autoridades, por ejemplo, cuando los investigadores se vieron obligados a comparecer ante las víctimas en un centro comunal de Beslán y darles un informe conjunto nada más haber iniciado sus investigaciones. En mi opinión, tendrían que haber sido Putin y su administración quienes se hubieran explicado ante las víctimas.

¿Cuáles son los principales hechos en torno a Beslán que fueron eliminados cuando se preparó la relación del 28 de diciembre, y cuáles de ellos podrían haber sido fundamentales para una correcta evaluación de la tragedia?

Yo dividiría todas las investigaciones sobre Beslán en dos categorías, la parlamentaria y la criminal. La comisión no ha tenido —y sigue sin tener— las herramientas necesarias para determinar las verdaderas circunstancias de la tragedia. No tenemos autoridad para advertir a los testigos en caso de falso testimonio, para obligarlos a confrontarse entre ellos o a realizar nuestras propias comprobaciones. Eso significa que las conclusiones a las que lleguemos en esa materia estarán basadas en un 75 por ciento en los informes de la investigación oficial, que pueden haber sido parcos con la verdad o incluso haberla distorsionado. Se supone que debemos concentrarnos en la actuación de los funcionarios y oficiales federales. De los aspectos nacionales se ha ocupado la Comisión del Parlamento de Osetia del Norte, presidida por Stanislav Kesáyev, que en mi opinión ha hecho un buen trabajo. Su informe es claro y honrado, y eso es lo que importa de verdad.

¿La comisión no aprobó una moción para eliminar a Putin de su lista?

No, y tampoco discutió por qué su nombre desapareció de la lista de testigos.

Otra pregunta sumamente importante y que planteé en numerosas ocasiones fue la posibilidad de llamar a representantes religiosos del Cáucaso. Nadie en la comisión parecía poner reparos a oír el testimonio de los wahabíes. Yo quería ponerme en contacto con ellos para hablarles y comprenderlos. El wahabismo no está prohibido. Empecé por intentar encontrarlos. Cuando tomamos declaración a los responsables del BSF y del Servicio de Inteligencia Exterior les pregunté quiénes eran los emisarios del wahabismo en el Cáucaso, pero o no lo sabían o no quisieron contestarme. Aun así, sigo convencido de que deberíamos sentarnos juntos y hablar. Recuerdo que fui a ver al Comité de la Duma para Asuntos Religiosos y les pedí si podían darme los nombres de los principales líderes del wahabismo, porque quería reunirme con ellos. Uno de los vicepresidentes me dijo: «Aquí tiene el teléfono de uno de los principales wahabíes. Él le dirá todo lo que necesite saber». Llamé y resultó ser el número de Geidar Djemal, un conocido filósofo y comentarista político ruso. Ese es el nivel de comprensión que tenemos del problema.

¿Si Putin no hubiera sido eliminado de la lista de testigos, qué le habría preguntado usted?

La comisión de Kesáyev confirmó que Zakáyev dijo que Masjádov estaba dispuesto a participar en las negociaciones. Está claro que el hecho de que Masjádov se presentara en Beslán habría podido conducir a la liberación de los niños. Estoy seguro de que los combatientes de la resistencia se habrían sometido a su autoridad. Habían declarado que estaban a las órdenes de Basáyev, pero que Masjádov era su presidente y que las negociaciones había que entablarlas con él. Sin embargo, Putin no quiso que Masjádov apareciera por Beslán porque al cobrar importancia su persona inmediatamente habría socavado la autoridad del clan de los Kadírov.

Cuando se publicó el informe de Kesáyev, la prensa propresidencial dijo que este destacaba el hecho de que Áushev y Dzasójov habían llamado a Zakáyev para pedirle que fuera Masjádov, pero que al final no hubo contacto. Eso es una interpretación deliberadamente deformada de la realidad.

En mi opinión, habría que haber llevado el asunto de otra forma. Habría que haber interrumpido todas las emisiones por televisión, y el presidente tendría que haber aparecido en todos los canales para anunciar que proporcionaba un corredor de seguridad y un salvoconducto a Masjádov. Por su parte, este tendría que haberse presentado urgentemente en Beslán, con independencia de dónde se hallara, para ordenar a los secuestradores que cesaran en su acción; luego, tendría que haber tenido libertad para marcharse.

Pero Putin decidió no hacer esto. Ya había anunciado que Masjádov era un criminal y que la única manera de tratar con los de su calaña era machacándolos en su guarida. El gallo se enseñoreaba del corral. En el drama de Beslán, el presidente fue rehén de su propia bocaza. Su orgullo no le permitió retractarse de sus palabras, y las vidas de cientos de personas acabaron pesando menos que su vanidad. Por eso Putin delegó el problema de un nivel federal a otro regional. En consecuencia, como presidente de Osetia del Norte, Dzasójov no tenía autoridad para organizar un corredor que garantizara un trayecto seguro ni otorgar un salvoconducto.

Después de esto llegó el asesinato de Masjádov. Si en lugar de eso lo hubieran apresado, podría haber sido interrogado sobre muchos asuntos. Sin embargo, alguien dio la orden de que no lo capturaran con vida y le tiraran granadas. Putin habla mucho de terrorismo internacional pero, si hubieran capturado a Masjádov, quién mejor que él habría podido explicar quién financia a los terroristas, si los combatientes de la resistencia tienen su propia red de confidentes corruptos en el Kremlin y de dónde salieron las armas que se utilizaron en Beslán. Está claro que Putin no quería que atraparan a Masjádov con vida.

Usted ha declarado en varias ocasiones que en Beslán no hubo indicios de que estuviera implicado el terrorismo internacional.

La comisión no tiene pruebas de que el terrorismo internacional estuviera implicado en Beslán. La munición empleada fue rusa, y se desconoce quién pudo financiar al grupo. Lébedev, el director del Servicio de Inteligencia Exterior, hablando ante la comisión, se extendió largo y tendido acerca de cómo habían «terminado» con muchas cosas, tanto en el extranjero como en Rusia, pero ¿qué significa la palabra «terminar»? ¿Matar gente? ¿Llevarla ante los tribunales? Examinemos los informes de los servicios de investigación y las sentencias de los tribunales. No hay nada. La comisión solo tiene un vago informe. Si me ofrecen información concreta, cambiaré mi punto de vista, pero por el momento no son más que habladurías.

¿Qué porcentaje de los que han declarado ante la comisión le ha hecho tener dudas de este tipo, en el sentido de que la calidad de su información resultaba dudosa?

No lo he calculado. Le he dado el ejemplo de Lébedev. Le pedí que nombrara los emisarios del wahabismo en Rusia, y me contestó que no era asunto de su incumbencia. En lo que se refiere a mercenarios árabes, se ha dicho que hubo algunos en Beslán, pero me dirigí repetidas veces al representante de la oficina del fiscal para que preguntara en la embajada de Arabia Saudí si había algún saudí implicado. Sin esa confirmación no podemos hacer afirmaciones categóricas. De todas maneras, ¿qué diferencia habría si hubiera habido algún saudí implicado? En mi opinión, ninguna. Un terrorista puede participar en una acción a título individual, empujado por el dinero o el fanatismo religioso.

Hay mucha gente así en algunos lugares del mundo, pero eso no significa que pertenezcan a una red terrorista internacional como al-Qaeda.

En cuando a la misteriosa grabación que Torshin pasó durante su declaración pública, no fue descubierta por la investigación oficial, sino supuestamente por unos niños que se la entregaron a un periodista estadounidense. En esa cinta, un presunto árabe parlotea en un ruso tan perfecto que ni usted lo hablaría mejor. ¿Dónde está su expediente? Una vez más, toda la información proviene de fuera. La comisión no tiene nada.

Declaro públicamente como miembro de la comisión que no he oído nada concreto de los servicios de información correspondientes. No he visto ninguna prueba que me permitiera concluir quién era Abu Dzeit. Si miro el informe sobre el 11 de septiembre de la Comisión del Congreso Estadounidense encontraré información muy detallada de cada uno de los terroristas implicados: dónde nacieron, dónde estudiaron, dónde hicieron sus cursos de vuelo o de qué vivían. Nuestra comisión solo tiene una lista de nombres de la oficina del fiscal. ¿Se corresponden con la realidad? ¿Por qué esos individuos se convirtieron en combatientes de la resistencia? ¿Por qué cometieron semejante atrocidad? La opinión pública no va a recibir respuestas.

¿A qué conclusiones ha llegado usted en cuanto a por qué formaron el grupo que asaltó la escuela?

Para eso habría que estudiar la composición de ese grupo. La identidad de ocho de los terroristas no ha sido siquiera confirmada. De los restantes solo poseemos una información general, como su nombre y nacionalidad, que algunos tenían antecedentes y que otros se drogaban. Pero ¿cómo es posible que los que tomaban drogas se las arreglaran para resistir tanto durante tantas horas? Se produjo un episodio bastante extraordinario. Juchbárov disparó a tres terroristas, dos mujeres y un hombre, por negarse a obedecer sus órdenes. Cuando los niños empezaron a beberse su orina y a sufrir espantosamente, esa gente se puso a gritar a Juchbárov que no podía hacer aquello y que debía liberar a los niños. En otras palabras, participaron en el secuestro de rehenes, pero después repudiaron sus propios actos y por eso los mataron. ¿Quiénes eran esos tres? ¿No habría que devolver los cuerpos a sus familiares? ¿Son combatientes de la resistencia o víctimas? Existe un principio legal que se refiere a la negativa a ejecutar un delito hasta sus últimas consecuencias, y no es un eximente, pero sí se interpreta como atenuante en el momento de dictar sentencia. Por desgracia, la comisión no ha investigado la personalidad de los terroristas. Puede que proponga que lo haga.

Lo de Beslán forma parte de las matanzas de Chechenia, y no es más que otro episodio de un drama que no ha terminado. Si se supone que la comisión debe determinar las causas de la toma del colegio, entonces está claro que no las vamos a encontrar en Osetia. Me preocupa que nadie pretenda investigar —y aquí discrepo fundamentalmente del informe de Torshin— las causas. En el informe que se está preparando, no hay ninguna consideración del porqué de la aparición de combatientes de la resistencia ni de por qué reciben apoyo por parte de la sociedad. ¿Qué papel desempeña en todo esto la constante violación de los derechos humanos en Chechenia?

¿La comisión ha estudiado por fin la historia del ataque contra Ingusetia entre el 21 y el 22 de junio de 2004, justo antes de lo de Beslán?

No. ¿Cuáles son mis desacuerdos con la comisión? El primero es que Putin, al negarse a proporcionar un corredor seguro a Masjádov, se aseguró de que se produciría el asalto. El segundo es que los asesores de Pátrushev y Putin [Anísimov y Prónichev, vicedirectores del BSF] estuvieron muy implicados pero no han asumido ninguna responsabilidad. El tercero es que la violación de los derechos humanos en el Cáucaso es la causa principal de la tragedia de Beslán y que engendra cada vez más combatientes de la resistencia. El cuarto es que no hemos sabido investigar las causas. La comisión no ha examinado la toma de Ingusetia y otros actos terroristas. Es como si no tuvieran nada que ver con la tragedia de Beslán.

Tenemos un serio problema. Dada la confusión que se ha producido, y tras el asesinato de Masjádov, se especula con una explicación alternativa realmente espantosa. Es algo que se oye en la Duma cada vez que los diputados hablan entre ellos en privado. Es posible que para impedir que Masjádov fuera a Beslán, alguien organizara la explosión en el interior del colegio que fue el detonante del asalto y todo lo demás. Según el informe de la comisión de Kesáyev, los asesores Anísimov y Prónichev tenían su propia oficina separada en el cuartel general de operaciones. ¿Qué pasaba allí? ¿Qué decisiones se tomaron? ¿Quién va a creer ahora que las explosiones fueron accidentales, especialmente cuando no ocurrieron en la planta baja, donde no hay siquiera un cráter, sino por encima del techo?

El presidente en persona ha sembrado la semilla de esta versión de los hechos. Es una explicación de la cual la gente no quiere hablar y finge que no existe, pero podría desacreditar completamente al gobierno. Por eso quiero respuestas por parte de Putin.

La comisión ha interrogado oficialmente a Anísimov y a Prónichev. ¿Qué dijeron?

Dijeron que Pátrushev los envió a Beslán como asesores y que eso fue todo. Más allá de eso, entramos en el campo de la especulación en cuanto a lo que hicieron y dejaron de hacer allí. En mi opinión, tanto Pátrushev como el presidente cometieron un increíble error de apreciación con respecto a lo que estaba pasando. Según la actual legislación, en la lucha contra el terrorismo no debería haber habido asesores en Beslán, solo un cuartel general de operaciones con plena responsabilidad, pero tuvimos dos asesores que operaron ilegalmente y en paralelo con el mando operativo. Si Andréyev [Valeri Andréyev, el director del BSF de Osetia del Norte cuando el colegio fue asaltado], que estaba al frente de la operación antiterrorista, tenía a dos jefazos asesorándolo, ¿cómo iba a tomar decisiones con plena responsabilidad?

¿Puede hacer una evaluación de la conducta de los funcionarios de alto rango? Pátrushev, por ejemplo, ¿hizo todo lo que pudo?

Nos dijo que se encontraba en Moscú y no en la escena del suceso, pero el motivo de nuestra queja es otro: ¿por qué hasta la fecha no hemos infiltrado informadores en las filas de los terroristas? ¿Cómo es que el BSF estaba tan poco preparado, tanto en Beslán como en Ingusetia, para que los terroristas pudieran campar a sus anchas durante horas y asesinar a personas que respaldaban a las autoridades federales? Eso también fue lamentable.

Lo mismo vale para el ministro Nurgalíev. La queja más grave contra el ministro del Interior es que fracasó a la hora de establecer un cordón de seguridad eficaz alrededor del colegio. Dijeron que la gente del Cáucaso es exaltada y que hicieron caso omiso. El ministro Nurgalíev envió a su mano derecha, Pankov. Había una multitud alrededor del colegio que se unió al asalto nada más empezar este, y los blindados no pudieron pasar por el gran número de vehículos privados que les bloqueaban el paso. ¿Y qué hizo la milicia entretanto? No digo que Nurgalíev deba asumir responsabilidades personalmente, pero sí Pankov. Sin embargo, la explicación que se nos dio fue: «Ha sido estupendo que los habitantes locales nos ayudaran. Sin ellos habría muerto más gente y nos ayudaron a sacar a los heridos». ¿Significa esto que la próxima vez los familiares de los secuestrados deben emplear los medios que tengan a su alcance y montar un asalto?

¿Cómo califica el comportamiento de Dzasójov?

¿Se refiere a si creo que debería haber entrado en el colegio? No tengo respuesta para esa pregunta. ¿Tendría que haber ido Dzasójov al encuentro con su propia muerte? Su pregunta es demasiado difícil. Está claro que Áushev, que sí entró, corría muchos menos riesgos que Dzasójov o Ziázikov, quienes, de haber entrado, no me cabe duda de que no habrían salido con vida. Para mí, resulta evidente que en situaciones como esa hay que proteger a los presidentes de las distintas repúblicas. No creo que deban cargar con la responsabilidad de todo lo que pasa durante una operación antiterrorista. ¿Hizo

Dzasójov todo lo que pudo? ¿Qué podía hacer? Inició el proceso de negociaciones con Zakáyev y estuvo en el lugar de los hechos, con la gente, y sin esconderse. Creo que hizo lo que pudo.

¿Y en cuanto a Ziázikov?

Si hubiera entrado, lo habrían matado. Para ellos era un traidor.

¿El doctor Roshal hizo todo lo que pudo?

Roshal fue interrogado por la comisión. Es una persona decente. Me da la impresión de que no tendrían que haberle pedido que fuera a hablar con los secuestradores. La única conversación que tuvo con ellos acabó siendo objeto de todo tipo de insultos. Por otra parte, fue a él a quien ellos llamaron, y acudió.

¿Cómo evalúa el comportamiento de Áushev?

Áushev es una figura de la élite del Cáucaso de la era Yeltsin. Al principio, todos ellos eran presidentes o ministros: Áushev, Masjádov, Dudáyev o Basáyev se sentaban a menudo a la misma mesa. El Cáucaso es una hermandad. Luego los chechenos se desmadraron y empezaron a asesinar gente. La guerra con Rusia empezó, y Áushev se puso del lado ruso. En Beslán, Áushev actuó como debía.

¿Y los llamados asesores, Anísimov y Prónichev?

La decisión de enviar asesores la tomaron Pátrushev y Putin. Cuando declararon ante la comisión, Anísimov y Prónichev arguyeron que se habían limitado a obedecer órdenes y que estas decían que fueran a Beslán y actuaran de asesores.

¿De qué se ha enterado usted por su trabajo en la comisión? ¿Ha habido nuevos descubrimientos?

El hallazgo más inesperado fue la actividad de las organizaciones pro derechos humanos. Mi actitud hacia ellas era pensar que se trataba de «pequeñas mierdecillas», para emplear la expresión utilizada por Pável Grechev [ministro de Defensa ruso durante la primera guerra chechena]. Mi opinión se remontaba a los años 1993-1995, la época en que empecé a reunirme con refugiados chechenos y vi que se estaba produciendo un genocidio con los rusos, pero que los activistas pro derechos humanos no hablaban a favor de estos, sino solo de los chechenos. Eso me enfureció. Sin embargo, hoy debo reconocer que esas organizaciones han superado su sectarismo, que luchan por los derechos del pueblo del Cáucaso sin preocuparse de su nacionalidad y que protegen a la gente ordinaria y no a los nuevos ricos, que corren riesgos y no se arredran a pesar de que los pueden matar en cualquier momento.

Una última pregunta. Tal como lo explica usted, en una ocasión, Grizlov se sentó en la presidencia de la comisión, pero esta también recibió la visita de Liubov Sliska, la vicepresidenta de la Duma. ¿Cómo justificó ella su intromisión?

En noviembre, Sliska y Mirónov se presentaron en la comisión y nos dijeron que debíamos tener nuestras conclusiones antes de Año Nuevo. Ella comentó que el público estaba muy inquieto y que teníamos que trabajar lo más rápido posible. Tenían mucho respaldo. Sliska es una mujer muy glamourosa que sale en las revistas de papel cuché. ¿Cómo íbamos a negarnos? Por supuesto, Grizlov no tenía por qué delegar en ella para que viniera a decirnos lo que teníamos que hacer, pero yo no lo llamaría «intromisión». Digamos simplemente que fue menos una reunión de la comisión y más un encuentro con una mujer de empaque. Es cierto que nos pidió que presentáramos nuestras conclusiones y que nosotros estuvimos de acuerdo y aprobamos una resolución en ese sentido; pero después cambiamos de parecer. En lugar del informe final, lo que Torshin presentó el 28 de diciembre fue una relación de los trabajos que hemos hecho. Dicho sea de paso, ni Grizlov ni Mirónov ni Sliska acudieron para escucharlo.

Le pedí a Torshin que declarara públicamente que yo me oponía a esa relación, tanto en el fondo como en la forma, y, como no lo hizo, no me dejó más alternativa que acudir a la prensa. Por eso he concedido esta entrevista, para dirigirme a la opinión pública rusa personalmente.

Basáyev vuela en pedazos: Chechenia pierde a su terrorista número uno

13 de julio de 2006

Esta semana ha ocurrido un suceso largamente esperado. Según fuentes oficiales, el terrorista número uno, Shamil Basáyev, el hombre responsable de decenas de actos terroristas y de haber causado cientos de víctimas ha muerto. Si se trata, como dicen, de una brillante operación de los servicios de inteligencia, entonces debemos felicitarlos y felicitarnos nosotros mismos.

Quedan no pocas cuestiones con respecto a la fatal explosión que se produjo en el pueblo de Ekazhevo. La desconfianza ante la versión oficial resulta perfectamente comprensible. A Basáyev lo han matado varias veces en el pasado, y solo para comprobar que la presunción era prematura. Y otras tantas veces había escapado de situaciones aparentemente sin salida, como por ejemplo durante la incursión contra Daguestán, en 1999 (que se sospecha que fue orquestada por el BSF para ser utilizada como pretexto para iniciar la segunda guerra chechena), cuando él y su escoria salieron sin un rasguño y desfilando en formación ante los atónitos ojos de los soldados de operaciones especiales que los observaban por sus miras telescópicas.

Aun así, ya sea que lo han liquidado o que se ha liquidado a sí mismo, ese cabrón ya no es una figura en el tablero de la política o el terrorismo.

Podemos respirar más tranquilos, pero ¿podemos relajarnos de verdad?

La trayectoria terrorista de Basáyev

1991, 5 de octubre: Participa en la ocupación del edificio del KGB en Grozni. Todavía es una figura secundaria tras Labazánov y Gantamírov.
1991, 9 de noviembre: Participa en el secuestro de un avión de pasajeros TU-154 en el aeropuerto de Mineralnie Vodi. Los secuestradores estaban dirigidos por Said Alí Satúyev, un piloto profesional de aviación civil.
1991: Tras una decisión de la Confederación de los Pueblos de las Montañas del Cáucaso, apoyada por las fuerzas y los cuerpos de seguridad rusos y en especial por el Directorio Central de Inteligencia (GRU) del cuartel general de las fuerzas armadas rusas,

destacamentos de voluntarios armados intervienen en combates de apoyo a Abjasia contra Georgia. El destacamento dirigido por Basáyev se hace famoso por su brutalidad hacia la población civil. Tras su aventura en Abjasia, Basáyev y los suyos reaparecen como mercenarios en el frente armenio-azerbaiyano.

1995, junio: Captura de más de 1.600 rehenes en Budiónnovsk, incluyendo 150 niños. Ciento treinta personas mueren a manos de Basáyev y sus matones.

1999, otoño: Vuelan por los aires varios bloques de pisos en Moscú, Buinaksk y Volgodonsk. Los servicios de inteligencia rusos aseguran que los terroristas recibieron entrenamiento y apoyo logístico de Basáyev y Jattab.

2002, octubre: Toma de rehenes entre el público del teatro Dubrovka que asiste al musical *Nord-Ost*.

2004, 22 de junio: Incursión contra Ingusetia, en la que mueren más de 100 personas, organizada por Basáyev y Dokú Umárov, el presidente de la no reconocida República de Ichkeria.

2004, 25 de agosto: Vuela dos aviones de pasajeros en los que fallecen noventa personas.

Y el último y más sangriento de sus actos terroristas es la toma de rehenes en el colegio de Beslán, el 1 de septiembre de 2004.

La noche del 9 de junio de 2006, Shamil Basáyev, el Bin Laden ruso, murió en una fuerte explosión de Ekazhevo, según un comunicado de prensa del directorio del BSF de Ingusetia. El martes 11 reapareció a trozos cuando su cabeza fue enviada a Nazrán y su pierna artificial a Vladikavkás para ser identificadas.

Esos han sido los comunicados oficiales, y si no estuviéramos hablando de la muerte de un famoso terrorista que hemos intentado capturar durante más de diez años, podrían provocar cierta sonrisa. A pesar de todo, el miércoles 12, los servicios de inteligencia ofrecieron relatos contradictorios de la muerte del terrorista número uno: Basáyev era un dinamitero loco viajando en un convoy cargado de explosivos y detonadores activados, o bien había sido traicionado por uno de los suyos a cambio de una recompensa de medio millón de dólares.

Al interferirse unos a otros estaban echando los cimientos de futuros mitos, como el que durante tantos años ha rodeado la muerte del presidente Dzhojar Dudáyev. Puesto que únicamente aquellos que tienen necesidad de saber tienen idea de dónde se encuentra la tumba de Dudáyev y puesto que nadie más ha visto su cadáver, mucha gente en Chechenia asegura a día de hoy que Dzhojar está vivo y que volverá cuando sea el momento oportuno; o bien que está vivo y que ha partido al exilio con la connivencia de los servicios de inteligencia; o bien que no fue un misil lo que lo mató, sino...

En otras palabras, cuando falta una información fiable, surgen los mitos. Muchos chechenos afirman actualmente que esto no es el fin de Basáyev, de modo que este también se convertirá en una leyenda y no tardarán en correr rumores de que ha sido visto en una remota isla del océano Índico o del...

Fueran cuales fuesen las circunstancias de la muerte de Basáyev, se volara a sí mismo o lo volaran, lo importante es que está muerto y que un factor nocivo ha sido eliminado de la ecuación. ¿Qué va a pasar ahora en Chechenia? ¿Qué camino van a tomar los combatientes de la resistencia? Seguramente, la explosión de Ekazhevo fue bienvenida por algunos de aquellos que se oponían claramente a Basáyev y lo veían como una oveja negra que se había convertido en la vergüenza general. No olvidemos que el destacamento de Geláyev, que posteriormente hallaría la muerte en Daguestán, se marchó a Georgia porque no quería luchar al estilo de Basáyev. Fue el momento de la verdad: ¿Había que continuar por el camino de las tragedias como la del *Nord-Ost* y la de Beslán o había que rechazarlas y adoptar una línea de acción que evitara que semejantes atrocidades contra civiles inocentes pudieran repetirse? A mediados de 2002, vivimos un momento decisivo, pero nuestros servicios de inteligencia no tuvieron la inteligencia suficiente para estar a la altura y la oportunidad se perdió.

Ahora estamos en 2006. Han pasado casi cuatro años desde la tragedia del *Nord-Ost* y casi dos desde la de Beslán. Hay un nuevo sector en la sociedad chechena, básicamente gente joven que duda y vacila. Por un lado, se niega categóricamente a esperar a que los matones del clan de Kadírov vayan por ellos en plena noche, pero al mismo tiempo se muestran reacios a unirse a la resistencia si eso significa alinearse con Basáyev, cuando Basáyev es sinónimo de Beslán.

En un futuro inmediato, lo más probable es que los seguidores de Basáyev acaben en el bando de Dokú Umárov, que tiene las mismas ideas acerca del carácter terrorista de la guerra a partir de ahora. El resto de unidades no es probable que los imiten, de modo que cabe la posibilidad de una llegada de nuevos reclutas a los que espantaban las sangrientas tácticas de Basáyev. La gran pregunta será cómo quedarán configuradas las fuerzas separatistas.

El tiempo lo dirá. De todas maneras, una cosa está clara: hasta que las relaciones entre Moscú y Chechenia queden establecidas de manera aceptable —y no simplemente para Kadírov, sino para una mayoría de la población—, el conflicto tiene pocas posibilidades de arreglarse. El hecho de que Basáyev haya volado por los aires no constituye un elemento decisivo, únicamente una parte del proceso.

6

Rusia: un país en paz

[Como bien ilustran los siguientes artículos, uno de los temas recurrentes de sus escritos es el uso que el régimen hace de los recursos del Estado para mantenerse aferrado al poder en lugar de utilizarlos para abordar los graves y urgentes problemas de la población a la que gobierna.]

El meteorito de Tunguska cayó en el centro de Rusia, y nosotros también

25 de diciembre de 2000

Cediendo al deseo de encontrar una forma contraria de empezar el Año Nuevo, nuestro periódico decidió dejar su huella en un sitio donde nadie la había dejado antes. Aparte del meteorito de Tunguska.

El 22 de diciembre, el día del solsticio de invierno, llegamos al lugar que, desde la desaparición de la Unión Soviética, se ha convertido en el centro geográfico de la Federación Rusa: la región autónoma de Evenki. Allí, en la plaza mayor del pueblo de Tura, la capital de Evenkia, erigimos un monumento adecuado, diseñado por el artista moscovita Dimitri Krímov.

Hay que reconocer que la plaza de Tura no tiene todavía un nombre, de manera que si alguien decide visitarla tendrá que preguntar a alguno de sus habitantes dónde se levanta el monumento al centro de Rusia. Cualquiera podrá señalarlo porque, aparte de los niños y los muy enfermos, todos los habitantes de Tura acudieron a la ceremonia inaugural; ah, y también todos lo que fueron al Palacio de Cultura local, a escuchar un concierto de Dimitri Jaratian y Alexéi Buldákov. Por invitación de *Novaya Gazeta*, hicieron el viaje de más de siete horas en avión desde Moscú para brindarnos un espectáculo de gran calidad en la inauguración del monumento.

Iván Bajtín, vicegobernador de Evenkia, nos dijo que incluso faltando menos de un día para la celebración, nadie creía de verdad que se erigiría el monumento, que llegarían los visitantes de Moscú, que habría fuegos artificiales y un concierto, y que se repartirían obsequios.

—¿Y por qué?

—Porque hoy la temperatura es de cuarenta y ocho grados bajo cero, que nosotros consideramos cálida.

Pero en estos momentos, lo que nuestros lectores desean saber es cómo es el centro de Rusia. No hay forma de obviar el hecho de que resulta sumamente simbólico. Lo que da sentido aquí a la vida, en todas sus formas y variedades, es la lucha por la supervivencia. Si uno quiere vivir, tiene que mantener la concentración. El que se despista muere. Si uno desea alimentarse, debe asegurarse de matar mucha caza. Si uno desea botas de fieltro y abrigos de piel para no congelarse, debe trocar las pieles de oso, marta y ciervo que ha matado para vestirse. Y nunca debe quedarse solo. Si uno sufre una caída estando solo, muere. El mundo está ordenado conforme a una manera primitiva pero estrictamente lógica, como corresponde a un símbolo.

Hemos sabido que hay un tiro de piedra desde el centro de Rusia hasta el polo del frío. La nieve no es que sea abundante, sino que es lo único que se puede ver. Los abetos y los pinos no sobreviven, e incluso los abedules llevan una existencia encogida y enana. La taiga local son básicamente alerces, de manera que este árbol, rojizo y resistente, debería ser el símbolo de Rusia, y no el rubio y lánguido abedul.

Parece haber grandes extensiones de tierras ricas en diamantes, petróleo y gas. El problema es llegar hasta ellos.

En el centro de Rusia no hay ciudades, solo pueblos, aldeas y fábricas. A pesar de que bajo el suelo abunda, las casas no tienen gas;

tampoco agua, desagües, calles ni embarcaderos a lo largo de los ríos Podkamennaya y Nizhnyaya Tunguskaya. Ambos serpentean a lo largo y ancho de Evenkia. Nadie ha pensado en construir algo parecido a una carretera decente. No hay ferrocarril, solo una pista de tierra de catorce kilómetros de largo que enlaza Tura con el aeropuerto de Gorni. El resto de «carreteras» son solo transitables en invierno. En consecuencia, el trabajo rutinario de la administración local consiste en tres cosas: primero, mantener en buen estado las carreteras de invierno; segundo, observar las fuerzas de la naturaleza, puesto que esta tiende a destruirlas; y tercero, volver a empezar. Si uno se relaja y deja de vigilar las infraestructuras todos los días, no tardará en no poder moverse. El mundo se contraerá hasta alcanzar el tamaño de nuestro mundo interior y se vivirá en una cárcel de hielo.

Ustedes se preguntarán quién es capaz de soportar tan duras condiciones. La respuesta es: solo 20.000 ciudadanos de Rusia. Aquí, en el mismísimo corazón de Rusia, cayó un meteorito en los primeros años del siglo que acaba de morir. Fue conocido como el meteorito de Tunguska. Ahora nosotros también estamos aquí.

ANCIANAS SIN CASA

11 de noviembre de 2004

Están sentadas a lo largo de una pared institucional, son ancianas que abandonaron Grozni en distintos años y en distintas guerras. Sus abrigos datan de los años ochenta; sus botas, de la era soviética. Todo lo que llevan está gastado y parece el desecho de otros. En su rostro se lee la desesperanza y el rictus de las mujeres que encontramos en los asilos, que han sido abandonadas y han intentado suicidarse. Se trata de una reunión de Nuestro Hogar, un grupo dirigido por voluntarios y formado por 53 familias que, como refugiados del «lenguaje de persuasión ruso» en Chechenia, se ha organizado por su cuenta. En estos momentos, tienen todas edad de pensionistas, y lo que las ha reunido ha sido su determinación de luchar por sus derechos y conseguir ser reconocidas oficialmente como refugiadas para poder recibir vivienda y pensión. Nos encontramos en Moscú, y es octubre de 2004. Para muchas de ellas, su éxodo y el comienzo de su lucha empezó hace diez años. ¿Cuál ha sido su éxito?

Taisiya Tolstova tiene ochenta y un años. Escucha, mira, se mueve y se muestra muy activa en general. Taisiya fue herida durante la segunda guerra chechena. Ha trabajado durante cincuenta y ocho años, de los cuales treinta y cuatro como maestra, treinta de ellos en Norilsk. Regresó del norte a la capital de Chechenia, donde había nacido como rusa de cuarta generación en Grozni. En la actualidad, limpia las dieciséis plantas de un bloque de pisos del centro de Moscú, tres veces por semana, y también las escaleras y los rellanos de los ascensores. No tiene más remedio.

Su sueldo es exactamente lo que necesita: un lugar donde dormir, que es el pequeño cuarto de las porteras. Las mujeres cobran por estar allí las veinticuatro horas del día, pero en vez de eso se van a sus casas por la noche y dejan el sitio a Taisiya. Se trata de un lugar estrecho y apretado donde solo cabe un pequeño sofá, pero puede dormir allí a pesar de tener que turnarse con su hijo Volodia, retrasado mental.

Taisiya reza por la gente que vive en ese bloque. Constituyen su única esperanza de no acabar hundiéndose y durmiendo en sótanos mugrientos. Según la legislación imperante en nuestro sorprendente país, no tiene derecho a trabajar. Carece de estatus legal, y sin estar debidamente registrado, uno no puede disfrutar de un trabajo ni de otros derechos. En los diez años que han pasado desde que se marchó de Grozni, y tras perder todo lo que poseía, no ha recibido del Estado nada que pudiera compensarla, ayudarla a volver a una vida normal ni ayudarla a proporcionar un futuro a su hijo.

Taisiya tiene una hija que también es pensionista y vive en Norilsk, pero las autoridades se niegan a permitirle trasladarse allí. Taisiya no pudo ir directamente a Norilsk cuando salió de Grozni. Aparte de su hija, la anciana tiene también dos hermanos de su difunto marido que viven en Moscú y sus alrededores. Hace diez años, y por invitación de uno de ellos, se fue a vivir a su casa. Su cuñado hizo todo lo que pudo por ella y procuró por todos los medios tenerla registrada para que pudiera quedarse, pero hacía tiempo que había dejado de ser joven, y su familia acabó preguntándole por qué tenían que tomarse tantas molestias, que era responsabilidad del Estado ocuparse de la anciana. Naturalmente, lo era. Ahora la anciana está aquí, limpiando dieciséis plantas tres veces a la semana, con todas sus pertenencias en el armario de la fregona.

—Allí donde vamos, la gente nos echa la bronca: «¿Por qué tenéis que haber venido todos a Moscú?», nos reprochan, pero ¿a qué otro sitio podíamos ir si no? Aquí es donde estaba mi familia.

—¿Dónde come? Aquí no tiene un hornillo ni agua corriente.

—También me ocupo de la gente que duerme en la entrada del edificio. Es un bloque muy grande y siempre hay gente tumbada ahí. Allí es donde cocino.

—¿Y dónde se lava?

—En el mismo sitio.

—¿Y el aseo?

—Tengo que pedir a alguien que me deje usar el suyo.

Pregúntense ustedes cuánto tiempo aguantarían en estas condiciones.

—¿Voy a morir bajo un techo de mi propiedad? —se pregunta Taisiya, y se dirige a los habitantes del bloque de pisos donde la dejan vivir y que pasan por allí—: Vean, ha venido a verme una periodista, díganselo, díganle si alguien tiene algo malo que decir de mí. ¿Soy mala persona? ¿Soy de las que buscan problemas?

La mayoría de los inquilinos no saben de qué está hablando. A los ochenta y un años uno no debería tener que demostrar que no es un mal miembro de la sociedad. A esa edad, lo único que uno desea es poder descansar el poco tiempo de vida que le quede y disfrutar de una pensión.

Wanda Voitsejovskaya ha estado sentada y callada todo el tiempo durante la reunión de Nuestro Hogar. Todos han hablado salvo ella. Mantiene la cabeza alta y en sus hermosos ojos hay una mirada firme. Parece indomable, pero en el cara a cara Wanda se muestra mucho menos segura de sí misma y más nerviosa.

—Soy una sin techo, una mujer marginada, una indigente. —A Wanda le cuesta hablar a causa de la hipertensión que padece—. En el pasado lo tenía todo, una casa, una dacha, un garaje, un coche. Eso fue en Grozni. Viví allí desde 1950. Me enviaron a Grozni cuando me gradué en el Instituto de Ingeniería de Kíev. Trabajé treinta y ocho años en el mismo sitio como planificadora. Mi marido quedó tullido en la Segunda Guerra Mundial. En 1992 mi hija se casó con un buen hombre y los dos vinieron a vivir a Moscú. Él tiene una habitación en el motel de la fábrica de automóviles Komsomol y allí es donde vivimos ahora los cuatro. Mi marido murió en 1996. Yo estaba en un estado lamentable cuando mis vecinos de Grozni me metieron en un tren y me devolvieron con mi hija. Pensé que sería por poco tiempo. Estaba convencida de que tendría derecho a una pensión.

Wanda duerme en estos momentos en un diván con su nieto de doce años. El otro sofá lo ocupa su nieto menor. Es una habitación diminuta en la que uno solamente puede dormir o levantarse y salir para hacer otras cosas. No hay donde sentarse. Para alguien viejo y enfermo resulta intolerable. A causa de su edad, Wanda se cansa mucho y se ha convencido de que representa una carga para sus hijos.

—Estoy muy enferma, y me falta poco para no poder moverme. Quiero mantenerme de pie todo el tiempo que pueda para no ser un estorbo para nadie. Recojo botellas vacías para pagarme los medicamentos. ¿Por qué el Estado ha descargado sus problemas sobre los hombros de nuestros hijos? No puedo entenderlo. ¿Por qué no puedo tener un pequeño rincón para mí sola? No lo entiendo. No fui yo quien destruyó todo lo que tenía en Grozni.

Valentina Kuznétsova es frágil y hermosa. No se ha quitado el pañuelo de la cabeza ni el abrigo. Tiene las manos apretadas y los labios fruncidos. Valentina se contiene para no romper a llorar. Un febril rubor tiñe sus mejillas, pero no deja de tiritar y agitarse, incluso cuando los demás sudan por lo cargado del ambiente. Una desnutrición crónica es la compañera habitual de los refugiados. Afecta a todos al margen de los méritos de cada uno, y Valentina, que era ingeniera en Grozni, acumulaba muchos. Ahora tiene setenta y ocho años. En enero de 1995, ella y su hermana mayor, Alexandra, fueron arrastradas apenas con vida fuera de su sótano de Grozni por soldados del Ministerio de Asuntos de Emergencia y enviadas a Moscú cuando las autoridades descubrieron que tenían parientes en la capital. Fue una iniciativa perfectamente razonable.

Han pasado casi diez años desde aquello, y durante todo ese tiempo Valentina ha vivido en Moscú en el cuarto de los trastos de la Escuela n.º 1.142, con su hermana de ochenta años, que no se mueve de la cama.

—Claro que las condiciones son de pesadilla —dice el director del centro, Iósiv Protas—. Al principio, Valentina trabajó como vigilante del colegio, pero después nos ordenaron que contratáramos personal de seguridad de empresas privadas. No podíamos echarlas a la calle así como así. Mi conciencia no me permitía hacer tal cosa. Ahora, a las dos ancianas las ha recogido un nieto. Se ha marchado de viaje durante un tiempo, de modo que su piso está libre por un tiempo. Las dos viejas se han ido, pero su problema de encontrar un sitio donde vivir está lejos de haberse solucionado. Las autoridades no parecen dispuestas a ubicarlas en ningún lugar. No entiendo cómo pueden portarse así.

Pueden portarse así cuando y como quieran. La situación legal de los ancianos refugiados de Chechenia es la siguiente: según la ley, tienen la categoría de «personas desplazadas internamente». Dicha categoría la conceden solo durante cinco años, y alguna de las ancianas consiguió que se la adjudicaran. Para conseguirla lucharon con el Servicio de Inmigración, que en la última década ha sido reorganizado varias veces. Los refugiados que cuentan con dicha condición tienen al menos el derecho de moverse libremente por Moscú y recibir atención médica. Otros fueron menos afortunados, y los funcionarios de inmigración se la negaron a muchas víctimas inocentes.

Cuando expira el plazo de los cinco años, los que tienen la categoría no quedan en mejor situación que los que no la tienen. Para el Servicio de Inmigración carecen de derecho alguno. Así pues, cinco años es lo máximo que el Estado está dispuesto a cumplir con sus obligaciones hacia unos ciudadanos que lo han perdido todo a causa de la propia actuación del Estado. Durante cinco años, el Estado está obligado a proporcionar acomodo, cobertura sanitaria y subsidio a los desplazados internamente. Se supone que eso les proporciona los medios para empezar una nueva vida, para comenzar desde cero después de haber perdido irremisiblemente lo que tenían.

La cuestión es que nuestro Estado ha engañado a los «desplazados internamente» de Chechenia, los ha embaucado durante cinco años y no les ha dado nada. El Servicio de Inmigración les anunció que su ayuda era por un tiempo limitado y que cuando ese plazo expirara se desentendería de cualquier responsabilidad hacia ellos.

Nadie negará que esa norma es lógica en el caso de personas jóvenes que pueden esperar encontrar trabajo y rehacer sus vidas. Pero ¿qué pasa con la gente mayor, los que tienen setenta y ochenta años, con los inválidos? ¿Cómo se supone que van a empezar de nuevo?

Pueden preguntarse por qué este informe se limita a los refugiados rusos de Grozni en lugar de incluir a todos los que se han visto obligados a abandonar la zona a causa de la interminable «operación antiterrorista» que ha abarcado su querida ciudad.

Es porque las familias chechenas, aunque vivan sumidas en la pobreza, nunca dejan de ayudar a sus parientes. Esa es su forma de actuar, y sencillamente nadie encontrará a una anciana chechena de ochenta años fregando suelos en un bloque de dieciséis pisos.

¿Qué hay que hacer? ¿Cómo se puede resolver esta situación de un modo rápido y eficaz? Las ancianas no pueden esperar.

Nuestro Hogar lo componen 53 familias, que son las más pobres entre los pobres, gente sin horizonte alguno. No tiene sentido confiar en que los recursos del abundante presupuesto ruso vayan a llegar a sus manos. Los burócratas preferirían morir antes que apañárselas sin sus sobornos.

Así pues, deben poner sus esperanzas en el mundo de los «negocios de perfil social» a favor de los cuales habló recientemente en televisión con acento conmovedor el oligarca (pro-Putin) Vladímir Potanin. El presidente es el responsable directo de lo que está ocurriendo en Chechenia y de las consecuencias que pueda traer; así pues, dejemos que sea la Comisión Presidencial de Derechos Humanos la que interceda por ellos con negocios. Entre los miembros de la comisión figuran ilustres representantes de la sociedad civil como Svetlana Gánnushkina, directora de Ayuda al Ciudadano, la ONG más activa en defensa de los refugiados, y también Ludmila Alexéyeva, directora de la sección moscovita del Grupo Helsinki. Su presidenta, Ella Pamfílova, debe convencer personalmente al presidente para que apoye su petición. Cincuenta y tres empresarios de Moscú deberían comprar un piso para cada familia. No debería resultarles difícil.

La reunión de Nuestro Hogar se dispersó. «El Estado espera que nos muramos para no tener que gastarse el dinero con nosotros. Estoy segura de lo que digo», me comenta Zoya Markariants cuando nos despedimos. Antigua educadora, su casa del centro de Grozni recibió un impacto directo. Con la destrucción de su hogar, perdió todo lo que tenía, y en estos momentos no es más que otra refugiada de la guerra.

Un rehén de la Federación Rusa

8 de septiembre de 2005

Todos los que suelen sintonizar la televisión nacional rusa lo vieron. Se aseguró que Adam Chitáyev, un antiguo combatiente de la resistencia con una orden federal para su detención, había sido arrestado en Ust-Ilimsk, en la provincia de Irkutsk. Era supuestamente culpable de secuestrar tanto a funcionarios rusos como a miembros de misiones internacionales, y se decía que se había disfrazado de profesor de inglés.

Hace tiempo que Rusia ha sido entrenada para creer este tipo de cosas. Si un checheno es detenido, así es como debe ser; y si no es como debe ser, entonces es mejor equivocarse que tener que lamentarlo. Lo de Chitáyev no le importó a nadie. A lo largo y ancho del país se manipulan casos criminales relacionados con el terrorismo internacional partiendo de la base de cuantos más mejor y de que resulta imposible distinguir a los inocentes de los culpables. Naturalmente, la detención de tal o cual Chitáyev fue contemplada como algo lógico y adecuado, la razón de ser de los cuerpos y fuerzas de seguridad del Estado; pero solo por parte de los que no saben quién es Adam Chitáyev y, más ampliamente, quiénes son los hermanos Chitáyev. En Estrasburgo, cada vez es mayor el número de personas que lo saben. De hecho, ahí es donde se halla la respuesta a por qué un hombre que no se escondía de nadie ha sido repentinamente detenido en el lejano Ust-Ilimsk solo para luego anunciar a toda Rusia que se ocultaba.

Los Chitáyev son los demandantes del caso «Estrasburgo contra la Federación Rusa». Es más, casi lo han ganado. Este verano, el trámite de lograr que el Tribunal Europeo de Derechos Humanos aceptara un caso, que puede llevar a años, acabó con una victoria temporal, la llamada «Admisión a trámite de la demanda n.º 59334/00».

La historia de la familia Chitáyev es una de esas sobre las que *Novaya Gazeta* ha vuelto una y otra vez. De acuerdo a lo que es normal en la Chechenia de 2000, su destino no ha tenido nada de especial. Otros muchos padecieron lo mismo, con la diferencia de que no intentaron obtener reparación ante los tribunales.

Arbi, nacido en 1964, era un ingeniero que siempre había vivido en Grozni. Adam, nacido en 1967, era profesor de colegio. Al igual que numerosos chechenos, vivió mucho tiempo en Kazajistán antes de regresar a Chechenia en 1999, justo antes de la guerra. Junto con su esposa y sus dos hijos pequeños, se mudó a casa de su hermano. «En el otoño de 1999, se produjeron escaramuzas entre las tropas rusas y los rebeldes chechenos —dice el mandamiento del Tribunal Europeo que, según las normas de Estrasburgo, se basa en una documentación que confirma cada palabra—. Grozni y sus alrededores fueron objeto de un ataque a gran escala por parte de los soldados rusos.»

El piso de Arbi en Grozni fue destruido (como lo confirma un certificado de la entidad administrativa competente, adjunto al expediente de Estrasburgo). «Los demandantes, junto con sus familias y posesiones, se trasladaron a casa de su padre, en Achjói-Martán. El 15 de enero de 2000, miembros de la oficina temporal de Asuntos de Interior (ocupada momentáneamente por milicianos de la provincia de Vorónezh) efectuaron un registro en casa de los demandantes, de donde se llevaron un teléfono inalámbrico nuevo dentro de su caja.»

El 18 de enero, uno de los Chitáyev fue a quejarse a la mencionada oficina y a pedir que le devolvieran el teléfono. El aparato le fue entregado, pero no sin que el 12 de abril sufriera la correspondiente represalia. Hubo otro registro y más pillaje, pero también arrestos. A pesar de que todo lo de valor —un vídeo, una impresora, un televisor, un ordenador, una estufa y «dos archivadores con documentos»— ya había sido robado, las cosas fueron de mal en peor. Curiosamente, el Tribunal de Estrasburgo recibió una lista de los bienes robados que llevaba la firma de un tal Vlásenko, uno de los oficiales de la oficina temporal de Asuntos de Interior.

Arbi y Adam fueron detenidos. El 14 de abril, su padre, Salaudi, salió a averiguar qué había sido de sus hijos y también fue detenido, acusado de no cumplir el toque de queda. Los dos hermanos estuvieron diecisiete días retenidos en las dependencias de la oficina.

> Fueron encadenados a una silla con esposas y golpeados. Les aplicaron descargas eléctricas en varias partes del cuerpo, como la punta de los dedos y las orejas. Les retorcieron los brazos, los golpearon con cachiporras de goma y botellas de plástico llenas de agua, los ahogaron con bolsas de plástico y cinta adhesiva. Los amenazaron con perros y les arrancaron trozos de piel con tenazas. Al demandante n.º 1 [Arbi Chitáyev] le colocaron una máscara antigás que llenaron de humo de cigarrillo. Al demandante n.º 2 [Adam Chitáyev] lo llevaron a una habitación donde le dijeron que debía confesar ser miembro de la resistencia y haber participado en secuestros. Cuando el demandante n.º 2 se negó a firmar la confesión, fue amordazado y golpeado en la espalda y en los órganos genitales. Al mismo tiempo, otra persona lo encañonó, y lo amenazó con pegarle un tiro si se movía.

El 28 de abril, los hermanos Chitáyev, junto con otros detenidos de la oficina, fueron conducidos fuera con los ojos vendados, donde se les dijo que iban a ser ejecutados. En realidad los llevaron a las instalaciones de detención preventiva de Chernokózovo, donde:

Fueron obligados a correr hasta una sala de interrogatorios, agachados y con las manos en la cabeza mientras los guardias los golpeaban en la espalda. En la sala de interrogatorios había una mesa metálica, una silla y un gancho en la pared. Allí fueron golpeados en distintas partes del cuerpo, especialmente las rodillas, con las culatas de los fusiles y con martillos. Les pusieron camisas de fuerza y los colgaron de la pared, donde siguieron golpeándolos. Les aplastaron los dedos de las manos y los pies con puertas y martillos. Les ataron las manos y los pies a la espalda [en la posición del gorrión]. A los detenidos no se les permitió rezar y fueron amenazados con más palizas si lo hacían.

Los Chitáyev tuvieron suerte: consiguieron salir de Chernokózovo en octubre de 2000 tras haber pasado por los distintos círculos del infierno que son habituales. Pero, al menos, estaban vivos. Y también indignados por el injusto arresto y tortura sufridos, lo que los convertía en un caso único entre los supervivientes de Chernokózovo y que confirma que el régimen ruso carecía de la menor base para acusarlos. Los Chitáyev no eran ni han sido nunca miembros de la resistencia chechena. También tuvo importancia que fueran personas con estudios, serios, socialmente activos y progresistas. Su indignación los llevó primero ante las instituciones legales rusas: el fiscal general y los tribunales; y después, cuando comprendieron que sus padecimientos no encontrarían eco, ante el Tribunal de Estrasburgo. Arbi y Adam Chitáyev presentaron su demanda, y el primero tomó la difícil decisión de emigrar de Rusia al ver que no existía la posibilidad de poder seguir viviendo en un país donde se infligían semejantes humillaciones. Nos reunimos con él en el extranjero, donde no estaba disfrutando de su exilio y hallaba dificultades para ganarse la vida, pero al menos se sentía a salvo. Cuatro años después, recordando los detalles de los meses de su arresto mientras miraba por la ventana, temblaba como si sufriera la enfermedad de Parkinson. Por su parte, Adam se mudó a Siberia y encontró trabajo de profesor. Entretanto, en Estrasburgo, con la lentitud que parece de rigor, el caso se puso a la cola junto con las miles de demandas de otros dolientes compatriotas que iban a ser examinadas.

Los hermanos Chitáyev sabían que los demandantes chechenos ante el Tribunal de Estrasburgo se hallaban en una situación única y peligrosa. Antes de llegar a conocer la sentencia, muchos de ellos caerían asesinados, víctimas de «miembros de algún cuerpo de seguridad no identificado, enmascarados y vestidos con ropa militar», como son descritos rutinariamente.

A pesar de todo, los Chitáyev no solo no retiraron su demanda, sino que respondieron minuciosamente a todas las preguntas del Tribunal Europeo de Derechos Humanos, escribieron todo tipo de informes complementarios y se mostraron muy activos. Las autoridades rusas tampoco los dejaron en paz y los amenazaron con abrirles una causa criminal, detenerlos y aplicarles represalias. Cuanto más vigorosamente se defendían, mayor era la presión a la que los sometían.

El 30 de junio de 2005, su demanda fue finalmente admitida por el Tribunal de Estrasburgo. Uno lee el informe del tribunal con la sensación de que falta algo. Todo lo que alegan los Chitáyev está confirmado documentalmente; en cambio, las alegaciones del gobierno a las preguntas del tribunal sobre el maltrato infligido a los Chitáyev son afirmaciones simples y escuetas, simples fantasías del tipo: «El 12 de abril, cuando la casa del demandante fue registrada se hallaron ocho capotes militares y cuatro chaquetas… grabaciones de vídeo de entrevistas con Shamil Basáyev, un cinta con el documental *Nojcho Chechenia: El día de la libertad*, fotografías de Arbi Chitáyev con un rifle».

La sugerencia es que se trataba de la guarida de unos resistentes y secuestradores. Poco importa que los capotes pertenecieran a los hermanos Chitáyev, que son cuatro en total, ni que dataran de la era soviética, de cuando los hermanos hicieron el servicio militar en el ejército soviético.

El resultado de este enfoque no habla bien de Rusia. Una admisión a trámite supone una decisión judicial a favor de alguien cuya demanda ha sido aceptada para ser estudiada. El fundamento y el planteamiento de la futura sentencia se hacen evidentes en el solo hecho de la admisión. Los Chitáyev ganarán su caso contra la Federación Rusa porque esta no ha logrado aportar justificación alguna para su arresto o para el saqueo de su casa.

Todos los estadios deliberativos han sido seguidos de cerca por las autoridades rusas hasta el punto de que un representante del gobierno ha estado presente en cada una de las vistas, incluyendo la última, del 30 de junio. Mientras todavía tenían tiempo, antes de la sentencia definitiva, el régimen ha reactivado su causa contra Adam, puesto que Arbi se halla fuera de su alcance. En ella nos volvemos a encontrar con los mismos ocho capotes y la cinta con la entrevista a Basáyev. Se dictó una orden de detención contra Adam, y no costó localizarlo porque no solo no se escondía, sino que vivía en la dirección donde estaba empadronado. Adam es un ciudadano cumplidor de la ley que además insiste en que esta sea respetada. Después de su detención, fue enviado en un convoy a Chechenia.

Estamos ante una represalia descarada por la demanda que planteó ante Estrasburgo. Esto no es más que el intento del Estado de tomarse la revancha de alguien que no está dispuesto a comportarse como un dócil corderito.

JODORKOVSKI, LOS PRISIONEROS Y EL PERSONAL DE LA COLONIA PENAL 14/10 PUEDEN HALLARSE EN PELIGRO

3 de abril de 2006

La gente se divide entre la que cree en las conspiraciones y la que no. Yo pertenezco a esta última categoría. Las historias de conspiración, ya traten de la toma violenta del poder como del conde de Montecristo, me parecen aburridas. Las extrañas complejidades de la vida real son mil veces más dramáticas.

Tengo delante de mí un documento que, aunque no ha llegado por casualidad a *Novaya Gazeta*, fue entregado en mano por su autor, un individuo de aspecto seguro de sí mismo y porte militar. Mostró su documentación acreditativa, su pasaporte, un certificado de graduación de una academia militar y otro que demostraba que acababa de salir de un centro de detención.

El documento dice:

En febrero de este año, acepté participar en determinada operación. El sitio era Krasnokámensk, en la provincia de Chitá. Su naturaleza era como sigue: durante la noche, un grupo de seis individuos en dos vehículos blindados, después de derribar la verja que rodea la institución 14/10, debían irrumpir en el complejo del campo de trabajo. Tras haber penetrado en el sector indicado por el comandante del grupo, tenían que adoptar una posición defensiva y mantenerla durante cinco minutos. Después de eso, debían salir por la misma ruta de llegada, abandonando los vehículos tras unos pocos kilómetros y desapareciendo.

La cita debía ser el 20 de abril, en Judzhand, en Tayikistán. Allí, todos los participantes recibirían pasaportes auténticos como ciudadanos tayikos y, disfrazados de trabajadores temporeros, serían transportados por tierra a un lugar previsto de antemano. Allí se registrarían y prepararían para la operación, a unos cien o ciento cincuenta kilómetros de Krasnokámensk. Todo el equipo necesario sería dispuesto por otro grupo que operaría de forma autónoma. El grupo saldría en el último momento. El destino exacto solo sería conocido por dos de sus seis integrantes y por el comandante al mando. Los demás actuarían a ciegas y recibirían una recompensa material. Ahora mis razones para acudir a usted. En mi opinión, MBK tiene todo el derecho a decidir sobre su propio destino. Cuando tomé la decisión de participar, el 10 de febrero, yo estaba seguro de que MBK era el que estaba detrás de la operación. En estos momentos ya no lo estoy tanto.

Obviamente, MBK es el ex oligarca encarcelado, Mijaíl Jodorkovski, y Krasnokámensk la ciudad en cuyas afueras se encuentra el penal donde está encerrado.

Si no lo entendía mal, el documento describía un plan para organizar una fuga forzada. Pero, en el caso de Jodorkovski (y también en el de los demás), solo podía haber un final para semejante intento de salir del penal de Krasnokámensk: una bala. «Muerto en el intento de fuga planificado por miembros de la petrolera Yukos.» Eso supondría el final del culebrón del «Exilio decembrista», con sus interminables recursos judiciales por el menor pretexto, sus infatigables abogados, su fundación Rusia Abierta, sus productos químicos y destinos, su debate sobre si debe permitirse la actividad erudita en las prisiones, las visitas ampliamente recogidas por la prensa y todo lo demás. El culebrón se acabaría y, sin duda, el colega de Jodorkovski,

Leonid Nevzlin, acabaría siendo extraditado de Israel. ¿Resulta todo esto creíble? Por completo.

Pero también cabe que sea un completo sinsentido, el delirio de alguien individual. Esas cosas pasan. Pero ¿y si no lo es? Podría haber otro final posible: podría producirse un motín carcelario, ¿y quién sería el líder de una revuelta en el penal 14/10? Pues naturalmente la misma persona que, según asegura el Kremlin, aspira a alcanzar un gran poder. Sin duda tendrían todo el derecho de encerrarlo en una celda de castigo y liquidar al alborotador.

Como todo periodista sabe, estas son historias que es mejor publicar que guardarlas en un cajón. No está fuera del ámbito de lo posible que eso pueda salvar alguna vida. Si damos crédito al plan detallado anteriormente y a las explicaciones de nuestro informador, entonces las vidas de los prisioneros del Campo de Trabajo 14/10, de Jodorkovski y del personal carcelario de la colonia corren peligro.

¿Debe un periódico publicar que pende una amenaza de muerte sobre alguien? Desde luego, para evitar así una posible tragedia. Una fuga preparada desde el exterior, sea quien sea quien la organice y por los motivos que sean, difícilmente favorecería los intereses de Jodorkovski. El intento de llevar a cabo la fuga puede provocar la muerte de otros internos y del personal carcelario; tanto más porque, vistos sus expedientes, los «trabajadores temporeros» del «grupo de incursión» resulta que eran antiguos militares, algunos de ellos oficiales del KGB con una reputación dudosa. De hecho, alguno había cumplido condena de cárcel.

¿Y qué pasa si todo no es más que un montaje y que *Novaya Gazeta* está siendo embaucada en una trama imaginaria? Pues que todos suspiraremos aliviados y daremos gracias a Dios de que no fuera nada más grave. Y también sopesaremos un hecho que resultaría obvio en cualquier caso: que en el ámbito de la antigua Unión Soviética, los manipuladores de las relaciones públicas del gobierno tienen reservado un lugar para oficiales retirados con antecedentes penales. ¡Buena y vieja Unión Soviética!

Un presunto partícipe en el ataque previsto contra el penal de Jodorkovski ha sido hallado culpable

El juzgado de Basmanni de Moscú ha dictado sentencia en el caso de Vladímir Zelenski. Zelenski fue quien informó a la columnista de *Novaya Gazeta*, Anna Politkóvskaya, de un supuesto ataque inminente contra el penal donde está encarcelado Mijaíl Jodorkovski, el antiguo presidente y propietario de la petrolera Yukos. Zelenski ha sido condenado a tres años de trabajos forzados por «difundir a sabiendas información falsa sobre un atentado terrorista».

Este extraño episodio ha sorprendido al abogado de Zelenski y otros participantes del juicio, aparte de dejar muchas preguntas sin respuesta. El propio Zelenski se negó a testificar, se reconoció rápidamente culpable y solo pidió que el juicio fuera lo más rápido posible.

Lo que Zelenski dijo en realidad antes de su detención está recogido en el artículo de Anna Politkóvskaya. Zelenski la telefoneó en la primavera de este año, diciendo que tenía información importante relacionada con Jodorkovski y que únicamente confiaba en ella. Le entregó una nota sobre el supuesto plan para obligar a Jodorkovski a escapar.

Zelenski nombró a un tal Babákov como organizador de la trama, un antiguo agente del KGB de Tayikistán, e insistió para que se organizara un cara a cara entre él (Zelenski) y los parientes de Jodorkovski o alguno de sus antiguos socios, como Leonid Nevzlin.

La historia tenía todo el aspecto de un montaje absurdo, pero un posterior examen psiquiátrico de Zelenski no reveló problemas mentales. Cuando fue detenido en Chitá se encontró un pasaporte falso a nombre de un ciudadano de Tayikistán, con el que había estado cruzando la frontera, y también un plan detallado de un ataque contra el penal.

Nacido en Sochi, en el distrito de Krasnodar, Vladímir Zelenski es un antiguo soldado que se graduó en la Academia Militar de Sarátov. Fue condenado a seis años de cárcel por un tribunal de Novosibirsk por un delito de lesiones graves, pero fue puesto en libertad bajo fianza en agosto de 2004, saltándose así tres años de condena,

condena que el juzgado de Basmanni le ha vuelto a imponer. Se confesó culpable de los cargos de difundir a sabiendas información falsa sobre un acto terrorista.

Zelenski rehusó elegir abogado defensor, de modo que el tribunal le asignó de oficio a Anatoli Avílov, presidente del tribunal de Basmanni entre 1992 y 1995. Avílov encuentra el caso sorprendente. Da a entender que la historia de Zelenski es tan descabellada desde el principio que este no ha cometido delito alguno. Tampoco entiende que Zelenski se haya declarado culpable antes incluso de haber sido identificado; es decir, antes de que estuviera claro si se trataba del hombre que se presentó en la redacción de *Novaya Gazeta* o este era un impostor con un pasaporte a su nombre.

«Todo es muy raro —dice Avílov—, cualquiera que haga una declaración falsa a sabiendas normalmente procurará no dejarse ver demasiado, pero Zelenski se presentó a cara descubierta. El porqué lo hizo solo lo sabe él, pero me parece totalmente plausible que alguien lo suplantara.»

Un cierto número de curiosas coincidencias nos invitan a pensar que se ha tratado de una trampa. Después de que Zelenski se presentara en el periódico con su historia, hubo dos declaraciones públicas: la primera, de un diputado del Partido Liberal Demócrata, de extrema derecha dirigido por Zhirinovski, que informó a la prensa de que *Novaya Gazeta* tenía en su poder una información muy importante que estaba hurtando a las fuerzas y cuerpos de seguridad del Estado; la segunda, por parte de un prominente comentarista político que también acusó a los redactores de retener información de un delito inminente.

Ambos personajes hicieron sus declaraciones de un modo especialmente categórico y con gran aplomo, pero ignorantes de que nosotros habíamos trasladado toda la información a los servicios oportunos.

Tras la condena de Vladímir Zelenski por tan extraños sucesos, se nos ocurren una serie de preguntas:

1. ¿Por qué un hombre que no había sido identificado y que podría haberse declarado inocente acepta la condena, rehúsa

elegir abogado y desea volver al estricto régimen de los campos de trabajo de los que ha salido hace bien poco?

2. ¿Dónde encontró un antiguo soldado sin trabajo y recién salido de la cárcel el dinero suficiente para viajar por el país y cómo consiguió un pasaporte falso a nombre de un ciudadano de Tayikistán con la calidad suficiente para permitirle pasar los controles fronterizos?

3. ¿Acaso la conclusión del caso contra Zelenski no es una tapadera ideada para evitar una investigación en profundidad y ocultar la identidad de los que están detrás de tan sucia maniobra?

[El 11 de octubre de 2006, Anna Politkóvskaya tendría que haber declarado en los tribunales por el caso Zelenski, para confirmar o no la identidad del hombre sentado en el estrado.]

7

Planeta Tierra: el mundo más allá de Rusia

[Anna Politkóvskaya no solo criticó el régimen de Putin y a las fuerzas de seguridad rusas. No era en absoluto acrítica con Occidente. Sin embargo, siempre admiró las actitudes civilizadas e ilustradas cuando se topó con ellas allí, y confió en que pudieran trasplantarse y arraigar.]

LOS PRINCIPIOS DE DINAMARCA: UNA PRISIÓN DONDE NO
GOLPEAN, SINO QUE RESPETAN A LOS PRESOS

1 de febrero de 2001

Es algo generalmente aceptado que los rusos no nos gustamos demasiado. Prueba evidente de ello es el deprimente estado de las instalaciones de prisión preventiva de nuestro sistema carcelario. Por segundo año consecutivo, los inspectores del Consejo de Europa han descrito las condiciones de las mismas como el equivalente a la tortura. De más de un millón de detenidos, alrededor de 300.000 esperan juicio en instalaciones de prisión preventiva y en cárceles. Según Oleg Mirónov, el defensor de los Derechos Humanos de la Federación Rusa, 85.000 de ellos no tienen sitio donde dormir (las instalaciones penitenciarias están por encima del 200 por ciento de su capacidad); más de 90.000 sufren de tuberculosis y más de 5.000 son portadores del sida. Tampoco los guardias les hacen la vida fácil. En 1999, 3.583 funcionarios de prisiones fueron castigados por infringir la ley, y de ellos, 106 fueron acusados de crímenes en el desempeño de su trabajo. Sus actividades afectaron directamente a casi dos millones de personas, puesto que ese es el número de detenidos que todos los años pasan por los centros de detención preventiva rusos, el doble de los que cumplen condena impuestas por los tribunales. La razón principal de todo ello es el arresto injustificado, que sigue siendo la principal forma de combatir la delincuencia. El resultado es que uno de cada cinco varones rusos ha pisado la cárcel alguna vez. En 1999, la oficina del fiscal recibió 263.645 quejas sobre los métodos de investigación e interrogatorio utilizados por los miembros del Ministerio del Interior, y una de cada cuatro resultó estar justificada. El 70 por ciento de las quejas por veredictos judiciales recibidas en 1999 por el defensor del pueblo ruso aseguran que durante la fase de investigación preliminar y los interrogatorios se empleó la violencia para obtener confesiones y que eso determinó que se dictaran condenas injustas.

Sin embargo, *Novaya Gazeta* ha descubierto que hay cárceles por el mundo donde los rusos son bien recibidos —fenómeno que en ningún caso se da en nuestro país— y donde los carceleros esperan con gusto la ocasión de vernos para hacer todo lo que esté en su mano para ayudarnos con nuestros problemas, cualesquiera que sean. Dichas cárceles se encuentran en Dinamarca, un reino plenamente democrático y moderno, y los inspectores del Consejo de Europa las califican de satisfactorias.

—Personalmente, los rusos me caen muy bien —me comenta alegremente la guardiana Ani, una mujerona danesa con una abundante mata de cabello báltico. Es cierto que camina arriba y abajo con las manos entrelazadas en la espalda y el porte militar de alguien acostumbrado a la disciplina—. Son gente a la que no hay que repetir las cosas. Obedecen las órdenes en el acto, no están reclamando constantemente sus derechos y no son picajosos con la comida. Además, les gusta trabajar.

Ani es la encargada del primer piso del centro de preventivos, conocida aquí con el anticuado nombre de «El correccional», situado en la ciudad costera de Esbjerg. Me hace una enérgica demostración de su trabajo y compruebo que así es efectivamente como lo realiza. Me explica que en las prisiones danesas la cuestión de la igualdad de género no se deja al albur de las circunstancias, sino que responde a una estricta cuota definida por el Ministerio de Justicia. En las cárceles de régimen cerrado y los centros de detención preventiva el personal debe ser femenino en un porcentaje no inferior al 45 por ciento. Existe la idea de que esto favorece unas actitudes más amables y crea un ambiente favorable. En las cárceles de régimen abierto, la cuota es del 30 por ciento. El correccional de Esbjerg es una cárcel de régimen cerrado, lo que significa que los presos se hallan a la espera de juicio o sentencia o están cumpliendo penas inferiores a seis meses. Las puertas de entrada están cerradas a cal y canto y nadie puede salir a dar una vuelta por la ciudad. Enseguida nos ocuparemos de las prisiones de régimen abierto, pero por el momento Ani prosigue:

—En cuanto nos llega un ruso que ha sido detenido por orden judicial, le damos un libro en ruso para que se lo quede. El libro se llama *Guía para el buen cumplimiento de la condena*, y en él se describen los detalles de la vida del reo, sus responsabilidades y las normas de funcionamiento.

Mientras conversamos, alguien se apoya en la pared frente a la celda n.º 6 y enseguida se asoma su indignado inquilino. Le han apagado la luz de la celda sin querer. Le da al interruptor y vuelve a su interior en silencio.

—Creo que hemos interrumpido su lectura —me comenta Ani—. Muchos de nuestros internos están muy tensos, lo cual es comprensible. Allí tiene una sala de billares para relajarse. Aquí está el gimnasio. Por desgracia, el interno que lo está utilizando ha pedido que no lo molesten, de modo que no podemos verlo. Por allí está el patio de ejercicios. También contamos con una sala especial para los drogodependientes que están con el mono, para los alcohólicos violentos o los enfermos mentales que pasan una crisis. Allí, las camas tienen correas. Las puertas de las celdas no tienen mirilla, y la vigilancia está prohibida. Todas las camas cuentan con sábanas limpias, y cada celda tiene su lavamanos. Para ir al váter tienen que pedir permiso. ¿Nevera?, desde luego, pero tienen que traerse su propio televisor. Hay enchufes de antena por todas partes. ¿Alguna otra pregunta?

A pesar de su evidente buena voluntad, Ani tiene la gélida mirada típica de una guardiana. Es estricta y directa como cualquiera, pero al final de nuestra charla empiezo a tener algunas dudas. ¿De qué lado está? ¿Qué derechos defiende? El primer y más obvio comentario que se le ocurre a cualquiera acostumbrado a vivir, por ejemplo, en Moscú y no en Dinamarca es:

—Pero por amor de Dios, esto es un hotel de lujo, no una cárcel.

—No estoy de acuerdo. Tenemos normas muy estrictas. No somos una cárcel de régimen abierto. Aquí todo el mundo está obligado a trabajar diariamente en el taller. Si uno va a la cárcel no tiene más remedio que trabajar.

Ani maneja una lógica de hierro danesa y muestra un trato parecido. Matices como su insinuación de que la gente no está obligada a trabajar fuera del mundo de la cárcel se le escapan por completo.

—El personal de la cárcel está obligado a encontrar un trabajo para los internos. Nosotros nos ocupamos de hablar con las empresas y hacerles ver las ventajas. Al fin y al cabo, la mano de obra de aquí es más barata.

Ani y yo hojeamos juntas la *Guía para el buen cumplimiento de la condena*. Salta a la vista que está muy orgullosa de ella y de todo el sistema penitenciario danés. Los capítulos llevan el título de «Tiempo libre», «Tratamiento dental», «Cartas». Al fin llegamos a la guinda del pastel: «Si tiene dificultades para leer esto, informe al personal, que lo ayudará a grabar su contenido en una cinta». Y en el capítulo de «Religión» encontramos: «Si su religión le prohíbe trabajar en alguna hora determinada, será dispensado de hacerlo durante dicho plazo». En el capítulo «Visitas»: «Si no tiene familiares ni amigos que vengan a visitarlo, puede pedir al personal que concierte visitas con la Sociedad de Amigos de Presos. También puede entrevistarse con miembros de la prensa».

Ya es suficiente. De hecho, es demasiado. ¡Me rindo! Está muy claro por qué los rusos se portan tan bien aquí, como niños bien educados, y nadie quiere escapar. El correccional de Esbjerg no solo tiene buen aspecto visto desde fuera, como el mejor colegio ruso, sino que por dentro sus alegres colores azul marino y claro, sus comidas y cenas, sus billares y demás instalaciones serían la envidia de cualquier guardería rusa. Y para rematar, aquí tienen plenamente asumido que lo más importante que deben ver los internos es que, hayan hecho lo que hayan hecho, siguen siendo seres humanos y no deben olvidarlo. ¡Qué ruso no se conmovería si alguien le dijera: «Sabemos que no eres un pedazo de mierda»!

El superior de Ani viene para echarle una mano, ya que parece cada vez más irritada por nuestra perplejidad ante lo que significa la vida en una prisión danesa que nos está mostrando. El director del correccional es el jefe de policía del distrito, Jørgen Ilum, un hombre que tiene el aspecto de un próspero abogado y no se parece en nada al jefe de nuestra milicia provincial. Jørgen, descubrimos con placer, no se despeina por nada. Se trata de un profesional y escucha y medita largamente sobre nuestras extrañas preguntas rusas.

—¿La policía de Dinamarca tortura a los detenidos para arrancarles confesiones?

Mi pregunta causa cierta consternación, seguida de una larga charla entre el señor Ilum y Sten Bolund, el subdirector de policía, que no podemos entender. Sten viste un elegante traje gris, muy a la moda, con una corbata muy moderna de colores chillones. Parecen realmente incapaces de responder a semejante pregunta, ya que los sueldos de la policía salen del bolsillo de los contribuyentes. Al final contestan:

—No.

—¿Cuándo fue la última vez que un policía fue hallado culpable de malos tratos en Dinamarca?

Nuevamente, consternación y otra larga conversación en danés que hace que llegue Nils Hedegger, secretario de la Asociación de Policía de Esbjerg, su sindicato. En Dinamarca, toda comisaría debe contar con representantes sindicales. Los tres me contestan que en 1991 hubo una queja contra dos agentes del distrito vecino. Un individuo (el demandante), en un bar, se había puesto agresivo y los demás clientes pidieron que se lo llevaran. El propietario llamó a la policía. El tipo agresivo consideró que se lo habían llevado con exceso de celo. El tribunal del distrito falló en contra de los policías, pero el de apelación los exoncró argumentando que la fuerza utilizada estaba justificada para proteger los derechos de los demás clientes del bar.

—La verdad es que no recordamos que haya habido reclamaciones por malos tratos durante ninguna investigación —confirmaron los tres, y puesto que Jørgen y Sten pasan de los cincuenta y Nils se acerca a los cuarenta, entre los tres su memoria abarca ciertamente varias décadas.

—¿Qué criterio se emplea para evaluar su trabajo?

Los policías sonríen con alivio y empiezan a contarnos cosas que para ellos están tan claras como el día y la noche. En Dinamarca, cada tres años se elabora una encuesta pública en la que los ciudadanos son invitados a manifestar si se sienten seguros en sus hogares y sus calles y si creen que su policía se comporta con cortesía, va bien vestida y está correctamente preparada.

La encuesta constituye la evaluación de su servicio. Si los resultados son malos, el jefe de policía será sustituido y algunos de sus subordinados enviados a cursos de reciclaje, mientras que otros seguramente serán despedidos. No existen objetivos para resolver un porcentaje dado de delitos, unas estadísticas que en Rusia deben hincharse con métodos legales y no tan legales y que conducen irremisiblemente a conversaciones del tipo: «Hijo de puta, confiesa que asesinaste... (o robaste o violaste o lo que sea)».

En otra encuesta, menos directa, a la población se le pregunta acerca de los empleados del sector público, que cobran de los impuestos de todos, y a quiénes califican más alto, si a médicos, maestros, conductores de autobús municipales o policías.

—Desde hace unos años —me informa orgullosamente el señor Ilum—, los policías son los mejor calificados.

La policía es objeto de sanción si trabaja demasiado despacio. En la actualidad, por ejemplo, la sociedad danesa está realizando un esfuerzo conjunto para erradicar la violencia basándose en el principio de que, si bien está mal robar, la violencia física resulta totalmente inadmisible. El Parlamento danés ha decidido que la policía debe dar prioridad a investigar delitos violentos y que dichos casos deben ser llevados ante los tribunales en un plazo no superior a treinta días. Si la policía no cumple, el sospechoso recibe una condena reducida aunque sea declarado culpable.

—¿Bromea?

—La sociedad nos exige que trabajemos deprisa —añade el jefe de policía Ilum.

—¿Y han tenido que poner en libertad a algún delincuente por ello, por no aportar pruebas a tiempo?

—En alguna ocasión —dice Sten Bolund, haciendo un gesto de impotencia—. Pero ese es nuestro problema. Nosotros nos hacemos responsables, y no es cuestión de hacer trampas con leyes aprobadas democráticamente.

Saliendo de Esbjerg, se llega al pueblo de Skærbæk. Uno puede entrar como un ciudadano cualquiera, pero el sitio también alberga la cárcel regional abierta de Renbæk, que cuenta con 110 internos y 62 funcionarios. Está formada por un grupo de casitas campestres (una especie de celdas), un pequeño comercio (la tienda de la prisión), talleres, una vaquería, un campo de fútbol, uno de golf y una parada de autobús. Todo el mundo puede acercarse por allí, novias, esposas, todos los días si el interno en cuestión ha terminado su trabajo. No hay vallas ni verjas. La única restricción a la libertad es que las casas se cierran a las 22.00 horas y se abren de nuevo a las 7.00 por un supervisor que pasa allí la noche con los internos. Si uno no está cuando cierran, se cuenta como intento de fuga; aun así, nadie irá corriendo a buscar a nadie, eso es responsabilidad de cada uno. Si uno se escapa y lo atrapan será transferido a una cárcel de régimen cerrado donde no volverá a conocer la libertad en mucho tiempo y donde únicamente recibirá visitas una vez por semana y se quedará sin fútbol, sin golf y sin el privilegio de ser responsable de uno mismo y de administrarse. En el régimen abierto, los internos se ocupan de su propia alimentación, y para ello cuentan con una asignación de cuarenta coronas diarias (unos cinco euros) para comprar comida, prepararla y limpiar los cacharros en la cocina de su pequeña casa. La idea que subyace en el sistema carcelario danés es que todo debe conseguirse mediante esfuerzo. ¿Es sensato? Sí. Después de todo, a uno no lo envían de vacaciones tras haber cometido un robo.

Pero aquí viene el alcaide de Renbæk, un gigantón de mejillas sonrosadas llamado Eric Pedersen. Cuesta distinguirlo de los demás internos que pasean por el pueblo porque ninguno de ellos viste uniforme. El alcaide nos invita a pasar a su sala de reuniones, donde hay velas encendidas en la mesa; nos ofrece té y café y nos explica que no debemos dejarnos engañar por los internos, ya que los que pasean por las calles y juegan a tenis o fútbol son auténticos delincuentes.

—El tipo que jugaba a ping-pong cuando pasamos asesinó a su mujer. El 50 por ciento de los internos están aquí por delitos sexuales; el 25 por ciento, por delitos con violencia; y solo el 25 por ciento restante por robo.

—¿Y no le parece que es un sistema muy benévolo? Es posible que esta gente sea realmente un peligro para la sociedad y deba estar aislada.

—¿Qué sentido tendría eso? ¿Y qué habría que hacer con ellos cuando hubieran cumplido la condena? Trabajar es una condición imprescindible para estar aquí. O estudiar, si alguien carece de estudios secundarios. Estudiar en clase se considera equivalente a trabajar en los talleres de la cárcel. Lo consideramos un intento de reeducación.

¡Toma con Hamlet y la «prisión de Dinamarca»! Gracias a la fuerza de la democracia, no solo las cárceles, sino todo el reino, se parecen a nada de lo que hay por ahí.

Por último, nosotros los rusos suspiramos constantemente por que nos admitan en Europa; no en el sentido geográfico, sino como estado europeo en el sentido que a ese concepto se le da en Estrasburgo. Hablamos y escribimos a menudo acerca de tan admirable ambición y, en ocasiones, incluso fantaseamos con la idea de que ya formamos parte. Sin embargo, ha llegado el momento de que persigamos no solo la forma, sino también el contenido. Y eso significa que debemos remediar nuestra falta de proceso legal ¡y ponernos a la altura de Dinamarca!, al nivel de Renbæk y su cortés jefe de policía, y al del correccional de Esbjerg, donde los rusos gozan de tan buena reputación.

P.D.: Este artículo fue posible gracias a la colaboración de la Federación Internacional de Helsinki para los Derechos Humanos.

EL SECRETO DEL CLARIDGE: ¿DE QUÉ HABLARON EL PRIMER MINISTRO DEL REINO UNIDO Y LA COLUMNISTA DE *NOVAYA GAZETA* DURANTE EL ALMUERZO?

14 de mayo de 2001

Londres, 30 de abril de 2001. La ciudad no se muestra acogedora. La gente, que aguarda la primavera, sigue soportando la lluvia, un viento gélido y una constante penumbra, una sensación de otoño que no remite a pesar de los tulipanes que adornan los parterres del parque.

El tiempo era un trasfondo adecuado para la tarea que me había impuesto: tras volar hasta la capital, ¿cómo iba a conseguir una respuesta a la pregunta que deseaba formular a Tony Blair, el primer ministro del reino de esta influyente isla? Y la pregunta era: ¿por qué, desde hace un tiempo, mantiene tan excelentes relaciones con el presidente Putin? ¿Cuáles son las virtudes de Putin que le resultan tan atractivas?

Cualquier periodista ruso sabe que para conseguir una entrevista con un jefe de Estado se requiere una paciencia de santo. En Moscú no existen los milagros —así es la naturaleza del Kremlin—, pero en Londres, en la mañana del 30 de abril, recibí una invitación al almuerzo anual del London Press Club con el primer ministro. Cosa curiosa, no había hecho ningún esfuerzo especial para conseguirla. Simplemente me la enviaron. En el Claridge, ese gran y antiguo hotel de Londres, a las 12.30 horas. Así pues, ¿por qué no?

Los milagros no acabaron aquí, al menos a los ojos de esta ciudadana de la Federación Rusa. A las 12.20 no había nadie en la entrada del Claridge salvo un anciano portero con un grueso uniforme de lana gris y un alto sombrero dickensiano. Es costumbre que todos los porteros de los hoteles más caros de Londres sean ancianos caballeros de pelo blanco, que en Rusia llevarían tiempo jubilados.

El portero abrió la puerta del taxi y me sugirió que, si iba al almuerzo con el primer ministro, me resultaría más cómodo entrar por una puerta adyacente. Comprendí a qué se refería. Subrepticiamente me estaba conduciendo a una cola donde los servicios de seguridad británicos separaban a los verdaderos invitados de los que no lo eran. Al fin y al cabo, tienen sus propios terroristas irlandeses de los que preocuparse.

Así pues, crucé la puerta principal y enseguida comprendí que me había equivocado. Lo único que el anciano portero había pretendido era mostrarme el camino más corto y conveniente para llegar al primer ministro. Regresé al punto de partida para comprobarlo y, mientras lo hacía, miré a mi alrededor para ver en qué tejados estaban situados los francotiradores.

No había ninguno. Tampoco ningún guardia de seguridad de mandíbula de bulldog y cabeza rapada lanzando inquisitivas miradas ni arcos detectores de metal por los que están obligados a pasar todos los que en Rusia pretenden acercarse a menos de un kilómetro de donde pueda aparecer el presidente.

A las 12.45 llegó Tony Blair. A las 12.50 sonó la campana del almuerzo. A las 13.00 ocupamos puntualmente nuestros asientos. Mi mesa estaba junto a la del primer ministro. Nos concentramos en el primer plato: *aspic* de pato con salsa de crema de leche. No estaba malo, pero tampoco era nada especial. El señor Blair lo perseguía por el plato, igual que yo.

Los comensales siguieron con sus patos, y los caballeros, todos ellos miembros de lo que en Rusia llamaríamos «directores de los medios», no hicieron intento alguno de distraer al primer ministro de su comida. Nadie corrió a formularle preguntas mientras fingía disfrutar del entrante.

A las 13.19, Dennis Griffiths, presidente del London Press Club, presentó a Tony Blair a los invitados y le cedió la palabra. Su discurso fue interesante, pero básicamente consistió en manifestar su amor por la prensa y en bromear acerca del hecho de que, por primera vez en su vida, llevaba gafas.

Un eco de risas recorrió las mesas, y la gente aplaudió.

A las 13.15, mientras Blair seguía hablando desde un improvisado estrado, una fila de camareros entró sigilosamente con grandes bandejas. Era el plato principal. A todo el mundo le sirvieron lo mismo: un trozo de salmón muy tierno, braseado o hervido, acompañado por tres patatas diminutas, un ramillete de albahaca y cuatro judías.

Blair, quien como todo el mundo sabe acababa de tener su cuarto hijo, se sentó y se dispuso a dar buena cuenta del salmón, tal como lo habría hecho cualquier padre de cuatro hijos en Rusia. El primer ministro despachó rápidamente y con visible alivio el rosado pescado.

Al ver que por fin estaba libre, decidí lanzar mi ataque. El camino hasta él era recto y despejado, únicamente obstaculizado por los restos del plato y su secretario de prensa, Alistair Campbell, un antiguo y conocido columnista de un periódico londinense. No obstante, Alistair estaba ocupado con su salmón, de modo que todo estaba en su sitio.

La respuesta del premier británico a mi pregunta concerniente a la naturaleza de su aprecio hacia Putin fue breve pero exhaustiva. Me contestó: «Forma parte de mis obligaciones como primer ministro que el señor Putin me caiga bien». Eso fue todo. ¿Había algo más que decir? El trabajo del chef es preparar el pescado; el del médico, extirpar el apéndice; el de un jefe de Estado, demostrar cuánto le gusta otro jefe de Estado. Así de sencillo.

A las 14.10 empezaron los discursos de los miembros del Press Club, que continuaron hasta las 14.45. Blair escuchó con atenta educación y se marchó a las 14.50, tal como anunciaba el programa. No hubo ovación en pie ni largas despedidas. Fue todo muy comedido y muy británico.

En ese punto llegó el postre: té o café acompañado por un trozo de tarta de praliné glaseada con aroma de café. El primer ministro se marchaba, pero se volvió hacia las mesas una última vez. Lanzó una triste mirada a los inalcanzables platos que los camareros, ajenos por completo al responsable de su gobierno, llevaban de un lado para otro.

Todo el mundo tiene un trabajo que hacer, y nadie debería interrumpírselo. Esa es realmente la actitud británica. Si un camarero está sirviendo el pastel a los comensales, uno se quita de en medio, aunque sea el primer ministro.

¿Quién en Europa se hará responsable de una guerra en Europa?

16 de agosto de 2001

Aquí estamos, casi en el extremo final del Viejo Mundo, una alta ladera que mira hacia un sombrío y oscuro fiordo noruego y un pequeño pueblo que trepa por la pendiente del acantilado. Es pequeño, autónomo, encantador y tiene un aspecto alegre. Se llama Molde. Molde no mira a lagos ni a mares; lo que domina aquí es el todopoderoso océano Atlántico. Uno podría coger una barca y navegar hasta América. El mundo entero a la puerta de casa. En Rusia, pocos son los que conocen la existencia de Molde.

Sin embargo, Molde no es exactamente lo que parece. En el pueblo hay personas cuyas vidas se han visto radicalmente alteradas por lo que está ocurriendo en Rusia.

En lo alto del fiordo se encuentra el cementerio, un lugar tranquilo, triste y silencioso, y tan sereno como cualquier otro cementerio donde la vida encuentra irrevocablemente a la muerte, dejando únicamente una lápida en lugar de una rebelde y pugnaz alma humana. Dejo unas cuantas rosas rojas en el suelo, alrededor de una austera lápida gris que mira hacia la infinidad del océano desde el punto más elevado del cementerio. Las palabras grabadas en ella dicen: «Død Tsjetsjenia. 17-12-1996».

Eso significa «Muerto en Chechenia». Ingeborg Foss, una enfermera noruega que vivía en Molde y dejó esta tranquila aldea costera el 4 de diciembre de 1996, murió junto con otras cinco enfermeras y médicos en la aldea chechena de Starie Atagi el 17 de ese mes. Llevaba diez días en la misión de la Cruz Roja, trabajando en un hospital que la organización había montado allí.

—Ingeborg me llamó dos veces desde Chechenia —me cuenta Sigrid Foss, la madre de Ingeborg, de ochenta y un años—. Me decía que daba mucho miedo.

—¿No le dijo usted que volviera? ¿No intentó convencerla? ¿No insistió usted, como madre?

—No —me contesta Sigrid—. Era su destino.

Escueta, al grano, sin mostrar señal de dolor, pero ¿qué torbellino de emociones se agita en el corazón de esta mujer cuyo rostro se ha convertido en pasto de las arrugas? Amor hacia su hija y tristeza por su muerte, sin duda, pero también orgullo ante la dedicación de Ingeborg hacia una gente a la que no conocía pero que no obstante sufría. Y desde luego, el dolor de una pérdida irremediable.

Mucho antes de lo de Chechenia, Ingeborg se había dedicado a colaborar con Cruz Roja. Había trabajado en Nicaragua y Pakistán, pero cuando la organización le ofreció hacerlo en Bosnia, ella rehusó de repente, diciendo que tenía una madre anciana y que no podía. Sin embargo, decidió ir a Chechenia. La Cruz Roja le aseguró que las condiciones no eran tan malas como se decía y que todo iría bien.

Sigrid se sujeta constantemente los mechones de su cabello, gris, que agita el fuerte viento que se ha levantado en las alturas del cementerio que domina el fiordo. Apenas puede contener las lágrimas. Los ojos se le enrojecen, se le hinchan los párpados, se deja caer de cuclillas en el suelo y acaricia con la mano la oscura tierra que rodea la lápida de Ingeborg. Se recompone durante unos instantes, antes de recogerse de nuevo el cabello y levantar la cara al viento en un gesto de desafío, un gesto que parece ayudarla a reunir las pocas fuerzas que le quedan. Aquí dicen que las ancianas noruegas no lloran, que no es su forma de ser, que son fuertes e indomables, que están familiarizadas con el sufrimiento y no ceden fácilmente al llanto. Conocieron la Segunda Guerra Mundial, cuando Noruega sufrió una brutal ocupación en la que hubo partisanos, resistencia, lucha y muchas muertes. Después muchas de ellas pasaron hambre y penurias, y tuvieron que esperar a hacerse viejas para ver cómo Noruega se hacía rica y les proporcionaba hogares de retiro decentes y una buena pensión.

Sigrid es una de esas mujeres noruegas. Resulta fácil ver que es dura por naturaleza, como cualquiera que vive con el viento y el mar y está acostumbrada a ver hacerse a la mar a su familia para no volver. Es plenamente consciente de lo que está pensando la persona que la acompaña en el cementerio.

—Sí, perder a mi hija me ha echado diez años encima —afirma, asintiendo y tragando saliva para poder continuar con la sencilla historia de su familia. Durante toda su vida, Sigrid ha dado clases de noruego y de inglés, aparte de educar y cuidar a sus hijos. Su marido era médico, y fue al primero que perdió; después a su hija, que había decidido seguir los pasos del padre.

Sigrid me muestra con orgullo un certificado, la orden n.º 589, fechada el 11 de diciembre de 1997, y firmado por el presidente Masjádov, en el que concede a Ingeborg la más alta condecoración de la República de Chechenia. Ese premio y la tumba son todo lo que le queda a Sigrid tras la muerte de su hija.

—¿Tiene usted la sensación de que Rusia la ha engañado?

—No, mi reproche va contra la Cruz Roja.

Sigrid Foss asegura que la organización por cuya causa murió su hija fue demasiado ambiciosa.

—En aquella época, entre la primera y la segunda guerra de Chechenia, la Cruz Roja quería montar un hospital costara lo que costase, como si dijera: «Miradnos, hacemos algo que nadie es capaz de hacer. Los rusos están demasiado asustados, y los chechenos no tienen los medios». Su ambición los llevó a asegurar a Ingeborg que no correría peligro cuando la realidad era que había un peligro mortal.

Esto se lo explicó a Sigrid un médico noruego que sobrevivió de milagro y que acompañó la camilla con el cuerpo de Ingeborg de regreso a Molde.

—¿Una camilla en vez de un féretro?

—Así es.

Para Sigrid, 1997 y 1998 pasaron bajo los efectos del shock inicial y la aflicción, pero después quiso saber la verdad. Sin embargo, poco a poco, la situación tomó un giro extraño y descorazonador. Como si no fuera suficiente que hubieran segado la vida de su hija, Sigrid se encontró que, a causa de cómo iban las cosas en Chechenia, no había manera de que pudiera averiguar quién había sido el responsable final de la muerte de su hija.

¿Qué les queda a aquellos padres cuyos hijos les han precedido en la hora de la muerte? Dado que resulta imposible remediar el terrible mal producido, al menos desean saber qué fue. Desgraciadamente, a fecha de hoy, Sigrid Foss ni siquiera sabe si hay una investigación en marcha sobre el asesinato de su hija en Starie Atagi, y menos aún si está haciendo algún progreso.

Todo el mundo se ha olvidado de ella: Rusia, porque su hija ayudaba a sobrevivir a la población chechena y en el momento actual eso está mal visto; pero también Chechenia, porque allí no queda tiempo para otra cosa que no sea intentar sobrevivir.

—Hace dos años, recibimos una llamada del Ministerio de Asuntos Exteriores noruego. Me dijeron que no tenían información alguna, que no sabían siquiera si en Rusia había una investigación en marcha. No pude averiguar con quién se había puesto en contacto en Rusia nuestro ministerio acerca de los asesinatos de Starie Atagi. Con la Cruz Roja no tuve más suerte. Hace un año, me enviaron una carta diciéndome que no tenían noticias. Usted es la primera persona de Rusia en cinco años que se ha acordado de Ingeborg y ha venido a visitar su tumba.

—Pero ¿qué me dice de los noruegos?

—Tampoco ha venido ninguno.

«Død Tsjetjenia», Noruega, Molde, Rusia… Me despido de Sigrid Foss. ¿Siguen creyendo ustedes que el mundo es ancho, que si se produce una conflagración en un punto no tiene consecuencias sobre otro y que pueden seguir sentados tranquilamente en sus jardines, admirando sus absurdas petunias?

Nuestro mayor problema en la actualidad es que debemos repetir esa elemental verdad como si acabara de nacer. Ni esa humilde tumba de Molde ni los miles de tumbas esparcidas por toda Chechenia han servido de señal de alarma para Europa, que sigue dormitando como si la guerra que se libra dentro de sus fronteras no estuviera en su vigésimo tercer mes consecutivo, como si Chechenia estuviera tan lejos de Noruega como del Antártico.

A pesar de ello, Chechenia no es menos parte del Viejo Mundo que cualquier otro de sus territorios. El señor Kruse, un corresponsal de la televisión estatal noruega que ha trabajado en Rusia muchos años, exclamó con cierta sorpresa durante nuestra conversación: «¡Pero si Rusia es una parte distinta de Europa. No se le pueden aplicar los criterios normales. Los criminales de guerra rusos no son en realidad criminales de guerra. Difícilmente se puede culpar del destino de Milošević a los líderes rusos, teniendo en cuenta su influencia espiritual y sus dimensiones geográficas».

Desgraciadamente, esto es típico de la actitud europea. A la Rusia actual se la considera una especie de territorio indómito donde —con el acuerdo tácito de los jefes de Estado europeos, el Parlamento Europeo, el Consejo de Europa y la OSCE— resulta aparentemente aceptable que vivan ciudadanos bajo unas leyes distintas de las que rigen en el resto del continente, leyes que ningún otro país europeo consideraría aceptables ni en su peor pesadilla.

Por eso le apreté las tuercas al señor Kruse. Le pregunté por qué le parecía bien que una mujer chechena pudiera ser asesinada sin motivo, solo porque unos soldados que pasaban por allí estaban de mal humor, y por qué no aceptaba que pudiera ocurrirle lo mismo a una mujer noruega, sueca o belga. ¿Acaso una mujer francesa o una rusa por el hecho de pertenecer a una gran potencia eran distintas de una chechena?

No está bien, desde luego, pero en Noruega mucha gente reacciona mal ante una pregunta como esa. Está claro que las mujeres chechenas no son diferentes, pero eso no se compadece con el contradictorio deseo de mantener buenas relaciones con Putin y conservar al mismo una apariencia de valores civilizados.

Todas mis conversaciones, reuniones y entrevistas —en el Ministerio de Asuntos Exteriores noruego, con periodistas, en el Instituto Nobel de Oslo, con el futuro primer ministro Kjell Magne Bondevik, incluso con el Norwegian Human Rights Centre (existe un bloque de oficinas en Oslo donde trabajan bajo un mismo techo todas las organizaciones pro derechos humanos que funcionan en Noruega)— solo sirvieron para convencerme de algo que ya sabía: que Europa no tiene agallas para oponerse a la guerra de Chechenia y que aplica un doble rasero cuando de derechos humanos se trata. Uno, que es pulcro, civilizado y humanitario se aplica en la mayor parte del territorio europeo. En cambio, para Rusia, donde la democracia apenas tiene una década, tiene otro menos pulido y civilizado. Sin embargo, para el enclave rebelde de Chechenia, no tiene rasero alguno. Europa aprueba de hecho la existencia de un territorio donde las atrocidades quedan sin castigo y finge que la guerra que allí se desarrolla no afecta a los europeos. Apenas hay manifestaciones, no se imponen sanciones a los funcionarios rusos, y crímenes que jamás se tolerarían en el resto de Europa —asesinatos, persecuciones y ejecuciones extrajudiciales— se aceptan tanto en Rusia como en Chechenia. De hecho, se da incluso una aceptación tácita de la monstruosa idea de que una nación en concreto debe hacerse responsable colectivamente de los actos de algunos de sus miembros.

Aplicar dobles raseros constituye un juego peligroso, y Europa ya lo ha hecho anteriormente con consecuencias funestas. En 1933, el Führer de una nueva Alemania también fue elegido democráticamente. Europa se asustó de sus discursos pero, hasta que no pudo dejar de hacer oídos sordos, no quiso saber nada de ellos y prefirió dedicarse a contemplar su propia prosperidad mientras se tomaba el agradable café de la mañana. Y mientras Europa hacía la vista gorda, dos pueblos, los judíos y los gitanos, se convirtieron en los chivos expiatorios de culpas ajenas. ¿Cuál fue la consecuencia? La consecuencia fue 1945, millones de muertos, millones de personas incineradas en los crematorios y una Europa en ruinas.

Todo empezó muy fácilmente. Cierto individuo con problemas mentales se convenció de que una nación era estupenda y de que las demás lo eran menos, por lo que algunas de ellas debían ser aniquiladas. ¿De verdad vamos a decir que ahora las cosas son distintas, que el Kremlin concede medallas y honores a los chechenos y que incluso los asciende a cargos de prestigio y hace algo por ellos? Hitler también hizo eso y organizó una cortina de humo para beneficio de los europeos. Había judíos buenos, gitanos honrados, e incluso eslavos civilizados que merecía la pena descubrir. De ese modo Europa no se inquietaría ni se alarmaría antes de tiempo. Europa fingió tragarse todo aquello, pero eso no salvó a incontables hombres, mujeres y niños de morir posteriormente a manos del pueblo de esa «estupenda» nación.

Volviendo al momento presente, el doble rasero que Europa aplica en Chechenia está contaminando lentamente a sus propios países. ¿Para qué dio su vida Ingeborg Foss? ¿Por qué nadie en Europa, ni siquiera en Noruega, en la OSCE o en el Parlamento Europeo cree que sea importante que una anciana madre tenga la menor información sobre cómo o por qué murió su hija o que la investigación sobre el asesinato de cinco médicos y enfermeras en Starie

Atagi haya quedado en punto muerto? (Que no se está investigando nada es un hecho confirmado por la oficina del fiscal general de la Federación Rusa.)

Así pues, ¿cuál es el código moral de la Europa de nuestros días? ¿Una farsa? ¿Un autoengaño para algunos y una conveniente ficción para otros que no quieren que sea un estorbo para la confraternización entre grandes potencias a la hora de aplastar al más débil?

Rusia está poseída de fiebre guerrera, Europa responde con indiferencia y he aquí el resultado: Ingeborg Foss, una joven noruega murió en Chechenia, y su anciana madre, Sigrid Foss, está sola en el mundo. Igual que Aishat Djabrailova, de Gudermés, que perdió a su marido y a sus hijos en la segunda carnicería de Chechenia. Como Ludmila Sisuyeva, de la provincia de Tiumén, que recibió un impreso oficial avisándole de la muerte de su hijo y poco después un ataúd de zinc sellado, y que no sabe a quién dirigirse. Estamos todos cerca unos de otros. De Oslo a Moscú solo hay dos horas de avión, y otras dos de Moscú a Chechenia. Europa es pequeña.

Esta generación de políticos, a la que hemos concedido el mandato de gobernarnos, nos ha fallado. Obran en su propio interés, no en el interés de Europa.

Mientras nos despedíamos, Sigrid me dijo:

—El hecho de que usted se haya acordado de Ingrid me ha dado unos cuantos años más de vida. —A nuestra espalda, el Atlántico rugía, y las gaviotas graznaban—. La gente necesita respuestas a las preguntas que más les agobian mientras está viva. —Y añadió—: Es posible que sea lo más importante que pueden hacer aquellos que nos gobiernan.

JOSPIN LIGHT: LA CORRESPONSAL ESPECIAL DE *NOVAYA GAZETA* PASA UN DÍA EN COMPAÑÍA DEL PRIMER MINISTRO DE FRANCIA

15 de abril de 2002

Diecisiete candidatos se presentan a las elecciones presidenciales francesas de 2002. Todo un récord. Entre los que tienen más posibilidades figuran Lionel Jospin, actual primer ministro y líder del Partido Socialista francés (centro izquierda); Jacques Chirac, actual presidente de la república (centro derecha); Arlette Laguiller (extrema izquierda); Jean-Marie Le Pen (extrema derecha, ultranacionalista y amigo de nuestro Vladímir Zhirinovski); Alain Madelin (líder del Partido Demócrata Liberal) y Noël Mamère (líder de los Verdes).

Nuestros lectores pueden preguntarse con razón qué estaba haciendo *Novaya Gazeta* en Francia cuando hay tanto de lo que informar en Rusia. Nuestra intención era sencilla: no estaba nada claro qué ideas podía tener Putin para poner fin a la segunda guerra chechena, de modo que decidimos preguntárselo a alguno de los líderes europeos con quien Putin, en virtud de su cargo, mantiene estrechos contactos. A favor de Francia jugaba el hecho de que sus intelectuales y políticos, incluyendo al primer ministro Jospin, se han mostrado siempre más radicales con la cuestión chechena que sus homólogos europeos, manifestando una firme oposición a la guerra y ayudando a instalarse en Francia a muchos refugiados chechenos.

Tras negociar con su gabinete de prensa, *Novaya Gazeta* consiguió acompañar al primer ministro durante una visita al pueblo costero de Lorient que el señor Jospin tenía previsto realizar durante su campaña electoral y en el transcurso de la misma respondería a una serie de preguntas que nosotros le habríamos remitido por adelantado. El *quid pro quo* era que publicaríamos un artículo sobre su campaña en Lorient. Nos pareció justo.

Todas las campañas electorales se parecen como una gota de agua a otra. Lo mismo que en Rusia, en Francia está, por un lado, el candidato, cuya mirada se pasea por encima de las cabezas de la gente. Se muestra cauteloso y preocupado por los asuntos de Estado y finge comprender todo lo que se le pregunta. Por el otro, está el pueblo, que luce monos de trabajo y cascos nuevos, recién suministrados por sus patronos en honor a tan ilustre visita de la metrópoli. También están los flashes de la prensa y la presencia de los representantes municipales de rigor.

En el puerto de Lorient, que el señor Jospin visitó primero, todo transcurrió según lo planeado. Le enseñaron un barco de pesca que estaban construyendo en un astillero, y él estrechó la mano del ingeniero tras escuchar en silencio y asentir a sus explicaciones ante el pueblo. Luego, con la soltura que proporciona la experiencia, posó con el alcalde para la foto conmemorativa. Entonces llegó nuestro turno. Su jefe de prensa nos susurró:

—¡Ateneos estrictamente a las preguntas!

—Primer ministro, ¿qué piensa usted de la operación antiterrorista que se está desplegando en Rusia, de la guerra en Chechenia y la masiva violación de derechos humanos? ¿Ha hablado con el presidente Putin sobre cómo ponerle fin o sobre marcar plazos?

El primer ministro de Francia se quedó claramente desconcertado. Un perplejo silencio se apoderó del ambiente hasta que su impasible mirada, desde detrás de sus gafas, se tornó malhumorada. ¿Qué significaba todo aquello?

—Oh, no. Esto no. ¡Por Dios, es lo último que necesitamos! —dijo Jospin, mirando la multitud que lo rodeaba.

—Pero ¿por qué no?

—¿Se puede saber por qué me hace usted estas preguntas en Lorient?

—Soy una periodista rusa y he sido invitada por su gabinete de prensa para formularle precisamente estas preguntas.

Jospin estaba claramente disgustado. Su jefe de prensa se puso colorado.

—No, no y de nuevo no. Todo es muy complicado.

—Pero primer ministro, díganos por favor en qué se diferenciarán sus relaciones con Putin de las de Chirac en el caso de que usted gane las elecciones. ¿Qué puede esperar Rusia de Francia en ese caso?

—¡Qué cosas pregunta! Putin… ¡Por Dios, hoy no! Hoy he venido a hablar del mar. ¿Por qué no me pregunta algo sobre el mar?

Me volví hacia los que contemplaban tan extraña escena con perplejidad.

—¿Por qué se muestra tan esquivo? —les pregunté—. ¿Acaso le tiene miedo a Putin?

Ellos, periodistas del séquito del presidente, ingenieros del puerto y trabajadores, me lo explicaron lo mejor que pudieron: no tenía nada que ver con miedo a Putin. Se trata únicamente de que una de las costumbres de los políticos franceses actuales es evitar a toda costa que los obliguen a retratarse ante ninguna cuestión. Por eso prefieren expresarse en términos poco claros, para que posteriormente nadie pueda reprocharles haber dicho tal o cual cosa. Políticos *light* con políticas europeas *light* que no los comprometen a nada. Una política de amplio espectro, nada que sea demasiado concreto.

Evidentemente, esto es especialmente típico de los socialistas, el partido que encabeza Jospin. En Francia, los socialistas son un caso aparte. Entre los votantes socialistas moderados hay mucha gente con enfoques no tradicionales, pero esto es algo que no se ve de ninguna manera como algo políticamente negativo para el partido. Al contrario, en Francia se ve como algo bueno que les brinda, incluyendo al light Jospin, la oportunidad de ganar elecciones.

Permítanme que les ofrezca un ejemplo que, por si fuera poco, ilustra bien el antiguo dicho de que se conoce a alguien por las compañías que frecuenta. Otra figura destacada de la izquierda, uno de los camaradas ideológicos de Jospin, es Bertrand Delanoë, el actual alcalde de París, conocido por ser un gay recién «salido del armario», lo que le permitió ganar las elecciones municipales, con el resultado de que en estos momentos París cuenta con todo un barrio gay. Durante las elecciones, Delanoë se mostró prudente; pero, una vez en el poder, sus políticas, conforme a sus ideas radicales, se han vuelto notablemente agresivas. Puesto que se considera ecologista, ha decidido reorganizar el tráfico de París, con gran disgusto de los conductores, a los que exhorta, según sus propias palabras, a que dejen el coche y «se suban a una bici». No bromeo. Hablar de generalidades pero legislar hasta los más mínimos aspectos de la actividad humana es característico de la izquierda francesa actual.

Me advirtieron de que no me tomara la respuesta de Jospin, su «Oh, no. Esto no. ¡Por Dios, es lo último que necesitamos!» demasiado literalmente. En el alambicado lenguaje político de la Francia de nuestros días, según me dijeron, esto significa que Jospin está a favor de la estrategia de Putin en Chechenia, pero prefiere no decirlo abiertamente porque eso no se hace.

Los antecedentes políticos de Jospin están en el trotskismo extremo. Durante casi veinte años de su vida adulta, entre los treinta y los cincuenta, perteneció a una célula trotskista clandestina cuyas ideas proponían la revolución permanente, un igualitarismo radical y arrebatar todo a los ricos para repartirlo entre los pobres, dando un poquito a cada uno. En estas elecciones presidenciales, Jospin hace todo lo que puede para disimular tanto sectarismo, y cuando se le pregunta sobre su pasado trotskista miente y asegura que nunca ha sido miembro de esa célula, que quien figuraba en su lista era su hermano y que se trata de una confusión por culpa del apellido compartido.

¿Se trata de una estratagema o puede ser cierto? Lo hablé con André Glucksmann, un destacado filósofo francés que durante largo tiempo ha sido uno de los intelectuales de izquierdas más brillantes de Francia. Buscar alguien mejor informado de los entresijos de esa franja del espectro político francés es buscar en vano.

—Claro que es Lionel Jospin y no su hermano —me dijo—. La organización de la que estamos hablando existió en secreto. Era muy conspirativa, casi como una secta. La verdad es que nadie sabe a ciencia cierta si se disolvió o no. Resulta muy posible que siga existiendo clandestinamente en la actualidad y que Jospin sea uno de sus miembros que está desarrollando su programa.

—¿O sea, que es algo como la masonería?

—Sí. La organización donde se formó la personalidad política de Jospin era una versión trotskista de la masonería. Su objetivo es penetrar en la administración y dirección del Estado según los principios de Trotski. Nadie sabe exactamente si sigue siendo miembro o no. Puede que sus ambiciones presidenciales sean simplemente la manifestación del proyecto de dicha secta.

Es hora de que regresemos al puerto de Lorient. El primer ministro de Francia elude las preguntas que no le apetece contestar y busca la paz en la seguridad de su limusina. Poco después, el candidato llega al palacio de congresos local, situado en el centro de la ciudad, donde se supone que debe difundir sus ideas sobre el mar.

El avance de Jospin hacia el estrado queda interrumpido por una multitud formada por sus antiguos camaradas de ideario, comunistas y representantes de la central sindical más poderosa de Francia, la comunista CGT. Banderas rojas, uniformes y consignas lanzadas a gritos por megáfonos que aúllan «Las manos fuera de la fábrica Alcatel». De nuevo, Jospin parece disgustarse. Sale rápidamente de su limusina, lanza una mirada hostil a la muchedumbre de izquierdas, y demostrando buena agilidad corre sin decir nada hasta el palacio de congresos que, por desgracia, no está insonorizado. En el vestíbulo se puede oír todo lo que ocurre fuera: los gritos y las voces de los manifestantes, los cánticos comunistas. Jospin hace como si nada de todo eso estuviera ocurriendo. Llega el momento para sus ideas acerca del mar: «El mar junta y une. Lleva consigo los valores de la solidaridad... El mar desempeña un papel importante en la libertad que los socialistas aportamos al mundo en el nombre del progreso global del hombre... El mar carece de límites, está abierto a todos los vientos del estricto liberalismo que llena de basura sus orillas y abandona a los marineros a su suerte... Llevar a cabo una política imbuida del espíritu del mar significa rechazar las desviaciones liberales... Queremos evitar los escollos sumergidos de una liberalización excesiva».

Por último, añade: «Salvemos el mar de las fluctuantes mareas del liberalismo».

Este mensaje resume el pensamiento de Jospin acerca del mar, representa el núcleo de su política y, si hubiera un *Libro Guiness de los récords* para la demagogia, sin duda tendría hueco en él.

Debemos traducir todo esto del idioma de la política francesa a un lenguaje más comprensible. ¿De qué demonios está hablando? ¿Qué quería decir con su referencia al «estricto liberalismo» o su frase de «rechazar las desviaciones liberales»? En realidad no eran más que una manera muy francesa de lanzar piedras contra el tejado de Jacques Chirac, el presidente liberal y principal adversario de Jospin. Al criticarlo tan metafóricamente, Jospin evitó mencionar su nombre. Según las costumbres de aquí, eso se considera muy fino. ¡Y nosotros que pensábamos que hablaría de Chechenia!

El final fue sencillo y se atuvo al guión de todos los finales de campaña. Los últimos devaneos del estrado fueron recibidos con la ovación de «¡Jospin, presidente!» cantada al son del «¡Spartak cam...

peón!». Un minuto después, con tal de evitar encuentros poco gratos con el pueblo del exterior, el candidato salió por la puerta de atrás.

Cuando esa noche regresamos a París en el avión privado de Jospin, puesto a su disposición por la empresa privada de chárter Darta, el ambiente era positivo como lo es tras un buen día de trabajo. Sirvieron un vino más que aceptable, y el equipo de relaciones públicas de Jospin empezó a cantar con brío sus canciones favoritas. Primero, «Comandante Che Guevara», que repitieron varias veces; después, una canción sobre los partisanos italianos; en tercer lugar, «Motivé», una canción de los comunistas que habla de una persona con la correcta motivación. El cantante principal era un joven que ocupaba el cargo de secretario de prensa de Jospin. Pasó los sesenta minutos que tardamos en llegar a Le Bourget, cerca de París, alternando entre «Che Guevara», «Bella Ciao» y «Motivé».

[En las elecciones presidenciales de 2002, Lionel Jospin llegó a la segunda vuelta antes de perder frente a Chirac y el líder de los nacionalistas, Jean-Marie Le Pen.]

Las oleadas de emigración política de Rusia

Tras los rigores de Moscú, la ordenada vida londinense enseguida nos devuelve a la condición de un ser humano normal, alguien con las costumbres de un ciudadano libre.

Supongo que mis numerosos compatriotas que, durante cierto tiempo y en contra de su voluntad, se encuentran en el Reino Unido deben de experimentar sensaciones parecidas. Allí han vuelto a tener el modo de vida que les había sido negado en Rusia. Han dejado de sobresaltarse ante cualquier sonido que se parezca al de un arma e incluso cogen el metro londinense sin guardaespaldas.

El aire de Londres resulta vivificante. La demostración no tardó en llegar. Fui al teatro —por el simple placer de ir y no para dejarme ver en sociedad—, a ver un musical que lleva largos años de funciones ininterrumpidas y donde ningún nuevo ruso que se respete a sí mismo sería visto jamás en Rusia. Pero Londres es diferente. Mientras estaba sentada junto a Ajmed Zakáyev, el enviado especial del presidente de Chechenia, Aslán Masjádov, que está esperando que se resuelva la demanda de extradición presentada contra él por motivos estrictamente políticos por parte de la Federación Rusa, alguien se volvió en la fila de delante y dijo alegremente: «Hola, chicos».

Era ni más ni menos que Yuli Dúbov, autor de la magnífica novela *Oligarca* y él mismo no menos oligarca. También pesa sobre él una orden de arresto dictada por la oficina del fiscal general ruso por una estafa relacionada con coches Zhiguli, pero sobre todo a causa de su amistad con otro oligarca exiliado, Borís Berezovski, que también vive actualmente en Inglaterra. En el teatro londinense, Yuli se mostró encantador, mientras que en Moscú nadie habría podido franquear su cordón de seguridad de oligarca por ningún medio. No solo demostró tener una esposa encantadora, sino que en el intermedio se ocupó de ir a buscar las bebidas sin la menor ceremoniosidad. Incluso nos contó el número de paradas de metro que había entre su casa y el teatro.

Mi corazón se alegró al comprobar hasta qué punto la normalidad londinense cura espiritualmente a la gente. Sin embargo, me esperaba un descubrimiento aún más llamativo. Según supe, Borís Berezovski también está aquí recuperándose moralmente. Asiste a las reuniones de padres del colegio de sus hijos, como cualquier otro. No hay más remedio que reconocer que esto dice mucho de la capacidad británica para devolver a la normalidad a un ciudadano ruso y sirve para confirmar que Gran Bretaña constituye el destino más atractivo para los que se ven obligados a emigrar de Rusia. Aparte de Berezovski, Dúbov y Zakáyev, Londres se ha convertido también en el hogar de Alexander Litvinenko [que sería asesinado por el BSF en noviembre de 2006], un ex alto oficial del BSF que se vio abocado a un conflicto irresoluble con sus superiores al negarse a asesinar a Berezovski sin una orden escrita por estos y tuvo que huir de Rusia a través de Ucrania, con un pasaporte falso.

Todos ellos son gente con la que hay que contar y personas importantes en su círculo por muchas órdenes de detención que pesen sobre ellos. Naturalmente, son personas muy diferentes, pero todas ellas tienen algo en común: son amigas aquí, no solo entre sí, sino de

Vladímir Bukovski, que es venerado como el patriarca de los disidentes y emigrados políticos rusos en Gran Bretaña, que lo consideran el líder de sus reuniones de nuevos exiliados.

El patriarca

Cuando alguien deja de llamar al primer ministro británico con un escueto «Bler» y en su lugar pronuncia un largo diptongado «Blaer», como hacen los británicos, está claro que ha dejado de pertenecer a la sociedad rusa. Berezovski, Zakáyev y Litvinenko siguen utilizando el sencillo «Bler», pero Bukovski hace tiempo que dice «Bla-er». Su extraño acento no disminuye en modo alguno el inmenso atractivo de este hombre único y su palpable libertad interior. Todos los emigrados políticos, de la cuerda que sean, se sienten atraídos hacia él.

La casa de Bukovski es tirando a húmeda y pequeña. Se trata de la típica casita inglesa de Cambridge. Su propietario ha pasado penurias que el resto de nosotros no alcanza siquiera a imaginar: décadas de trabajos forzados en campos de reeducación y en hospitales psiquiátricos, seguidas de décadas de exilio. Vive aquí muy humildemente, pero como corresponde a un disidente, sin lujo aparente y con una única chimenea para calentar la habitación. El fuego lo alimenta una montaña de tapones de corcho de botellas de vino que indican las frecuentes y excusables desviaciones de la habitual austeridad de su propietario. Aburrida por la conversación de los adultos, Tolia, la hija de ocho años de Litvinenko, que ya mezcla palabras en ruso e inglés y escribe poesía, se entretiene prendiéndoles fuego.

Bukovski ya no es joven y, cuando habla de «nosotros», se refiere a los ingleses. Dicho eso, da la bienvenida a sus invitados como siempre ha hecho, vestido con su habitual chándal soviético de color azul y con las rodillas cedidas, ofreciéndonos incongruentemente coñac Courvoisier del 42, el año en que nació. Después de haber entrado en calor con el brandy, conversamos.

¿Por qué cree que la gente que tiene problemas con Rusia vuelve a reunirse en Gran Bretaña? ¿Se trata de una coincidencia o hay una explicación?

Eso es algo que tiene dos aspectos. Como es natural, la mayor parte obedece a la casualidad. Ajmed está atrapado aquí por la sencilla razón de que fue invitado a venir por Vanessa Redgrave y, según nuestras leyes europeas, a una persona se la devuelve a su país de partida. [En octubre de 2002, Zakáyev viajó desde Inglaterra para asistir al Congreso Mundial Checheno, que se celebraba en Copenhague, donde fue detenido después de que Rusia reclamara su extradición. Fue juzgado por un tribunal danés, puesto en libertad el 3 de diciembre y devuelto a Gran Gretaña.]

En el caso de Berezovski, la casualidad es menor. Se trata de un financiero, y es cosa generalmente aceptada que nosotros ofrecemos la mayor libertad del mundo para realizar operaciones financieras. Además, le dije a Borís: «Estás solicitando asilo político, cosa que este país ya ha concedido a Sasha Litvinenko. Tu caso está directamente relacionado con el suyo. Los precedentes dictan que tu caso y el de él se unan en uno solo, y a él ya le han concedido el asilo. Eso significa que para ti no cabe otro veredicto. Si a él le han dado asilo por negarse a asesinarte, es seguro que también te lo concederán a ti, porque tú eres a quien las autoridades rusas querían matar. Eso es un hecho demostrado.

En otras palabras, los rusos se están reuniendo aquí tanto por azar como por buenas razones. En la Europa actual, aparte de los miembros de la Unión Europea (y lo subrayo porque Noruega y Suiza no son miembros y tienen aún mayor libertad), Gran Bretaña es el mejor país para hacer cosas. Mantiene cierta distancia con Bruselas, y aquí se goza de gran libertad.]

¿Cree usted que la abundancia de refugiados políticos que hay aquí puede perjudicar las relaciones entre Gran Bretaña y Rusia o entre esta última y Europa?

En lo que concierne a Gran Bretaña, desde luego que no. Blair seguirá llevándose estupendamente con Putin, mal que le pese a Zakáyev, por una simple razón de conveniencia política. Poco importa cuántos exiliados de un país determinado vengan a refugiarse aquí, el Reino Unido no altera nunca sus relaciones diplomáticas. Esa es nuestra tradición. Para nosotros, que nos concedan asilo no es una decisión política, sino legal, al margen de lo que puedan pensar en el Ministerio de Asuntos Exteriores soviético... Perdón, ruso. La decisión de conceder asilo político no la toma el gobierno, sino los tribunales. El gobierno solo puede adoptar una decisión inicial, y todo el mundo tiene derecho a una apelación que se resuelve ante un tribunal. En consecuencia, el gobierno nunca pierde de vista que su decisión puede ser revocada por un juez y hace todo lo posible para saber de antemano cuál puede ser el veredicto. Eso aporta una garantía judicial de protección.

No pude evitar sonreír al recordar la protesta del ministro de Asuntos Exteriores ruso, Ivánov, al saber que la policía británica había dejado en libertad a Zakáyev en el aeropuerto de Heathrow el viernes por la noche. [...] Demuestra lo profesionalmente incompetentes que son y su total desconocimiento de cómo funcionan las cosas aquí. El policía británico no le preguntó al primer ministro qué debía hacer con Zakáyev, simplemente pensó que causaría menos problemas si, habiéndole confiscado el pasaporte, lo dejaba en libertad. Zakáyev no iba a poder salir del país, y si los superiores del agente cambiaban de parecer podían hacerlo por sí mismos. En otras palabras, como policía en su turno de noche no estaba haciendo nada que pudiera perjudicar al país, y esa era su principal preocupación. Fue su decisión, no la del gobierno británico. El ministro Ivánov simplemente se mostró grosero e hizo aún más improbable que Zakáyev fuera devuelto a Rusia.

A pesar de todo, el ambiente general en Europa se está deteriorando por culpa del asunto Zakáyev. A la delegación del Parlamento Europeo no le permitieron entrar en Chechenia, y eso estuvo directamente relacionando con Zakáyev.

Sí, pero no tiene la menor influencia en la posición de Gran Bretaña. En cuanto a la postura de Europa en general, sí, en el sentido de que está empezando a irritar a cierta gente; pero lo que los irrita no es que el problema checheno sea esencialmente insoluble, sino la manera en que Rusia lo está enfocando. Escuche, el Parlamento Europeo es una organización sumamente neutral. Si no es orwelliana, desde luego está en la línea de lo predicho por Huxley; sin embargo, aprobó una resolución especial aprobando la decisión de Dinamarca de poner en libertad a Zakáyev, al que describe como un «político checheno fuera de serie» y le concedió un llamado «Pasaporte para la libertad» en Europa. Todo eso es muy significativo.

Aprobó la resolución, pero se lo han hecho pagar.

Tengo muchos amigos en el Parlamento Europeo, y simplemente se ríen. El Parlamento Europeo no necesita viajar a Rusia. Es Rusia la que lo necesita.

Pero la visita de esa comisión era algo largamente esperado en Chechenia por gente que no tiene otra esperanza. Es posible que en Bruselas se estén riendo, pero ahora Europa no tiene ojos ni oídos en Chechenia.

Esa es otra cuestión. Al negar que el Parlamento Europeo esté presente en Chechenia, Rusia no lo perjudicó lo más mínimo. Su presencia es importante para Chechenia y para Rusia, pero no para ese organismo. Las autoridades rusas parecen no entender eso.

Usted es conocido como una especie de Nostradamus político de nuestro tiempo. ¿Cree que el Kremlin se decidirá a asesinar a Masjádov?

Desde luego. En estos momentos lo están buscando para matarlo. Europa no reacciona ni siquiera ante eso. En lo que se refiere a la futura solución del conflicto checheno, asesinar a Masjádov hará prácticamente imposible conseguir un alto el fuego, y todos los esfuerzos de los chechenos por conseguir un Estado propio habrán quedado en nada. Esto supondrá para Rusia tener una herida abierta en el sur que nadie podrá sanar. Una persona inteligente no permite que se creen situaciones de este tipo, sino que procura imponer cierto control para reducir al menos el conflicto a unos límites civilizados. Rusia no lo está haciendo y se está comportando de manera absurda. Está llevando a cabo una política demencial pero calculada para conseguir ventajas a corto plazo y que no tiene en cuenta los intereses de la gran mayoría de la población. Es una política criminal. En lugar de matarla, uno debería negociar con la gente que está dispuesta a negociar.

¿Por qué cree que Europa, que no busca simplemente una ventaja a corto plazo, se muestra tan poco interesada en que los testigos de crímenes de guerra en Chechenia sigan con vida? Su testimonio resulta esencial para que haya alguna posibilidad de que se convoque un tribunal como el que va a juzgar a Milošević.

La presencia de Milošević en La Haya es ilegal. Es posible que merezca que lo encierren, pero los cargos presentados contra él resultan ridículos. Fue cosa de la nueva izquierda de Europa que en esos momentos quiso hacer una demostración de fuerza. La operación de la OTAN contra Serbia fue una barbaridad y un acto de agresión, tal como lo definen las Naciones Unidas. Carecía por completo de justificación y fue un acto de afirmación canallesco por parte de le nueva élite europea. Nadie luchaba para meter en la cárcel a Milošević o para sacar a la luz crímenes de guerra. Los crímenes de guerra se los inventaron. Nos dijeron que como mínimo moriría medio millón de personas si no interveníamos y Milošević seguía en el poder. Lo cierto es que cuando todo hubo pasado y se abrieron las fosas estas contenían seis mil cuerpos que eran de ambos bandos, incluyendo las víctimas de los bombardeos de la OTAN. No fue más que una operación política. Organizaron una escandalera terrible y compararon lo que estaba pasando con el Holocausto, lo cual fue un indecente abuso de ese ejemplo histórico. Manipulación de noticias. El mundo se ha vuelto loco, como la cabeza de un martillo cuando sale volando. Tenemos idiotas aquí y allá, por todas partes. No se imagine que la situación es blanca o negra. Fue blanca o negra en mi juventud, cuando había comunistas y demócratas y estaba claro quién era el enemigo de la humanidad.

Entonces, ¿cómo es la situación en la actualidad, universalmente gris?

Todo es del color de la mierda. En la actualidad tenemos una variedad de tonalidades de mierda.

¿Cómo cree que puede ser el final de la segunda guerra chechena?

Eso suponiendo que tenga un final. Una de las salidas más probables es que no se acabe y que la situación se enquiste durante décadas. Nuevos grupos de gente joven desesperada seguirán cometiendo actos terroristas absurdos, sacrificando sus vidas por una causa pero sin conseguir nada. Una salida mejor sería cesar ahora mismo las operaciones militares. Simplemente cesarlas sin preocuparse de si ahora mismo podemos resolver las cuestiones políticas. Cesarlas y conformarnos con buscar soluciones locales a los problemas sociales más pequeños.

¿Por qué Europa se muestra tan pasiva en Chechenia? El número de organizaciones humanitarias que trabaja en la zona es una sombra de lo que fue, por ejemplo, en los Balcanes.

El contexto mundial hace que Europa contemple a los musulmanes como terroristas. Hay naciones amigas y naciones enemigas. Lo único importante es esa global «guerra contra el terrorismo». Se trata de un concepto idiota, pero en la coyuntura actual ningún político puede hacer nada, solo taparse los oídos y esperar.

Resulta curioso oírle decir eso. Al fin y al cabo, en el pasado usted nunca se ha distinguido, ni siquiera en contextos mucho peores, por taparse los oídos y esperar que algo ocurra.

No estoy hablando de mí, sino del mundo. Yo no me tapo los oídos. Actualmente, estoy enfrentado con el *establishment* europeo. Soy uno de los que se oponen a la Unión Europea y estoy organizando una gran coalición para ponerle fin. Desde mi punto de vista, la Unión Europea se diferencia poco de la Unión Soviética. Todavía no hay un gulag, pero no falta mucho. Ya se han practicado las primeras detenciones por bromas políticas. Por ejemplo, aquí un conocido presentador de televisión bromeó diciendo que le gustaría tener los mismos derechos civiles que una mujer negra, coja, embarazada y drogadicta y lo detuvieron. En este país la corrección política ha alcanzado niveles de absurdo. Al menos, el Parlamento rechazó una ley sobre los discursos de odio porque los cómicos se rebelaron y dijeron que si no podían hacer bromas se quedarían sin trabajo. A pesar de todo, la Unión Europea tiene intención de hacer aprobar una ley parecida para toda la Unión. Estamos entrando en un período totalitario. Muchos de mis viejos amigos se ríen ahora y dicen que llevo demasiado tiempo bien instalado y cómodo y que me he vuelto demasiado exigente, que he decidido salir a dar la cara de nuevo. Créame, no tengo ningunas ganas de hacer eso. Soy un viejo y lo único que me apetece es acabar lo que me queda de vida con mi gato y mi jardín. He hecho todo lo que quería hacer en la vida, pero no se puede vivir como nos están pidiendo que vivamos.

En su opinión, ¿cómo debería vivir una persona decente en la Rusia actual?

Para una persona decente es imposible vivir en la Rusia actual. Toda la gente decente está haciendo lo que puede para salir de allí lo antes posible, y los que se quedan lo hacen porque no tienen más remedio. Aun así, todavía queda gente capaz de protestar. Andréi Dereviankin está en la cárcel y nadie se acuerda de él, pero ese hombre fue a la base militar de su pueblo natal de Engels, en la provincia de Saratov, y colgó una pancarta donde se leía «Acaben la guerra de Chechenia». Por aquello le cayeron varios años de cárcel. Entiendo de dónde viene. Cuando estaba viviendo en Rusia, yo también me di cuenta de que, bajo un régimen deshonroso, mi lugar estaba entre rejas. Por eso, cuando me detuvieron, me alegré.

BEREZOVSKI

20 de enero de 2003

Junto con Bukovski, Borís Berezovski es el otro polo magnético de la nueva comunidad de emigrados políticos rusos en Gran Bretaña. Aquí se muestra abierto y amistoso con todo el mundo. En Rusia, tiene fama de ser un genio diabólico, pero no en Inglaterra. A lo que Borís se parece más en este país, con su americana clara, es a un gorrión luciendo su plumaje.

Resulta fácil insultar a un oligarca en el exilio, pero no tanto comprenderlo. Hay que tener en cuenta lo que era hasta hace poco: el hombre que manipuló a Yeltsin, el señor arreglatodo en Chechenia, el hombre que amasó una fortuna con petróleo, la marca de coches Zhiguli y con Aeroflot. Entonces llegó el turno de Vladímir Vladímirovich Putin, el proyecto más ambicioso de Berezovski. Fue él quien respaldó a Putin como el futuro de Rusia, y lo cierto es que la jugada le salió rematadamente mal, lo cual disminuye en buena parte su aura de genio maléfico. También le hace parecer más humano el hecho de que mientras que la criatura que es el proyecto de su «segundo presidente de Rusia» está cómodamente instalada en el Kremlin, él se vea confinado en el hotel Lanesborough. Naturalmente, se trata de un hotel de lujo situado en lo mejor de la ciudad y con vistas sobre Hyde Park. Tampoco se puede decir que esté solo. El Lanesborough es donde se aloja la flor y nata, donde puede reunirse con ella en sus salones sin necesidad de guardaespaldas. O con el oligarca Deripaska, que por la mañana va descalzo y con vaqueros, o con Potanin y sus respectivas esposas e hijos. Además está el Library Bar, el mejor lugar del mundo para que los representantes del *establishment* de todos los tiempos se relajen. Los sillones del Library Bar son como los del Hermitage, donde está prohibido sentarse, con la diferencia de que aquí no solo podemos sentarnos en ellos, sino incluso poner los pies encima cuando nos apetece. Son espléndidos, aun así, el Lanesborough no es el Kremlin.

¿Por qué escogió Gran Bretaña para su exilio?
Fue por casualidad. Yo estaba aquí en octubre de 2002, cuando me enteré de que la oficina del fiscal general quería detenerme alegando que había malversado fondos de Aeroflot. Fue entonces cuando decidí quedarme. Sin embargo, esa no fue la única razón. Había vivido en el sur de Francia durante un año, pero a pesar del buen clima, encontré que me resultaba difícil trabajar allí. El entorno resulta debilitante. Gran Bretaña es diferente. El clima de aquí me parece fenomenal y me encaja a la perfección. Lo único que echo de menos es la nieve, pero la semana pasada incluso tuvimos un poco. Fue la primera nevada en quince meses y me sentí como en casa. He vivido en Francia, Alemania y Estados Unidos, y puedo afirmar sin dudarlo que si tuviera que escoger un lugar para vivir que no fuera Rusia, Gran Bretaña sería el más cómodo. Además está Londres por sí mismo, que es una ciudad muy cosmopolita. Aquí te dejan completamente en paz, pero al mismo tiempo no te permiten molestar a los demás. A pesar de las dificultades de mi situación —no olvidemos que soy una espina que tiene clavada el gobierno ruso—, nadie me ha dado a entender ni remotamente que no soy bienvenido.

Mi condición en Gran Bretaña es tirando a confusa. Todavía no me han concedido la residencia permanente, y eso que llevo esperando la decisión del Ministerio del Interior desde hace más de un año, lo cual no deja de ser molesto. Sin embargo, imagine esta situación al revés: si fuera un ciudadano británico y un detractor furibundo de Tony Blair (y no pretendo disimular que estoy dirigiendo desde aquí una campaña contra las autoridades rusas) y estuviera viviendo en Rusia y Putin tuviera una buena relación con Blair y este le dijera: «Oye, Volodia, tienes en tu país a ese tipo que no deja de causarme problemas, ¿por qué no me lo envías de regreso a Gran Bretaña?», no me cabe la menor duda de que, al día siguiente, me meterían en el primer avión, esposado y amordazado porque en Rusia no existe justicia ni defensa de los derechos de los ciudadanos. En cambio, Gran Bretaña es un país donde se tiene mucho respeto a la ley. Otro aspecto importante es que nadie de los que están aquí ahora —Zakáyev, Litvinenko— llegaron por su propia voluntad. A los dos les gustaría poder volver a Rusia. Estados Unidos está a diez horas de avión de Rusia. Eso es mucha distancia, y las comunicaciones no son fáciles. En cambio, aquí uno vive en el mismo entorno informativo que en Rusia. Los que emigran a Estados Unidos son lo que no tienen intención de regresar.

¿Cómo ve la posición actual de Europa con respecto a la crisis chechena, después de que el caso Zakáyev haya puesto fin al proceso de paz que se estaba desarrollando en Europa a través de él? ¿Cree que Europa tiene interés de verdad en detener la guerra?

En primer lugar, consideremos el lugar que los sucesos de Chechenia ocupan entre los problemas políticos y sociales que preocupan en Occidente. Tenemos que reconocer que no figuran en los primeros lugares de la lista. Los británicos tienen numerosos problemas, el primero de ellos es Irak y la cuestión de si allí va a haber una guerra de verdad. De todas maneras, y hablando en términos más generales, yo diría que las actitudes han cambiado de manera radical, y no precisamente a favor de Rusia. Asuntos graves como la detención de Zakáyev han tenido su parte, pero también han pesado cuestiones menores, como el desafortunado comentario de Putin en aquella conferencia de prensa de Bruselas, donde abroncó a un periodista que le preguntó sobre Chechenia. Es triste decirlo, pero el destino de un hombre como Zakáyev y el exabrupto de un bruto parecen tener el mismo peso para la opinión pública de aquí. El desaire de Bruselas fue una grosería, y la gente de aquí reacciona mal ante esas cosas. Durante mucho tiempo, Occidente se ha estado preguntado quién es Putin realmente, y creo que ahora ya tienen la respuesta.

Todos esos asuntos coincidieron. El caso Zakáyev enfureció a Putin porque se quedó sin argumentos. La decisión de Dinamarca fue una ofensa para él. En los periódicos empezaron a aparecer titulares que lo comparaban con Milošević y decían: «¿Por qué tenemos que aceptar a Putin y extenderle una alfombra roja si es un criminal de guerra?». Antes de lo de Zakáyev, nadie oía semejantes comentarios. A pesar de que los gobiernos europeos siempre intentan mantener buenas relaciones con Rusia, lo cual es comprensible desde un punto de vista pragmático porque necesitan el apoyo de ese país en la guerra de Irak que se avecina, se ha abierto un foso entre la actitud de las más altas jerarquías de los gobiernos europeos y los políticos de la oposición, que han empezado a criticar duramente a Rusia y a Putin. También existe un claro distanciamiento entre esas jerarquías y la opinión pública que, como norma, está orientada por la prensa. El resultado es un cambio de actitud hacia la guerra de Chechenia que puede ser importante, aunque no decisivo, a la hora de ponerle fin. Esa es una decisión que corresponde tomar al gobierno ruso. Me gustaría citar aquí lo que Zakáyev dijo en una ocasión: «Rusia tiene derecho a iniciar una guerra contra Chechenia y también derecho a detenerla».

¿Qué quiere decir cuando habla de que es «importante aunque no decisivo»?

La nueva postura de Europa sin duda molestará seriamente al gobierno ruso y lo empujará hacia una solución que solo hará que recuerde constantemente el motivo de la molestia. Putin es muy sensible a los ataques personales, y el vocabulario que Occidente está utilizando lo socava psicológicamente. No entiende la verdadera naturaleza de las objeciones que le formulan y se las toma como algo personal. La forma en que Occidente reacciona ante Putin como persona y la posición personal de este ante la opinión pública rusa es una de las fuentes de su poder. Después de lo ocurrido en Bruselas y con Zakáyev, Occidente no va a considerarlo como un amigo porque ve que no comparte ideas que son fundamentales para la sociedad occidental. Putin no cree en ellas, y ahora en Occidente se lo considera un hipócrita.

El caso Zakáyev fue un fracaso. Zakáyev es una de las figuras más admiradas de Chechenia, y lo digo sin vacilar. Conozco a Zakáyev no solo de oídas. He llevado a cabo negociaciones extremadamente complicadas en Chechenia y nunca he tenido la menor duda de que Zakáyev deseaba la paz y era constructivo en ese sentido. Su papel está claro para todos los que en Occidente quieran verlo. No hay un solo dato que haga pensar que desea prolongar la guerra, y al mismo tiempo son muchos los que pueden dar testimonio de que siempre ha defendido la idea de una salida pacífica para poner fin a la matanza.

Creo que 2002 ha sido el año más perjudicial para Rusia desde 1991, cuando la Unión Soviética se derrumbó. Faltan dedos en las manos para contar las derrotas. El hito más importante lo constituye el cambio cualitativo de la situación de Chechenia. Si antes de 2002 yo estaba seguro de que nosotros mismos podríamos encontrar una solución y negociar la paz como partes beligerantes, ahora me parece imposible. El año 2002 ha marcado un antes y un después. El odio de ambos bandos ha alcanzado tales niveles que sin una mediación internacional —que incluya la participación de países de fuera del antiguo bloque soviético y suponga el uso de la fuerza— no podremos resolver el conflicto. Este es el mayor revés sufrido por Rusia. El país ha perdido su soberanía en el sentido de que, sin la intervención de agentes extranjeros, es incapaz de zanjar un conflicto interno. Rusia ha padecido una derrota devastadora en la segunda guerra chechena, bastante peor que en la primera, y la pérdida de soberanía es precisamente la derrota a la que me refiero.

La segunda derrota política de Rusia ha sido Kaliningrado (el enclave ruso situado entre Polonia y Lituania). No tendríamos que haber llegado tan lejos de forma tan despreocupada, intentando amarrarlo todo en términos de pasillos aéreos, acceso a corredores y enlaces de tren de alta velocidad. Tendríamos que haber abordado la cuestión en términos de integración con Europa. Tendríamos que haber dicho: «Sí, aceptamos la opción de visados, pero solo si tenemos garantías de que toda Rusia entrará a formar parte de la zona sin fronteras de Schengen dentro de un número concreto de años. Esto nunca se dijo por la sencilla razón de que, durante muchos siglos, las élites políticas de Rusia han desconfiado de su propio poder. Rusia nunca ha creído que es capaz de apostar por lo que pasará dentro de cinco o diez años. Rusia no cree en su propia fuerza. Queremos estar en Europa, pero al mismo tiempo nos da miedo.

En los territorios de la antigua Unión Soviética también hemos sufrido una completa derrota. La Comunidad de Estados Independientes ya no existe como conjunto unificado política y económicamente. Esto es un hecho consumado. Hay tropas estadounidenses en Asia Central y en Georgia, la región del Báltico se ha integrado en la OTAN. Las relaciones con Bielorrusia no han hecho más que empeorar. En lo que se refiere a nuestras fronteras más lejanas, Irak representa el ejemplo más llamativo. Lo estamos perdiendo. Dimos un paso decisivo para salir de Irak y resulta que hemos perdido toda nuestra influencia política y económica en la región. Recuerdo las jugadas que hicimos en 2002, manipulando un contrato de cooperación por valor de 40.000 millones de dólares como si fuera el juego de «ahora lo ves y ahora no lo ves». El Kremlin está en manos de una banda de trileros que creen que si rompen un contrato de 40.000 millones los estadounidenses no invadirán Irak o, si lo hacen, después nos lo devolverán.

Por si fuera poco, Rusia ha sufrido una importante regresión moral. La mayor parte de la sociedad occidental está empezando a pensar que Rusia no es un país democrático, que no está siguiendo la senda liberal, sino todo lo contrario: que está destruyendo los mecanismos fundamentales del Estado democrático y de derecho.

Epílogo

Eso fue todo. En ese momento se me agotó la cinta. Era hora de regresar a Moscú. Puede ocurrir que incluso los genios diabólicos

comentan errores; y, si se equivocan una vez, qué nos garantiza que
no volverán a equivocarse. De todas maneras, hay que decir que, al
margen de cómo se hayan desarrollado los acontecimientos, la gente piensa con diabólica libertad en Londres. Desde luego, no es el
Kremlin.

La locura del tribalismo o la ley de la conservación del mal

18 de marzo de 2004

Información de última hora: primero, en una carta llegada por correo ordinario a la oficina del primer ministro de Francia y firmada
por Movsar Baráyev —el líder de los terroristas que tomaron como
rehenes al público que asistía al musical *Nord-Ost*—, este amenaza
con actos terroristas. En dicha carta, se describe a sí mismo como el
cabecilla de una organización llamada «los Siervos de Alá».

A continuación, una referencia a fuentes anónimas en el seno
del BSF. El BSF está implicado en las proyectadas explosiones en
Francia, para las que doscientos kilos de explosivos fueron transportados hace un tiempo por valija diplomática hasta la embajada de la
Federación Rusa, donde se hallan almacenados en estos momentos.

La cuestión es que, a pesar de los numerosos rumores de que lo
dejaron escapar del teatro Dubrovka, Baráyev está muerto. Y con la
misma certeza cabe decir que no se puede utilizar la valija diplomática para transportar doscientos kilos de un material que cualquier
perro entrenado para detectar explosivos olfatearía en la frontera.

Esta es la locura del tribalismo. Se trata de una enfermedad nueva y virulenta que hace que cada vez haya más gente deseosa de
cometer actos de represalia terrorista contra algo o alguien. La prog-
nosis para eliminar esta enfermedad no es buena. La locura del tribalismo se extiende irremisiblemente.

Se cultiva la islamofobia, se contempla a los musulmanes como
a unos indeseables y se presiona al mundo islámico a la menor oportunidad, tanto global como localmente. «Todo es culpa de ellos», y

cuanto más los presionemos más probabilidades existen de que quieran devolvernos el favor. Es el viejo y conocido principio de la ley de la conservación del mal.

La incompetencia, ineficacia y perfidia de los servicios secretos rusos resulta cada día más evidente. Son socios de una coalición internacional a la que cuidan y protegen y que les permite reclamar que les asignen tantos más recursos cuantos más actos terroristas se produzcan, incluyendo el derecho a tomar medidas extrajudiciales. Su excusa consiste en desmantelar otra célula de al-Qaeda, pero es una tarea en la que se demuestran particularmente ineficientes. Aun así, con el siguiente acto terrorista, todo vuelve a empezar. Los que han reclamado más recursos y medios no son destituidos por haber fracasado en su tarea; al contrario, en Rusia esperan que les den una medalla, adoptan una expresión ceñuda y fingen estar haciendo un gran trabajo.

Sin embargo, ¿acaso disminuye la cantidad de individuos que desean volar algo por los aires? No. Más bien aumenta. Muy pocos son los que creen ya en el mito de que basta con atrapar a Bin Laden para poder vivir en paz. De hecho, cada vez son más los que creen que la confusión que rodea al terrorismo internacional es sumamente provechosa para los servicios secretos y que estos forman parte de la lucha antiterrorista y, a veces, son terrorismo pura y simplemente.

Vivimos en una época en que el terrorismo puro y simple va inextricablemente unido al terrorismo de Estado. Ambos se complementan y ambos nos tienen a nosotros como objetivo. No tenemos dónde escondernos y nos vemos tan indefensos ante nuestros servicios secretos como ante el creciente número de los que buscan venganza en nombre de la religión, de sí mismos, de su país o de sus creencias. Las causas no faltan nunca.

Nos hallamos en un círculo vicioso. El miedo generalizado a actos terroristas propicia que perdamos el control de los servicios secretos, que supuestamente están haciendo lo necesario para evitarlos pero que, en realidad, hacen lo que les da la gana y, en último término, nada bueno. ¿En quién se puede confiar en semejantes circunstancias? En nadie. La actual falta de fe en nuestras autoridades y gobernantes no hace más que alimentar la locura del tribalismo.

Juzguen ustedes mismos: lo descabellado de la idea de que el BSF pudiera estar involucrado en los anunciados actos terroristas en Francia y en el transporte de explosivos a París por valija diplomática parece claro. Uno se siente tentado de reírse de esta última tontería que alguien ha colgado en internet. Sin embargo, se ha producido recientemente en Qatar un suceso que destaca entre las tonterías de internet y nosotros: unos agentes de los servicios secretos rusos hicieron volar por los aires en Doha a uno de los enemigos de Rusia, Zelimján Yandarbíev, el antiguo presidente en funciones de la República de Ichkeria. Los agentes no borraron bien sus huellas, fueron apresados y en estos momentos acaban de confesar ser autores del asesinato.

¿Hace falta añadir algo más? La bomba de Doha demuestra, aparte de cualquier otra cosa, que Rusia ha vuelto a la era soviética, en el sentido de que no solo se está comportando de forma terrorista dentro de sus fronteras, en Chechenia, sino que también se dedica a exterminar a gente allí donde le place. Después del asesinato de Yandarbíev, ya no resulta tan fácil reírse de la idea de explosivos transportados en valija diplomática.

Ahora sabemos que, para nuestra gente, hacer estallar una bomba en Francia es simplemente una cuestión de técnica, no de permisibilidad. En Rusia hay quien apoya la táctica de terrorismo político que se inauguró con la llegada de Putin, mientras que otros se oponen encarnizadamente a ella. Sea como sea, el tribalismo del BSF (o del GRU) es verdadero. Todo está permitido.

Nuevamente nos enfrentamos a la cuestión de a quién creer. ¿A quién podemos creer mientras vamos en el metro, mientras nos sentamos en un tren, un barco o un avión o cuando nos vamos a dormir en nuestros hogares?

A nadie. Esa falta de confianza acabará por barrer a los mismos gobiernos que han plantado su semilla. De eso pueden estar seguros. Sin embargo, como ya sabemos, el camino hacia el radicalismo se allana cuando algunos, para olvidar algo o todo, se unen a los cabezas rapadas, a los islamistas devotos en busca de iluminación o a los yihadistas. Resulta imposible prever con qué soñará mañana una mente contagiada por el tribalismo.

En lugar de seguir por el camino de las coaliciones para el exterminio y la destrucción, el mundo debe ponerse a trabajar para llegar a un pacto acerca de nuestra supervivencia colectiva. La carrera que estamos presenciando entre distintas clases de locura nos llevará a ello tarde o temprano. La pregunta solo es ¿con qué coste de víctimas?

El dinero sucio está detrás del apoyo del Kremlin al caos en Georgia

20 de septiembre de 2004

Como sabemos, en los días que siguieron a la pesadilla de Beslán, a los señores Putin e Ivánov (el que es ministro de Defensa) no se les ocurrió nada mejor que imitar a Bush y a sus colaboradores y prometieron efectuar ataques preventivos contra las bases de los terroristas y los propios terroristas sin importar dónde estuvieran. Para todo el mundo quedó claro que se referían a Georgia —que, sin Shevardnadze,* cada día escapa un poco más del control del Kremlin— y en concreto al territorio de Pankisi Gorge, colindante con Chechenia.

¿Por qué odia tanto el Kremlin a Georgia? ¿Por qué Georgia se resiste tan vehementemente al control del Kremlin? ¿Por qué el Kremlin reacciona con tanta hipersensibilidad a la oposición de Georgia? ¿Qué ocurre en ese país y con sus más destacados representantes que hace pensar al Kremlin que puede abrirse paso por su territorio a bombazo limpio? ¿Es la guerra de Rusia contra Georgia el resultado previsible de nuestra política exterior o se trata de una excusa fácil determinada por los imperativos del Kremlin, una especie de síndrome postraumático por lo de Beslán?

Para buscar respuestas a estas preguntas vayamos de lo más sencillo a lo más complejo, teniendo en mente que las causas subyacen-

---

* Antiguo ministro de Asuntos Exteriores de la era Gorbachov y posteriormente presidente de Georgia hasta que fue depuesto por la Revolución Rosa de noviembre de 2003.

tes de muchos de los desastres entre estados (y una guerra entre Rusia y Georgia sería precisamente eso) hay que buscarlas en cuestiones elementales que yacen en la superficie.

Naturalmente, Mijaíl Saakashvili es un tipo muy listo. Además, es guapo y uno de los favoritos de los periodistas de todo el mundo. Hace tiempo que Putin ha eliminado de su entorno a todos los tipos listos, guapos y favoritos de cualquiera. Pero ¿y a los georgianos? ¿Qué ven y oyen Putin y los suyos cuando se encuentran con Saakashvili?

Nuestra aproximación al presidente de Georgia empieza hoy con su principal consejero.

—Daniel Kunin —se presenta él mismo en inglés, y su sonrisa resulta totalmente estadounidense, como si fuéramos sus mejores amigos. Es muy agradable y muy joven, no lleva chaqueta, va arremangado y tiene la corbata floja y ladeada. Daniel no habla ruso aunque sea descendiente del anarquista Mijaíl Bakunin. Disfruten con esto: ante las autoridades de inmigración, la familia de Daniel prescindió de la primera sílaba de su apellido para que no los relacionaran con el gran revolucionario, y ahora, Kunin, ciudadano estadounidense, es consejero del presidente de Georgia y su sueldo se lo paga el departamento de Estado. La fuente de dicho salario no constituye ningún secreto. Daniel me lo comenta en persona y con mucho sentido del humor: cuando Misha lo invitó a convertirse en su principal consejero, aceptó por principio y enseguida resolvió los detalles. El sueldo de miseria que Georgia podía ofrecerle no era suficiente, de modo que Misha le organizó un sueldo en Estados Unidos.

Daniel es una figura muy influyente dentro del funcionariado georgiano, donde ahora todo el mundo habla inglés. Aquí eso es ahora *comme il faut*, como lo era durante el régimen zarista hablar francés. Incluso el presidente, Mijaíl Saakashvili; el primer ministro, Zurab Zhvaniya; el presidente del Parlamento, Nino Burdzhanadze; el viceministro de Defensa, Vasil Sijarulidze; y por supuesto la ministra de Asuntos Exteriores, Salomé Zurabishvili, se dejan entrevistar en inglés con sumo placer. Naturalmente, están en su derecho si creen que es lo más conveniente.

No cuesta imaginar cómo se deben de sentir en ese ambiente tan occidentalizado los miembros de la administración de Putin, acostumbrados como están a ver a sus pies a todos los miembros de la Comunidad de Estados Independientes.

—¿En qué idioma suele hablar con su jefe? —le pregunto al descendiente de Bakunin.

—Normalmente en inglés —responde Daniel alegremente—. Solo hablamos georgiano durante alguna negociación, cuando es importante que nadie más pueda entendernos. He tomado clases particulares y solía trabajar en Georgia en una ONG.

Una ONG es como llaman a las organizaciones voluntarias.

—¿Y pasó directamente de una ONG a consejero presidencial?

—Sí —ríe Daniel—, todo el gobierno actual está compuesto por antiguos miembros de ONG.

¿Un aparato burocrático compuesto por trabajadores voluntarios? Resulta fácil imaginar lo que nuestro presidente, que aborrece todas las ONG de este mundo, debe de sentir cuando se ve obligado a tratar con esta nueva hornada de funcionarios georgianos, especialmente cuando este vivaz estadounidense, Kunin-Bakunin, aconseja en su presencia con su jerga anglo-georgiana al recalcitrante Saakashvili.

—¿Qué implica ser consejero estadounidense de un presidente georgiano? —le pregunto a Daniel.

—Ofrecer nuevas ideas las veinticuatro horas del día —me contesta—. Mañana, tarde y noche. Tener una decena de propuestas para cualquier asunto que pueda interesar a Misha.

Mi diagnóstico del Tbilisi oficial de hoy es que ha adoptado las características de una administración estadounidense adicta al trabajo, tal y como suele salir retratada en las películas: hamburguesas, ausencia de deferencia jerárquica, optimismo generalizado y vitalidad. Los nuevos dirigentes del país están completamente orientados hacia Occidente, sin matices de ninguna clase. Nada de rumbo hacia el noroeste. Nada de la imprevisibilidad política en la que se atasca actualmente la corte del Kremlin. La Georgia de Saakashvili es antibizantina, antiburocrática y antijerárquica. Es una anticolonia que rechaza la presencia de la metrópoli gobernante. Sin embargo, el Kremlin es exactamente lo contrario: bizantinismo neosoviético, archijerarquía, nostalgia de un imperio que se convierte en el intento de subordinar antiguas colonias. Ejemplo de ello es el regalo de 800 millones de dólares de impuestos a Ucrania y Bielorrusia por apoyar un *statu quo* casi soviético. Y la política de la provocación.

Mijaíl Saakashvili es encantador y sonríe mucho. También es directo y preciso en lo que dice.

—Les preguntamos a los rusos qué era lo que habíamos hecho mal, por qué les desagradábamos tanto. Prometimos pagar pensiones y sueldos a los funcionarios de Osetia del Sur. ¿Qué hay de malo en eso? Los rusos no contestaron y empezaron con provocadores intercambios de disparos. Tenemos tropas estadounidenses aquí, pero tratamos de restarle importancia. Decimos: «No queremos un conflicto armado», pero los rusos aumentan las presiones. De todas maneras, no permitiremos que se repita lo que ocurrió aquí en 1992 [cuando un consejo militar compuesto por cuatro hombres, entre los que figuraba Shevardnadze, se hizo con el poder]. Eso puso fin a las reformas. Nosotros queremos convertir Georgia en un país atractivo. ¿Qué tiene de malo? Pero la verdad es que resulta muy difícil saber qué quiere Rusia de nosotros. Todas sus acciones en Georgia son irracionales. Solicitamos a la comunidad internacional que organizara una conferencia en Osetia del Sur, sobre su estatus, para proponer una solución política. Las Naciones Unidas, la Unión Europea y la OSCE apoyaron la idea, pero los rusos la rechazaron.

¿Cuándo fue la última vez que habló con Putin?
Cuando lo llamo no me ponen con él. Le he enviado dos cartas, pero no he tenido contestación. [Únicamente se produjo un breve e inesperado encuentro en Astanán, Kazajistán, el 16 de septiembre, durante una cumbre de la Comunidad de Estados Independientes.]
¿Cuál fue su reacción a las declaraciones del favorito de Putin, Ramzán Kadírov, cuando dijo que enviaría cientos de tropas a Osetia del Sur y resolvería el problema?
¡Que lo follen!

Llegados a este punto culminante, acabamos. Y ahora hablemos del ambiente que se respiraba en el despacho del presidente de Georgia, que no se expresó con frases o palabras, pero que resultaba sorprendente. Ama a su pueblo y habla de la muerte de soldados georgianos como si de una catástrofe se tratara: «Cuando murieron dieciséis personas, tuve que tomar una decisión». Y la tomó: retiró las divisiones georgianas a una distancia prudencial, para que no murieran más soldados.*

Salí estupefacta por el contraste. En Rusia pueden morir, no dieciséis, sino dieciséis mil soldados y nada induciría al presidente a salvar al resto retirando sus unidades a lugar seguro. El problema aquí no es el tamaño de Rusia ni sus millones de habitantes, sino su espíritu mezquino. Uno supone que el amor hacia su pueblo que manifiesta Saakashvili debe de ser absolutamente ajeno a Putin, que se ha convencido de que está resucitando un imperio y no debe vacilar en sacrificar vidas en aras de semejante tarea. Una vez en el camino del resurgimiento imperial, las antiguas colonias deben postrarse y todos los que no están con nosotros están contra nosotros. Las causas del escupitajo del Kremlin a Tbilisi son irracionales, pero hay otras —económicas y financieras— que son totalmente racionales.

¿Qué intereses tiene la Rusia moderna en los territorios situados más allá de las montañas del Cáucaso? ¿Por qué lucha la burocracia

---

* En el verano de 2004, el gobierno de Georgia intentó poner fin al constante contrabando a través del túnel Roki, la frontera entre Rusia y Georgia. Primero, se hicieron con el control del túnel y se encontraron con un montón de proclamas nacionalistas de Osetia del Sur reclamando la independencia. El gobierno georgiano siguió atacando y un buen día cerró el mercado de Ergneti. A la mafia del túnel de Roki le dio un soponcio. ¿Dónde iba a vender su mercancía de contrabando? En ese momento, «el derecho de las naciones a la autodeterminación» les vino muy bien, y Osetia del Sur empezó a armar una escandalera con él, contando con el apoyo explícito de Rusia. Se desencadenó una guerra que duró del 12 al 21 de agosto de 2004, y cuando murieron dieciséis soldados georgianos, el presidente Saakashvili retiró sus unidades de las zonas altas que habían ocupado para defender las aldeas georgianas de los bombardeos. [Esta nota está extraída de un artículo que Anna escribió tras su estancia en Tsinjvali, Sujumi y Tbilisi.]

de Putin en esa región? Rusia pretende reforzar lo que llama «el eje cristiano (osetio)» en el Cáucaso como contrapeso a su «vientre blando» islamista (Chechenia, Ingusetia, Karacháyevo-Cherkesia, Kabardino-Balkaria, Daguestán y Adigeya). Esos ejes tienen una larga historia y existen de verdad. Existe un verdadero imperativo territorial que hace que resulte lógico que Rusia se concentre en Osetia del Sur, un pequeño territorio situado al otro lado de las montañas de Osetia del Norte.

En segundo lugar, Rusia tiene intereses en Abjasia, una franja de territorio a orillas del mar Negro, que necesita si desea tener acceso terrestre a Armenia, que es el único socio que le queda en la región y donde Estados Unidos todavía no tiene presencia estratégica.

Los objetivos de Osetia del Sur y de Abjasia también resultan comprensibles. No tienen otro sitio adonde ir. Osetia del Sur no disimula que le gustaría unirse a Osetia del Norte, lo cual es imposible sin la implicación de Moscú. Por su parte, Abjasia no ve ninguna posibilidad de regresar al seno materno de Georgia y, puesto que necesita a alguien a quien arrimarse, se vuelve hacia Moscú.

En la práctica, sin embargo, ambos conflictos, que datan de tiempos soviéticos, se han convertido en agujeros negros y, aunque el mapa político del mundo muestra que ambos territorios forman parte de una Georgia independiente, tanto Abjasia como Osetia del Sur son zonas sin fiscalidad, sin un presupuesto transparente, sin instituciones de gobierno legítimas, sin recursos presupuestarios y sin todas las cosas que diferencian a un territorio con leyes y gobierno de otro sin ello.

¿Por qué necesita el Kremlin agujeros negros? Principalmente para fines internos, para tener una manera fácil y directa de inyectar fondos encubiertos donde se necesitan, para alimentar toda clase de tramas. Las declaraciones de Rusia de que apoya el imperio de la ley no son más que frases huecas. En realidad, sigue habiendo una política de apoyo a territorios que puedan ser utilizados para inyectar o extraer grandes cantidades de dinero sin que haya que contabilizarlo. Esas zonas son necesarias para las operaciones encubiertas y las misiones donde nadie es responsable ante nadie y ni siquiera es necesario rellenar un formulario.

La política de Rusia sigue siendo la del dinero bajo mano. Sin él, nada funciona. El dinero bajo mano constituye la piedra angular de todas las ramas del gobierno, y para que este juego pueda seguir resulta indispensable la existencia de un caos apoyado externamente en lugar de orden y normas claras y estables.

Tener agujeros negros más allá de nuestras fronteras es sumamente conveniente, mucho más que recibir dinero del extranjero, donde alguien puede olerse la tostada y obligarnos a montar complicados tejemanejes de ocultación que no hacen más que aumentar las posibilidades de que surjan filtraciones informativas. Teniendo Abjasia y Osetia del Sur no se necesita nada de todo eso.

En la época soviética, algunos regímenes de África servían para tales propósitos. El Politburó los presentaba como centros de «liberación nacional», les inyectaba fondos del partido y seguía con sus dudosas operaciones financieras. Chechenia ha hecho de agujero negro para Rusia durante un tiempo. El fracaso a la hora de desarrollar allí un sistema bancario fue totalmente deliberado y, como consecuencia, Chechenia sigue sin tenerlo actualmente. Sin embargo, pertenece a la Federación Rusa, y eso supone una pega porque siempre existe el riesgo de una inspección oficial, una auditoría o incluso de que aparezca por allí un fiscal honrado. Sea como sea, las ansias de poder de Ramzán Kadírov y los suyos no dejan de aumentar.

Hasta el momento, Abjasia y Osetia del Sur han funcionado sin tropiezos. Allí se pueden hacer muchas operaciones que resultan imposibles en otras partes: uno puede enviar armas, droga y dinero, y eso es precisamente lo que ocurre. También se pueden sacar, y eso también ocurre. No hay inventarios ni stocks. Basta con engrasar debidamente al benévolo régimen y repartir un poco de propaganda acerca de «defender a los ciudadanos rusos». Es tan fácil como eso.

Durante su primer mandato, Putin presionó con éxito a Shevardnadze hasta el punto de que él, un oligarca soviético que sabía exactamente cómo y por qué son necesarios los agujeros negros, cedió y entregó una tercera parte del territorio como una zona para los trapicheos rusos donde no se harían preguntas.

El negocio se vino abajo con el nuevo presidente. Casi de inmediato, Saakashvili anunció una política de deshielo de los conflictos latentes —por ejemplo el de Georgia con Abjasia o el de Georgia con Osetia del Sur—, con lo cual se convirtió en el enemigo número uno de Putin. Este dejó que Saakashvili se quedara con Adjara sin armar bronca porque en cualquier caso iba más a favor de los intereses de su propio príncipe Abashidze que Moscú; sin embargo, decidió luchar por los agujeros negros de Abjasia y Osetia del Sur.

El juego transcaucásico ruso exige severos castigos para el occidentalizante presidente Saakashvili —por ejemplo, bombardeándolo— puesto que se alinea abiertamente con Estados Unidos y declara que el antiguo poder colonial se vaya al cuerno. Como resultado, cada día y hora que pasan, nosotros los rusos perdemos un poco más a Georgia como vecino bien avenido, en un momento en que resulta crucial disfrutar de buenas y estrechas relaciones con él.

La actual política del régimen de Putin de intentar anexionarse dos territorios georgianos va totalmente en contra de los intereses tanto estratégicos como de otro tipo que Rusia tiene en el Cáucaso.

Por último, una palabra sobre el amor. En el siglo XXI, los gobernantes inteligentes no incitan al derramamiento de sangre a los ciudadanos que aman. El problema empieza cuando no aman a sus ciudadanos y son una panda de asnos sin remedio.

CHINA EN MARCHA

4 de julio de 2005

En junio, con ocasión de una conferencia internacional sobre seguridad, el conocido sinólogo ruso, profesor Vilia Gelbras, leyó un sensacional informe acerca de la emigración China a Rusia. Aquí responde a las preguntas de *Novaya Gazeta*.

Vilia Gelbras, profesor de economía, doctor en ciencias de la historia, uno de los sinólogos más destacados de Rusia, imparte clases en el Instituto de Estudios Asiáticos y Africanos de la Universidad Estatal de Moscú y desarrolla tareas de investigación en el Instituto de Economía Mundial y Relaciones Internacionales de la Academia de Ciencias de Rusia.

En los últimos años, usted ha escrito dos novedosos libros sobre la emigración china hacia Rusia. ¿Cuál es la idea central?

La gente lleva mucho tiempo hablando de la emigración china, en el sentido de que China prácticamente está buscando hacerse con el control de toda Rusia. Con la ayuda de mis estudiantes he llevado a cabo una investigación a gran escala sobre el asunto. El primer estudio lo llevamos a cabo en 2001, y para ello seleccionamos Moscú, Vladivostok, Jabárovsk y también Ussuríisk, que es donde se apean del tren un mayor número de comerciantes chinos para dirigirse desde allí a sus lucrativos mercados. Todo ese material formó la base del primer libro.

Para el segundo, seleccionamos Irkutsk y nuevamente las ciudades de Moscú, Vladivostok y Jabárovsk. Irkutsk nos interesaba porque los inmigrantes de allí ya se habían asentado. Además, llegó a nuestras manos un plan chino que había merecido la atención del Politburó del Comité Central del Partido Comunista chino. En él, Irkutsk tenía asignado un papel especial. El plan proponía el asentamiento organizado de chinos por todo el territorio ruso partiendo de la provincia de Amur. Manteniendo el control de sus bienes, se concentrarían en los nudos ferroviarios del Transiberiano en su camino hasta Moscú y, partiendo de ahí, irradiarían su influencia hacia fuera. Irkutsk es importante para los chinos porque constituye el centro del movimiento de mercancías y personas desde Kazajistán hacia Altái, incluyendo Buriatia. Cuando realizamos nuestra encuesta, en Irkutsk acababa de abrir un consulado chino.

El libro resultante dibujaba una imagen curiosa. Presentamos un panorama de la actividad empresarial de los chinos en Rusia, de lo que hacían con su dinero, de cómo lo enviaban a China, de cómo los productos llegaban de allí y cómo, una vez en territorio ruso, eran convertidos en dinero. También elaboramos un informe especial, más sustancial, para las Naciones Unidas.

¿Cuánto dinero calcula que estamos transfiriendo a China de esta manera y qué cantidad estamos gastando en compras a los chinos?

No creo que podamos decir con exactitud cuánto estamos comprando y vendiendo. Hay un gigantesco mercado negro y una corrupción galopante.

¿Por parte de los chinos?

No. Se trata de corrupción en el entorno ruso que rodea al comercio chino. Por ejemplo, recientemente han aparecido delegaciones chinas en la parte europea de Rusia que buscaban contratos para la tala de árboles. ¿Acaso se han quedado sin árboles en Siberia? Hemos descubierto que a lo largo de las vías del ferrocarril de Siberia a los chinos se les ha permitido talar tanto los bosques que corremos el riesgo de quedarnos sin alerces.

¿Los chinos aprecian el alerce especialmente?

Produce una madera muy valiosa. El alerce desprende siempre una fragancia especial. Es muy agradable vivir en una casa construida de alerce.

Seguramente los chinos no estarán talando nuestros alerces por la fragancia.

Los chinos usan el alerce para muchas cosas, por la madera, por el aceite, por las semillas. Han dejado de talar sus bosques. Desde un punto de vista ecológico, si un territorio tiene menos del 12 por ciento de bosques, los desastres naturales son inevitables. A China apenas le queda el 13 por ciento y por eso no pasa un año sin que tenga lluvias torrenciales seguidas de inundaciones. Es el resultado de haber devastado sus bosques en el pasado.

¿El plan del que hablaba fue aprobado por el Politburó?

Eso es algo que no está del todo claro. En China casi todo es material clasificado. Mis amigos de allí han hecho lo posible por convencerme para que no diga nada del asunto. Tenían miedo de posibles filtraciones, pero ahora está claro que hay un segundo plan para trasladarse a través de Heihe hasta Blagoveshchensk y por Suifenhe hasta la provincia de Amur y más allá. Heihe y Suifenhe son importantes núcleos de población. El plan se ocupa del flujo tanto de emigrantes como de mercancías. Si entre 1998 y 1999, e incluso en 2000, esos flujos fueron espontáneos, actualmente, han surgido importantes empresas que dan a la gente órdenes precisas pare vender determinadas mercancías.

¿Está diciendo que esto ya es algo político?

Fue político desde el primer momento. Mis fuentes chinas me dicen que ahora mismo a un hombre se le paga si se casa con una mujer rusa.

¿Quién le paga?

Le paga el gobierno chino por echar raíces en nuestro territorio. Con su política de control de natalidad [las parejas solo pueden tener un hijo, preferentemente varón], los chinos han desequilibrado la reproducción natural de los sexos. En algunos distritos existe una gran inclinación a favor de los hombres. Se calcula que entre cuarenta y cincuenta millones de hombres chinos no tienen ninguna perspectiva de encontrar mujer, y ahora sus líderes están buscando la forma de remediarlo.

¿Cuál ha sido el incremento de chinos que viven en Rusia permanentemente entre 2001 y 2004?

Es imposible decirlo porque la inmigración china está en constante flujo y reflujo. En la actualidad estaríamos hablando de medio millón o más. Los catastrofistas hablan de tres millones, pero me parece prematuro.

¿Qué clase de individuo es el chino que se ha instalado en Rusia?

Principalmente son habitantes de ciudad, porque son los más cultos.

¿Qué entienden los chinos por «culto»?

La mayoría de los chinos que entran en Rusia saben escribir su nombre, saben leer y contar. Son listos y se desenvuelven bien en el mercado. Solo hay unos pocos campesinos y han sido invitados especialmente, por ejemplo para enseñar cómo se cultivan ciertas hortalizas.

¿Y son completamente analfabetos?

Es difícil decirlo. Los chinos ser organizan de tal manera que el capataz habla por todo el grupo.

¿Y quién es el capataz?

La persona que ha formado la cuadrilla. Nadie hablará con usted sin su permiso. En muchas ocasiones tuvimos que hacer grandes esfuerzos para lograr que los encuestados rellenaran los formularios. Las primeras encuestas salieron mal porque los cuestionarios los rellenaban los capataces de las cuadrillas y eran todos iguales. En el comercio, donde hay más de un supervisor, es otra historia. En la agricultura y la construcción, el capataz de la brigada es quien manda. Actualmente, es corriente que en Moscú y en

Nizhni Nóvgorod el capataz de la cuadrilla contrate comerciantes rusos o ucranianos. Si los productos son de baja calidad, encontraremos ucranianos; si son mejores, rusos; pero siempre bajo la supervisión de un chino.

¿Y esos personajes no son mafiosos?

Sería erróneo decir que todos son mafiosos. Muchos son personas que trabajan duramente y que se ganan un sueldo con el sudor de su frente. Los mafiosos no suelen trabajar en el sentido estricto del término. Según una vieja tradición china, protegen a los comerciantes a cambio de cierta cantidad de dinero.

¿Una especie de chantaje de protección?

Negocian con nuestra milicia y los funcionarios de aduanas. Su trabajo es lograr que las mercancías crucen la frontera.

¿Los chinos utilizan a los rusos para cubrirse?

Desde luego. Los chinos no tienen nada en contra de los milicianos. Lo he visto con mis propios ojos. Deje que le ponga un ejemplo sorprendente: la prensa rusa publica constantemente cifras sobre el volumen del comercio entre China y Rusia, basadas en estadísticas chinas. ¿Es porque nosotros no tenemos nuestras propias estadísticas? Claro que las tenemos, pero las magnitudes de los chinos son más altas. En cuanto una mercancía cruza la frontera, hay más esperando, por valor de muchos millones de dólares cada año. Y ese flujo sigue y sigue.

¿De dónde sale la diferencia?

Del mercado negro. La nuestra es una economía muy corrupta. El señor Vanin, director del Servicio de Aduanas, está empezando a decir que tenemos que poner orden. Las más activas no son tanto las mafias chinas, sino las nuestras, y por eso resulta más seguro utilizar estadísticas chinas, porque incluyen tanto la economía sumergida como el mercado negro. El segundo factor que explica las diferencias es que en Rusia, los chinos se dedican a actividades comerciales que a nosotros nunca se nos habrían ocurrido. Por ejemplo, recogen huevas de rana. Son muy apreciadas, y consiguen recolectar kilos.

¿De dónde sacan los permisos para recolectar huevas de rana?

¿Permisos? ¿Qué me está contando?

Bueno, ¿pues qué documentos enseñan en la frontera?

No tengo ni idea, pero en los bosques de la taiga viven por sus propios medios, casi en secreto, dedicándose a extraer huevas de rana. Es una forma muy penosa de furtivismo que nos acabará perjudicando.

Madera, huevas de rana, casarse con mujeres rusas... ¿Son estos los resultados de la nueva política que los chinos llaman «salir al exterior»?

Sí. El planteamiento se inició entre 1996 y 1997. Llegaron a él pensando en cómo conquistar los mercados mundiales. Llamaron a todas las instituciones académicas, incluyendo las de ciencias naturales. Admitían que realizar descubrimientos geológicos autóctonos sería una empresa larga y costosa, y querían algo rápido que cambiara la situación del país. Así que decidieron irrumpir en los mercados mundiales ofreciendo productos baratos a toneladas. Y lo han conseguido.

¿Por qué los chinos necesitaban «salir al exterior»?

La mayoría de los habitantes de China son campesinos. A lo largo de la historia siempre ha sido la principal fuente de riqueza, pero hoy en día no se necesitan quinientos millones de chinos campesinos. Tras el trigésimo sexto congreso del Partido Comunista, en 2000, cuando se produjo el cambio de cúpula directiva, llegaron a la conclusión de que la economía carecía de mecanismos internos que estimularan el aumento de producción. China suma el 20 por ciento de la población mundial, pero muy poco en cuanto a producción. Alrededor del 80 por ciento de los campesinos gana menos de un dólar al día; y el 60 por ciento, menos de medio. ¿Qué puede aspirar a hacer en el mercado alguien en esa situación, qué interés puede tener en la innovación? No, calcularon que debían dejar entre ciento cincuenta y ciento setenta millones de campesinos dedicados a la economía rural, y sacar de las aldeas entre doscientos cincuenta y trescientos millones. Pero ¿llevarlos adónde? Así fue como se produjo la expansión china, «saliendo al exterior». Los campesinos pudieron abandonar sus aldeas. Para China fue una verdadera revolución. Todas las ciudades y provincias que actualmente producen para la exportación tienen miniciudades donde los campesinos viven y trabajan. Por eso son tan baratos. Entonces apareció un nuevo fenómeno migratorio: China empezó a dividirse en dos, una que se desplazaba hacia nuestra frontera, hacia Xinjiang, y la otra hacia la costa.

¿Se están moviendo físicamente?

Sí, porque ahí es donde están el dinero y el trabajo, pero los chinos no pueden abandonar del todo sus tierras ancestrales. Lo peculiar de la situación es que una buena parte se queda atrás, y los que se marchan regresan más adelante. Todavía sabemos muy poco sobre lo que constituye la base de las relaciones sociales y familiares en China. Hay familias que emigraron a Occidente, a Estados Unidos, hace cien o ciento cincuenta años, pero que cada Año Nuevo vuelven. En Rusia, los lazos de parentesco se destruyeron después de la revolución, pero eso no pasa en China.

¿Dónde están esos entre doscientos cincuenta y trescientos millones de campesinos llevados lejos del campo?

En todas partes y en ninguna. El asunto es que muchos de ellos no se han asentado. Algunos están recogiendo huevas de rana aquí, en Rusia.

8

La otra Anna

[Anna ha sido calificada de «inflexible». No es verdad. Era pragmática. Estos artículos muestran su humanidad, su conciencia sensible, su predisposición a tratar con lo desconocido y su tristeza por el hecho de que su país no fuera un lugar mejor para vivir.]

UNA PASIÓN QUE NOS HACE ESTREMECER: EL MOVIMIENTO COMO ALOTROPÍA DEL AMOR

30 de marzo de 2000

En Londres, las interpretaciones de la internacionalmente famosa compañía de Buenos Aires, Tango Por Dos, dirigida por su fundador y bailarín principal, Miguel Ángel Zotto, han llenado el teatro hasta la bandera y logrado que un público por lo general reservado prorrumpiera en exclamaciones contenidas. La compañía de baile ha presentado en el Peacock Theatre de Kingsway su obra en dos actos *Tango argentino*, casi tres horas de cautivadora acción en el escenario durante las cuales no se dice una palabra y únicamente hay música, baile y emoción. Al final, el siempre equilibrado, flemático e incluso apático público inglés se ha visto empujado a un frenesí de entusiasmo, deseoso de más.

Lo que aparece en escena es ni más ni menos que pura pasión, interpretada por seis parejas. Naturalmente, no se trata de sexo, cosa que menciono para los rusos ignorantes a los que les divierte saber que existe cierta diferencia entre pasión y cama. Todos los baila-

393

rines son de mediana edad, nada de niños o adolescentes, que expresan algo más que clímax de éxtasis. Se trata de adultos que saben bien lo que en esta vida significa perder, ganar y tener esperanza. Su intensidad resulta formidable y perturbadora. Nada de crujir de dientes, nada de prendas desgarradas, nada de morderse los labios, ni siquiera de llorar. Se trata de una presentación de pasión enajenada.

Tal es la temperatura del espectáculo que, de vez en cuando, se ve cómo algunas parejas se marchan discretamente del teatro. El público habitual asegura que se van a hacer el amor. Londres está lleno de rumores que dicen que es habitual que esto pase durante las funciones de *Tango argentino*. Los hombres y las mujeres que contemplan la danza —donde no hay un solo *topless* ni un *striptease* ni la menor incitación al estilo *Playboy*— no pueden aguantar sentados hasta el final y quieren hacerlo, experimentar esa eterna realidad. El torrente de libido que fluye del escenario es tal que, a menos que uno sea de piedra, no puede evitar sucumbir a él. Los espectadores que hayan ido solos acaban sintiéndose atraídos por los que se sientan a su lado. Aunque solo sea durante un par de horas, uno puede imaginar ser un inventivo amante capaz de cualquier cosa.

Y no crean que se trata de un espectáculo exquisito solo apto para los entendidos o aquellos acostumbrados a hartarse de cócteles de pasión. Nada de eso. Todo es muy sencillo, casi primitivo. Seis parejas presentan las distintas variedades y estilos de tango como los que pueden agraciar un salón de baile, se pueden ver en las fiestas de los pueblos (en Argentina, naturalmente) o en los cafés de la orilla del mar, con el acompañamiento de una pequeña banda de música. Lo que resulta sorprendente de la interpretación no es que bailen, sino cómo lo hacen: todas las células femeninas respiran deseo, pero no la clase de deseo que se derrocha en el metro, los autobuses, los bares de borrachos y los antros de Rusia. Se trata de un deseo adiestrado para arrastrar hacia la felicidad —una felicidad seguramente efímera y transitoria— a todos los átomos del hombre que nos acompaña.

Tango Por Dos es al mismo tiempo un espectáculo argentino y el nombre de la compañía de baile, fundada en 1989 por Zotto y Milena Plebs, los mejores bailarines de tango de Argentina. En aquella época también estaban enamorados y, durante casi diez años de giras ininterrumpidas, convertían su pasión en los escenarios del mundo en pasos de baile y en poses de increíble poderío.

En Argentina, a la pareja se la conocía como «nuestros Romeo y Julieta». Se habían conocido en 1985, cuando Milena, hija de una familia acomodada, ya era famosa como bailarina de ballet. Zotto, por su parte, hijo de un actor aficionado y sin seguidores, era su inferior en todos los sentidos. ¿Quién le enseñó a bailar? Solo «la vida misma» y el tango en las calles y clubes nocturnos de Buenos Aires.

Fue entonces cuando Milena decidió que Zotto era totalmente irresistible y sería magnífico en el tango. Abandonó su carrera de bailarina y, por su hombre, desafió a familia y amigos, llegando a romper con algunos de ellos para poder estar con Zotto y, juntos, salir de gira por el mundo. Con el tiempo, mientras vivían su amor en el escenario y ante el público, se convirtieron en una pareja legendaria por derecho propio y fueron coronados reina y rey del género. Los que vieron bailar juntos a Milena y Miguel aseguran que las chispas que desprendían al bailar tango podían provocar más de un ataque al corazón entre el público.

Desgraciadamente, hace tres años Zotto y Plebs se separaron. Zotto declaró que deseaba estar solo, y Milena dijo que no volvería a bailar, a pesar de las numerosas ofertas que le llovían. El final de su *pas de deux* llegó cuando Zotto no quiso tener un hijo con Milena, que entonces contaba treinta y seis años, tanto por razones personales como profesionales: no deseaba afrontar la carga de la familia y los hijos.

Pero había otras razones. En 1992 había perdido a su padre, fallecido tras un penoso cáncer. Posteriormente, Milena comentó que había intuido que aquel sería el principio de su último acto juntos. Siguió cuidando de Miguel en su desconsuelo, pero de repente descubrió que su afligida pareja tenía a otra que le enjugaba las lágrimas. En 1995, Milena no tuvo más remedio que reconocer que, aparte del tango, ya no tenían nada en común.

Milena Plebs es una mujer extraordinaria. Asegura que el tango es un baile de pasión que solo puede bailar una pareja que esté enamorada. Todo lo demás es un sacrilegio que no cautivará a la audiencia. «Cuando amas a un hombre —ha declarado— eso es el tango. El tango significa estar juntos y desear un hijo. Y puesto que todo eso, para Zotto y para mí, pertenece al pasado, ya no quiero seguir bailando.» Vive en Buenos Aires, da clases de coreografía y de vez en cuando dirige algún espectáculo; pero ya no baila y no tiene hijos.

Actualmente, Zotto se refiere a sí mismo como un incurable romántico, sigue bailando sin Milena y haciéndolo magníficamente. No necesita estar enamorado de su pareja de baile, pero claro, así son los hombres. En cuanto a Milena, así son las mujeres.

La compañía ha hecho giras por numerosos países, pero nunca ha estado en Rusia, y sospecho que hay una buena razón que lo explica. Zotto ha dado más de una vuelta al mundo con sus bailarines y ha ofrecido su espectáculo en lugares tan poco dados a las manifestaciones de extroversión como China, Tailandia y sabe Dios qué otros países en el polo opuesto de la cultura latinoamericana, de las salas europeas, los cafés de Argentina y la realidad de Sudamérica. Así pues, ¿por qué a Rusia se la ha privado de la ocasión de saborear tan picante cáliz?

Es obvio que el amor ha enraizado entre nosotros, y que lo ha hecho a menudo; pero no lo es menos que carecemos por completo de una cultura apasionada. Sí, se aprecia ampliamente en Dostoievski, Leóntiev o Tolstói, pero apenas figura en la vida cotidiana del ciudadano ruso del siglo XXI. Nos hemos acostumbrado a un amor discreto, a comprender al otro en la profundidad de su alma. Nos apiadamos de los desdichados y los alcohólicos que se matan bebiendo porque sus almas han sido deshonradas. Tenemos una tradición de ir tirando de cualquier manera en el amor, de vivir de la esperanza a medida que pasan los años, de trabajar y sacrificarse en su nombre, pero de la pasión como un fuego momentáneo y abrasador, de eso nada. Somos incapaces de un mes de pasión (de la dulce y devastadora que nos conduce a la locura), ni siquiera de un breve y apasionado interludio que nos sacuda hasta la médula aunque resulte obvio que se trata del final y que debemos acabarlo con un estallido apasionado. Como experimento, intenten decirle a su caballerosa pareja que deben romper en el momento álgido de su relación amorosa. Verán cómo se encoge de espanto. Para nosotros, romper significa divorciarse y marcharse con nuestros bártulos a cuestas.

Nuestro amor prosoviético no es sino un dar vueltas alrededor de nosotros mismos, y no el deseo de extraer de nuestras parejas hasta la última gota de felicidad que pueden darnos, aunque sean nuestras últimas horas juntos, y entregarles lo mismo a cambio a pesar de saber que al día siguiente la almohada estará vacía. La pasión al estilo ruso es un viaje del punto A al B. En A nos besamos y en B mecemos la cuna. Es una gran suerte cuando el trayecto es directo; pero terrible si es tortuoso, cosa que ocurre a menudo. Pero por qué seguir, como si no lo supiéramos demasiado bien.

Es posible que nuestros problemas de vivienda hayan puesto freno a la pasión. No hay duda de que pueden tener dicho efecto, pero la pasión no es solo cosa de metros cuadrados, y resulta vital no entretenerse en considerar de qué modo habrá que repartirlos si algo sale mal. No hay duda de que la pasión necesita dinero, y nuestros hombres se han marchitado década tras década porque no tenían un céntimo. Incluso cuando alguno de ellos se ha hecho rico, como ha ocurrido recientemente, han corrido lejos de sus esposas para echarse en brazos de prostitutas o de cualquier hembra disponible de los clubes de alterne o los salones de masaje: cualquiera con tal de no tener que probarse a sí mismos.

Estos últimos años han sido un desastre para la pasión. Siguiendo los pasos de los adolescentes y los mafiosos, el resto de la sociedad ha adoptado incluso el término «follar». Cualquiera que tenga una relación está «follando» y así es como se expresan ellos y los que los rodean. [El poeta] Serguéi Yesenin clamaba elegíacamente a «no lamentar ni invocar el pasado, no derramar lágrima alguna». Es precisamente lo que no hacen las parejas rusas de hoy día: en lugar de eso, follan. Los banqueros follan, sus hijos follan, follan los ingenieros jubilados, follan los mendigos y también los músicos y los poetas. ¿Acaso pueden interesarnos las tormentas pasionales, los paroxismos del último adiós, que nos tiemblen las piernas ante un encuentro inminente? No, la verdad es que no. Un polvo rápido es todo lo que necesitamos. Si alguien se ve lamentablemente arrastrado por la pasión, la reacción del hombre ruso, adepto de toda la vida a follar, será como un jarro de agua fría: «No me pongas en una situación difícil. ¡Por Dios, que ya somos mayorcitos!».

En nuestra cultura, uno debe ocultar o bien controlar la pasión y entonces la gente encontrará el modo de llegar hasta nosotros. ¡Da ganas de vomitar! Se espera que uno sea humilde, que no tenga pretensiones, que no se dé aires, que no sea diferente... y en ese caso será agraciado con la felicidad «justo cuando menos lo esperas». ¡Qué tontería! ¡Menuda basura! ¡Qué excusa tan patética para la promiscuidad! Uno debería estar emocionalmente abierto solo en el hogar y en el caso de que sea lo bastante afortunado ¡para tener a alguien capaz de apreciarlo!

Sin embargo, las mujeres no andamos mucho mejor: no solo esperamos poco, sino que hace tiempo que es cosa sabida que somos nosotras quienes reflejamos a nuestros hombres y nunca al revés.

Así pues, ¿para qué demonios necesitamos en Rusia un Tango Por Dos argentino? No haría más que causarnos problemas y para nada.

«El Señor ordenó poner a prueba el amor de la gente», escribió Yesenin, que conocía bien lo que significa «pasión». Estas palabras tienen cabida aquí aunque solo sea porque en el programa de Tango Por Dos hay una cita de Isadora Duncan, que también bailaba tango y fue amante de Yesenin. Por desgracia, su espíritu no se nos ha contagiado.

Si se encuentran en Londres, huyan de Rusia yendo al Peacock Theatre. Y si se pierden el espectáculo pero todavía desean ser fustigados por una desaforada pasión ajena, pueden verlo en Milán, Turín o Lyon, donde Tango Por Dos se presentará en abril. Pero no en Moscú.

La alegría de París

1 de junio de 2000

Se han dicho tantas cosas sobre París que resulta embarazoso unirse al coro. Pero no lo puedo evitar. Es lo que quiero hacer. Esta ciudad tiene una magia tan especial que la lengua, esa condenada que delata nuestros sentimientos más íntimos, se desata y aparca cualquier protesta razonable. Uno desea gritar que ha sido feliz en París, incluso aunque sea banal y un tópico, aunque sea lo mismo que han hecho miles de personas, incluyendo a las más brillantes y destacadas del mundo. Uno sigue deseando hacerlo a su manera a pesar de admitir que no tiene mucho sentido.

Así pues, me encuentro en París a finales de mayo y los castaños están en flor. Los próximos cinco días serán míos y solo míos.

La razón de que esté aquí es que van a publicar una selección de reportajes sobre Chechenia e Ingusetia que escribí para *Novaya Gazeta* entre septiembre de 1999 y abril de 2000. Es algo que resulta muy agradable porque pone a nuestros lectores de Chukotka a Kaliningrado por delante de los parisinos, que mandan en todos los aspectos de la moda. El editor que ha dedicado tanta atención a *Novaya Gazeta* (no sin el estímulo del Alexander Ginsburg, el antiguo disidente y prisionero que hoy día es un parisino amigo de Solzhenitsin y adalid de los derechos humanos) no solo es importante y muy conocido, sino que responde al agradable nombre de Robert Laffont. En esas dos palabras, en esas cuatro sílabas que fluyen armoniosamente, Francia se convierte en sonido. La uvular vibración de la doble erre; la ligera «la», donde una suave «ele» se funde en un delicado beso con la «a» para producir un sonido parecido al la-la-la de un bebé desdentado...

Sin embargo, el impresionante Robert Laffont no iba a estar hasta el día siguiente, de modo que mi primera noche en París la pasé en un café, ¿dónde si no? Pero ¿cómo es posible escoger la mejor perla de un collar tan deslumbrante? En París, una ciudad de libertad y cierta frivolidad, la única manera es lanzarse audazmente y ver qué pasa. El primer café parisino que escogimos al azar («¿Entramos en ese?». «No, está demasiado lleno.» «Está bien, pues seguimos por la derecha. ¿Qué os parece ese?» «Vamos a ver si hay mesa.») se llamaba por casualidad Le Sélect.

Era perfecto. Nos encontrábamos en el centro de Montparnasse, tanto del barrio como del bulevar y, en consecuencia, en un paraíso al que acudía la élite de los artistas del mundo entero para alternar entre inspirarse y resucitar. Como no tardamos en descubrir.

Si hubiéramos sabido dónde nos metíamos, habríamos sido más circunspectos. En la mesa contigua había un ruidoso festejo de los típicos parisinos: medio actores y medio artistas, todos de distintas edades pero todos con un aire de eternos estudiantes en sus canosas sienes. Se lo estaban pasando en grande, ajenos a las desdichas o alegrías de quienes los rodeaban. Había poco espacio entre las mesas, los salones eran pequeños; y los muebles, antiguos. Todo el interior del local parecía haber salido de los años veinte. Está totalmente prohibido hacer cambios en el aspecto de los cafés parisinos. Son verdaderos museos del espíritu de la ciudad.

El ambiente también había sido conservado igual. Una joven artista, muy orgullosa de sí —como todas las chicas parisinas— y totalmente achispada, impaciente por encontrar la felicidad con un joven artista sentado a cierta distancia, se lanzó hacia él a través del histórico pero estrecho espacio que separaba nuestras mesas y tiró una de las botellas de nuestra mesa. De repente, hubo agua por todas partes, en mi bolso, en nuestra ropa, en nuestros zapatos. ¿Qué fue lo que hizo aquella vivaz e impulsiva criatura de Montparnasse?

La verdad es que nada. Las parisinas son muy orgullosas y se las arreglan para mostrarse siempre altaneras al tiempo que parecen completamente disponibles. Nuestra artística señorita murmuró educadamente o quizá no tan educadamente «Perdón» y corrió en busca de la felicidad, que halló en brazos de su Pierre, que quizá fuera un Derain o un Matisse por descubrir.

Los nombres han sido deliberadamente escogidos, naturalmente. Derain, Matisse, y desde luego Picasso, Cocteau, Max Jacob, Henry Miller, Scott Fitzgerald y hasta el propio Hemingway se habían sentado en aquellas mismas pequeñas mesas en las que la vanguardia artística del siglo XXI acababa de dejarnos chorreando.

¿Qué más podía desear un antiguo ciudadano soviético para ser feliz? En ese momento de su vida, nada, aparte de notar su espalda en contacto con la gastada tapicería que había sido rozada por los rozados pantalones de un joven Hemingway mientras se tomaba el mismo combinado que nosotros. Él era selecto y nosotros también.

Dicho sea de paso, los camareros de Le Sélect son hombres de cierta edad, por no decir claramente ancianos. Aun así, ¡qué orgullosos se muestran! ¡Incluso logran destacar entre el orgulloso gentío parisino! En vano intentamos captar su atención, puesto que no éramos Picasso. Sin embargo, nuestro problema es que no queríamos levantarnos indignados de nuestros asientos y marcharnos hechos una furia tras haber perdido la paciencia con tan arrogante *garçon*. Por algún extraño motivo, comprendemos y perdonamos porque estamos en lo más bajo.

Al final, el camarero se dignó acercarse a nosotros, unos simples debutantes en nuestra conquista de Montparnasse, y nos trajo el agua que le habíamos pedido hacía rato, y naturalmente vasos de los años veinte. Los vasos eran gruesos y ásperos, sin el menor atisbo de elegancia, y proclamaban a los cuatro vientos que su principal finalidad era no acabar hechos añicos antes de tiempo. Los clientes siempre han sido un poco rudos. Con vasos como Dios manda, se habrían arruinado hace tiempo, a pesar de que algunos de ellos lograran convertirse en Premios Nobel, en la *crème de la crème* y en campeones del mundo.

No se podía por menos de compadecer a los vasos cuando el camarero dejó el mío en la mesa con un golpetazo y sin dignarse dirigir una mirada a su clienta no habitual. El grupo que se sentaba junto a nosotros era de los suyos. Él y ellos pertenecían al lugar, bromeaban, coqueteaban y se enrollaban entre ellos a pesar de que uno llevaba el café y otro pagaba por él. Naturalmente, el *garçon* ni me miraba.

Era altanero, pero no abiertamente grosero. Incluso daba la impresión de perdonarme un poco por ser una desconocida en Montparnasse. Se sentía una extraña sensación al ser contemplado silenciosamente por uno de esos viejos profesionales parisinos. Nos vimos esforzándonos por captar su atención, por muy distante que su mirada pudiera parecer, y nos llevamos una alegría cuando vimos que nos había perdonado la vida. Nos entraron ganas de levantarnos de un salto y perseguir una quimera, destacar entre la multitud, aunque solo fuera un momento, pero sobre todo ser un héroe. Esas son, según dicen, las payasadas que provoca Montparnasse. Puede que no seamos los más importantes en su falda, pero tampoco seremos los menos.

Ahora toca decir adiós a Le Sélect. Quizá no lo haya sabido, pero lo cierto es que no somos ningunos don nadie. Mañana, también nosotros nos lanzaremos a nuestra conquista de París. La campaña de marketing previa a la publicación del libro estaba a punto de empezar, lo que en Rusia, exagerando, llamaríamos «darse bombo». ¿Cómo fue? Doloroso. Las agencias de relaciones públicas rusas no tienen la menor idea: desde la hora del desayuno hasta la de la cena (incluida) se celebraron ruedas de prensa, entrevistas, fiestas, reuniones y conversaciones. Por la noche estaba ronca. A la mañana siguiente, todo volvió a empezar. Había un torbellino de periodistas que por alguna razón estaban interesados en el libro, y algunos de ellos incluso se habían tomado la molestia de leerlo. No nos desviamos lo más mínimo de las actividades programadas. Me llevaron en volandas de una entrevista a otra, sin la menor distracción, y entre una reunión y otra con periodistas tuve charlas orientativas con mi editora, Malcy Ozonna, sobre las cosas que en ningún caso debía olvidar decir. A Marie Gigault, de *Le Monde*, tenía que decirle una; a Thierry Brandt, del periódico franco-suizo *Le Matin*, otra; y a la revista *Elle*, otra distinta.

A pesar de todo ello, el ritmo frenético no disipó la carga emocional. En todas partes me llovieron palabras amables, calidez, admiración y respeto. Un tsunami positivo. De repente, rodeada de personas interesantes, la vida merecía disfrutarse. Fueron sentimientos poco habituales en Rusia, donde a la gente no suelen apreciarla por los artículos que escribe. Más bien al contrario, la odian.

Los intelectuales franceses que participaban en la promoción del libro se mostraban cada vez más extrañados por mi obvio apuro ante aquel torrente de constante amabilidad.

—¿No ocurre lo mismo en Rusia, cuando alguien ha escrito un libro y se lo publican?

—No, en Rusia no es lo mismo.

—¿A qué se refiere? ¿Su libro no ha sido publicado en Rusia?

—¡Desde luego que no!

Estaban perplejos. Se encogieron de hombros y por primera vez me miraron como si no supieran si creerme o no. No intenté explicárselo. ¿Para qué? Eran detalles sin importancia. Así pues, me concentré en lo verdaderamente importante: en cómo vestían las parisinas.

Basta con asomarse diez minutos al bullicio de la place de la Madeleine para comprender que esa pregunta carece de respuesta. La esencia de París es que las mujeres visten como les apetece. Y los hombres también. Y piensan de igual modo, igual que se maquillan por la mañana como les viene en gana. Ese tipo de vida se llama «libertad». Libertad. Vivir como a uno le place, cuando le place.

Moscú solo había sido un aeropuerto de tránsito en mi vuelo hacia París. El punto de partida que me había llevado hasta la capital de Francia era Ingusetia y Chechenia: los campos de refugiados, las montañas, los bosques, los soldados desesperados por volver a casa, la gente hambrienta llorando, el horror rutinario de la vida en nuestra patria, donde todo el mundo procura vivir lo mejor que puede, intentando sobrevivir. Esa era la razón de que mi París me pareciera un placer tan dulce y paradisíaco. Era como el sabor en la boca tras la hiel, cuando un trozo de chocolate tiene el impacto de kilos de miel.

«¿Por qué no duermes?» «París no me deja dormir.» A veces canturreamos esta canción para nuestros adentros mientras nos abrimos paso hacia la luz en la austeridad de la vida rutinaria en Rusia. ¿Y saben qué? No es verdad. En París dormí profundamente por primera vez en muchos meses de guerra, sin necesidad de pastillas, sin escalofríos. Nadie me gritaba, nadie me insultaba llamándome traidora. Caía bien a todo el mundo, todos me admiraban. Ojalá puedan disfrutar de una experiencia como esa.

Esa fue la alegría de París, la exclusiva propiedad de una periodista rusa que se atreve a dar testimonio. Fue una alegría tanto más conmovedora porque inmediatamente antes había tenido que atreverme a hacer cosas muy diferentes. Mi libro saldrá a la venta en las librerías de París el 4 de junio de 2000. Los editores han decidido titularlo *Voyage en enfer. Journal de Tchétchénie.*

Una posdata ligera

Al mismo tiempo que aparece mi colección de artículos publicados en *Novaya Gazeta* durante la guerra de Chechenia, en junio se va publicar en Francia otro libro sobre el mismo asunto.

Lleva el atractivo título de *Chienne de guerre* (Zorra de guerra), y su autora es una periodista parisina llamada Anne Nivat. A pesar de que nuestros libros cuentan la misma historia, no se parecen. Sin embargo, pensemos en algunos paralelismos. ¿Es simple coincidencia que vayan a llegar a las librerías a la vez? Los franceses me aseguraron vehementemente que así era. Puede parecer difícil de creer, pero para confirmarlo, he aquí una historia.

Anne Nivat no es solo una valiente periodista francesa, también es hija de Georges Nivat, actualmente profesor en la Universidad de Ginebra y un eslavista muy famoso en Francia. Pero Georges Nivat no es solo eso. Es la misma persona que fue a Moscú a comienzos de los años sesenta en un programa de intercambio de estudiantes, y se encontró ni más ni menos que alojado en casa de Olga Ivinskaya, el último amor de Borís Pasternak. Georges no se limitó a tomar el té con ella, sino que se enamoró de su hija, Irina. Incluso se instaló a vivir allí, y su inminente matrimonio contó con la bendición del propio Pasternak. Más aún: Pasternak y Georges pasaron mucho tiempo juntos, hablando. Pasternak lo ayudó a entender el sentido de la vida en Rusia, con todas sus dificultades. Posteriormente, fue expulsado del país a causa de los esfuerzos de los servicios competentes. ¿E Irina? Irina acabó en un campo de trabajo en Mordovia.

Poco a poco, la relación entre Georges e Irina se fue enfriando. Para empezar, él se casó en Francia y empezó a educar a sus hijos según el ascético espíritu del protestantismo. La pequeña Anne Nivat se arrastró por las montañas con su papá. Así creció, aprendiendo a apretar los dientes. Pasaron menos de treinta años para que esas lecciones de supervivencia demostraran su valor mientras Chechenia ardía, porque tuvo que arrastrarse por las montañas chechenas apretando los dientes. Pero volvamos a esa historia de amor de mediados del siglo pasado. Tras enterarse de que Georges se había casado en Francia, Irina se enamoró a su vez de un prisionero de un campo de trabajo cercano para hombres.

La boda entre Georges e Irina, a la que Pasternak había dado su conformidad, nunca llegó a celebrarse; pero el amor que había alentado acabó floreciendo en una casa situada en la misma calle donde se halla la redacción de *Novaya Gazeta*. La casa sigue allí, y también su piso.

Estamos más cerca los unos de los otros de lo que llegamos a suponer. Nuestro mundo es un lugar curioso y más interconectado de lo que imaginamos en nuestros más descabellados sueños. París y Moscú son casi lo mismo.

LLEGADO CON EL VIENTO: LOS CAMPEONES MOSCOVITAS PARA UNA RUSIA MEJOR SE REÚNEN CON GEORGE BUSH (A PETICIÓN DE ESTE)

25 de mayo de 2002

No solo el Kremlin disfruta de la compañía de los Bush. Alrededor de un centenar de nosotros, clasificados como «creadores rusos de opinión política, social, parlamentaria y religiosa» y de las más diversas tendencias hemos sido invitados para conocer al presidente de Estados Unidos. El 24 de mayo de 2002, a partir de las 14.15, hora de Moscú, inmediatamente después de un almuerzo presidencial celebrado en uno de los comedores del Kremlin. La cita era en la Casa Spaso, en el viejo Arbat, la famosa residencia del embajador estadounidense.

Que tenga una función puramente de moda está bien porque nadie es responsable ante nadie por nada. Mientras los Bush llegaban escandalosamente tarde del Kremlin, el resto de nosotros reunidos en la Casa Spaso nos lo pasábamos en grande. Primero, nos entretuvo Borís Némtsov, de la Unión de Fuerzas de Derecha, que apareció luciendo un bronceado tan intenso que incluso eclipsó a Valentina Matvienko. La señora Matvienko es viceprimera ministra del gobierno ruso y lleva un tiempo haciendo titánicos esfuerzos por convertirse en una especie de leona social. Sea como fuere, también estaba espectacular entre el gentío de la Casa Spaso, luciendo un bronceado digno del Caribe o las Seychelles.

«Bueno, el mío es de Sochi —dijo Némtsov a la defensiva—. Voy allí todos los veranos.»*

---

* Famosa ciudad balneario a orillas del mar Negro. *(N. del T.)*

Transcurrió una hora y media durante la cual conversamos y dimos cuenta de los estéticamente irreprochables canapés. Los Bush seguían sin aparecer, pero entre los presentes no se percibía ningún nerviosismo.

Administradores judíos, eternamente en deuda con Estados Unidos, se paseaban por allí, mientras que los principales dirigentes musulmanes de Rusia, ataviados con sus coloristas atuendos, les sonreían dulcemente. El Equipo A del Departamento de Asuntos Exteriores del Patriarcado de Moscú al completo llegó con aire satisfecho. El último en aparecer fue Gleb Pávlovski, nuestro principal asesor presidencial, con cara de pocos amigos.

Su presencia levantó cierto revuelo. «¿Qué está haciendo aquí?», fue el comentario que circuló entre las mesas. La mayoría de los presentes opinaban que la definición de Bush sobre quiénes eran los «creadores rusos de opinión política, social, parlamentaria y religiosa» no incluiría, por decirlo suavemente, a partidarios de Putin. «Seguramente habrá comprado una invitación», fue el comentario final que circuló de boca a oreja. «¿Y cuánto habrá pagado por ella?», preguntaron discretamente a los entendidos los novatos en la materia. «Unos cinco mil dólares», les contestaron estos, con la boca pequeña.

Reunidos en torno a una bandeja con fruta, los activistas rusos pro derechos humanos más conocidos —Oleg Orlov, Tatiana Kasatkina (Memorial) y Svetlana Gánnushkina (Ayuda al Ciudadano)— discretamente vestidos, conversaban en tono fúnebre sobre el desarrollo de la segunda guerra chechena. A menos de tres pasos de allí, Mijaíl Margélov y Dimitri Rogózin, representantes oficiales del pueblo ruso en su condición de presidentes del Comité de Asuntos Exteriores de la Duma y del Sóviet de la Federación respectivamente, trataban del mismo asunto con sus trajes cortados a la última moda de París. Fingían hacer caso omiso de la presencia de los activistas y conversaban entre ellos cuando en realidad, dentro de poco, estarían obligados a volver a Estrasburgo a defender Rusia de otro ataque del bando de los defensores de los derechos humanos.

Por fin nos llamaron para que pasáramos al suntuoso salón, al compás de una grandilocuente música clásica, como la que acompaña a los cosmonautas cuando se dirigen a su nave.

Evidentemente, el presidente de Estados Unidos no estaba lejos. Había llegado la hora de su discurso. Fuimos conducidos a nuestros asientos. El demócrata Grigori Yávlinski analizó el principio que había tras la asignación: «Los que se sientan más cerca de Bush son los que sufren mayor persecución». Ciertamente, a Pávlovski le fue asignado un asiento de última fila, mientras que a *Novaya Gazeta* le correspondía la tercera de un total de treinta, entre Yávlinski y el líder de los mormones rusos. Delante de mí tenía la espalda de Yevgueni Kiselev, el ex director de la difunta cadena de televisión NTV. Judíos, musulmanes y católicos ocupaban la primera fila y, por lo tanto, se suponía que eran los que más estaban sufriendo bajo el actual régimen.

Dieron la breve orden de cerrar el cordón y nos vimos constreñidos en el perímetro. Nos avisaron de que no podíamos salir, ni siquiera para ir al baño o a fumar, hasta que la comitiva presidencial hubiera salido de la Casa Spaso. De espaldas al estrado, un joven del servicio de seguridad de la embajada contemplaba a los líderes políticos, sociales y religiosos de Rusia y a la vez miraba en todas las demás direcciones.

«Está buscando a al-Qaeda», comentó Yávlinski.

Transcurrió otra media hora hasta que se oyó un rumor tras las cortinas, y varios hombres vestidos de negro entraron llevando cada uno un «maletín nuclear» idéntico. Según parece, se trataba de una estratagema tradicional para confundir a cualquier posible enemigo, que no sabría cuál era el verdadero maletín.

Condoleezza Rice estaba en el mismo grupo. La todopoderosa asesora de Seguridad Nacional llevaba un pantalón negro imperfectamente cortado y una llamativa chaqueta amarilla con un bordón negro para señalar los inexistentes bolsillos y las solapas. No llevaba permanente, algo que Martinenko nunca habría aprobado en público.

«Ahí está Condo-liza Petrovna», murmuró el Sóviet de la Federación desde algún sitio, con el sentido del humor que les caracteriza.

Laura Bush fue la siguiente en ser presentada. Después el secretario de Estado, Colin Powell, y el embajador y su esposa, Lisa y

Alexander Vershbow. Orgullosa y dueña de sí, sin llevar siquiera bolso, Laura se presentó con un traje chaqueta gris con botones blancos y zapatos de punta abierta. Powell se sentó y cruzó las piernas. Gracias a Dios, quedó bien: a diferencia de los calcetines de los hombres rusos, que son siempre demasiado cortos, los de Powell eran soberbiamente altos. Por desgracia, parecía haber algo que lo molestaba y observaba a los «creadores rusos de opinión política, social, parlamentaria y religiosa» como si hubieran hecho algo para ofenderlo. Como contraste, Lisa Vershbow sonreía radiante, y su esposo nos miraba a todos con aire paternal bajo sus cejas.

Llegó el gran momento. Un impresionante afroamericano vestido con un traje tres piezas color chocolate —el guardaespaldas personal del presidente— surgió de la nada y, tras él, Bush en persona, tranquilo, relajado y ruborizado. Se dejó caer en su silla, asumió la pose del ciudadano más poderoso del mundo y también cruzó las piernas despreocupadamente. (Bien hecho, Laura: también él llevaba calcetines altos.) Enseguida se le cedió la palabra y empezó, no disculpándose por llegar dos horas tarde, sino con unas palabras de agradecimiento a su esposa, la antigua bibliotecaria de una escuela rural que en su día no había tenido el menor interés en política, pero que en esos momentos estaba casada con una figura política de tanta importancia.

Luego siguió hablando quizá durante una media hora acerca de la libertad y de los valores humanos universales. Powell fruncía el ceño de vez en cuando. Condoleezza se mantuvo inescrutable, los maletines negros susurraron sobre asuntos eminentemente prácticos, y la primera dama escuchó a su marido con la pose practicada por todas las primeras damas antes que ella: la espalda recta, la cabeza orgullosamente alta, y vuelta hacia él tres cuartos. Su rostro expresaba un sereno e inquebrantable amor que había superado las barreras del tiempo y una total admiración. Durante la media hora completa.

Lo más que se permitió fue un leve golpeteo con el pie derecho cada vez que lo que decía su marido dejaba de impresionarla.

Bush disfrutaba hallándose ante el atril. Solo de vez en cuando lanzaba una mirada a los papeles previamente preparados por su equipo de redacción de discursos, y parecía hablar casi de memoria. Cuando acabó, caminó directamente hacia nosotros para estrecharnos la mano. Tenía una curiosa manera de intercambiar unas pocas palabras con alguien al tiempo que tendía su mano derecha a la siguiente persona, con un gesto que daba a entender que había que estrechársela sin más. Es un hombre sencillo.

Sin embargo, el apretón de Bush fue firme, y su mano no estaba sudorosa, ante lo cual los dirigentes rusos se derritieron, todos ellos de pie con las manos tendidas de expectación.

La ceremonia de apretón de manos duró otra media hora, hasta que el presidente y su séquito abandonaron la sala. Nos dejaron encerrados en nuestro redil otros quince minutos y, por fin, nos soltaron para que nos fuéramos con viento fresco.

Un perro enfermo en la gran ciudad

Septiembre de 2005

Nuestro perro murió el verano pasado. Era viejo, muy viejo. Martin, nuestro fiel doberman, tenía quince años, que son muchos para una raza como la suya. Fue un perro notable que nos protegió fielmente durante los largos y caóticos años de la *perestroika*, el absoluto gangsterismo de los tres años de «acumulación primitiva de capital» y en el actual período de disolución de las libertades, cuando la vida vuelve a tener su riesgo. Protegidos por Martin nos sentíamos más seguros que detrás de un pelotón de guardaespaldas. Nos adoraba, a nosotros y a nuestros amigos, y siempre identificaba y ahuyentaba infaliblemente a cualquier malintencionado. Aun así, nunca mordió a nadie. En su presencia discutimos y no siempre hicimos las paces, nos reunimos y despedimos y durante todo ese tiempo nos amó sin reservas hasta el punto de desmayarse de amor en una ocasión. Únicamente durante los últimos cuarenta y cinco minutos de su vida, cuando se tumbó y quedó inconsciente, Martin no estuvo allí para atendernos. Entonces fuimos nosotros los que lo atendimos a él, poniéndole la mano en el corazón hasta que dejó de latir.

Seis meses después, lo añorábamos terriblemente. La vida sin Martin era como vivir sin el gota a gota de amor diario. Comprendimos que había sido una poderosa droga, un *perpetuum mobile* que generaba afecto y nos rodeaba con él. Ni siquiera mientras se moría, Martin se olvidó de abrir los ojos, mover su corto rabo un momento y sonreír. Tras su marcha, entraron en casa dos gatos y un loro fantástico, de modo que no tuvimos razones de queja. Aun así, todas las noches éramos conscientes de que, a pesar de lo estupendos que eran, sin un perro sufríamos de una grave privación emocional.

Fue entonces cuando nuestros hijos encontraron una oferta estupenda a través de internet. No se parecía en nada a Martin, lo cual resultaba esencial. Tampoco era de pelo largo, lo cual también era importante porque nos habíamos acostumbrado. Por lo que pudimos deducir de la información disponible, tenía buen carácter. Era un cachorro de sabueso, una especie de basset hound de patas largas, de ojos eternamente tristes y largas orejas.

Fuimos a ver a la criadora, que no dejaba de decir: «Es estupendo, el mejor cachorro de la camada». Puede que así fuera, pero lo cierto era que no dejaba de hacerse pis cada vez que nos miraba. Por otro lado, ante nosotros teníamos un mar de afecto. Coqueteó con nosotros: «Llevadme, por favor, llevadme». Y eso fue lo que hicimos. Era realmente lo que quería.

Cuando llegamos a casa, lo rebautizamos Van Gogh, en lugar del estúpido Hagard que le había puesto la criadora, y nos dispusimos a vivir juntos en armonía. Enseguida se hizo evidente que Van Gogh no solo orinaba todo el tiempo, sino que era una máquina de orinar. Lo más curioso era que le bastaba ver a un hombre para dejar un charquito. Acabamos prohibiendo la entrada en casa a otras personas, salvo a las de nuestra familia, pensando que se trataba de algo pasajero. Nunca se nos ocurrió gritarle, Dios no lo quisiera, pero acabamos dejando de levantar la voz por miedo a que se produjera la consabida inundación. En cuanto se hacía pipí, salía corriendo como un desesperado a esconderse o, lo que era aún peor, lo lamía para que no lo viéramos. En cuanto a salir a pasear, no tardamos en descubrir que Van Gogh aborrecía salir. No había nada que le gustara menos, y sus momentos más felices eran cuando volvíamos a casa, subíamos en el ascensor y entrábamos en casa. Su cola se agitaba de alegría nada más vernos. Nuestra casa se había convertido claramente en su castillo y prefería no salir nunca de él.

En el veterinario nos dijeron que lo de que tenía cuatro meses era puro cuento: como mínimo tenía uno más, y nos invitaron a adivinar por qué la criadora había rebajado su edad.

—Está bien, ¿por qué?

—Para que ustedes se lo llevaran. A la gente no le gusta llevarse perros viejos porque significa que otro los ha educado, y no tienen garantía de que lo hayan hecho bien.

Resultó que ese era el caso con Van Gogh. El veterinario también le encontró piedras en la vejiga. Encontrar las piedras nos costó 25.000 rublos; y los antibióticos, otros 2.000 porque tenía una inflamación aguda. El daño era permanente. Aquella fue la primera pista antes de que fuera evidente que Van Gogh se aferraba a nosotros como si fuéramos su última esperanza. Se ponía cada vez más nervioso ante las visitas. Su miedo a otras personas fue en aumento a medida que crecía, y su costumbre de esconderse detrás de nosotros, su familia, empezó a convertirse en una fea manía. Imaginen la escena: alguien se nos acerca por la calle y ese perrazo de enormes patas se refugia entre nuestras piernas. No ladra ni gruñe, se limita a observar al desconocido con tal expresión de terror que nos sentimos asustados de nosotros mismos.

Al final comprendimos que tenía miedo de que alguien se lo llevara. Sus primeros dueños habían sido unos individuos que se lo habían llevado. Lamentablemente, los hombres se habían convertido en sus enemigos de por vida.

Estaba claro que nos habíamos quedado un perro con graves problemas psicológicos. No solo no iba a protegernos, sino que nosotros teníamos que protegerlo a él. La situación pintaba mal.

Llamé a la criadora para preguntarle qué le había pasado a ese perro. No fue para quejarme. Únicamente quería saber cómo podía ayudarnos a los dos, al perro y a mí. Al final, la criadora se explicó. Van Gogh había tenido dos dueños antes de nosotros que lo habían rechazado. Ella no había tenido nada que ver, pero al perro le habían dado más de una paliza unos hombres; luego lo habían asustado con alguna otra cosa y lo habían echado.

Aquello cuadraba. Íbamos a tener que encontrar un psicólogo de perros y un entrenador de animales que trabajara con perros a nivel individual. No tardamos en descubrir que los psicólogos de animales cobraban cincuenta dólares la visita, y eso siendo afortunados. Por dicha cantidad, nos aconsejaban que nos fuéramos de vacaciones, que nos lleváramos al perro al campo, que lo dejáramos descansar, que nos cambiáramos de piso, de entorno, de ciudad, de país... Y nada de eso se impartía de golpe en una sola consulta. Cada consejo adicional costaba otros cincuenta dólares.

¡Imposible costearse algo así!

Así pues, nos apresuramos a buscarle un entrenador. Katia, de una empresa llamada algo así como «Perro listo» o «Amigo fiel» nos informó por quinientos rublos la hora de que solo trabajaba con perros de la élite (no con perros de élite) y que tenía todas las horas cogidas. A pesar de todo, nos hizo un hueco. Se presentó a las siete de la mañana, con las manos en los bolsillos y empezó a darme órdenes: «¡Vaya allí!», «¡Haga esto o lo otro!».

Quince minutos antes de que acabara la sesión, Katia, a pesar de su atuendo antiglobalización hecho de jersey negro, zapatillas deportivas y pañuelo exigió como buena capitalista quinientos rublos. No volvimos a llamarla. El segundo y el tercer entrenador fueron idénticos en cuanto a la calidad de los ejercicios, pero se demostraron incluso más caros en sus tarifas, a setecientos y novecientos rublos la hora inconclusa.

Al final, decidimos dejar de tirar el dinero, tanto más cuanto la vejiga de Van Gogh seguía requiriendo cientos de rublos en tratamientos. La vida siguió como antes. El animal seguía muerto de miedo de todo y todos, y yo me alzaba entre él y lo desconocido: puertas de garaje y neumáticos chirriantes, hombres que pasaban por su lado...

A medida que se fue haciendo mayor, los problemas fueron en aumento. Para llegar a la zona donde pasean los perros de nuestro vecindario, es necesario cruzar una calle importante por un sitio donde no hay semáforos. Es decir, hay que sortear coches que no suelen frenar ante un paso de cebra. Cada vez que nos acercábamos, Van Gogh se postraba de miedo, y yo tenía que arrastrarlo como un trineo, cuarenta o cincuenta kilos de perro que se resistía. Un cruce de ida y vuelta bastaba para garantizar una subida de tensión. A pesar de todo, estaba claro que un perro con una disfunción metabólica, piedras en la vejiga y problemas de interacción social necesitaba pasear en compañía de sus colegas.

Al final, acabé metiendo a Van Gogh en mi Lada 10 y llevándolo así al otro lado de la calle. En la zona de paseo, corre nerviosamente entre otros perros, pero sin jugar con ellos a menudo. Su principal entretenimiento allí consiste en sentarse junto a la verja y contemplar nuestro Lada. En cuanto abro la puerta, Van Gogh salta al asiento de atrás. Pasear en coche o simplemente estar sentado en él es lo que más le gusta. Un espacio reducido, separado del resto del mundo, donde únicamente estén él y su dueño constituye el mejor de los lugares para Van Gogh. Se tranquiliza en el acto, contempla por la ventanilla lo que lo rodea, y su mirada se torna serena. Así puede dormirse en paz, olvidados sus miedos. Luego, salta del coche, corre directo a la entrada de casa, hacia el ascensor, donde aguarda impaciente el momento de entrar en el piso.

Por el momento, mi presión sanguínea ha vuelto a su estado normal, pero ¿qué vendrá a continuación? Los veterinarios me dicen sin rodeos que lo ponga a dormir para siempre. Amigos y colegas coinciden en ello. «¿Por qué te tomas tantas molestias?» «Un perro no es una persona.» «Mejor lo regalas.» Es su manera educada de decirme lo mismo, que lo ponga a dormir para siempre. ¿Quién más podría ocuparse de él que no sea la persona que ha tomado cariño a esa triste criatura de orejas largas y sedosas que no tiene culpa de nada?

Nadie. En la gran ciudad hay un montón de perros enfermos a los que habría que poner a dormir porque sus dueños no tienen la cantidad de dinero necesaria para tratarlos y cuidar de ellos. Un mundo que se ha vuelto insensible hacia los infortunados (los enfermos, los huérfanos y los desvalidos) tiene que haberse convertido en despiadado con los animales. Natural. ¿Qué otra cosa cabía esperar? Hasta qué punto el dinero nos torna salvajes es algo que se comprende cuando se tiene un perro enfermo. No soy una fanática del amor a los perros, categoría de gente tan numerosa como la que los odia. Los fanáticos de los perros se diferencian del resto de nosotros por preferir los perros a las personas. Una vez dicho todo lo que hay que decir, me quedo con las personas.

Sin embargo, no es propio de mi naturaleza abandonar ese ser sensible que no sobreviviría a la experiencia de ser rechazado de nuevo. Sin mí moriría. Depende de mí por completo, hasta el último pelo de sus largas y sedosas orejas, y se hallaría totalmente en manos de la persona que se lo quedara. El mundo de los ricos ha producido una casta cada vez más numerosa de perros abandonados, de hermanos de Van Gogh. Es gente que puede comprarse tantos Van Gogh como quiera, jugar con ellos, cansarse de ellos y darles la patada. Los que tienen suerte acaban regresando a manos de sus criadores, que vuelven a venderlos, de esa manera no dan con sus huesos en la calle. Carecen de valor económico, y nadie valora a un ser que es fiel hasta el fondo de su alma.

Sé perfectamente que no todos los que tienen dinero son malos, que no todos los veterinarios son unos mercachifles. Claro que no; pero ¿por qué tenemos manadas de perros de pura raza husmeando alrededor de nuestros hogares?

Ha caído la noche de nuevo. Meto la llave en la cerradura y Van Gogh se levanta de un brinco para venir a saludarme desde donde esté. No importa cuánto le duela el estómago, lo profundamente que estuviera durmiendo o si estaba comiendo. Es una radiante máquina de producir amor. Cualquiera puede abandonarnos, cualquiera puede disgustarse con nosotros, pero un perro nunca dejará de querernos.

Lo cojo, lo meto en el coche y lo llevo al otro lado de la calle. Troto a su lado para hacerlo saltar con otros perros de la plaza. Le enseño cómo debe jugar con ellos. Corro con él por la pista de obstáculos para ayudarle a superar su miedo y lo llevo donde hay otros hombres a los que pido que le acaricien las orejas mientras intento convencerlo de que no son peligrosos.

LO QUE SE VE EN EL FIN DEL MUNDO

Junio de 2006

Hace poco estuve en Australia, con ocasión del Festival Anual de Escritores de Sidney, y no pude resistir la ocasión de hacer un poco de turismo. Y después de no haberme resistido, no puedo guardarme lo que vi. Lo que sigue no son más que apuntes de una turista cualquiera.

Nunca había visto una capilla ni una base naval parecidas. Y eso que he visto muchas de ambas. Me habían dicho que tenía que visitar un lugar de oración realmente curioso, que estaba en una base naval. Se trataba de una vieja base naval australiana, ciertamente; pero aun así... Así pues, allí estaba, ante el puesto de guardia, con las piernas temblándome porque no en vano arrastro el reflejo condicionado de que los puestos de guardia son sinónimo de malas noticias: no se cruzan fácilmente, y si lo hacen es con escolta armada.

En la garita había un alegre y bronceado oficial que echó un somero vistazo a nuestros pasaportes y no nos encañonó ni nos dijo que nos fuéramos con viento fresco. Al contrario: parecía encantado de que alguien estuviera interesado en visitar su base. «¿Han venido a ver la capilla? —nos preguntó—. ¿Saben cómo llegar. Pueden ir con el coche, si quieren. Ningún problema.»

Tanteó a su espalda y nos dejó pasar. El cerebro de un ciudadano soviético recién democratizado experimenta ciertas dificultades a la hora de asimilar una conducta tan libre y despreocupada. ¿Cómo podían dejarnos entrar en una base naval sin haber registrado el coche, sin tan siquiera echar un vistazo al maletero? ¿Y si hubiera estado lleno de explosivos? Hoy en día, en Moscú, nos cachean incluso cuando vamos al complejo deportivo Luzhniki, simplemente para oler las flores y relajarnos. Aquel oficial australiano y su horrenda falta de vigilancia siguió silbando para sí, repantigado en su asiento y manifestando un lenguaje corporal que contradecía todas mis expectativas.

Por fin llegamos a la capilla. Imagínenla. Australia está en el fin del mundo, no se puede ir más allá, y aquella base naval se halla justo al final del fin del mundo, en un espectacular promontorio que se adentra en el Pacífico. Se diría que lo sobrevuela. Nuestra capilla se encontraba en el extremo del extremo. Cuando uno entra, se encuentra suspendido sobre el océano, tanto más puesto que la pared del fondo, la que se levanta tras el altar, es de cristal. Arrodillarse ante el ara es como rezar al mar infinito o al cielo increíblemente azul que lo remonta. Y la oración va dirigida al gran océano de paz, para que nos proteja y salvaguarde. La capilla de una base naval no se ha construido pensando en epatar a los turistas, sino, naturalmente, para aquellos que se hacen a la mar y a veces nunca regresan.

Esa es una capilla que hace tantos distingos entre la fe como entre las olas, que son completamente indiferentes a la religión de los que se tragan. Pelirrojos, rubios, rizosos, aguileños, el Pacífico los abraza a todos por igual.

Sin duda, la capilla tiene una afiliación nominal, y seguramente podría adivinarla; pero cuando uno se halla ante el altar, contemplando el fin del mundo, el lugar parece pagano. Todas las ingeniosas mediaciones levantadas entre el hombre y la naturaleza —tal o cual secta, tal o cual crucifijo o ningún crucifijo en absoluto— pierden su sentido y se esfuman. Uno entra en comunión con el mar aunque tenga la costumbre de llamarlo el Todopoderoso. Y le pide que no se lo lleve. No hay otra filosofía más allá de eso, ni rastro del error humano de los últimos tiempos, la creencia de que somos los victoriosos conquistadores de la tierra.

En lo demás, la capilla es sencilla, como una humilde chabola. Además de la pared del fondo, también la fachada es de cristal y, cuando nos damos la vuelta, tenemos la sensación de que tanto nosotros como el promontorio que se adentra en el mar flotamos en el cielo. La capilla ha sido amueblada con hileras de bancos y cojines bordados con la insignia naval. En las paredes cuelgan los nombres de los que no regresaron y una cruz. Se me ocurrió que preguntaría al oficial del puesto de guardia, pero después lo pensé mejor: ¿qué importancia tiene que sea una fe u otra?

El simpático centinela nos despidió, poniendo fin a nuestra incursión en terreno militar. No soy una acrítica admiradora de ese Occidente que pretende que todo lo que toca y hace es mejor y más puro que en Rusia; sin embargo, debo reconocer que en él resulta mucho más fácil encontrar algo cálido y humano.

Sidney es una ciudad de contrastes, lo cual puede parecer extraño comparado con otras. Una parte del centro se asemeja al Londres típico; la otra, es puro Nueva York. Con esa maravilla del mundo moderno que es el Teatro de la Ópera de Sidney, que mira hacia el puerto igual que la concha abierta de un molusco, el centro, con su jungla de cemento y rascacielos que se levantan entre estrechas calles es totalmente Nueva York. Tirando a incómodo, inapelablemente urbano y rectilíneo como se pueda desear.

Pero solo es Nueva York superficialmente. Cuando empezamos a leer los nombres de las calles nos quedamos perplejos. ¡Estamos en Londres!: Hyde Park, King's Cross, la estación y los barrios vecinos. Está Paddington e incluso un Oxford Street, igual de largo. Los nombres de las calles y los lugares londinenses han sido directamente trasplantados con un leve añadido de exotismo local. Por ejemplo, la estación de King's Cross de Sidney se encuentra en Woolloomooloo, que es un nombre aborigen que ningún londinense sería capaz de imaginar ni en su más febril delirio.

Los aborígenes, menester es reconocerlo, escasean. Puede que haya un Woolloomooloo, pero lo que se dice aborígenes, los primitivos habitantes de Australia, no hay. Ya pueden buscar cuanto quieran: no verán ninguno en las calles de Sidney.

Australia nació entre lágrimas y sin una perspectiva de vida fácil. A finales del siglo XVIII, Londres registró un notable aumento de criminalidad, y a Inglaterra, que andaba escasa de prisiones, se le ocurrió la idea de encontrar una isla en el otro lado del mundo donde pudiera desprenderse de sus elementos delictivos. El Tesoro correría únicamente con los gastos de transporte. Una vez que los reos desembarcaran, tendrían que apañárselas lo mejor que supieran para sobrevivir: un modo de pensar parecido al enfoque zarista de la isla de Sajalín.

El gobierno encomendó la tarea al capitán Cook, y este cumplió debidamente. Los barcos no tardaron en hacerse a la mar con su cargamento de reos, rumbo a la isla que él había descubierto. Una vez desembarcados, su supervivencia era cosa de ellos. En la isla ya había gente que se parecía bien poco al capitón Cook, unos individuos de piel oscura que hablaban un lenguaje incomprensible. Los llamaron «aborígenes» y se lanzaron a exterminarlos como si no fueran más que simples animales. Más adelante, los ingleses empezaron a enviar a los hijos de los lores a la isla, asignándoles a cambio de nada enormes territorios para que los cultivaran. Algunos aborígenes consideraron que aquellas tierras les pertenecían por obra y gracia de la madre naturaleza y no eran para una exigua aristocracia.

En consecuencia, los vástagos de las clases altas inglesas se dedicaron a aplastar a cualquiera que osara defender su tierra. Hubo treguas que duraron cierto tiempo, de modo que las mujeres aborígenes tuvieron hijos con los descendientes ingleses más jóvenes y con el personal que los servía. Lo normal fue que aquellos descastados fueran separados de sus madres aborígenes y educados como ingleses.

Esos tiempos hace mucho que quedaron atrás, naturalmente, y los australianos de hoy día hacen los mayores esfuerzos para enderezar el mal causado por sus antepasados conquistadores, pero si han tenido mucho éxito o no, no resulta fácilmente comprobable. No vi un solo aborigen en Sidney. La gente me dijo que esperara porque había un anciano aborigen que a veces toca su diyiridú en el centro del puerto.

—¿Uno?

—Uno.

En las noches que duró mi visita, ni siquiera ese único aborigen apareció. En el paseo marítimo, músicos chinos tocaban apasionada música latinoamericana que invadía las tiendas para turistas donde había montones de productos aborígenes: bumeranes de regalo, artículos de piel de canguro, pinturas de motivos y colores tradicionales sobre multitud de superficies. Junto a todo ello se veían fotos de los artesanos que eran sus autores: sonrientes aborígenes. ¡Cuántas fotografías y qué pocos aborígenes en carne y hueso! No sin angustia, en algún momento nos preguntamos si habrían muerto todos.

En la Galería de Arte Nacional de Nueva Gales del Sur, en Sidney, hay una exposición permanente de arte aborigen que cuenta con unas doscientas obras que datan de los años cincuenta hasta nuestros días, un período en el que ya no había conquistadores y los descendientes de aquellos despiadados sujetos hacían lo posible por expiar los pecados de sus antepasados. Por ello, el tema recurrente en las pinturas aborígenes es el de los conquistadores matándolos. Otro son los árboles genealógicos de las tribus, que certifican el derecho a sus tierras. Los aborígenes dibujan todo eso de un modo particular: todo parece contemplado a vista de pájaro, y la impresión es de que existen distintos planos visuales. También los canguros aparecen aplastados, como si estuvieran muertos y los hubieran disecado. Lo mismo se aplica a los lagartos, los koalas y a los propios aborígenes.

Si uno se queda en el puerto, esperando a que aparezca el aborigen con su diyiridú, contemplará una escena notable: un torrente de encorbatados ejecutivos y empleados desembarcando del ferry que llega a los muelles y dirigiéndose al centro. Aquí, la gente viene a trabajar por la mañana y regresa a casa por la noche en los pequeños ferrys y vapores. Un ferry atraca por la mañana en el muelle central, y vomita un montón de individuos trajeados que salen de sus entrañas como si acabara de llegar el metro. La ciudad está construida alrededor del puerto, y muchos son los que viven en las orillas de los alrededores y trabajan en el centro. Las carreteras que rodean el puerto son estrechas y propensas a los embotellamientos. Por suerte, a nadie se le ha ocurrido el modo de organizar embotellamientos en el Pacífico. Es más, el ferry resulta barato y siempre llega a la hora.

Por supuesto, me embarqué en el ferry y salí. La primera parada, todavía en el centro, es Rocks. Es el nombre de un barrio y también el del lugar donde desembarcó el capitán Cook. Allí se alza actualmente una estatua junto a su casa, como de juguete, construida con la típica piedra rojiza local.

El ferry nos lleva más lejos, hasta los muelles de los barriosdormitorio de los alrededores; la calle tal o cual, solo que es un muelle. Rose Street, solo que se trata de un atracadero. Hay señales como las que nosotros tenemos en las paradas de autobús y espacios cubiertos para guarecerse en caso de lluvia. Alrededor de los muelles, las casas crecen en la falda de los acantilados, entre pequeños comercios y naturaleza salvaje. Diez minutos en ferry bastan para llegar a

Nueva York, con su alienante y desalmado ritmo de vida; sin embargo, durante el trayecto de regreso, uno puede meditar mientras ve pasar las crestas de las olas y las gaviotas. Seguro que basta con eso para sentirse mejor. No creo que haya una gran demanda de psicoterapeutas en Sidney. Allí, los ciudadanos tienen el océano a su alcance y una red de transporte que se extiende sobre él. No es necesario construir ni mantener costosamente nada. ¿Qué haría nuestro moscovita Luzhkov si fuera alcalde de Sidney?

Asimismo se puede tomar el ferry para ir al teatro, al museo o la residencia de estilo colonial del gobernador.

El ferry también lleva al zoológico, que en Sidney se llama Taronga Zoo. Quién o qué era Taronga es algo que nadie sabe aclararme. Está bien, lo importante es que vi un equidna, un animal pequeño y gracioso, tímido y retraído, con un largo hocico y espinas. No es que sean los animales más bellos del mundo, precisamente, del mismo modo que no todo el mundo es un Apolo, pero ¿por qué los rusos decimos en tono despectivo: «No eres una madre, eres una equidna»? He observado largamente la conducta del equidna australiano y no he sabido hallar la explicación. Simplemente se limitaba a olisquearlo todo con su largo hocico, sin hacer daño a nadie.

Como es natural, en Taronga hay muchos koalas. Parecen ositos de peluche y son casi totalmente grises, con un ligero tono beige. Según los rótulos explicativos, duermen unas veinte horas de las veinticuatro que tiene el día, y lo hacen en los árboles, en las posiciones más incómodas, con la peluda nuca apoyada en una rama, la espalda en otra y el resto del cuerpo colgando. Duermen dulcemente, así que supongo que así les gusta ser. Es importante no imponer a otras personas nuestra propia noción de la comodidad.

Y luego, por supuesto, están los canguros. ¿Cómo va uno a visitar Australia y no ver un canguro? Por desgracia, parecían muy poco amistosos. Seguramente estarían asustados. Nos miraban, nerviosos. Podíamos acercarnos a su guarida, y ellos nos seguían, saltando a nuestro lado sobre sus patas traseras, pero manteniendo la distancia. Junto con los canguros, en Taronga vive una insolente belleza: el emú. Uno se me acercó y me picoteó la cabeza, que estaba justo a su altura, con un pico que parecía una pala pequeña. Obviamente, pedía comida, pero todos los rótulos del zoo gritaban: «No den de comer a los animales». Así pues, nos despedimos del emú en términos no precisamente amistosos.

Las cacatúas del zoo de Sidney son muy bonitas, llamativas, de muchos colores y simpáticas. Tienen casi el tamaño de un águila. De todos modos, las mejores cacatúas viven en el muelle central de Sidney y son enormes y blancas, con manchas negras. Se trasladan cortas distancias en bandadas, de uno de los enormes árboles que rodean la ópera a otro, entre un estruendo de graznidos, igual que nuestros cuervos, y sin prestar la menor atención a la gente.

Bueno, esto es todo. Después del zoológico, tuve que volar durante veintidós horas, la mayor parte de ellas sobre mares y océanos, con dos escalas, en Singapur y Dubai. En total tardamos veinticuatro horas en llegar a Moscú. No fue especialmente divertido, pero no lamento haberlo hecho. Haber estado en el fin del mundo, que uno siempre ha sabido que existe, ha resultado muy estimulante y una buena vacuna contra la mentalidad de gran potencia con la que nos martillean constantemente en Rusia. ¿Cómo vamos a ser el epicentro de algo si uno puede volar a veinticuatro horas de distancia de Moscú y descubrir que todavía queda mundo por ver?

9

Los últimos textos

[En sus últimos artículos, Anna Politkóvskaya siguió protestando contra la brutalidad desencadenada por Yeltsin y Putin cuando accedieron a prender de nuevo la llama de la guerra en Chechenia. En «Un pacto entre asesinos» traslada a un público más amplio un informe que consideró importante.]

UN PACTO ENTRE ASESINOS

28 de septiembre de 2006

Recientemente se ha celebrado en Estocolmo una conferencia dedicada, entre otras cosas, a los problemas del Cáucaso Norte. Fueron invitados periodistas, analistas políticos y defensores de los derechos humanos. Publicamos a continuación un extracto de una de las ponencias presentadas durante la conferencia. Su autor: Vaja Ibrajímov, investigador, Chechenia.

Un número considerable de habitantes locales consideran que las acciones de las patrullas chechenas son mucho peores de lo que solían ser las de las tropas federales que les precedieron. «Aquellos eran rusos, pero estos son nuestra propia gente. ¿Cómo es posible que nos traten de esta manera?» Tal es la pregunta sin respuesta que he oído repetida hasta la saciedad. Sin embargo, los que se muestran críticos con los kadirovitas, gente que los aborrece, preferirían no volver a los tiempos en que la república se encontraba totalmente en manos de los soldados rusos y de los agentes de los servicios de inteligencia.

¿Por qué? Simplemente porque los miembros de los destacamentos promoscovitas, al ser chechenos, no tratan a los demás habitantes de la república de modo racista. Sus enemigos no son «todos los chechenos sin excepción», ni tampoco los auténticos separatistas, sino familias y personas concretas con las que tienen pendientes un ajuste de cuentas. Para la mayoría de los kadirovitas, los yamadayevitas, los kakievitas y demás seguidores de otros señores de la guerra, la decisión de luchar en el bando de las fuerzas federales no obedece a razones políticas, sino que constituye una manera eficaz de resolver sus problemas contando con el respaldo del Estado, que les asegura su seguridad y, durante un tiempo, los abastece en lo material.

Los miembros de esos destacamentos están implicados exactamente en los mismos casos de secuestro, asesinato y tortura, y hace tiempo que se pusieron a la altura de los oficiales de los servicios de inteligencia rusos en cuanto a brutalidad. Sin embargo, al menos en su caso, sus actuaciones son selectivas. Los civiles que no se les resisten personalmente y las autoridades federales (que siempre figuran en un lejano segundo lugar de sus prioridades) normalmente no son molestados.

¿Quién integra esos destacamentos? La prensa, estimulada por el gobierno, los presenta como antiguos combatientes de la resistencia que «habiendo reconocido la inutilidad de una resistencia continuada» se han pasado al bando ruso. Sin embargo, esto está lejos de ser cierto.

Uno de los pilares de la política rusa en la región son las deudas de sangre. Se trata de una costumbre que la sociedad chechena sigue practicando y que, hasta hace poco, incluso tenía una función estabilizadora. Cometer un asesinato no era algo que se hiciera a la ligera, porque el asesino que no consiguiera el perdón podía considerarse condenado. La única opción que le quedaba era huir. En los períodos en que el Estado checheno ha mostrado mayor debilidad, esos individuos se han unido con frecuencia a grupos armados para presionar a sus perseguidores desde una posición de fuerza. Algunos de los grupos armados más conflictivos en la época en que Masjádov ocupaba el poder estaban integrados por individuos con deudas de sangre.

No obstante, fueron los líderes políticos rusos los que vieron la oportunidad de basar su política en ellos. Un número considerable de los actualmente llamados «servicios de seguridad» de Chechenia incorporan sujetos y suelen tener mandos que son culpables de asesinato y secuestro. Por ejemplo, tras la ocupación de la república, el grupo de Movladi Baisárov entró en servicio junto al ejército ruso. Su líder era miembro de una banda dirigida por el asesino reincidente Ruslán Labazánov, que fue derrotado por las fuerzas chechenas de seguridad en el verano de 1994. Entre una guerra y otra, él y sus lugartenientes se especializaron en secuestros con rescate.

Uno de los primeros en cambiar de bando a favor de las autoridades federales fue Suleimán Yamadáyev. Según datos de la oficina del fiscal, su grupo también participó en secuestros, pero fue posteriormente legalizado como una compañía especial, adjunta a la comandancia militar del distrito de Gudermés. El Batallón Vostok (Este) ha sido creado partiendo de esta base, como parte de la 42° División Motorizada de Fusileros del Ministerio de Defensa de la Federación Rusa. El destacamento de Said Mohamed Kakíev se ha incorporado a esa misma división como el Batallón Zapad (Oeste). Kakíev también era miembro de la banda de Ruslán Labazánov y está acusado de haber cometido numerosos crímenes y actos terroristas.

Las quejas más graves de la población civil se refieren a la actividad de los kadirovitas. Los destacamentos que responden a ese nombre salieron del servicio de seguridad de Ajmat Kadírov y, hasta la fecha, siguen siendo mandados por sus antiguos guardaespaldas. Estos individuos también ocupan los principales cargos clave de Chechenia. Por ejemplo, Ruslán Aljánov es ministro del Interior; y Adam Demiljánov, viceprimer ministro encargado de los servicios de seguridad.

En un principio, varias decenas de individuos eran miembros de ese servicio y casi todos ellos parientes cercanos o paisanos del antiguo muftí de la república (Kadírov padre). A medida que su número fue aumentando se incorporaron los principales líderes de las bandas criminales clandestinas. Inicialmente, todos ellos se integraron en los llamados «centros antiterroristas», pero desde hace poco se han convertido en los batallones Norte y Sur, el Segundo Regimiento de Patrulla de la Milicia, el Servicio de Controles de Paso y otros más. Actualmente, han sido cooptados y figuran entre los servicios de seguridad de la Federación Rusa. Tanto en el pasado como ahora, sujetos que han cometido asesinatos y secuestros forman la espina dorsal de los kadirovitas. Son ellos los que han sido ascendidos a comandantes y los responsables del reclutamiento de nuevos miembros.

La historia de Lema Salmánov resulta ilustrativa. Nacido en el pueblo de Mairtup, en noviembre de 2002 abatió a tiros en el patio de su casa a dos paisanos con los que había quedado para que fueran a buscar el dinero de la venta de un camión que les había comprado. Los familiares de los asesinados declararon una deuda de sangre con Lema, pero las autoridades intervinieron a favor del asesino. Fue nombrado comandante del destacamento de kadirovitas del pueblo y, poco después, de un centro antiterrorista que se acababa de formar en el distrito de Kurchalói. En la actualidad disfruta de un poder prácticamente ilimitado, ha empezado a perseguir a sus enemigos y a los parientes de estos y a cualquiera que pueda, incluso hipotéticamente, desear vengarse de él en el futuro. Algunos de ellos escaparon para unirse a los combatientes de la resistencia; otros se escondieron en casa de amigos. Dichos amigos también se convirtieron en objeto de persecución por haberles dado cobijo y fueron golpeados, torturados y asesinados. Numerosas familias fueron sumadas al conflicto, y la prensa presentó algunos de esos episodios como parte de la lucha contra el terrorismo. El Día de la Milicia Rusa, Lema Salmánov, que seis meses antes le había pegado un tiro a su anciano tío por intentar hacerlo razonar, fue premiado con una medalla del gobierno.

Hasta el presente, este individuo sigue siendo uno de los comandantes kadirovitas más poderosos, aunque cabe preguntarse qué utilidad puede haber tenido para las autoridades rusas, puesto que lo principal de su actividad ha consistido en liquidar a su propia gente antes que a los enemigos del Estado y que, como consecuencia de ello, muchos han tomado el camino de las montañas para unirse a la resistencia.

Se diría que este es precisamente el objetivo de la checheniza-ción y que, desde el principio, estaba pensada para enfrentar a los chechenos entre ellos, impedir que el conflicto hallara su final y extenderlo en forma de guerra civil. Está claro que si hay que llevar a cabo semejante política, lo mejor es buscar el apoyo de quienes, habiendo sido criminales en el pasado, no tienen el menor reparo en volver a serlo en esta nueva fase. No existen planes para combatir la tradición de la deuda de sangre en Chechenia, y dado que la venganza puede abatirse sobre los culpables aunque hayan pasado muchos años, estos se encuentran unidos a las autoridades rusas por un vínculo mucho más poderoso que el ideológico.

Esta política sirve también a la tarea propagandística de mostrar al mundo que los combatientes locales luchan junto a los federales, socavando de esa manera la idea de que el conflicto tiene raíces separatistas.

Siempre ha habido chechenos partidarios de mantener la república dentro de Rusia, y en su momento organizaron movimientos y destacamentos armados. Por ejemplo, cientos de personas se opusieron a los separatistas en 1990, al mando del comandante Bislán Gantamírov. Al comienzo de la primera guerra chechena, antes incluso de que se crearan las fuerzas de seguridad de Aslán Masjádov, en una serie de distritos aparecieron destacamentos de vigilantes que permitieron a las tropas rusas hacerse con el control de las zonas montañosas de la república sin sufrir pérdidas graves.

Sin embargo, los miembros de dichos destacamentos y sus comandantes se negaron a participar en los barridos de seguridad y en secuestros y ejecuciones sumarias de civiles. Al mismo tiempo que proclamaban su lealtad a las autoridades rusas, se mostraron inflexibles a la hora de proteger a la población de cualquier peligro, incluso del proveniente del ejército ruso.

A partir de comienzos del verano de 2000, los rusos empezaron a quitarse de encima a aquellos aliados poco de fiar. Por ejemplo, el grupo de vigilantes del distrito de Vedenó fue el primero en ser disuelto. Posteriormente, la mayoría de sus miembros serían asesinados o desaparecerían tras haber sido secuestrados. La comandancia de la Compañía de Fusileros del distrito de Shatói fue desmantelada. Estaba formada básicamente por hombres que se habían alistado bajo la bandera rusa por motivos ideológicos y que se negaron a incorporarse al Batallón Oeste, compuesto en su mayoría por delincuentes.

En otras palabras, la chechenización no supone únicamente la transferencia de poder a instituciones formadas por habitantes locales, sino un respaldo y una legitimación de las actividades de los que están dispuestos a participar en operaciones de castigo contra sus propios compatriotas. La chechenización es una política para extender el alcance de la guerra, y su resultado ha sido que el genocidio perpetrado por los servicios de seguridad rusos en las primeras fases del conflicto ha sido sustituido en la actualidad por el reinado del terror impuesto por las bandas de delincuentes apoyadas y dirigidas desde Moscú.

POSDATA: FRAGMENTOS DE DOS ARTÍCULOS EN LOS QUE ANNA ESTABA TRABAJANDO EN EL MOMENTO DE SU MUERTE

Nota editorial

Nos preguntan a menudo si creemos que el asesinato de Anna Politkóvskaya estaba relacionado con un artículo sobre torturas que estaba preparando y que había anunciado a través de Radio Liberty el jueves 5 de octubre, dos días antes de su asesinato. Publicamos a continuación dos piezas que nuestra columnista no llegó a terminar.

El primero contiene la declaración de un testigo ocular sobre prácticas de tortura confirmadas por informes médicos. El segundo consiste en un vídeo que habría sido la base de un artículo que nunca llegó a escribir. El disco en poder de Politkóvskaya (y nunca se nos ocurriría preguntar quién le entregó la grabación para que nos contactara) muestra ciudadanos sin identificar siendo torturados. Fueron los propios torturadores quienes grabaron el vídeo y parecen pertenecer a un servicio de seguridad checheno.

Te estamos declarando terrorista

Novaya Gazeta, n.º 78 (12 de octubre) de 2006

Todos los días me llegan decenas de archivos que contienen copias de elementos incluidos en causas criminales abiertas contra gente encarcelada o bajo investigación en Rusia por «terrorismo».

¿Por qué escribo «terrorismo» entre comillas? Porque la inmensa mayoría de esos sospechosos han sido declarados terroristas. En estos momentos, en 2006, la costumbre de declarar terrorista a la gente no solo ha desplazado cualquier intento verdadero de combatir el terrorismo, sino que está causando que aparezcan por doquier terroristas potenciales sedientos de sangre. Cuando la oficina del fiscal general y los tribunales fallan a la hora de hacer cumplir la ley y castigar a los culpables, y en lugar de eso actúan exclusivamente según consignas políticas y se confabulan para manipular estadísticas para que sean del gusto del Kremlin, los casos criminales se multiplican como hongos.

Una máquina de fabricar «confesiones voluntarias» en masa trabaja implacablemente para asegurarse de que se cumplen los objetivos marcados en la lucha contra el llamado terrorismo del Cáucaso Norte.

He aquí lo que me han escrito unas cuantas madres de jóvenes chechenos declarados culpables por los tribunales:

> Para los chechenos convictos, los campos de trabajo se han convertido de hecho en campos de concentración, donde son objeto de discriminación racial, sometidos a confinamiento en solitario y encerrados en celdas de castigo. Casi todos ellos han sido condenados por sentencias basadas en casos con pruebas amañadas o insuficientes. Encerrados en crueles circunstancias, ven violada su dignidad de seres humanos y aprenden a odiar. He aquí todo un ejército que nos será devuelto con sus vidas destrozadas y un punto de vista deformado.

Su odio me asusta. Me asusta porque, tarde o temprano, se desbordará y todo el mundo se convertirá en un extremista, no solo los investigadores que los torturaron. Estos casos de terrorismo por designación constituyen un campo de batalla donde se enfrentan dos actitudes ideológicas acerca de lo que se está perpetrando en la «zona de la operación antiterrorista en el Cáucaso Norte». ¿Combatimos la anarquía con la ley o tratamos de aplastar su anarquía con la nuestra?

Estas dos formas de anarquía chocan y sueltan chispas que vuelan en el presente y hacia el futuro. El resultado final de este proceso de designación es un número cada vez mayor de gente que no está dispuesta a soportarlo.

Hace poco, Ucrania extraditó a Rusia a Beslán Gadáyev, un checheno detenido a principios de agosto cuando comprobaron su documentación en Crimea, donde vivía como desplazado. Las líneas que siguen están extraídas de una carta que escribió el 29 de agosto de 2006.

Cuando fui extraditado de Ucrania a Grozni, fui conducido de inmediato a unas oficinas donde me preguntaron si había asesinado a un miembro de la familia Salijov, Anzor, y a un amigo de este, un camionero ruso. Juré que nunca había derramado sangre, ni rusa ni chechena. «No, tú los mataste», afirmaron ellos, como si se tratara de un hecho. Volví a negarlo y cuando les repetí que no había asesinado a nadie, empezaron a pegarme. Primero me golpearon dos veces en el ojo derecho. Mientras recobraba el sentido, me tiraron al suelo y me esposaron. Me metieron un tubo por detrás de las piernas para que no pudiera mover las manos, aunque ya estaba esposado. Luego me agarraron, o mejor dicho me agarraron por el tubo al que estaba atado y me colgaron de unos armarios que había por allí y que tendrían un metro de alto.

A continuación me conectaron unos cables a los meñiques de ambas manos. Segundos después, conectaron la electricidad y empezaron a golpearme por todas partes con porras de goma. No pude soportar el dolor y empecé a gritar, gritando el nombre del Todopoderoso y suplicándoles que pararan. Como única respuesta, y para no tener que seguir oyendo mis alaridos, me pusieron una capucha negra en la cabeza. No puedo recordar cuánto duró aquello, pero el dolor empezó a dejarme inconsciente. Cuando se dieron cuenta me quitaron la capucha y me preguntaron si estaba dispuesto a hablar. Les dije que hablaría, aunque no sabía qué podía decirles. Con tal de que dejaran de torturarme, aunque solo fuera un rato, estaba dispuesto a decirles cualquier cosa.

Me descolgaron, me quitaron el tubo y me tiraron al suelo. Me dijeron: «¡Habla!». Les dije que no tenía nada que decirles, de modo que me pegaron otra vez en el ojo con la tubería de la que me habían colgado. Caí de costado y, medio inconsciente, noté que me golpeaban en todas partes. Me volvieron a colgar y a repetir lo de antes. No recuerdo cuánto tiempo duró. Me rociaban con agua constantemente.

Al día siguiente me lavaron y me frotaron algo en la cara y el cuerpo. A la hora de comer, entró un oficial vestido de civil y me dijo que habían venido unos periodistas y que yo debía reconocer mi responsabilidad en tres casos de asesinato y uno de robo con violencia. Me amenazó diciéndome que si no confesaba volvería a empezar con la tortura y que también me humillarían sexualmente. Acepté. Después de entrevistarme con los periodistas, me amenazaron con degradarme sexualmente si no declaraba que los golpes que había recibido habían sido porque había intentado escapar.

Zaur Zakriev, el abogado defensor de Beslán Gadáyev, informó a los miembros del Centro Memorial de los Derechos Humanos que su cliente había sido objeto de aquella brutalidad física y psicológica en la Oficina Rural del distrito de Grozni del Ministerio del Interior. Según el abogado, su cliente reconoció haber cometido robo con violencia en 2004 contra miembros de las fuerzas y los cuerpos de seguridad. Sin embargo, los agentes decidieron conseguir otras confesiones adicionales relacionadas con una serie de crímenes ocurridos en la aldea de Starie Atagi y que él no había cometido.

El abogado declara que la brutal paliza sufrida por su cliente le ha dejado señales visibles por todo el cuerpo. La sección médica del Centro de Detención Preventiva n.º 1 de Grozni, donde Gadáyev permanece encerrado en virtud del artículo 209 del Código Penal ruso por cargos de robo con violencia, ha emitido un certificado médico en el que hace una lista de los indicios de la violencia padecida por Gadáyev en forma de hematomas, contusiones, costillas rotas y daños internos.

El abogado defensor ha presentado ante la oficina del fiscal una demanda formal por esta brutal violación de los derechos humanos. [...]

El texto de Politkóvskaya se interrumpe aquí. Los editores están buscando qué otros episodios posteriores deberían ser incluidos.

Un vídeo muestra lo que parecen ser miembros de uno de los servicios de seguridad chechenos que han capturado a dos jóvenes y los están torturando. Uno de los detenidos está sentado en un coche, sangrando. Se puede apreciar que hay un cuchillo clavado en la zona de la oreja de la víctima. El otro parece haber sido arrojado del coche al asfalto. Los torturadores no se ven en la imagen, y solo se los oye hablar en checheno (en dialecto melji) mientras sueltan imprecaciones.

Texto literal:

«—Putin dijo: "Hay que verlo desde todos los puntos de vista". Eso dijo.

»—¡Él debería saberlo! (se dirige a la víctima insultándola) Este cabrón no se muere [...] Jodido mamón... Mariconazo... ¿Verdad que es guapo? No podría vivir sin ti.

»—¡Espíchala, tío! ¡Espíchala, pedazo de mierda! ¡Por Dios, oyes lo que te digo! ¡Hazlo!

»—¿Ya está? ¿Está ya?

»—Sí.

»—De acuerdo, nos vamos. ¡Por aquí!

»—¡Eh, moved el culo! ¡Tomad posiciones, tomad posiciones! Observación atenta del terreno que nos rodea.»

10

Después del 7 de octubre

ABC, España

Solamente hay una manera de despejar cualquier sospecha de que su asesinato fue algo planeado: aclarando las circunstancias del crimen, arrestando a los responsables y haciendo que respondan ante la justicia. Si la sociedad rusa no exige la pena máxima para los que hayan estado involucrados en este crimen, ya sea intelectual o materialmente, lo único que cabrá decir es que Rusia se halla en grave peligro.

Asesinando a Anna Politkóvskaya, no solo han privado de su vida a una mujer, también han enviado un mensaje a todo el país, amenazando a cualquiera que esté pensando en hacer lo mismo que hizo ella. Politkóvskaya lo ha pagado con su vida, pero la sociedad rusa lo pagará con su libertad si no consigue reaccionar con valentía.

The Chicago Tribune

Más que cualquier otro periodista, arrojó luz sobre la trágica situación de los civiles chechenos, arrojados de sus casas, torturados y, en ocasiones, sumariamente ejecutados por las tropas rusas y los grupos armados promoscovitas.

Durante su labor recibió amenazas de los dos bandos en conflicto, tanto de los resistentes chechenos como de las tropas rusas. En

2001 tuvo que huir a Viena para escapar de las iras de un alto oficial ruso, enfurecido por lo que ella había escrito acerca de su participación en crímenes de guerra.

En 2004, mientras se dirigía en avión a Beslán para cubrir la crisis de la toma de rehenes, cayó gravemente enferma tras beber una taza de té durante el vuelo. Tanto ella como muchos de sus colegas estaban convencidos de que había sido un intento deliberado de envenenarla.

Ígor Yakóvenko, secretario general de la Unión de Periodistas de Rusia, ha calificado el asesinato como «una nueva y triste página negra de la historia rusa». «Por primera vez en muchos años, el periodismo ruso ha sido golpeado en su auténtico corazón —declaró a la agencia Interfax—. Nuestra profesión ha sufrido una tragedia que no tiene remedio posible porque no hay y no habrá nadie como Anna Politkóvskaya.»

El Correo, España

Las autoridades rusas deberían abrir una investigación sobre el injustificable asesinato de Anna Politkóvskaya si desean demostrar a la comunidad internacional, que exige que se aclaren las circunstancias del crimen, que la justicia rusa es capaz de estar a la altura de la democracia que dice defender. Resulta imprescindible aclarar quién ha abatido a esta defensora de los derechos humanos y de la libertad de prensa, precisamente en la puerta de su casa, cuando era sabido que había recibido amenazas de muerte y que se disponía a publicar un artículo sobre las torturas en Chechenia.

Le Figaro

Anna Politkóvskaya ha sido asesinada. ¿Significa eso que la famosa periodista, cuyo pesimismo muchos de nuestros colegas encontraban exagerado, teniendo en cuenta el ritmo del crecimiento económico de Rusia, tenía razón? Se diría que ese importante socio estratégico que es Vladímir Putin no ha conseguido devolver ese «gran país» a una vida normal. Una vez más, parece que hemos confundido nuestros deseos sobre cómo nos gustaría que fueran las cosas con la realidad.

The Guardian

Ahora, el temor es que la ya frágil prensa independiente pueda venirse abajo sin su talismán...

Durante años, Politkóvskaya, madre de dos hijos, fue la heroína de la oposición liberal...

Pero su principal enemigo era Putin, el hombre que se afianzó políticamente subiéndose a los carros del ejército ruso en su segunda y sangrienta carga contra Grozni, a finales de 1999; el hombre que ella decía que odiaba «por su cinismo, su racismo, por la matanza de inocentes que ha tenido lugar durante su primer mandato como presidente»...

Ayer se produjo una aparente paradoja: al mismo tiempo que la muerte de Politkóvskaya servía de siniestra advertencia para la prensa independiente, en el sentido de que el precio de disentir es la muerte, los periódicos se mostraban más furiosos que nunca. Como era de prever, los periódicos de la oposición, *Kommersant* y *Novaya Gazeta*, rebosaban indignación ante el asesinato; sin embargo, la prensa pro-Kremlin también se mostraba indignada. *Rossiyskaya Gazeta*, el periódico oficial del gobierno ruso, alababa a Politkóvskaya por «manifestarse en contra de la guerra, la corrupción, la demagogia y las desigualdades sociales». Incluso el sumiso tabloide *Komsomolskaya Pravda* ha publicado una teoría conspirativa según la cual Politkóvskaya ha sido asesinada como parte de un complejo plan para llevar a Putin a la presidencia de un tercer mandato anticonstitucional.

The Independent

Anna tenía más valor del que la mayoría de nosotros llega a imaginar, y su muerte constituye un recordatorio del violento estado que tan vívidamente dejó al descubierto en *La Rusia de Putin*.

International, Francia

Anna Politkóvskaya era la conciencia de Rusia. En un país cada día más esclavizado por el miedo, la autocensura y el cinismo, esta periodista logró conservar su valor cívico. En una época en que la mayor parte de los medios de comunicación rusos prefieren permanecer callados, *Novaya Gazeta* se ha convertido gracias a ella en uno de los últimos bastiones de la libertad de expresión. Su posición ética, que mantuvo hasta el final, la pone a la altura de los grandes disidentes rusos, como Alexander Solzhenitsin y Andréi Sajárov.

Libération, Francia

La impunidad de la que disfrutan los asesinos de periodistas, la protección que se extiende sobre los torturadores de la población chechena tienen como objetivo acostumbrar de nuevo al pueblo ruso al miedo y al silencio.

Anna Politkóvskaya deseaba empujar a pensar a aquellos cuyo deseo de saber era superior a su miedo. Es hora de que preguntemos a los políticos europeos qué mensaje prefieren oír: el de Vladímir Putin o el de Anna Politkóvskaya.

The New York Times

Su asesinato la ha convertido en un símbolo de todo aquello en lo que Rusia se ha convertido. Tenía cuarenta y ocho años; sin embargo, las libertades postsoviéticas en las que hizo su carrera, escribiendo y criticando abiertamente los actos del poder ruso, son mucho más jóvenes y, según parece, igualmente frágiles.

El funeral de Anna Politkóvskaya ha servido para ilustrar la profunda división que existe en la Rusia actual entre los que están en el poder y los que no. Entre los dolientes estaban sus familiares y amigos, colegas y políticos —aunque estos últimos todos alejados de los centros de poder— y varios diplomáticos extranjeros, entre los que figuraba William J. Burns, el embajador de Estados Unidos, cuyo gobierno ha denunciado el asesinato de Anna Politkóvskaya con más fuerza que el señor Putin o cualquier otro líder gubernamental.

Le Nouvel Observateur

Su cáustica postura fue algo que al Kremlin no le gustó nunca; sin embargo, era una de las periodistas más respetadas del país y una de las que más premios había recibido.

Oleg Panfílov, director del Centro del Periodismo en Situaciones de Emergencia: «Cada vez que alguien me ha preguntado si en Rusia había algún periodista honrado, el primer nombre que me ha venido siempre a la mente ha sido el de Politkóvskaya».

The Observer

Politkóvskaya, de cuarenta y ocho años, fue siempre crítica con el Kremlin, y su asesinato arrojará toda clase de dudas sobre los servicios de seguridad y el régimen promoscovita de Chechenia...

En la antología *Another Sky*, que será publicada el año que viene por el PEN inglés, un grupo de escritores que hacen campaña contra la opresión política, Politkóvskaya predice escalofriantemente lo ocurrido ayer: «Hace cierto tiempo, Vladislav Súrkov, vicedirector de la administración presidencial, explicó que había gente que era el enemigo pero con la que se podía razonar; y gente con la que, siendo el enemigo, no se podía y a la que, por lo tanto, había que eliminar de la escena política. Del mismo modo están intentando eliminarme a mí y a otros como yo».

Durante una visita a Chechenia, aseguró que el antiguo presidente de la república de ese país, Ajmat Kadírov, había jurado asesinarla...

Se mantenía desafiante ante las repetidas amenazas, pero reconocía haberse sentido asustada por lo que consideraba que había sido un intento de envenenarla durante el vuelo que la llevaba a cubrir la crisis de la toma de rehenes en el colegio de Beslán, en 2004...

Toby Eady, su agente literario en Londres, ha declarado a *The Observer* que recientemente había intentado convencer a Politkóvskaya para que se marchara de Rusia a causa de las amenazas. «Me dijo que no abandonaría Rusia antes de que Putin se hubiera marchado. De hecho, me preguntó con una buena dosis de humor negro qué pasaría con su adelanto si la mataban.»

Parece haber pocas dudas de que la periodista fue asesinada por su sangrante reportaje sobre Chechenia...

El País, España

Anna Politkóvskaya, como todos los periodistas críticos con el gobierno ruso (y quedan pocos), ha sido sometida a intimidación por parte de todas las instituciones del Estado, oficiales y semioficiales, y ha sido tildada constantemente de ser el enemigo, en especial por el gobierno títere organizado en Chechenia por Putin. Únicamente hay dos explicaciones creíbles para su asesinato: o fue cometido siguiendo órdenes de las autoridades estatales rusas, en sus hipóstasis central o chechena, a través de sus servicios de seguridad (que es lo más probable); o puede haber sido obra de individuos estimulados por el discurso nacionalista patrocinado por las autoridades estatales.

Putin buscó legitimidad a través de la sangre de Chechenia, sobre la cual construyó su régimen neoautoritario, y en estos momentos todos los hilos del poder (ejecutivo, judicial y legislativo, pero también los de la economía y los medios de comunicación) no solo conducen al Kremlin, sino que lo hacen directamente al gabinete presidencial.

Esta es la Rusia que Putin está construyendo, con la ayuda del petróleo como arma estratégica, para lograr que este enorme país sea respetado con la connivencia de los líderes europeos que hacen la vista gorda ante sus crímenes a cambio de abastecimiento energético.

La razón, una razón que los líderes europeos tanto de izquierda como de derecha me han comentado en privado, es un hecho objetivo: miedo a Rusia. La Unión Soviética era una bomba de relojería que, de haber estallado, habría puesto el mundo patas arriba; pero Putin se ha demostrado capaz de imponer orden y evitar el caos.

… Sin embargo, ¿qué es más peligroso para Occidente, el caos que Putin dice haber evitado o el régimen autoritario que ha erigido y que, como todo el mundo sabe, tiene a su disposición petróleo y armas de destrucción masiva?

Tenemos el resultado ante nuestros ojos: la ejecución de personas incómodas para el zar y la madre patria.

… Cuando la indiferencia y el miedo han sido inculcados, cuando todo está justificado porque forma parte de la lucha contra el enemigo, cuando la política, el poder judicial y el dinero se concentran en manos de una sola persona, la democracia se debilita, y los corruptos se sienten fuertes y libres. Y cuando el mundo coquetea con doctrinas de homogenización étnica —como en estos momentos— y hace apología de un unitarismo general, cualquier disensión se considera una amenaza para el conjunto. Politkóvskaya nos lo recordó un millón de veces, y nadie la tomó en serio. Ha muerto, y Rusia se encuentra profundamente enferma.

Die Tageszeitung

Ha vuelto en un abrir y cerrar de ojos: la imagen de una Rusia tan impredecible como incomprensible. Anna Politkóvskaya, una periodista indomable, ha sido asesinada de un tiro a plena luz del día, ante la puerta de su casa. El mundo entero se frota los ojos de asombro. ¿Qué está ocurriendo en Rusia, donde es evidente que los periodistas críticos con el poder están siendo cazados como animales? ¿Acaso no es el baluarte de estabilidad, de florecimiento democrático y económico que los emisarios del Kremlin y los representantes de las costosas agencias de relaciones públicas proclaman a los cuatro vientos?

Pésames y respuestas de ciudadanos y funcionarios

Novaya Gazeta, 23 de octubre de 2006

Alú Aljánov, presidente de la República de Chechenia

El periodismo ruso ha sufrido una gran pérdida. La trágica muerte de Anna Politkóvskaya no ha sido solamente un shock para la sociedad rusa, sino un golpe para el proceso de democratización en curso de Rusia, incluyendo la *glásnost*, uno de los logros más importantes de los cambios habidos en el país. No siempre hemos compartido los puntos de vista de Politkóvskaya acerca de la situación de la República de Chechenia, pero todos comprendemos que la crítica es parte importante de la vida y actúa de contrapoder del totalitarismo y del culto a la personalidad que se da en las altas esferas del poder. Respetábamos la profesionalidad de Anna Stepánovna, el coraje cívico de una periodista y la posición ética que sabía expresar contundentemente en sus escritos. Expreso mis más sinceras condolencias a los familiares, amigos y compañeros de Anna Politkóvskaya.

Anna, estudiante de Moscú

El domingo, nueve días después del asesinato de Anna Stepánovna, encendí una vela y apagué las luces. Solo la había visto un par de veces, en unas reuniones, pero de repente Anna Politkóvskaya se ha convertido en alguien muy próximo a mí.

Artiom, Moscú

La vi una vez en una tienda de Miasnitskaya. Pensé que era alguien a quien conocía y entonces me di cuenta de que se trataba de Politkóvskaya. Por algún motivo, tuve la sensación de que era una amiga, y cuando la asesinaron para mí fue un golpe que sentí en lo más hondo. Nunca te olvidaré, Anna. Putin, nunca olvidaré lo que has hecho, por muchas tonterías que puedas decir.

Ruslán Áushev, Héroe de la Unión Soviética, presidente del Comité para los Asuntos de los Soldados Internacionales

Una periodista de talento nos ha sido arrebatada antes de tiempo, una persona única y extraordinaria, una incansable luchadora en pro de la verdad y la justicia cuyos formidables artículos eran excepcionalmente importantes y valientes.

Karl Bildt, ministro de Asuntos Exteriores sueco

Su lucha a favor de los derechos humanos y las libertades era una parte importante de su trabajo por una Rusia y una Europa mejores. Confío sinceramente en que las autoridades rusas hagan los esfuerzos necesarios para detener a los culpables y esclarecer el crimen.

Vladímir Bukovski, disidente, Cambridge

Fue una persona valiente que escribió mucho acerca de la guerra y sus víctimas. Era conocida en Occidente. Las razones para su asesinato están claras. No se puede pretender que fue por sus intereses económicos o empresariales, porque simplemente no tenía. Su único enemigo era el corrupto sistema ruso, y lo más probable es que fuera él el que la asesinara.

George W. Bush, presidente de Estados Unidos

Al igual que tantos rusos, muchos estadounidenses se han sorprendido y entristecido ante el brutal asesinato de Anna Politkóvskaya, una intrépida periodista de investigación muy respetada, tanto en Rusia como en Estados Unidos. Hacemos extensivas nuestras oraciones y simpatía a su familia y amigos.

Nacida en Estados Unidos, de padres diplomáticos rusos, Anna Politkóvskaya se preocupaba por su país. Gracias a su lucha por arrojar luz sobre la corrupción y la violación de los derechos humanos, en especial en Chechenia, desafió a sus compatriotas rusos —y a todos nosotros— a que encontraran el valor y la voluntad, como individuos y como sociedades, de luchar contra el mal y reparar las injusticias.

Apremiamos al gobierno ruso a que emprenda una decidida y completa investigación que lleve ante la justicia a los responsables del asesinato de Anna Politkóvskaya.

Jacques Chirac, presidente de la República de Francia

Carta de pésame dirigida a Vera e Iliá [hijos de Anna].

> Apreciada señora Politkóvskaya,
> Apreciado señor Politkóvski,
> El vil asesinato de Anna Politkóvskaya me ha escandalizado, tanto como ha escandalizado a todos los ciudadanos franceses y los que defienden la libertad de prensa. Como amigo de Rusia y del pueblo ruso, sé lo indignado que su país se halla ante el vergonzoso asesinato de una apasionada periodista cuya profesionalidad y valor han sido universalmente reconocidos, especialmente en sus investigaciones sobre la situación en Chechenia.
> Ustedes saben que Francia concede gran importancia al hecho de que se debe hacer todo lo posible para asegurar el cumplimiento de la justicia y que los asesinos de su madre sean descubiertos y castigados.
> Quiero expresarles mis más sinceras condolencias en este momento trágico que les ha tocado vivir y rendir el tributo de mi más profundo respeto hacia la memoria de Anna Politkóvskaya.
> Les ruego, señora Politkóvskaya y señor Politkóvski, que acepten esta manifestación de mi simpatía hacia ustedes y su familia.
> Con sentida emoción y simpatía en esta hora trágica, Jacques Chirac.

Terry Davis, secretario general del Consejo de Europa

Me siento horrorizado por la noticia de que Anna Politkóvskaya ha sido encontrada muerta hoy, en Moscú; y me preocupan profundamente las circunstancias en las que ha perdido la vida. Era una periodista de un valor y determinación excepcionales y su cobertura del conflicto en la República de Chechenia proporcionó a la sociedad rusa y del resto del mundo un punto de vista independiente sobre el destino de la gente corriente atrapada en aquella guerra. Todos hemos perdido una voz potente y de una categoría indispensable en cualquier democracia que se precie. Es esencial que las circunstancias se esclarezcan rápida y convincentemente.

Bertrand Delanoë, alcalde de París

Me ha entristecido profundamente enterarme del vil asesinato de Anna Politkóvskaya. Una «mujer enfurecida», según sus propias palabras, sabía que estaba amenazada, pero como periodista entregada nunca cedió a la intimidación y siempre se mantuvo firme y resuelta a informar para revelar la verdad.

Nicola Duckworth, director del programa de Amnistía Internacional para Europa y Asia Central

Amnistía Internacional se siente consternada por el asesinato de Anna Politkóvskaya. Creemos que su muerte se debe a su trabajo como periodista y a sus informaciones sobre las violaciones de los derechos humanos que se vienen produciendo en Chechenia y otros territorios de la Federación Rusa. Rusia ha perdido una valiente y entregada defensora de los derechos humanos que habló siempre en contra de la violencia y la injusticia y trabajó incansablemente para que se hiciera justicia. Amnistía Internacional hace un llamamiento a las autoridades rusas para que investiguen su asesinato exhaustiva e imparcialmente, que hagan públicos los resultados de dicha investigación y que lleven ante la justicia a los responsables, de acuerdo con los principios del derecho internacional.

Zainap Gashayeva

Anna era alguien muy próximo y querido para mí. Nos encontramos a menudo en el transcurso de la guerra de Chechenia, y las dos nos entendimos a la perfección. Estábamos juntas cuando fue arrestada por soldados rusos en la aldea de Jotuni. Ha dejado una profunda impresión en la memoria y los corazones de mucha gente con la que entró en contacto durante aquellos años. Perdónanos, Anna, duele tanto y es tan difícil creer que ya no estás... Aun así, nadie puede prohibirnos que te sigamos queriendo.

Thomas Hammarberg, comisario para los Derechos Humanos del Consejo de Europa

Anna Politkóvskaya era una de las más importantes defensoras de los derechos humanos en la Rusia actual. Su esforzado trabajo ha sacado a la luz las graves violaciones de los derechos humanos que se están produciendo en la región del Cáucaso Norte, y ha permitido que el mundo comprendiera lo que ocurre en ese remoto rincón del planeta. Conociéndola bien y respetándola enormemente, la noticia de su asesinato me ha entristecido y hecho enfadar profundamente. Su muerte constituye una gran pérdida para Rusia y también para la causa de los derechos humanos... Si bien no todo el mundo coincidía con sus puntos de vista, nadie puso nunca en duda su profesionalidad, valor y entrega personal a la tarea de desvelar la verdad sobre asuntos políticamente controvertidos. El asesinato de Anna Politkóvskaya señala una grave crisis para la libertad de expresión y la seguridad de los periodistas en Rusia. Las autoridades de ese país ya han fracasado a la hora de investigar debidamente otras amenazas de muerte e intentos de asesinato. Ahora no tienen excusas para no investigar a fondo las circunstancias de su muerte y para castigar a los que han cometido tan execrable crimen.

Ramzán Kadírov, primer ministro de Chechenia

No me molestaba lo más mínimo lo que Politkóvskaya escribía. No tenía la menor influencia en mis decisiones o mi trabajo, sino que, al contrario, me era de ayuda, de modo que no tenía motivo para querer perseguirla. Era una mujer, y nunca me he rebajado a intentar ajustar cuentas con mujeres. Basta que una bombona de gas explote en alguna parte para que empiecen a buscar implicaciones chechenas, «huellas dactilares chechenas». Estamos acostumbrados, pero creo que deberíamos prescindir de esta costumbre de hacer acusaciones sin fundamento.

Gari Kaspárov

Anna era una periodista valiente, una de las pocas cuya voz se oía en la prensa rusa, y famosa por informar de las atrocidades cometidas por el gobierno en Chechenia. Los que la conocían sabían de su gran capacidad para la empatía. Sentía como propios los sufrimientos ajenos y trasladaba a su trabajo esa actitud. Reunió documentación sobre las brutalidades perpetradas por Ramzán Kadírov y otros títeres del Kremlin en la región. Investigó incansablemente lo que el gobierno intentaba ocultar acerca de los actos terroristas de Beslán y el teatro Dubrovka, donde murieron cientos de civiles. Se hizo cargo de las historias más duras, de los asuntos más complicados. Con su ejemplo alentó a otros porque resultaba imposible intimidarla. Nunca escribió una sola línea en la que no creyera a pies juntillas. Pero el sábado, el día del quincuagésimo cuarto aniversario del presidente Putin, Anna Politkóvskaya murió asesinada. Los asesinos no hicieron el menor intento de ocultar su crimen ni intentaron hacerlo pasar por otra cosa que un simple asesinato político. Incluso los políticos rusos que siempre hablaron en contra de las informaciones de Politkóvskaya e intentaron minimizar su importancia llaman a lo ocurrido un asesinato político.

Nadezhda Kevorkova, corresponsal especial de Gazeta: Vive como un soldado

La periodista rusa más famosa del mundo ha sido asesinada, en realidad la única periodista famosa del diario actualmente más famoso de Rusia. Los extranjeros jóvenes que se interesan por nuestro país conocen Rusia a través de los libros de Anna Politkóvskaya y no por Mijaíl Leóntiev, Yuliya Latínina, Serguéi Dorenko u Oksana Robski. Ya se han dicho y escrito hermosas palabras acerca del golpe que el periodismo ruso ha recibido en el centro de su mismísimo corazón, de la libertad de expresión, y del hecho de que la vida de la gente decente se halla amenazada. Son todo mentiras.

Una muerte así, hay que ganársela. Los observadores de la vida del Kremlin, los cronistas de las reuniones del presidente, los inflexibles críticos del gobierno, los que dejan implacablemente al descubierto su política económica, los especialistas en cotilleos pertenecen todos al mismo gremio, pero les esperan destinos diferentes.

«Vivió y murió como un soldado», comentó uno de sus colegas. No. Hizo más que eso.

Quienes la respetaban, amaban y protegían no tienen nada que decir porque sus músculos faciales no les responden. Los otros les funcionan perfectamente. Algunos los han utilizado para preparar carteles; otros, para hablar de una «pérdida irreparable».

Novaya Gazeta nunca ha dejado de publicar un artículo de Politkóvskaya, salvo en una ocasión, el 1 de abril, y otra con ocasión de un número conmemorativo.

Durante siete años, su director, Dimitri Murátov, publicó todo lo que la tenaz y discrepante columnista escribió. Colegas de profesión la calumniaron a su espalda, la cubrieron de improperios y se deleitaron debatiendo si padecía algún tipo de morbosa obsesión que la llevaba a escribir sobre atrocidades. No les gustaba su estilo, sus giros y modismos estaban fuera de lugar y había una evidente falta de humor.

Incluso en la NTV anterior a su absorción por parte del gobierno, en TV-6 o en la Radio Eco de Moscú aparecía raramente como invitada. No le gustaban las generalizaciones ni las interminables discusiones sobre la Internacional Wahabí o el dinero de al-Qaeda. En su presencia, uno no podía permitirse llamar «bestias» a los federales ni a los chechenos; «estercolero» a Chechenia ni «puta» a Rusia.

Murátov fue su más fiel apoyo, y la defendió tanto de amigos como de enemigos.

¿Por qué? Pues porque esta mujer había puesto trabajo de campo en todos sus escritos, porque la gente venía a verla todos los días, porque la burocracia la temía, porque los oficiales la creían aunque la estuvieran crucificando, porque los pozos de castigo que descubrió —los *zindan*— existían realmente, porque no podía ser sobornada ni comprada a pesar de que sintiera miedo y en más de una ocasión se asustara, porque fue a Chechenia no solo durante la primera guerra chechena, cuando únicamente los periodistas más perezosos de Moscú no iban, sino también durante la segunda guerra chechena, cuyo inicio fue saludado por políticos liberales como Chubáis y Némtsov como la que marcaría el renacimiento del ejército y la que uniría de nuevo a la sociedad.

La gente le llevaba fotos y recortes de unas atrocidades que revolvían el estómago de los hombres. Le preguntaban por qué seguía escribiendo si sus escritos ya no producían reacción alguna, y ella respondía que su deber era escribir y que eso hacía.

Estaba en el bando de los humillados, y siempre encontró igual de aborrecibles a los poderosos, estuvieran en el bando que estuvieran. No se dejó seducir por el interés que manifestó por ella gente como Zbigniew Brzezinski ni otros del departamento de Estado de Estados Unidos, y su reportaje sobre la recepción ofrecida a los «apreciados demócratas rusos» por parte de George Bush y Condoleezza Rice en la embajada estadounidense lo escribió con la más sutil sátira política.

No es cierto que sus artículos estuvieran desprovistos de reacciones. En los días de Kadírov padre, uno de sus matones gritó enfurecido a los periodistas locales y de Moscú: «Politkóvskaya escribe de una manera que hace que la gente la crea, pero vosotros...», los despachó con desprecio.

Mijaíl Jodorkovski

¡Amigos y familiares de Anna! Por favor, aceptad mis más profundas condolencias.

Marina Kostenetskaya, antigua diputada de la Unión Soviética por Letonia (1989-1991), Riga

Desconozco si la Iglesia ortodoxa canonizará a Anna Politkóvskaya, pero tampoco me importa. Para mí, Anna era una santa. Para mí sigue viva porque acudo con frecuencia a la página web en su memoria y me encuentro con un grupo de gente que piensa y opina como yo. Anna sigue presentándome con generosidad a esas personas. Ellos me han ayudado a sobrevivir y, tal como corresponde, es precisamente Anna la que me ayuda a vivir con dignidad el fragmento de vida que el destino me ha deparado.

Gracias, Anna, por haber estado entre nosotros. Ni Putin ni sus malvados sicarios ni tus colegas pro Kremlin han podido matarte. En esta guerra no declarada entre el honor y el deshonor, has sido tú quien ha ganado la eternidad. ¡Que tu nombre sea loado!

Vitautas Landsbergis, miembro del Parlamento Europeo en representación de Lituania

Han asesinado a Anna Politkóvskaya.

Fue una mujer que se alzó generosamente ante el nuevo —o puede que solo renovado— fascismo ruso y lo miró fijamente a los ojos. Ya habían tratado de asesinarla antes. Anna se rebeló en nombre de los humillados y los ofendidos, contra la mentira y la arbitrariedad. Cuantos menos campeones como ella quedan, más resplandece su ejemplo en la noche y más claramente se oye su voz, esa voz que tan desagradable resulta a oídos de los brutos. No se pueden dejar pasar en silencio ni las debilidades de los demócratas rusos ni la indiferencia de sus colegas occidentales, todos ellos cómplices de su muerte. Pero ¿quién ocupará en nombre de Rusia este gran vacío que ha dejado?

Galina Starovóitova dijo en una ocasión a sus compañeros de armas rusos por la democracia: «Si los hombres se muestran cobardes, una mujer se pondrá al frente». En enero de 1991, y a pesar de las advertencias en contra de las fuerzas armadas, Anna encabezó en Moscú una manifestación de cien mil personas bajo el lema «Libertad para Lituania». Tiempo después ha sido asesinada de la misma manera, en la escalera de su casa; y los que cumplieron con el encargo no serán hallados. ¿Habrá alguien capaz de alzarse en nombre de la estrella de la decencia y la libertad? Esa sí que sería una respuesta que valdría la pena.

Desde Lituania, mis condolencias para la familia de esta mujer que murió por la verdad y para los últimos demócratas rusos que quedan.

Yevgeniya Liozina, estudiante

Anna Politkóvskaya. Solo la vi unas pocas veces y no tuve ocasión de conocerla personalmente. Una mujer joven y atractiva, nacida en 1958, el mismo año que mi madre. Muy tranquila y segura de sí. Resulta imposible olvidar a las personas como ella porque la primera impresión que uno recibe al conocerlas es que se trata de verdaderos seres humanos, y así es como se las recuerda. Al igual que muchos otros, me doy cuenta de que este asesinato se ha cometido porque la actividad de Anna Politkóvskaya no daba respiro a los que violan todas las leyes de la verdad en nuestro país.

Todavía no soy vieja y, cuando veo el ejemplo de esta valiente mujer, deseo vivir mi vida con su mismo grado de honorabilidad. Y para ello, según lo entiendo, debo asegurarme de permanecer lo más cerca posible de la verdad. En lo que se refiere a Anna Politkóvskaya, la verdad estaba siempre e indudablemente de su parte.

La gente mata o, más exactamente, ofrece contratos para que maten a aquellos a quienes temen. Los que en este país han subido al poder a lomos del chovinismo antichecheno con la intención de «irrumpir en la letrinas y exterminar» a sus supuestos enemigos, lo que más temen es que se descubra la verdad de en qué se ha convertido su bravata. Tienen miedo de la verdad sobre lo ocurrido en Beslán y en el teatro Dubrovka, acerca de la muerte de civiles, de las torturas, de los barridos de seguridad y de una guerra que lleva años prolongándose. Todos sabemos, lo mismo que ellos, que en los últimos tiempos ha sido principalmente Anna Politkóvskaya quien ha dicho la verdad desde la tribuna de *Novaya Gazeta*. Su palabra fue inteligente y profesional, lo cual resultaba importante para lograr que su mensaje se oyera. Pero tanto en Rusia, como siempre, y en el extranjero solo fue escuchado por aquellos que tenían oídos para oír. Durante una reciente visita que hice a Londres me sorprendió ver en las librerías los libros de Anna. ¡Allí son grandes éxitos de ventas y la gente los lee! Y eso, como era de esperar, los molestó, molestó a los que han desencadenado la guerra contra Chechenia. La verdad que Anna contaba suponía una bofetada en la cara para todos aquellos que constantemente nos mienten y nos tratan como si fuéramos tontos útiles.

En los últimos tiempos, cada día ha visto cómo crecía en mi interior un sentimiento de vergüenza por Rusia y por nosotros, sus ciudadanos. Me avergüenzo de vivir en un país donde los que tienen el poder carecen de conciencia y de inteligencia. Y eso se debe sustancialmente a que creo que los pueblos tienen los gobiernos que se merecen.

Por otro lado, la esperanza crece en mí cuando recuerdo que en Rusia todavía quedan personas como Anna Politkóvskaya. Son estrellas que brillan inesperadamente, puede que una vez en la vida, pero en la oscuridad que nos rodea nos vemos deslumbrados por la luz que irradian. Me consta como un hecho que, habiéndome encontrado con una de esas estrellas y habiendo comprendido su significado, resulta imposible seguir adelante como si nada hubiera pasado. Es un encuentro que hace de la oscuridad algo demasiado deprimentemente obvio. La luz que irradia semejante estrella queda grabada en la memoria y proporciona guía eterna, pero también puede despertar un sentimiento de envidia.

Liuba, Nord-Ost

Anna se hallaba umbilicalmente unida a la tragedia del *Nord-Ost*. Estos últimos cuatro años fue la portavoz del *Nord-Ost*, apoyando a aquellos de nosotros que perdimos a nuestros amigos y parientes en aquella cámara de gas. Nos ayudó a prevalecer en nuestra desigual batalla contra un gobierno embustero. No le permitieron asistir a las vistas del caso. Los investigadores y los jueces del tribunal Basmanni le tenían miedo. Tenían miedo de su verdad y de su intransigencia. Qué temible debe de ser la verdad sobre esos crímenes y qué peligrosa para sus cómplices si, para acallarla, estos tienen que recurrir a las pistolas. «¿Con qué otra cosa les vamos a dejar que se salgan con la suya mañana?», solía decir Anna cuando nos reunimos en los aniversarios de la tragedia. Desgraciadamente, hemos vuelto a llegar demasiado tarde. Hemos dejado que mataran a Anna, seguramente la más fiel amiga de aquellos a quienes intentó salvar, convenciendo a los terroristas para que permitieran beber a los niños y los adultos, condenados de antemano por el gobierno a una muerte monstruosa. No estará en el próximo aniversario del 26 de octubre. Nos hemos quedado huérfanos.

Centro Memorial de los Derechos Humanos

Resulta casi imposible de creer. Todos tenemos la sensación de haber perdido a alguien muy cercano. Anna Politkóvskaya era una campeona de los derechos humanos mucho mayor que quienes suelen atribuirse semejante calificativo. Se tomaba como propios los problemas de los que trabajaban en Chechenia. Ahora podemos revelar que Anna trabajó en el Cáucaso codo con codo con los miembros del Memorial, que viajó con ellos por toda la república y que estuvo en sus hogares. Utilizaba constantemente materiales del Memorial, a veces haciendo referencia a ellos, y a veces no con tal de no poner en peligro a nadie. Daba la impresión de llevar una vida acomodada, pero tenía por principio publicarlo todo al margen de cuáles pudieran ser las consecuencias. Solo las balas eran capaces de detenerla. ¿Las balas que la abatieron podrán poner fin también a la causa por la que luchaba? Eso es algo que ahora depende de los vivos.

Angela Merkel, canciller de Alemania

Es esencial hallar a los culpables si tiene que haber alguna posibilidad de vivir en condiciones democráticas.

Niotkuda

Una abrumadora sensación de vacío, de pérdida y de impotencia. Resulta terrorífico vivir en un país donde reinan la barbarie y la crueldad. Resulta terrorífico que nada pueda cambiar. Tengo veinte años. Estoy estudiando para ser periodista. A menudo he leído los artículos de Politkóvskaya. En realidad, ella era la única razón de que comprara *Novaya Gazeta*. No sé qué clase de periodista llegaré a ser, pero seguramente seguiré el ejemplo de Anna. ¡Loado sea su recuerdo!

Ursula Plassnik, ministra de Asuntos Exteriores austríaca

Un asesinato vil y vergonzoso. Ha habido demasiados asesinatos de periodistas en Rusia que han quedado sin resolver. Si Rusia pretende ser un Estado democrático y de derecho no puede intimidar a los periodistas y aún menos silenciarlos. Sin libertad de prensa ni de crítica, no puede existir un sistema de valores democráticos.

Polina, Inglaterra

¡Dios, qué triste me siento! ¡Qué horror! Estoy estudiando para ser periodista en Inglaterra. He leído el libro de Anna, *La Rusia de Putin*. Es una vergüenza que no se pueda encontrar en su país de origen, en Rusia, porque mi familia no sabe hablar inglés. Cuando me enteré de la noticia, muchos de mis amigos extranjeros intentaron consolarme diciendo que Anna había sumido todo el golpe, que su muerte obligaría a la opinión pública mundial a tomar conciencia y que todos los periódicos presionarían a Rusia; pero cómo puedo explicar a la gente que no ha vivido allí que a nuestro país la opinión pública mundial le trae sin cuidado. Confío de todo corazón en que mis amigos tengan razón. ¿Cómo puedo expresar la tristeza y el miedo? ¿Cómo vamos a vivir sin periodistas como Anna Stepánovna? Descansa en paz.

Un sacerdote de la Iglesia rusa

Es una lástima que en la Rusia actual haya tan poca cabida para una persona honrada. Nunca me ha interesado la política porque siempre he pensado que no me concernía, pero ahora comprendo que Anna hiciera todo lo que estaba en su mano para evitar que en nuestro país triunfara el mal. Le doy las gracias por abrirme los ojos a muchas cosas y rezo por el eterno descanso de su alma.

Vladímir Putin, presidente de la Federación Rusa

[En Dresde, el 10 de octubre de 2006, durante una conferencia de prensa conjunta con la canciller alemana, Angela Merkel.]

Si me lo permiten, también diré algunas palabras sobre este asunto. Ante todo, me gustaría dejar claro que sea quien sea el que haya cometido este crimen, y al margen de sus motivos, debemos asegurar que se trata de un crimen canallesco y brutal. Naturalmente, no debería... no debería quedar impune. Los motivos pueden ser muy diversos. Sí, es cierto que esa periodista era muy crítica con las actuales autoridades rusas; pero creo que los periodistas deberían saber algo de lo que los expertos tienen conocimiento, y es que el alcance de su influencia en la vida política de este país, en Rusia, era insignificante. Era conocida en los círculos periodísticos y entre los defensores de los derechos humanos y en Occidente, pero repito que su influencia en la vida política de Rusia era mínima. El asesinato de una persona así, el cruel asesinato de una mujer que era madre también estaba dirigido contra nuestro país, contra Rusia y su actual gobierno. Este asesinato representa un gran daño para Rusia y también para los actuales gobiernos de Rusia y la República de Chechenia, donde la periodista desarrollaba últimamente su actividad; inflige a las autoridades actuales un perjuicio y un daño mucho mayor que las cosas que ella escribía. Esto es un hecho obvio para todo el mundo en Rusia. De todas maneras, repito: no importa quién haya sido ni cuáles fueran sus motivos, son criminales. Deben ser descubiertos, desenmascarados y castigados. Haremos lo que sea necesario en ese sentido.

La secretaria de Estado estadounidense, Condoleezza Rice es entrevistada por Novaya Gazeta

Condoleezza Rice: Muchas gracias. Ante todo, déjeme decir que, como el mundo entero, estoy muy triste por el brutal asesinato de Anna Politkóvskaya. Esa mujer era una heroína para mucha gente.

Representaba lo mejor que hay en el periodismo independiente, una voluntad inquebrantable de llegar a la verdad al precio que fuera. Y si me permite que se lo diga, Iliá, sé que si el mundo ha perdido un símbolo, usted ha perdido una madre y eso nos entristece a todos. Sin embargo, su trabajo sigue adelante. *Novaya Gazeta* es una estupenda publicación y creo que en Rusia constituye una excelente voz independiente.

El papel de la prensa independiente es muy importante para la sociedad, y en especial para el desarrollo democrático. Y resulta importante no solamente porque tener una prensa independiente sea un valor importante, uno de los más importantes en una democracia. También es importante un adecuado funcionamiento del gobierno.

La gente necesita información para poder fiscalizar la labor de su gobierno, y dicha información solo puede canalizarse y llegar a sus destinatarios a través de una prensa independiente. Ya sea en la lucha contra la corrupción, a la hora de cuestionar las decisiones gubernamentales, o de hacer llegar al gobierno las preocupaciones del pueblo, el papel de una prensa independiente es sumamente importante.

Deseo animarlos a todos ustedes a que sigan trabajando. Se trata de un trabajo de gran importancia, y nosotros apoyamos sin reservas el papel de los medios de comunicación independientes en Rusia. Sabemos que no ha sido fácil, pero es un camino importante, más que un camino, por muy difícil que sea.

Dimitri Murátov: Señora secretaria de Estado, desde luego que continuaremos con nuestra labor, pero esta es la tercera pérdida grave que hemos sufrido en nuestro periódico en los últimos seis años. En 2000, Ígor Domnikov fue asesinado por unos sicarios que actualmente están a la espera de juicio. Fue asesinado por su trabajo como periodista, y el contrato para matarlo lo firmó un funcionario corrupto que actualmente es vicegobernador de una provincia rusa. Hace tres años, el subdirector de *Novaya Gazeta*, Yuri Shchekochijin, diputado de la Duma y presidente de la Comisión contra la Corrupción, también murió en circunstancias misteriosas. El caso todavía está pendiente de ser investigado. Ahora ha sido Anna la asesinada. ¿No le parece que este es un precio demasiado alto por hacer nuestro trabajo?

Condoleezza Rice: Nos está contando una historia lamentable de los últimos seis años, una historia que además conozco bien. *Novaya Gazeta* ha vivido muchas tragedias, y usted debe sentirlas como algo muy personal. Hemos comunicado al gobierno ruso que estos asesinatos y el asesinato de otros periodistas en general deben ser investigados a fondo, que la gente debe comprender que sus autores pagarán un alto precio por ello.

Para mí es difícil responder a su pregunta porque sé que han supuesto pérdidas personales muy importantes. Cuesta mucho dar un paso atrás y dar una respuesta abstracta a lo que constituye una pregunta personal muy humana; pero creo que si lo mira desde la perspectiva de la historia de la lucha en otros países y otras circunstancias históricas, ha habido personas que se han sacrificado por unos principios, por una causa, y esos sacrificios nunca han sido en vano porque, al final, la libertad acaba prevaleciendo.

Concretamente, los periodistas de investigación se ven a menudo en peligro por la manera en que desvelan la verdad. Con mucha frecuencia se enfrentan a los que tienen mucho que perder si la verdad sale a la luz. Reconozco que se trata de una profesión muy peligrosa; pero sin periodistas de investigación dispuestos a desentrañar la verdad, es muy difícil que una democracia pueda funcionar.

Si puede serle de algún consuelo, y sé que a nivel personal no lo será, debe saber que esos asesinatos han captado la atención mundial. La gente está observando. La gente está presionando para que haya una investigación en profundidad que acabe castigando a los autores de esos crímenes. No está solo en esa lucha.

Novaya Gazeta: ¿Hasta qué punto es importante para un político tener profundos sentimientos?, me refiero a sentimientos de bondad y franqueza.

Condoleezza Rice: es importante que la gente que se dedica a la política tenga sentimientos humanos, compasión, pero sobre todo principios. Observo detenidamente la influencia y tremendo efecto que los líderes políticos pueden tener en la vida de la gente corriente. Por eso deben ser personas capaces de comprender su impacto.

Es muy importante que los políticos, especialmente en las sociedades democráticas, no pierdan el contacto con las personas a quienes representan. Incluso el presidente de Estados Unidos sale de la Casa Blanca y va a visitar colegios o asilos de jubilados para ver qué efectos tiene su política sobre la gente mayor. Me parece que es algo importante para cualquier político, y me consta que, cuando el presidente lo hace, tiene un gran efecto sobre él.

En último término, creo que los políticos deben conducir a la gente y no dejarse conducir por ella, y eso a menudo significa tomar decisiones difíciles o impopulares. Pero la gente espera de sus líderes que sean capaces de hacer precisamente eso. Si nuestro trabajo consistiera solo en tomar decisiones fáciles, todo el mundo podría hacerlo. Por eso, porque se trata con mucha frecuencia de tener que tomar decisiones difíciles, creo que en democracia el político ha de ser una persona muy especial. Admiro mucho a nuestra gente que se dedica a la vida política. Admiro a la gente que desea servir a su país de esa manera. No es fácil porque a menudo significa tomar decisiones difíciles por el bien de una mayoría.

Novaya Gazeta: O sea, que la política no es un negocio como otro.

Condoleezza Rice: No, no lo es. Es una forma de servicio. [Los políticos tienen] valores diferentes de los que se dedican a otras profesiones.

Dimitri Murátov: Ayer leímos un informe de Periodistas sin Fronteras*que demuestra que Rusia ocupa el puesto número ciento treinta y ocho del mundo en términos de libertad de expresión, pero Estados Unidos está en el ciento treinta y siete en lo que se refiere a informar sobre la situación en Irak. ¿Ante qué estamos? ¿Ante una forma de autocensura de los propios periodistas o ante una política de Estado? ¿Es miedo o patriotismo?

Condoleezza Rice: Desde luego, no es una política de Estado. Pero le diré algo: examino todos los días las noticias que llegan de Irak y debo decir que nuestros reporteros son muy duros con el gobierno de Estados Unidos. Fue la prensa estadounidense la que desveló los sucesos de Abu Ghraib. Esa información apareció en primer lugar en la prensa estadounidense. No sé a qué estudio se refiere usted, pero la prensa de Estados Unidos dice exactamente lo que piensa, informa como cree e intenta hacerlo fielmente. Cuando la prensa informa habiendo libertad de prensa, también hace un ejercicio de responsabilidad. No se trata simplemente de informar de algo que uno ha oído por ahí o que alguien te dice. La prensa estadounidense intenta ser precisa sobre aquello de lo que informa, pero informa en circunstancias muy duras.

Hay una circunstancia sobre la que es posible que nuestra prensa no informe, y es cuando la publicación de dicha información puede resultar peligrosa para nuestros soldados. Es entonces cuando nuestros periodistas deben decidir si quieren o no informar de algo que puede poner en peligro la vida de soldados estadounidenses. Eso también forma parte de la responsabilidad de informar. El gobierno

* El *Worldwide Press Freedom Index* de 2005.

no puede obligar al *New York Times* a que decida que algo es potencialmente peligroso para las vidas de soldados estadounidenses y no lo publique.

Zoya Yeroshok, Andréi Lipski, Dimitri Murátov e Iliá Politkóvski

Elena Románovna, filóloga y traductora

De una radio que había tras la verja de un comercio me llegaron fragmentos de una información: «Milicia y ambulancias ante una casa... Periodistas esperando que saquen el cuerpo de Anna Politkóvskaya...». Me detuve y contemplé a mi alrededor la expresión de la gente. Era como si nada hubiera pasado. ¿Acaso no lo habían oído? Corrí a casa, sintonicé la emisora Eco de Moscú y me quedé como atontada. Ocho años antes me había ocurrido lo mismo cuando me enteré de que Galina Starovóitova había sido asesinada, la misma sensación de vacío, salvo que ahora parecía un vacío que me impedía respirar y seguir viviendo normalmente.

Fui a la estación de metro, a comprar *Novaya Gazeta*. Había gente delante de mí, comprando periódicos y revistas. Miré esperanzada por encima de sus hombros, pero no: una reluciente revista de crucigramas, *Sport*, *Vedomosti*, *El mundo del crimen*. Me arrebujé contra el frío, sintiéndome sola e incómoda en mi propia ciudad. Y también asustada. Contemplé a las madres que caminaban tranquilamente con sus hijos. ¿No tenían miedo? En apariencia no. Seguramente creían de verdad que la vida en Rusia ha mejorado, que la renta per cápita está creciendo y que somos la mejor y más poderosa superpotencia del mundo. Seguramente creían que la democracia en Rusia goza de buena salud, solo que la nuestra es un poco especial, una «democracia soberana» que no tiene nada que ver con la que hay en Occidente. ¡Del socialismo desarrollado a la democracia soberana! Un día de estos desempolvarán los viejos libros de historia y los escolares cantarán un antiguo himno soviético ligeramente retocado en las clases de patriotismo, bajo el retrato de un pequeño Volodia (que ya no será Lenin, sino Putin) y prometerán con solemnidad cumplir con su deber hacia la madre patria y delatarse unos a otros.

¿Dónde están ahora los que se apelotonaban en torno a una radio para escuchar con el aliento entrecortado los discursos de los demócratas en el primer Congreso de los Diputados, los que reunían firmas para la Constitución de Sajárov y los que lo celebraron cuando tiraron el muro de Berlín? Los años de mi juventud fueron los de la *perestroika*. ¡Con cuánta avidez leímos *Doctor Zhivago*, *Archipiélago Gulag*, *Vestidos blancos*, de Dudintsev! En esa época no habría podido imaginar que pronto retrocederíamos, que volveríamos a los tiempos del régimen soviético, pero de un régimen repintado con los dudosos valores del consumismo, la pseudoreligión y el fascismo. En aquellos días, el proceso democratizador parecía imparable e irreversible. ¡Qué equivocados estábamos! ¡Qué corta es nuestra memoria! Aquí estamos, esperando volver al yugo y a la represión, deseando nuevamente el gulag. La historia no nos ha enseñado nada.

Hoy, a causa de Chechenia, de la campaña antigeorgiana y de los desfiles del nacionalismo ruso me avergüenzo de pertenecer a este país. Me siento avergonzada porque la Iglesia ortodoxa rusa no ha hecho el menor intento de proteger a sus hermanos georgianos y porque nunca canonizará a Anna Politkóvskaya que, ocupando su lugar, se dedicó a confortar e interceder por los indefensos. Me siento avergonzada de haber nacido en San Petersburgo porque esas doscientas personas que acudieron a la reunión en memoria de Anna Politkóvskaya sumaban aún menos que el número de periodistas asesinados en el período postsoviético y también porque los tribunales de la ciudad absuelven a los asesinos de los no rusos. ¿Con qué nos deja todo eso? Nos deja solo con una cosa: seguir siendo seres humanos. «No inclinarse ante los tiempos, sino ser el cerebro de nuestro momento, ser seres humanos», tal como escribió la poetisa Sofía Párnok en un momento igualmente desesperanzado del siglo pasado.

Hoy hace cuarenta días del asesinato de Anna, y volveré a encender unas velas. Anna Politkóvskaya tuvo la fuerza y el valor de ser un ser humano. ¡Ojalá yo sea capaz de lograr lo mismo!

Vladímir Rízhkov, diputado de la Duma

Estoy sin palabras. Parece increíble. En estos momentos, Politkóvskaya era seguramente una de las periodistas más conocidas no solamente de Rusia, sino del mundo entero, y había recibido numerosos premios internacionales por su trabajo. Las repercusiones de este asesinato son comparables a los de Yuri Shchekochijin y Vlad Listiev.

Para mí, los motivos son más que obvios. Durante todos estos años, Anna se había concentrado primordialmente en Chechenia y los casos de Beslán y del *Nord-Ost*; es decir, las cuestiones que más incomodan a los mandamases de Rusia, el BSF y el ejército. Cualquiera de estas organizaciones podría haber encargado ese asesinato. Francamente, por mi parte no creo que se esclarezca nunca porque los más interesados en la desaparición de Anna son precisamente los que van a llevar a cabo la investigación. A pesar de todo, conservo la esperanza de que se produzca algún milagro y que encuentren a los asesinos.

Rusia se está convirtiendo en un país cada día más peligroso para los periodistas independientes y para los políticos de la oposición. Nadie está a salvo de encontrar un final parecido.

Mijaíl Saakashvili, presidente de Georgia

Era una de las mejores amigas de nuestro país, y en estos últimos años escribió excelentes artículos sobre Georgia. Mucha gente decente en Rusia ha protestado por su asesinato, y es la primera vez que esto ha ocurrido a tan gran escala. Me siento lleno de admiración hacia ellos y les estoy muy agradecido.

Guennadi Selézniov, diputado de la Duma

Lloro junto con el equipo de redacción de *Novaya Gazeta* la muerte de Anna Politkóvskaya. Para nosotros era una periodista muy profesional, una persona honrada y una gran colega. Tuve el privilegio de conocerla de cerca y me consta que era una ciudadana fiel a nuestro país. Está claro que ha sido asesinada por decir la verdad, por sus principios y por su deseo de cambiar nuestra vida para mejor.

Liza Umárova [cantante chechena], con profunda pena, en nombre de chechenos e ingusetios

El 7 de octubre, un desgraciado, cínico y cobarde disparo efectuado desde una esquina acabó con la vida de la mujer gracias a cuyos escritos hemos podido conocer la verdad: Anna Politkóvskaya, un nombre que nosotros, chechenos e ingusetios, siempre pronunciaremos con más reverencia que cualquier otro que podamos pronunciar en cincuenta años. Representaba el honor y la conciencia de Rusia. Seguramente nadie llegará a conocer la fuente de su fanático coraje y del amor por el trabajo que hacía. Era una periodista distinta a cualquier otra que pueda trabajar actualmente. Amaba Rusia hasta tal punto que rechazó la oportunidad de irse a vivir y trabajar a Estados Unidos, donde habría disfrutado de paz y seguridad. «*Novaya Gazeta* todavía me necesita», solía decir. En estos días sagrados del Ramadán, nosotros, chechenos e ingusetios, rezamos por tu alma. Dedicaremos nuestras vidas a la causa que empezaste. Nadie puede sustituirte, pero intentaremos luchar como luchaste tú para permitir que la gente pueda vivir honorablemente en Rusia.

La Unión de Periodistas de Rusia

Sobrevivió a decenas de reportajes en el Cáucaso, pero ahora, en la puerta misma de su casa, junto al ascensor. […] Persona de extraordinario valor y voluntad inflexible, fue y siguió siendo hasta el final un ejemplo de que, bajo cualquier circunstancia, un periodista puede (y debe, tal como ella creía y exigía a sus colegas) escribir ateniéndose a su conciencia, sin plegarse a las circunstancias imperantes. A Anna Politkóvskaya, al igual que su colega, Yuri Shchekochijin, le traía sin cuidado qué clase de enemigos pudiera granjearse, y cuanto más poderosos, perversos y vengativos eran, con más decisión escribía ella contra todos. No aceptaba compromiso alguno con lo que consideraba la verdad e intentaba demostrársela a todos los que la leían o escuchaban. Por todo esto fue odiada, amenazada y perseguida, en más de una ocasión en el sentido literal de las palabras.

Hoy, cuando debemos asegurarnos de que sus asesinos y aquellos que ordenaron su asesinato sean desenmascarados y castigados, recordemos lo que escribió Politkóvskaya acerca del *Nord-Ost*, Beslán y los secuestros y torturas en Chechenia; sobre las violaciones de los derechos humanos, el despotismo y el crimen de Estado. Digámoslo abiertamente: no puede haber otra razón por la que la asesinaran. Por eso resulta tan importante que la sociedad obtenga respuesta a la pregunta de quién lo hizo, para que de ese modo pueda decidir cómo va a reaccionar.

*Serguéi Uralski, asesor en jurisprudencia del Tribunal Supremo
de la Federación Rusa y juez retirado*

Expreso mis más profundas condolencias en lo relacionado con el asesinato de Anna Politkóvskaya. [...] Estamos perdiendo a demasiada gente. Las autoridades han prometido identificar, arrestar y llevar ante la justicia a los responsables, pero en sus caras vemos que no se trata de un dolor real, solo una máscara. Hay muchas máscaras así. Sin embargo, ha sido ni más ni menos que el fiscal general de la Federación Rusa quien ha tomado bajo su cargo absoluto y control personal la investigación. ¿Qué significa «personal» en este contexto? ¿Por qué «control» y no supervisión? ¿De qué ha servido esto en el pasado? ¿De qué va a servir ahora? ¿A santo de qué el señor Yuri Chaika tiene que sentir la necesidad de controlar, de implicarse personalmente en los pormenores de una investigación de asesinato? Lo que necesita no es «controlar» la investigación, sino hallar a los asesinos.

Tortura. Hoy día no son capaces de hacer nada sin recurrir a la tortura. ¿Cómo van a poder llevar a cabo una investigación o presentar un caso ante los tribunales sin echar mano de la tortura? Y cuando los acusados protestan diciendo que han sido torturados —físicamente, con frío, hambre y rastreras formas de degradación—, contestan que no son más que intentos de difamar a nuestros cuerpos y fuerzas de seguridad por parte de unos delincuentes que, junto con la prensa, pretenden desacreditar el sistema.

No podían creer que esta frágil mujer pudiera alzarse y decir que la tortura en sus mazmorras era inadmisible. No podían concebir que en Rusia hubiera todavía quien se preocupara por esa clase de cosas. Por lo tanto, la asesinaron.

La Voz de la Asociación de Beslán

Resulta difícil, intolerable tener que decir de ella que ha muerto. Lloramos junto con el mundo entero. La vida de una escritora ha sido segada, una periodista en lo mejor de su trayectoria profesional. Valerosa, fuerte, Anna vivió una vida especial y sin compromisos. Para los pueblos del Cáucaso representaba la esperanza. Frágil y aparentemente vulnerable, con la fuerza de su ilimitado coraje se convirtió en la esperanza de los que vivían allí, gente corriente que lo único que deseaba era vivir en paz. Era una portavoz gracias a la cual la sociedad pudo enterarse de las monstruosidades que el Estado perpetraba contra sus ciudadanos.

Anna no era solamente una periodista famosa, sino también una firme defensora de los derechos civiles y motivo de orgullo para toda la sociedad rusa. La causa de su asesinato ha sido su valor y la pureza de sus convicciones. En Rusia, los defensores de los derechos humanos son los que pagan las consecuencias de las políticas fascistoides de sus dirigentes.

No cabe duda de que estamos ante un martirio político. A pesar de que sabía que no habría piedad para ella, sencillamente, Anna no podía dejar de interesarse. No retrocedió, sino que se lanzó a ayudar a los niños de Beslán, y sin duda habría salvado a muchos si no la hubieran envenenado. En Beslán tenían miedo de su falta de miedo.

Participó en la investigación de la tragedia del *Nord-Ost* y de Beslán, aireó los crímenes cometidos en Chechenia, Ingusetia y Daguestán. Las autoridades de cualquier signo político temían verse expuestos de ese modo porque resultaba imposible acallar a Anna.

¿Quién se ha atrevido a cometer un acto tan terrible y canalla?

De un modo u otro, el asesinato de Anna Politkóvskaya es el resultado del desprecio por la ley que manifiestan nuestras autoridades y de sus inmorales políticas, que no hacen sino desvelar su verdadera naturaleza. Para las fuerzas y cuerpos de seguridad se ha convertido en una cuestión de honor investigar esta villanía y desenmascarar a los culpables.

Pero si este crimen queda sin resolver, si no se investiga debidamente y los asesinos acaban entre rejas, quedará claro en interés de quién se cometió. Tras los inevitables y repetidos fracasos a la hora de resolver sucesos de la misma índole, se ocultan las autoridades, que los permiten con su total falta de responsabilidad.

La Voz de Beslán expresa su pésame a los familiares y amigos de Anna Politkóvskaya, y a todos los que la conocieron y trabajaron con ella, incluyendo a todo el equipo de redacción de *Novaya Gazeta*.

Anna siempre fue y será para nosotros un formidable ejemplo de pureza y coraje.

Lech Wałesa, fundador de Solidaridad, Premio Nobel de la Paz en 1983, presidente de Polonia entre 1992 y 1995

No conocía personalmente a Anna Politkóvskaya, pero había oído hablar de su trabajo, el trabajo de una periodista que defendía incansablemente los derechos de los privados de libertad y que se había convertido en la guardiana de la verdad y la libertad de expresión. Sabía que haciéndolo se arriesgaba a pagar el precio más alto. Su asesinato constituye no solo un crimen abominable y una violación de la libertad de palabra, sino una mancha en el honor de los representantes del mundo libre y en mí mismo.

464

Al tratar con las autoridades rusas, los representantes del mundo libre no deberían hablar solamente de petróleo, gas o la conquista del espacio. También tendríamos que hablar del problema de garantizar la libertad, de la tolerancia y el respeto hacia los puntos de vista ajenos. Es necesario hacerlo, aunque solo sea para evitar que en el futuro se repitan crímenes como este.

Por mi parte, rezo por Anna Politkóvskaya con una antigua plegaria polaca: «Dale, oh Señor, paz eterna». Algún día nos veremos en un mundo mejor.

Grigori Yávlinski, líder del partido político Yábloko

Yábloko considera que el asesinato de Anna Politkóvskaya obedece a motivos políticos. La responsabilidad política de su asesinato recae en los gobernantes de este país que aprueban el exterminio físico de sus oponentes. Su periodismo estaba hecho menos de palabras que de hechos. Por la publicación de las atrocidades cometidas por el gobierno o en su nombre se ganó el odio de gente que no se molestaba en disimularlo. Sus esfuerzos por hallarse en el centro de las situaciones más comprometidas para poder intervenir y ayudar, para contar la verdad provocaron que fuera objeto de todo tipo de represalias. En septiembre de 2004, impidieron que llegara a Beslán, y ahora ya no podrá contarnos de qué la mantuvieron alejada. Era una periodista política muy conocida y de fama mundial. El presidente carga con la responsabilidad de un crimen como este. Las autoridades del Estado cargan con la responsabilidad del asesinato de una conocida y excelente periodista política que fue una crítica sistemática de sus actividades. Con la pérdida de tan destacada figura, Rusia se ve empequeñecida en igual medida.

Yegor Yereméyev, Omsk

En nombre de los estudiantes de la Facultad de Física de la Universidad de Omsk, ofrezco mi pésame a la familia, a los colegas y a todos aquellos que conocían a Anna Politkóvskaya. Hago un llamamiento a sus compañeros de profesión y les ruego que sigan trabajando y contándonos la verdad de nuestras vidas.

Víktor Yúshenko, presidente de Ucrania

La noticia del asesinato de Anna Politkóvskaya, una famosa periodista y defensora de los derechos humanos, ha sido recibida en Ucrania con gran pesar y preocupación. Por favor, acepten mis sinceras condolencias con ocasión de tan irreparable pérdida. El pueblo de Ucrania recordará a Anna Politkóvskaya como una persona valiente y una profesional que defendía los elevados principios de la democracia y la libertad de expresión. Confío en que los culpables de este terrible crimen sean detenidos y castigados.

Ajmed Zakáyev, ministro de Asuntos Exteriores de la República Chechena de Ichkeria

El pueblo checheno se ha sentido ultrajado al saber del vil asesinato de Anna Politkóvskaya, que siempre ha sido una de las testigos más valientes de sus sufrimientos durante estos últimos años. Llevada por la compasión humana y su sentido del deber como profesional, Anna nunca se rindió ante el miedo ni cedió ante la generalizada histeria antichechena. Fue una de las pocas periodistas rusas que sistemáticamente, año tras año, delató los crímenes contra la humanidad que la maquinaria militar rusa infligía a la población civil de Chechenia.

El recuerdo de esta gran mujer rusa, que compartió la tragedia del pueblo checheno e hizo todo lo que estuvo en su mano para contar la verdad a la comunidad internacional permanecerá siempre en nuestros corazones y se perpetuará en la República de Chechenia.

Homenajes y recuerdos de colegas de *Novaya Gazeta*, familiares y amigos

La madre de Anna, recién salida del hospital

Novaya Gazeta, 16 de noviembre de 2006

[Raisa Mazepa, la madre de Anna, fue ingresada poco antes de la muerte de su marido. Se encontraba en la Clínica de la Junta Directiva Presidencial, y se disponían a operarla.]

«Le ocultamos el fallecimiento de su marido durante dos días —recuerda Alexander Altunin, el jefe del departamento de cirugía—, luego, le administramos un sedante y decidimos decírselo. Llevó su dolor con gran dignidad y se avino a quedarse en el hospital. Le hicimos una operación importante. Raisa Alexandrovna estaba anémica y tuvimos que ponerle muchas inyecciones, desde medicamentos hasta nutrientes y sustitutos sanguíneos. Lo aceptó todo estoicamente. Sus hijas venían a verla constantemente, pero que de repente pase algo así…»

Cuando saltó la noticia del asesinato, desconectaron la televisión y el teléfono del ala de Raisa. Su familia le ocultó la muerte de Anna todo un día, pero comprendió que no podría hacerlo indefinidamente. Las noticias estaban llenas de informaciones sobre el asesinato. Raisa podía salir al pasillo en cualquier momento y enterarse por la televisión o hablando con otros pacientes.

«Yuri y Lena me telefonearon y me dijeron que seguramente lo mejor sería decírselo —recuerda Alexander Altunin—. Llamé al cardiólogo. Hicimos un cardiograma a Raisa y comprobamos que su corazón estuviera bien. Por la mañana le dimos un sedante y después llegaron su hija Lena y su marido. Físicamente, Raisa soportó el trauma relativamente bien, en parte gracias al sedante. Hablé con ella el día después del asesinato. Se mostró muy estoica. Me habló de ella y de su trabajo en Estados Unidos y después me dijo que la muerte de su hija era como una puñalada en la espalda.»

Cuando Raisa recibió el alta médica se encontraba bien y caminaba por sí sola. Su familia la mandó fuera para que conva-

467

leciera. Actualmente se está recuperando con rapidez de la operación.

«Durante todo el tiempo que estuvo en el hospital, Raisa Alexandrovna nunca exteriorizó su dolor. Era una mujer muy reservada y muy valiente.»

Contacto a través de la oración
Alexander Politkóvski

> *Señor, hazme el instrumento de tu paz.*
> *Donde haya odio, déjame sembrar amor.*
> *Donde haya heridas, perdón.*
> *Donde haya conflicto, armonía.*
> *Donde haya error, la verdad.*
> *Donde haya dudas, la fe.*
> *Donde haya desesperación, esperanza.*
> *Donde haya oscuridad, luz.*
> *Donde haya tristeza, alegría.*

Todo empezó con *Las cartas inéditas de Marina Tsvetáyeva*. Siendo estudiante en la facultad de periodismo me sentaba en la cocina del piso de Anna. En aquel entonces ella todavía iba al colegio y, mientras mis compañeros tomaban notas, ella y yo desentrañábamos la maraña de la idiosincrásica puntuación de la poetisa. El profesor Rosenthal no cubría esa materia en sus disertaciones. El libro prohibido de Tsvetáyeva lo había traído su padre de Estados Unidos, donde trabajaba en las Naciones Unidas.

Poco después, ella se convirtió también en estudiante de la facultad, siguiendo los pasos de Yelena, su hermana mayor. Yo era un espigado patán moscovita que había ganado su primer dinero de niño, haciendo trabajos ocasionales entre una excursión y otra con mi madre al conservatorio y que había estudiado en el Colegio para Jóvenes Trabajadores. Como le correspondía, Anna había estudiado en un colegio especial y vivía de acuerdo con los principios de la literatura clásica. Lo nuestro fue un romance tempestuoso y una relación de total devoción. Un verano de prácticas escribiéndonos cartas, el aroma de madera de sándalo ligeramente acre de su perfume, una boda de estudiantes en un apartamento de una sola habitación de la era Jruschov. Una flor en mi gorra, una botella de Moskovskaya y una bolsa con un poco de pan moreno: así fue como el novio recibió a la novia. Su familia de diplomáticos no apreció el humor de la situación. A partir de ahí, pobreza socialista y la alegría de alumbrar una nueva vida.

Cuando mi hijo llegó al mundo, mis amigos estudiantes me felicitaron: «Ahora tendrás alguien a quien enviar en busca de cerveza». Lo que recuerdo es dar vueltas por las farmacias de Moscú en busca de agua de eneldo para aplacar un cólico.

Luego, llegó una hija. ¡Hurra! La llamamos Vera.

Más adelante, un profesor nacionalistamente cretino y con perilla hizo pasar un mal rato a mi hija en las lecciones de dibujo a causa de su apellido, que creía judío. Estuve a punto de invitarlo a un puñetazo en la boca, pero Anna creyó que no era el tratamiento adecuado y defendió tenazmente los dientes del profesor. Su enfoque, más humano, prevaleció y acabamos explicándole a Vera que el hombre se equivocaba de persona, pero que no debía rebajarse a explicárselo y que era mejor sonreír y aguantar.

Anna consiguió graduarse. Su disertación versó sobre Tsvetáyeva, desde luego, y la defendió brillantemente. Las chispas de nuestro romance estudiantil menguaron y nuestra relación empezó a afinarse, tanto matrimonial como profesionalmente. Mi primer trabajo para televisión, en Rustagi; los sufrimientos del primer guión. Esa noche, Anna leyó a los niños un cuento que recordaba de su infancia acerca de un valiente soldadito de hojalata, o de la mía, acerca de la pequeña Gavroche, de *Los miserables*. Después de dejarlos durmiendo, vino a ayudarme. «... y así, el mito de las botas de siete leguas fue incorporado a la idea del motor de combustión interna.» Esa era Anna escribiendo sobre carreras de motos. Era muy malo, pero se acabó utilizando en la emisión. Años más tarde, nos reímos recordándolo en la cocina de la calle Herzen.

En esos momentos, el apartamento era nuestro y se nos unió Solly Zeus Smile, también conocido como Martin, el doberman. Era

muy poco doberman: en nuestro apartamento de locos teníamos un
perro con un ladrido temible pero cariñoso como un gatito. Tenía
un sexto sentido canino para identificar a los (infrecuentes) enemigos. Al año y medio de edad, Anna lo salvó de la muerte poniéndole
inyecciones cada dos horas. Mis amigos se ofrecieron para llevárselo
al hospital infantil donde trabajaban, ponerle un catéter y ahorrarnos
el problema; pero Anna no quiso ni oír hablar de ello: «No podríamos
hacer algo así. Alexander y yo nos turnaremos para levantarnos».

Las relaciones con mi madre eran difíciles. Como no podía ser
de otra manera, teníamos constantes discusiones acerca del mejor
modo de educar a los niños. El doctor Spock era la Biblia de Anna.
«Enseñarles a nadar antes que a caminar» y todas esas cosas. El punto
de conflicto era encontrar una buena guardería. Era imposible que
los admitieran en una. Yo era un redactor novato en una editorial de
deportes. Tenía un trabajo como profesor de artes marciales, pero a
principios de los años ochenta esas cosas estaban prohibidas. No teníamos dinero para botas de invierno. Por las mañanas, corría descalzo por la nieve del patio para que mis pies no notaran el frío cuando
fuera a trabajar caminando hasta Ostankino. Los niños me seguían
con sus mocos y toses y enfados. Discusiones.

Después de veladas tormentosas, yo escribía en la cocina por la
noche. Anna también deseaba escribir. A cien metros de donde vivíamos estaban las oficinas del periódico del sindicato de ferrocarri-
les, *El silbato*. Fue a verlos, pero volvió horrorizada. El director le
había propuesto que empezara su artículo con la siguiente frase:
«¿Qué tal va, trabajadores del ferrocarril?» ¡No se puede escribir así!
Teníamos lágrimas por las noches y la telaraña gris de la rutina cotidiana.

Se sorprendía de que yo solo escribiera en el trabajo, nunca para
mí. Le conté que, cuando estaba haciendo la mili, el sargento cogió
mi diario de mi taquilla y lo leyó en voz alta ante toda la unidad.
«Ahora —le dije a Anna— guardo todos mis pensamientos en mi
cabeza, donde ningún payaso con galones pueda meterles mano.»
Después de eso, nunca volví a verla escribiendo un diario. Su diario
eran sus artículos. Escribir lo que uno piensa y no lo que da dinero
es como llevar un diario.

Teníamos visitas a menudo, y teatros y el conservatorio cerca. «Yo soy mi propia unidad creativa independiente», solía decir, tristemente pero con una sonrisa, una frase sacada de algún manual de periodismo. Todos los que nos venían a ver a la calle Herzen lo recuerdan, pero nadie alcanzaba a comprender hasta qué punto iba a convertirse en su principio-guía.

Investigó sistemáticamente los teatros próximos a nuestra casa. Todos sus amigos y vecinos conocían de memoria la obra, *Lunin, o la muerte de Jacques*, en el teatro Malaya Bronnaya. Las ideas de los decembristas revolucionarios de 1825, y en especial las de sus esposas, se discutieron apasionadamente en nuestra casa.

Marina Goldóvskaya, mi profesora de periodismo, hizo una película de nuestra familia para Estados Unidos. Trata básicamente de Anna. Marina intentó varias veces conseguir su permiso para proyectarla en Rusia, pero ella siempre se negó. Nuestros amigos tienen sus propias ideas acerca de la película. Yo aparezco en ella como el comandante rojo Vasili Chapáyev, durante la guerra civil, solo en las barricadas de la *perestroika*, salvando a la madre patria. Anna es Anka, la chica de la ametralladora, arrastrando cartuchos y cubriendo la retaguardia. Era justo lo que el público estadounidense quería, pero en Rusia era un problema a causa del involuntario apoyo que daba al mito de los reformistas. En esta película, *Un sabor a libertad*, la joven de la ametralladora, insatisfecha con su destino, habla públicamente por primera vez de divorcio. Nuestra escena favorita en Chapáyev es el ataque suicida. Los Guardias Blancos avanzan y son rociados con fuego de ametralladora. «Un buen avance». La respuesta despectiva y plebeya es: «¡Intelligentsia!»

Mis héroes han venido a visitarnos. El empresario Ártiom Tarásov nos explica algo acerca de petróleo residual. No entendemos sus diagramas demasiado bien, pero por la noche hablamos juntos de Rusia y de una sobreabundancia de petróleo que lo pondrá todo patas arriba. Está claro que los llamados «demócratas» ya están arrastrando sus huesos hacia el paseo de los Millonarios, en la avenida Rubliovskoye, cada vez más cerca de los sitios favoritos de Stalin. Funcionarios corruptos están recibiendo premios estatales, y Anna se escandaliza cuando ve al hijo de Vladímir Visotski, que fuera icono de los años sesenta, entregando un premio con el nombre de su padre al ministro de Correos y Telecomunicaciones, Nikolái Aksenenko. Al BSF, al Ministerio del Interior y al de Defensa no se les ocurriría celebrar sus aniversarios en otro lugar que no fuera el Kremlin. En plena oleada de delincuencia, la policía, utilizando el dinero de los contribuyentes que tienen miedo a salir por la noche, se dedican a producir programas de televisión sobre lo bien que están luchando contra el crimen. Cuanto peor les va a unos, mejor les va a otros. Quizá una sobreabundancia de petróleo no nos dé respiro. De lo contrario, los retratos de nuestro bienamado líder ya estarían colgando no solo en cada despacho sino en todos los hogares. Anna dice: «Es una suerte que a Martin le cortáramos el rabo cuando era cachorro. Así no intenta morderse la cola como hacemos nosotros». Hablamos de los «negocios soberanos» dirigidos por esposas de altos funcionarios que hacen grandes discursos acerca de la lucha contra la corrupción.

La primera victoria auténtica de Anna fue en el programa *Vzgliad* (Punto de vista). Volodia Mukusev y yo volvíamos de Minsk, donde habíamos ganado dinero haciendo reuniones con espectadores. Anna volvió del revés los bolsillos de mi anorak antes de echarlo a lavar. «¿Has leído esto?» Era una petición de ayuda urgente, escrita de puño y letra por una mujer en tinta roja, acerca del Centro Bielorruso de Hematología Infantil. «Va dirigido a ti por tu reportaje sobre Chernóbil. ¡Debemos llamar inmediatamente!», exclamó Anna. Una semana después, regresé a Minsk. Filmamos borrosamente con una cámara que podíamos llevar a todas partes sin que se notara. Ocultaban la verdad. Conseguimos información. Lágrimas de los padres.

Yo estaba en otro lugar de Rusia cuando Andréi Razbash montó el reportaje, que arrasó por toda Europa. En un abrir y cerrar de ojos se recolectaron millones para la clínica. Anna insistió en que yo volviera en viaje de «inspección» a Minsk y luego a Alemania, donde los médicos rusos se estaban preparando. Raisa Górbachov visitó el hospital infantil. Pocos años después, los médicos ya no eran solo rusos, y el Centro de Hematología era el mejor de Europa Oriental. Anna estaba radiante ante el vuelco dado a la situación. Antes de que el programa se emitiera, el 80 por ciento de los niños ingresados morían. Unos años después, se curaba un porcentaje parecido, y los demás evolucionaban mejor.

Se sentó, helada y abatida en mi coche, frente a la casa donde el periodista Vlad Listiev acababa de ser asesinado. Nunca habíamos sido íntimos, pero el año anterior Anna había montado una fiesta increíble en nuestra casa. Fue mucha gente. Otro intento de unir algo que se estaba desmoronando.

Día Internacional de la Mujer, 8 de marzo de 1995. No parecía el día ideal. Vlad no bebió, se fue para felicitar en directo a las mujeres de todo el mundo y volvió a la fiesta. Todo el mundo bebía y comía a placer y estaba de buen humor. Anna percibió cierto aroma a dinero. «No has mencionado una sola vez a Iván Kivelidi. Fue él quien te dio el dinero para que montaras tu empresa de televisión. A este ritmo no durarás mucho.» Ese mismo año, el encantador Iván Kivelidi fue envenenado en misteriosas circunstancias.*

Sentados en el coche, ninguno de los dos nos habíamos dado cuenta de que la sobreabundancia de petróleo iba a poner a todo el mundo en una especie de hibernación moral, que los medios de comunicación expirarían glamurosamente en manos de «monopolios naturales» cuya naturalidad era cualquier cosa menos natural. «Qué parienta tan intrépida tienes trabajando en *Novaya Gazeta*», oía a menudo cuando estaba trabajando. Me alegraba de que la gente lo viera y de la fuerza con la que se entregaba a su principio-guía. Había señales de amenaza. En casa nos dejaban paquetes con pistolas ante la puerta. En una ocasión, abrieron el extintor contra incendios del piso de arriba. Todo eso iba claramente dirigido contra ella.

En 1996, el aroma a dinero se había convertido en hedor. La misteriosa caja de papel Xerox con medio millón de pavos para la campaña de Yeltsin. Personajes multimillonarios que se habían construido mansiones más allá de las fronteras de Rusia proclamaban que Rusia seguía siendo su hogar. Anna estaba muy atareada intentado salvar a unos ancianos de un albergue de Grozni y a su vuelta me

---

* Iván Kivelidi (1949-1995) fue presidente del consejo del Rosbiznesbank. El 1 de agosto de 1995 pusieron un extraño veneno en el auricular del teléfono de su oficina. Murió en el hospital cuatro días más tarde.

contó cómo un alto funcionario había esperado interminablemente junto a un pasillo por donde tenían que salir los ancianos, cuidándose mucho de mantenerse alejado de los tiros, como buen cobarde que era, pero manteniéndose en el encuadre de las cámaras de televisión para que lo filmaran como su salvador y poder lucirse ante toda Rusia. Para satisfacción de Anna no lo consiguió, pero era un buen ejemplo de cómo se extendía la red de comportamientos indecentes. Anna siempre coincidía con Dostoievski al decir que no se llega a la verdad a través de mentiras y engaños, ni siquiera como apaño temporal, tal como nuestra historia reciente ha demostrado.

Tuvimos un montón de trabajo juntos, y funcionábamos como un equipo de marido y mujer. Anna fue la primera periodista rusa que se ocupó del asunto de las sectas totalitarias y logró hacerse con un vídeo único. Yo la seguí con un programa en la serie *Politburó* sobre el mismo tema. Los dos llegamos a la deprimente conclusión de que el Estado ruso era la mayor secta de todas y que utilizaba el dinero de sus ciudadanos para lavarles el cerebro. Muy pocos eran inmunes a toda esa basura. Discutimos mucho. El «mercado» ruso era otra palabra para definir la codicia individual. Ella estaba segura de que la codicia se podía administrar y que los seres humanos eran un fin en sí mismos. Que podían ser unidades creativas independientes. Yo creía que el individuo siempre podía ser controlado. La memoria genética del esclavo está en nosotros aunque llevemos una luz en el techo de nuestro prestigioso automóvil y vayamos rodeados de guardaespaldas u ocupemos el lugar más bajo entre la basura. Anna se puso furiosa, pero tuvo que estar de acuerdo. Había estudiado demasiado atentamente la naturaleza de las sectas totalitarias. Sin embargo, los periodistas de la prensa escrita profundizan por definición más que los de televisión, de modo que no siempre ganaba yo.

Los presentadores de televisión perezosos solían plagiar a menudo los textos de Anna sin molestarse siquiera en parafrasearlos. Nuestro hogar era una sala de prensa donde se hacía un absorbente repaso semanal de los programas de noticias que comparábamos con sus artículos.

Anna me acompañó cuando decidí visitar mi querida provincia de Kamchatka. Trabajamos paralelamente, examinando los siniestros resultados de las privatizaciones. Ella volvió en avión el día de su cumpleaños. Unos amigos del lugar le montaron una fiesta en el aeropuerto, antes de que cogiera el avión, y le desearon el más largo y feliz cumpleaños que tendría en su vida mientras volaba hacia el oeste y hacia el sol.

A veces, parecía moverse más rápidamente que el reloj. En agosto de 1991, toda nuestra familia estaba en Svetlogorsk. Por las noches, bebíamos con Yuri Shevchuk, y él nos cantaba sus nuevas canciones. Por las mañanas intentábamos convencer a las mujeres para que se unieran al nuevo partido llamado «Los resacosos». Anna inventó un nombre para su funcionariado: «Los resacosos del séptimo día». Las vacaciones pasaron alegremente. El 17 de agosto, empezaba la temporada en el teatro Lenkom, con *Oración de recuerdo*, de Grigori Gorin, en cuya última escena nuestro hijo Iliá tocaba el violín. Volví a Moscú con Iliá y nos encontramos en pleno golpe de Estado contra Gorbachov. Para mí fue un alivio que Anna y nuestra hija Vera estuvieran lejos y que Iliá se quedara con los padres de Anna, lejos del peligro. Un día más tarde me quedé atónito cuando sus padres me dijeron que ya estaba en Moscú, preparándose para participar en las barricadas en defensa de la democracia. Por todas partes se oía «Último otoño», de Shevchuk. Al final no fue el último otoño, solamente el comienzo de un empeoramiento general: todo iba a convertirse en negocio, la administración del Estado, la guerra, la moralidad, las elecciones, la sanidad, la educación. Los verdaderos «resacosos del séptimo día», los policías secretos, empezaban a ponerse en marcha en los sótanos de la Casa Blanca de Moscú.

Transcurrieron dos años y, después de una segunda intentona golpista, cierto alto funcionario me pidió que me presentara en el ministerio. El ministro en persona salió del edificio, me entregó mis documentos y me previno: «Tenga cuidado. ¿No se declaró contrario al bombardeo de la Casa Blanca? Todo esto no es más que el principio». Cuando regresé a casa, intenté convencer a Anna para que solicitara la nacionalidad estadounidense a la que tenía derecho por haber nacido allí. Se mostró muy reacia —Estados Unidos no le había acabado de gustar después del viaje que hicimos allí en 1991—, pero aceptó cuando nuestra hija volvió del colegio diciendo que algunos de sus compañeros habían dejado de hablarle. La sociedad se había dividido entre los que estaban en un bando y los que no. Fue más tarde cuando los ánimos se enfriaron, la gente empezó a utilizar el cerebro y se dio cuenta de que les habían dado gato por liebre. Yo ya no tenía autorización para salir en antena. Anna se puso furiosa pero, como suele suceder en Rusia, nuestro teléfono empezó a sonar con menos frecuencia. Intenté explicar a los niños que su apellido podía traerles problemas. Ellos no lo entendían y más bien se sentían orgullosos de la situación. Lo comprendieron más tarde, la primera vez que se toparon con policías «de los nuestros». Cuando se lo contaron por casualidad a su madre, se puso furiosa.

Ni en la peor de mis pesadillas podría haber imaginado que nuestros «patriotas» utilizarían la ciudadanía de un cuerpo que descansaba en un ataúd contra Anna, y que a la brigada de la «Rusia soberana» le serviría para atemorizarnos. Sus libros, como *Cartas inéditas de Marina Tsetáyeva*, son bien conocidos en el mundo civilizado, pero no se pueden encontrar en las librerías rusas.

El principal inversor, receptor y distribuidor de favores en Rusia vuelve a ser la vigilada fortaleza del centro de Moscú. Anna me cuenta cómo los peces gordos luchan por una luz centelleante en sus coches y de qué modo organizan democráticos aspavientos acerca de su magnanimidad cuando deciden renunciar a ella. Los cerebros de las celebridades no funcionan hasta que un miliciano de las resucitadas fuerzas especiales no les da en la cabeza.

Nuestro matrimonio duró veintiún años. Yo me las arreglé para perder. Nos separamos. Se acabó la vida bajo un frente de tormenta permanente. Nos separamos pero no nos divorciamos para no brindar un titular a nuestros colegas que trabajan para que sus jefes les den dinero. Ya teníamos enemigos suficientes. No nos demandaban con frecuencia porque sabían que lo que Anna escribía era la verdad, pero sí le echaban encima toda la basura que podían.

La invitaron a un foro en Eliat dedicado al final del siglo. Fue nuestra última gira. La acompañé. En el autobús, nuestro guía, un ex soviético, nos insistió en que Judas no había hecho más que interpretar un papel en una obra que ya estaba escrita. «¡Qué gracioso!», dijo Anna, riendo. No se lo tuvimos en cuenta.

Viajamos por toda Tierra Santa. Navidad ortodoxa. Lluvia en Belén. Anna y yo estábamos junto al templo cuando, de repente, apartaron a todo el mundo. Coches moscovitas con luces centelleantes. ¿Era cosa de mi imaginación? Entramos como pudimos y allí, cómo no, sentados en medio del templo, igual que si estuvieran en un teatro, Yeltsin, Chubáis y Arafat. La misa se celebraba para ellos como si fuera un espectáculo. ¿Acaso habían ido a pedir perdón por sus pecados? Resultaba totalmente monstruoso. Horrorizados, salimos y, bajo la repulsiva llovizna, oímos una dulce voz. En la plaza nos encontramos ante otra extraordinaria visión: igual que el valiente soldado de hojalata, un empapado Demis Roussos de nuestra juventud se afanaba en el escenario, en medio de la desierta plaza. No se veía un solo nuevo ruso, únicamente unos pocos israelíes, y nadie estaba recaudando dinero, como habría ocurrido en Rusia. «Goodbye my love, goodbye.» «Se está cachondeando», me susurró Anna. En la oscuridad, nos vimos rodeados de emigrados con paraguas que querían preguntarnos sobre la *perestroika*.

Habría sido bueno que habláramos sin ellos, y no de la *perestroika*. Teníamos que trabajar la *perestroika* de nuestras relaciones familiares. Nos resultaba igual de difícil desacostumbrarnos el uno del otro como soportarnos en el mismo piso.

Unos días más tarde, de nuevo la misma reunión íntima en una iglesia, en una misa de funeral, con el acre aroma del incienso disolviéndose. El sacerdote pronunció las últimas palabras. De repente, tuve la sensación de que ella volvía a discutir conmigo. En ese momento me abrumó tal cúmulo de emociones que, al recordar las lágrimas que había hecho derramar a aquella mujer, no pude acompañar al ataúd en los pasos del ritual. Ya fuera el diario del valiente soladito de hojalata o Gavroche siguiendo su propio camino y viéndose obligada a pasar las noches en las ruinosas entrañas de un monumental elefante... Una unidad creativa independiente. El dogal de Tsvetáyeva. Por la noche me acordé de las primeras e increíbles palabras de la plegaria: «Hazme un instrumento de tu paz». Ella era mi apellido. Cuánto significado tenía que yo hubiera enseñado las palabras de aquella oración a una colegiala.

Una entidad creativa independiente
Elena Morózova

MLAN (Masha-Lena-Anna): esta memorable asociación duró lo suficiente para celebrar su cuarenta aniversario, pero llegó a su fin el 7 de octubre de 2006. Las balas disparadas por la pistola Makárov dieron el blanco, en el corazón de la asociación: Anna.

Llevábamos siendo amigas desde la infancia, y se trataba de una amistad que, a diferencia de lo que parece abundar hoy día, no iba contra nadie. Simplemente disfrutábamos de nuestra mutua compañía y de todo lo que la acompañaba. La amistad, especialmente si perdura tantos años, se convierte en un organismo viviente. Al igual que las moléculas de las células, en ocasiones nos sentíamos atraídas las unas hacia las otras, mientras que otras veces nos repelíamos. Podíamos existir autónomamente un tiempo, antes de volver a reunirnos. Siempre le pedíamos a Anna que escribiera sobre nosotras porque ocurrían muchas cosas interesantes. La vida nos planteaba tramas que habrían sido la envidia de los guionistas de culebrones. Ella no se tomaba en serio la petición y decía que ya lo pensaría cuando fuera vieja y estuviera sentada en casa con sus nietos. Sin embargo, a lo largo de la última década, apenas tuvo ocasión de sentarse. Desaparecía periódicamente de nuestra cómoda y ordenada vida moscovita del centro de Moscú y volvía a una vida diferente y aterradora donde se combatía en una guerra, la gente moría y llevaba una existencia de dolor y sufrimientos. Anna volaba hasta allí para llevar ayuda y consuelo, para rescatar a gente y reivindicar la verdad. Nosotras protegíamos la paz de nuestras familias e, instintivamente, impedíamos que la guerra entrara en nuestros corazones. Le decíamos que únicamente se vive una vez, que debía pensar en sus hijos y sus padres, que no debía asumir aquellos riesgos; pero Anna ni siquiera se molestaba en discutir con nosotras. Se consideraba obligada por el sentido del deber a aliviar el sufrimiento ajeno. En las tradicionales fotografías que tomamos en nuestras reuniones de los últimos años, sus ojos siempre se veían tristes. Su otra vida nunca la liberó del todo para permitirle volver a la nuestra de Moscú.

Anna estaba absolutamente convencida de la rectitud de su decisión de luchar por la justicia y defender a los débiles y los damnificados. Así viven los santos pero, como bien sabemos por la historia, sus vidas son a menudo demasiado cortas. Anna ya no puede escribir, de modo que ahora nos toca a nosotros hacerlo.

La idea de formar una asociación se nos ocurrió cuando, cogiéndonos de la mano, saltamos desde el techo de un garaje sobre un montón de nieve. Por desgracia, dudo que actualmente haya ningún dueño de un garaje tan bien dispuesto hacia los niños. Unos meses antes, todas habíamos sido alumnas de la clase 1-B. Éramos todas líderes natas, y seguramente nuestra infantil intuición nos sugirió que estaríamos mejor si uníamos nuestras fuerzas, si formábamos un núcleo que pudiera atraer a nuestras compañeras de clase en lugar de pelear entre nosotras para ser la líder del grupo. Habiendo crecido entre las edificantes novelas de Valentina Oseyeva y Arkadi Gaidar y los cuentos sobre los heroicos pioneros, estábamos inspiradas a hacer el bien.

Nuestra primera buena acción fue ayudar al tonto de la clase, un chico llamado Volodia, a que se preparara para una serie de exámenes y mejorara sus desastrosas calificaciones. Nos reunimos en casa de Anna, y propuso una iniciativa original: por cada error que cometiera en los ejercicios de matemáticas, Volodia tendría que comer varios caramelos de frutas. Los caramelos no tardaron en desaparecer, pero no así los errores. Al día siguiente, Volodia no apareció por el colegio. Los dulces no eran lo suyo, y le salió un sarpullido que tardó una eternidad en desaparecer.

Nuestra inclinación a las buenas obras evolucionó y se convirtió en la determinación de atrapar delincuentes. Todos los días, al volver del colegio, pasábamos ante un puesto de la calle donde colgaban fotos de gente buscada para ser interrogada por la milicia. Aquello nos inspiró no pocas nuevas hazañas. Durante varios días seguimos de cerca a una persona sospechosa que, claramente, vivía cerca de allí. Es posible que tuviera realmente un pasado delictivo. En cualquier caso, pasaba la mayor parte del día en compañía de los alcohólicos del barrio o vagando sin rumbo. Estábamos convencidas de que habíamos localizado a un terrible saboteador y que la madre patria estaría orgullosa de nosotras. Nunca olvidaríamos cómo unos milicianos nos sentaron en el sidecar de una motocicleta y nos llevaron a toda velocidad por las calles, con nuestros pañuelos de pioneras ondeando en el aire, en busca de nuestro sospechoso. Todavía hoy no sabemos qué le dijo la milicia, pero después de aquello, nuestro hipotético sospechoso cambió durante años de acera cada vez que nos veía.

Éramos buenas estudiantes. Siempre organizábamos el concierto de la clase, editábamos las noticias del tablón de anuncios, comprábamos regalos para los chicos el Día del Ejército Soviético y participábamos en las representaciones de teatro y danza amateur. Vivíamos nuestras vidas para desconcertar al enemigo y que nuestras madres se sintieran orgullosas de nosotras. Durante diez años, Anna fue asombrosamente buena en todas las actividades. Antes de los exámenes, sus compañeros de clase procuraban sentarse lo más cerca posible de ella, lo cual casi les aseguraba una buena nota. Si Anna llegaba por la mañana y decía que no había sido capaz de hacer los deberes, ya podíamos estar seguras de que era imposible. También era buena estudiando música y tenía menos tiempo libre que sus compañeras para jugar fuera. Desde niña aprendió el significado de la disciplina y el trabajo duro.

Cuando llegó a la adolescencia demostró las cualidades que iban a ser fundamentales en su personalidad. Era físicamente incapaz de hacer la vista gorda ante la injusticia, así como de reconocer una autoridad absoluta; además, siempre decía la verdad a la cara de la gente, fueran cuales fuesen las consecuencias. Era perfectamente capaz de lanzar su libreta de ejercicios a la mesa del profesor si creía que este le había puesto una nota inmerecida. Incluso se enfrentaba con el director, que inspiraba miedo hasta a los profesores, si creía que este había tratado injustamente a algún compañero. Era una maximalista. Cuando discutía, se le encendían las mejillas y podía ser muy brusca. Al principio, su carácter inflexible se nos hizo difícil, pero aprendimos a pasarlo por alto y a no exasperarla, ya fuera cediendo en las discusiones o cambiando de conversación. Fue una costumbre que mantuvimos toda la vida.

El activismo cívico de nuestra amiga no tardó en ir a más. Anna empezó a dudar de lo justo del «socialismo desarrollado», que era como se definía la sociedad en la era Brézhnev. Era sumamente sensible a los falsos valores que esta escondía. Nos desconcertaba que quisiera cambiar las normas en lugar de vivir ajustándose a ellas, como la mayoría de la gente. Obviamente era una causa perdida y le resultaba del todo imposible comprender nuestra indiferencia y falta de deseo de mejorar la sociedad. Su primer artículo para el periódico fue desafiante y de actualidad. Para ella, la principal motivación de trabajar como periodista era poder remediar la situación que describía e identificar y hacer pagar a los responsables.

Crecimos. Anna fue la primera en casarse y en tener hijos cuando aún era muy joven. A sus padres no les gustó que decidiera hacer frente a las cargas de una vida en familia a tan temprana edad. Nunca olvidaré cuando vino a descansar un fin de semana a mi dacha, llevando de la mano a su hijo de tres años, con su hija de un año en brazos y al mismo tiempo empujando un carrito de bebé, y cargando con una bolsa llena de pañales, comida y un montón de libros. Todo eso lo había hecho sin tener coche, utilizando primero el metro, después el tren y acabando el trayecto a pie. Era algo de lo que no todas las madres jóvenes habrían salido airosas, pero Anna nunca se arredró ante las dificultades. Con tal de ahorrar para poder comprar un piano a su hijo, aceptó un segundo trabajo como limpiadora en el estudio de la planta baja de su bloque de pisos. No tardó en entrar en su casa un instrumento de segunda mano que sirvió no solo para hacer música, sino también de estantería, escritorio, tabla de planchar y soporte para la jaula del loro. En aquella época, los periodistas que empezaban vivían modestamente. Mientras preparaba interminables desayunos, comidas y cenas, hacía la colada, limpiaba, daba lecciones de música, dibujo y cultura general a sus hijos, Anna solía exclamar periódicamente: «¡Soy una unidad creativa independiente!». En realidad, disponía de muy poco tiempo para la creatividad, y solo podía escribir por las noches, una vez acabado el trabajo de la casa y con los niños en la cama.

Siempre bromeaba diciendo que cuanto más difícil era su vida, mejor aspecto tenía. Tenía un atractivo natural y parecía confirmar la máxima masculina y chauvinista de que «las penurias hacen más guapas a las mujeres». Nunca se quedaba sin respuesta y era capaz de concentrar al instante toda su fuerza de voluntad, igual que una deportista preparándose para un salto, y lanzarse a la batalla contra las últimas vicisitudes.

Durante toda su vida, Anna planteó pocas exigencias a su entorno. No tenía ni tiempo ni dinero para amueblar su nuevo piso de la calle Lesnaya, una dirección que ahora es tristemente famosa. Vestía sencillamente pero con gusto y simplemente no le interesaban las joyas ni la ropa cara. El asa de su bolso negro favorito, que la acompañó en sus numerosos viajes a Chechenia, estaba tan gastada que se veía el relleno, y hubo que hacer grandes esfuerzos para convencerla de que se comprara uno nuevo. Su querido Zhiguli tenía en uno de los lados un agujero de origen desconocido, pero tampoco quería cambiar de coche. Le gustaba aprender a cocinar nuevos platos y seguía las recetas paso a paso. Por desgracia, no tenía tiempo —y puede que tampoco ganas— de cocinar para sí misma, y los únicos alimentos que había siempre en su casa eran miel, queso, bollos y té.

Pasamos la mayor parte de nuestras vidas a la vista las unas de las otras, por eso siempre será un misterio para nosotras cómo se las ingenió Anna para vivir en dos mundos paralelos: el de una vida familiar, que es la que llevan la mayoría de las mujeres; y el de una periodista de investigación, escribiendo de cuestiones políticas, casi siempre delicadas; sobre las imperfecciones de la sociedad, siempre tan sensible a los padecimientos ajenos y haciendo todo lo posible por mejorar la situación de al menos una persona. En su «vida civil», Anna dedicaba mucho tiempo a sus hijos y era una auténtica amiga y consejera para ellos. A menudo venía a charlar un rato, y entonces nos sentábamos en la cocina, bebiendo incontables tazas de té, hablando de las cosas de este mundo e intentando evitar mencionar su otra vida. Anna era una conversadora maravillosa. Sabía contar una historia y dotarla de vida propia y, al mismo tiempo, escuchar con atención. Siempre se podía recurrir a ella en busca de ayuda. Cuando nació mi hijo, dejó plantados a los invitados que habían ido a la fiesta de su cumpleaños y corrió al hospital para dejarme una nota de felicitación (eso fue antes de la era de los móviles). Anna no soportaba la falta de carácter ni la indecisión, y valoraba mucho la libertad personal. Era una personalidad compleja, pero todos supimos siempre que vivíamos con un símbolo.

Ania era... Me resulta imposible reconciliarme con el pretérito. El dolor de la pérdida es algo a lo que todavía tenemos que acostumbrarnos. Por el momento, todavía nos parece que Anna se ha vuelto a marchar a cubrir una noticia y que no pasará mucho tiempo antes de que nuestro contestador automático nos haga oír su mensaje favorito: «Hola, soy Anna Politkóvskaya. Vivo al otro lado de la calle. Llámame».

Por desgracia, no hay forma de comunicar con ella por teléfono, pero está constantemente en nuestros pensamientos. Te echamos mucho de menos, Anna.

Una mujer íntegra
Zoya Yeroshok, columnista de Novaya Gazeta

No éramos amigos íntimos, pero cuando nos reuníamos, normalmente tras el regreso de Anna de uno de sus viajes, hablábamos largo y tendido. Me contaba acerca de la gente que estaba describiendo en esos momentos. Hablaba de ella con gran detalle, pero sin ninguna emoción.

Su despacho parecía la salita de espera de toda Rusia, y siempre había alguien con problemas esperando. Anna los escuchaba a todos, haciéndoles preguntas, sacándolos de algún apuro, devolviéndolos a la vida. En la redacción de *Novaya Gazeta* nunca la vi haciendo otra cosa que trabajar. Nunca se la encontraba charlando en el bar o tomando café. Anna era una periodista sin tacha, honrada, absolutamente entregada y original. Durante los siete años que trabajó para *Novaya Gazeta*, publicó más de quinientos artículos y de estos, más de cuarenta dieron pie a que se abrieran causas criminales o se revisaran juicios.

Sus palabras tenían un peso distinto incluso de las mejores palabras dispuestas en el mejor orden. Arrojaban una sombra, seguramente porque tenían la facultad de redimir o desvelar. A pesar de lo críticos que eran sus artículos, la mayoría de las veces redimían porque Anna nunca olvidaba para quién y de qué escribía. Jamás escribió por escribir.

Era una periodista de raza para la que nada era sencillo ni fácil: todo era serio y exigía responsabilidad. Como periodista era muy clara e inteligible y nunca empezaba una pelea porque sí. Más bien tenía una trágica conciencia de que era inevitable. Anna escribió ampliamente sobre Chechenia, pero su verdadera preocupación era la gente corriente y su vida. Durante mucho tiempo, la actitud hacia los chechenos en nuestra querida madre patria ha consistido en considerarlos ni siquiera como ganado (puesto que el ganado lo componen animales sensibles), sino como simples cosas, objetos inanimados. Mucha gente ha asumido esta actitud.

El poeta Naum Korzhavin ha escrito: «¿Es realmente la ley una perversa competición para ver quién puede sacrificar a quién en nombre del bien de muchos?». Semejante competición se organizó en Rusia en la época de Stalin y constituyó una deshonra. Fue exactamente como lo describió Pasternak: «Sentía simpatía por los pobres... pero se ha echado a perder puesto que eran tiempos malditos, y la tristeza llegó a ser vilipendiada, y los filisteos y los optimistas confundidos». «Confundir a los optimistas» se refiere a los que invariablemente se muestran siempre contentos ante las desgracias ajenas y que no tienen problemas para vivir así. Creen que vivir de ese modo está de acuerdo con los tiempos, aunque incluso los más complejos y fascinantes de nosotros seamos muy pero que muy normales a los ojos de Dios.

Anna nunca dio importancia a su propia excepcionalidad ni al hecho de mantenerse fiel a sí misma. Era una persona sincera sin el menor sentimentalismo barato y sin ninguna dulzura conmovedora; sin embargo, era incapaz de aceptar la idea de que hubiera gente por la que no se pudiera sentir piedad, gente que fuera desechable. Cuando las autoridades, en nombre del pueblo, se dedicaban a asesinar gente, Anna no se alineaba con la masa que miraba hacia otro lado en silencio. Su oposición a la maldad se manifestaba en forma de franqueza. Aborrecía abiertamente el mal y amaba de igual modo el bien. Nunca aceptó transigir con los caníbales.

Se lamentaba de que hubieran destruido los auténticos lazos entre la gente, que la separaran en función de su nacionalidad o entre ricos y pobres.

Anna llevaba sobre sus hombros y en su interior una carga que habría superado incluso la fuerza de cien periodistas. La vida la hizo decidida y le enseñó a trabajar eficazmente, pero solo en nombre de y junto a la gente corriente, la más vulnerable y la más olvidada.

No era ningún ídolo de la intelectualidad, y ella tampoco idealizaba a esta. Aquella gente normal que vivía vidas normales no tenían sitio en la nueva vida rusa de los ricos. Anna culpaba no solamente a las autoridades del Estado, sino a todos aquellos «que solo necesitaban promover solidaridad». Incluso la simple solidaridad es algo que la gente corriente todavía tiene que ver en la intelectualidad. Tal como Korzhavin lo expresó concisamente: «Han descuidado por completo a la gente corriente. Está fuera de los límites de nuestra compasión».

Anna luchó contra la demagogia de la justicia social. Sabía que la justicia no es algo que se aplica o se alcanza. La justicia hay que trabajarla día a día. Y ella la trabajaba, a veces completamente sola. (Serpenteo entre las élites de los saciados y los desechados, empujando mis propios límites y procurando no convertirme en parte de ninguno de los dos.»)

Anna trabajaba dentro de su propio territorio, el que había conquistado. Estaba separada de todos, pero buscaba comprensión, y, si no lograba encontrarla, al menos que se la comprendiera en parte.

Nunca intentaba abuchear a nadie; solo invitaba a la gente a verse y escucharse mutuamente. Intentaba por todos los medios hallar en la sociedad un mínimo de respeto por lo público y lo personal.

Anna era una periodista típicamente rusa. En estos días, los pseudopatriotas le echan en cara su nacionalidad estadounidense y no soportan el hecho de que fuera hija de diplomáticos y hubiera nacido en Estados Unidos. Peor para ellos. Únicamente diré que Anna amaba Rusia, que Rusia era su vida, y que el patriotismo es amor, no una especie de egotismo nacional ni una manera de autoafirmarse. Cuando la invitaron a emigrar dijo: «*Novaya Gazeta* aún me necesita».

En una ocasión me habló de un breve artículo que había publicado. Una familia vivía en Chechenia. Una noche, aparecieron unos individuos de uniforme y se llevaron al hijo, de dieciséis años. Sus padres lo buscaron durante largo tiempo, pero no lo encontraron. Entonces su casa fue bombardeada, y huyeron. Deambularon por Rusia Central, viviendo en sótanos. No les quedaba nada, ni siquiera las fotos de la familia.

Un día fueron a ver a Anna para hablarle de su hijo, de la clase de chico que era, de lo que le gustaba, de los libros que leía, de la sonrisa que tenía.

Anna escribió sobre todo eso. Más adelante, volvieron a verla para darle las gracias. Lo único que les quedaba de su hijo era el artículo de Anna en el diario, y ahora cuelga de la pared de su casa, debidamente enmarcado. «Es importante tener algo a lo que aferrarse, aunque solo sea una hoja de periódico», le dijeron aquellos padres.

Hizo mucho más de lo que era su obligación.

¿Quién mató a Anna y por qué?
Viacheslav Izmailov, corresponsal militar de Novaya Gazeta

Miles de personas han muerto en Chechenia en ejecuciones extrajudiciales. No en combate. Y muchos de los que han muerto de ese modo no tenían ninguna relación con los miembros de la resistencia.

Las víctimas del mayor Lapin y sus cómplices de la Unidad Combinada de la Milicia de Jantí-Mansíisk, asignada al distrito Octubre de la oficina de Asuntos de Interior de Grozni, murieron bajo tortura. Agentes del GRU pertenecientes a la banda del capitán Ulmán tirotearon y quemaron a unos maestros del pueblo checheno de Dai. El coronel Budánov, comandante del 160° Regimiento de Tanques, violó y asesinó a una joven chechena de diecisiete años.

Los casos contra esta escoria de uniforme no se abrieron como resultado de los hechos aireados en los artículos publicados por Politkóvskaya, sino por la publicidad que ella les dio al escribir sobre ellos en *Novaya Gazeta*. No me cabe duda de que, de haber podido, esos Lapin, Budánov y Ulmán, al igual que quienes los apoyaban, habrían ajustado cuentas con Anna; pero únicamente de haber tenido la oportunidad, y no creo que esta se les presentara. Aun así, a pesar de que la posibilidad de dicha oportunidad ha sido analizada a fondo en *Novaya Gazeta*, tampoco cabe descartarla.

Anna escribió sobre las torturas, los asesinatos y los secuestros que se producían en Chechenia. Esas atrocidades las perpetraron representantes de las fuerzas y los cuerpos de seguridad: el Ministerio del Interior, el BSF, el Directorio Central de Inteligencia (GRU); y también los kadirovitas, los basairovitas (los hombres de Molvladi Baisárov se hallaban operativamente bajo el mando del BSF), los yamadayevitas (Suleimán Yamadáyev es el comandante del Batallón Este de operaciones especiales del GRU), los kakievitas (Said Mohamed Kakíev es el comandante del Batallón Oeste), y los miembros de la resistencia.

Es más, todas estas organizaciones han empleado indistintamente los métodos de sus rivales e incluso de sus enemigos con tal de desviar la atención de sus acciones. Estos asesinos, violadores y secuestradores se han copiado mutuamente hasta el extremo de ser incapaces de poder aclarar quién ha secuestrado o asesinado a tal o cual persona.

Sin embargo, a veces, las revelaciones de Anna eran completamente exclusivas y además se presentaban bajo la forma de un brillante ejercicio de periodismo. Con ellas consiguió desenmascarar a unos recién proclamados «héroes de Rusia» y acertar a un «héroe» viviente, Ramzán Kadírov —que se estaba llenando los bolsillos gracias a las actividades criminales que tenía montadas alrededor de la memoria del «héroe» de su deificado padre—, dándole en toda la frente.

Hasta el 9 de mayo de 2004, las oportunidades de enriquecimiento de la familia Kadírov eran relativamente limitadas. En aquella época, el séquito de Ramzán no se desplazaba en Ferrari ni Mercedes, como hace en la actualidad, sino en unos mucho más modestos Zhiguli.

Tras la muerte de Ajmat-Hadji Kadírov, su hijo Ramzán descubrió que se le abrían horizontes insospechados. En primer lugar, fue ascendido al cargo de viceprimer ministro, desplazando en la práctica al verdadero primer ministro, Serguéi Abrámov. En segundo lugar, creó la Fundación Ajmat-Hadji Kadírov, una entidad dedicada al blanqueo e inversión del dinero procedente de las exacciones que él y sus sicarios imponen a la población local, desde el más humilde trabajador hasta los altos funcionarios de la administración, entre los que figuran ministros, oficiales de alto rango y miembros del Ministerio del Interior.

En su artículo «Ramzán Kadírov, el orgullo de Chechenia» (*Novaya Gazeta* n.º 42, 5 de junio de 2006), Anna demostraba que la Fundación Kadírov obtenía sus fondos principalmente extorsionando a los ciudadanos chechenos. Todos los que se negaban a pagar eran, como poco, despedidos. Como resultado, Kadírov hijo se ha convertido en el hombre más rico de Chechenia. Él y su séquito conducen actualmente lujosos coches de importación, se han construido verdaderas mansiones tanto en Chechenia como en el extranjero y tienen costosos pisos en Moscú.

Anna explicó de qué modo los periodistas que trabajan para la imagen de Kadírov están construyendo el mito de que la reconstrucción de la república se está haciendo a costa del patrimonio personal de Ramzán Kadírov y concretamente a través de su fundación. Demostró que, de los veintisiete proyectos, solo seis estaban siendo financiados por fuentes no presupuestadas. Los demás, que sumaban miles de millones, se sufragaban con cargo al presupuesto de la Federación Rusa.

Tras haberse convertido en primer ministro del gobierno de Chechenia, Ramzán Kadírov mamaba de dos tetas: la del presupuesto federal ruso y la de su fundación y sus actividades ilegales.

Al describir un concurso de belleza para mujeres, celebrado y costeado por la Fundación Kadírov, Anna escribió:

«Cuando el jurado anunció el nombre de la ganadora y muchas chicas se habían llevado un coche como premio, se celebró una cena en un restaurante de Gudermés al que llegó Ramzán acompañado de varias decenas de guardaespaldas. A las ganadoras del concurso se les ordenó que bailaran para él y su séquito y, cuando empezaron, Kadírov hijo les dijo a sus guardaespaldas que tiraran a las chicas billetes de cien y mil rublos. [...]

»Los años pasarán y los sucesos también, y nadie tendrá el menor deseo de recordar los detalles de esos cien días, con sus juramentos de lealtad a la causa de Kadírov; pero ¿qué pasa con las chicas que se arrastraron por el suelo del restaurante? ¿Y con el periodista que puso su firma a un texto titulado «Kadírov, el pacificador», en un momento en que cientos de personas eran torturadas diariamente en Tsentorói? ¿Cómo vivirán consigo mismos? Me cuesta imaginarlo».

La mafia no suele tolerar que la descubran de este modo.

Lo recuerdo, Anna y yo estábamos hablando...
Galina Mursalieva, columnista de Novaya Gazeta

Recuerdo que Anna y yo hablábamos de los héroes de nuestro tiempo. Se acababan de producir dos trágicos sucesos: el soldado raso Andréi Sichev había sido brutalmente mutilado en el ejército; por su parte, un joven moscovita de veinte años, Alexander Kóptsev, había mutilado a varias personas al entrar en una sinagoga con un cuchillo y herir a los que allí rezaban. Anna investigó escrupulosamente las circunstancias de la primera tragedia, y yo examiné el trágico destino del segundo joven. Entre las dos identificamos un fenómeno: me dijo que desde diversos rincones del país estaban enviando dinero a la madre del soldado Sichev, y yo le comenté que también enviaban dinero a la madre de Kóptsev. Aquel detalle la intrigó profundamente. La gente que la conocía bien recuerda su facilidad para ir al fondo de los temas, para empatizar con ellos. Era algo que casi se podía apreciar físicamente: toda ella inclinada hacia delante, ligeramente encorvada, con una mano apoyada en la barbilla y la otra en la frente, como la visera de una gorra. Ese era el aspecto que tenía, sentada a la mesa de su despacho, pensando y concentrándose.

—O sea que estos son los héroes que Rusia acaba de elegir —me dijo.

—Eso supongo —convine—. Si descartas las noticias de la prensa rosa, los chismorreos de los famosos y todo eso, al final solo nos quedan esos dos chicos que simbolizan los dos grandes engendros de

Rusia: el reinado de los «veteranos» en el ejército y la xenofobia. En el imaginario popular no parece haber sitio para otros héroes.

Anna lo pensó un momento.

—O sea, que no tenemos ninguno —contestó de repente.

No tuve más remedio que estar de acuerdo.

También recuerdo haberle dicho que en la actualidad no había sensación que durara más de tres días. Ella hizo un gesto despectivo.

—Ni siquiera uno.

Cierto solemne individuo me ha dicho hoy: «¿Me estás diciendo que le dijiste a Anna Politkóvskaya, cuyo trabajo es la sensación más duradera de la historia reciente, que era un símbolo del periodismo libre e independiente y, sin duda alguna, una heroína, que no hay sensaciones duraderas? ¿Le dijiste que los únicos héroes solo pueden ser personas que despiertan compasión o agresión? ¿Le dijiste eso a una santa que pondrá nombre a las calles?».

La verdad es que sí.

Esas palabras habrían sido sencillamente imposibles de aplicar a Anna en vida. Según su estado de ánimo, se habría echado a reír ante cualquiera que se hubiera expresado con semejante pomposidad sobre ella o habría dado media vuelta, dejándolo con la palabra en la boca.

Yo sabía perfectamente lo que Anna había logrado. Conocía las cajas de presentación de los premios que le habían concedido y me constaba que nunca las había abierto. No solamente nunca se adornaba con las palabras de halago que le dirigían, sino que ni siquiera lo intentaba porque no era su estilo.

Como es natural, yo sabía con quién estaba hablando. No era ciega. Había contemplado el desfile de la gente que llegaba de todas partes de Rusia para verla, esperando hallar una última esperanza de justicia. Comprendía lo que estaba haciendo, los riesgos que corría constantemente. Como suele suceder, cuando estamos en plena conversación profesional no podemos empezar a ver a nuestro interlocutor como un icono, tanto más cuanto el icono en cuestión nunca adopta una actitud icónica. Hablamos de trabajo con un colega y lo hacemos directa y llanamente. Durante siete años estuve sentada junto a ella, nuestras mesas una al lado de la otra.

La recuerdo volviendo después de haber recibido todo tipo de premios a cual más prestigioso. No había celebraciones ni alegría, solamente decepción. Allí estaba, sentada, releyendo la columna que había escrito, y yo entraba y le decía:

—¡Anna, qué bien! ¡Felicidades!

—Sí, pero ellos no quieren entender. ¡No escuchan! Les trae totalmente sin cuidado, Galia.

—Pero en cierto modo es una victoria.

—No.

Al principio, yo no lo entendía. ¿Por qué le daban esos premios, por qué la seleccionaban si no querían entender? De acuerdo, puede que no fuera una victoria, pero un premio constituía de algún modo una muestra de apoyo. ¿O no?

—Sí, pero es apoyo a una periodista, no a lo que él o ella hacen. No solamente no quieren involucrarse en ayudar a lo que estoy haciendo, es que ni siquiera se molestan en entenderlo.

De haberse tratado de otra persona, habría pensado que estaba fingiendo, pero la mujer que tenía delante y me decía todo aquello estaba completamente desilusionada, cansada, y con sus esperanzas hechas añicos. Los individuos de los que dependía el destino de mucha gente, individuos que podrían haber dado un vuelco a la situación, no deseaban mover un dedo para ayudar. No era solo Rusia, era el mundo entero. Simplemente deseaban comprarla para que se callara.

La estaban dejando sola con una carga que apenas podía soportar. La habían agasajado y alabado por su manera de hacer y, de paso, se habían lavado las manos psicológicamente con ella. Así era como yo veía la situación.

Sin embargo, había otras personas, muchas y todas en Rusia, que parecían estar de su lado. No me refiero a las que odiaban a Anna —su posición estaba clara y no se puede decir más sobre ellas—, ni siquiera hablo de aquellos a los que no les caía bien porque tampoco tienen tanta importancia. Pero sí había otros que no la apreciaban lo suficiente, que se alteraban cada vez que le ocurría algo terrible, como cuando la hicieron prisionera en Chechenia o cuando la envenenaron mientras se dirigía a Beslán. Se preocupaban, en efecto;

pero cuando todo acababa bien no pensaban que hubiera sido nada especial. En cierto sentido estaban con ella, y eso les daba derecho a ir disimuladamente en su contra. Se mantenían hombro con hombro a su lado, pero de una manera poco comprometida, y miraban a una persona que, sin exagerar, había asumido una carga que habría hecho protestar bajo su peso a un centenar y llegaban a la conclusión de que no era para tanto.

—Es como si estuviera viviendo en un depósito de cadáveres —me dijo en una ocasión un conocido asesor de imagen—. Una persona normal no puede pasar todo el tiempo rodeada de muerte y describirla sin interrupción.

—Una persona normal no puede evitar tener la sensación de que ante sus ojos una parte del país se está convirtiendo en un depósito de cadáveres y no puede evitar tener ganas de ayudar a remediarlo —le dije—. Y aún menos puede acostumbrarse a vivir en un depósito de cadáveres hasta el punto de pasearse por él comiendo pasteles. ¿Quién es más normal, la persona que grita de dolor o la que finge que no pasa nada? «Oh, me parece muy bien que me haya pisado. No me ha dolido nada. Al contrario, me encanta. Por favor, píseme el otro.»

Bueno, de esta manera, aunque uno esté indefenso, da la impresión de tener el control.

¡Pero no tiene el control y no es normal! El mundo está patas arriba y uno quiere ser incluido en la sociedad de gente moralmente decente. No sería decente odiar a Anna, pero uno no puede amarla lo suficiente sin quedar en mal lugar. Sin embargo, algo se oculta detrás de ese «no lo suficiente», y quizá sea la manera en que la gente se ve a sí misma, el sentir en lo más profundo que la vida que viven en la sociedad rusa aparentando ser decentes no es realmente estar vivo. Han intentado por todos los medios vivir como buenas personas pero, de alguna manera, no lo han sido realmente, mientras que Anna lo consiguió, y lo suyo no fue un cuento de hadas.

Recuerdo que en una ocasión estábamos hablando de una película con muchos capítulos, algo acerca de operaciones especiales. Era una de esas conversaciones que teníamos mientras estábamos ocupadas con otras cosas. Mirábamos algo en nuestros respectivos ordenadores y de paso intercambiábamos comentarios sobre lo repugnante que era aquel falso romanticismo abundantemente salpicado de violencia y racismo. Estábamos repasando ejemplos que en estos momentos no recuerdo y nos preguntábamos qué iba a conseguir la gente que había creado aquel producto.

—Bueno, supongo que nada, salvo un montón de dinero y algunos premios —dije, sin apartar la vista del monitor.

—Lo que conseguirán será cubrirse de vergüenza —contestó Anna con tanta convicción que me volví y la miré con una medio sonrisa. ¿De qué iba aquello? ¿Lo decía en serio?

—¡Cubrirse de vergüenza! —insistió, acaloradamente.

Anna había sido educada en la más estricta rectitud. Esa era la explicación. Naturalmente, a todos nosotros nos han dicho de pequeños qué está bien y qué está mal. Todo el mundo sabe eso. Lo que ocurre es que cuando nos hacemos mayores tenemos tendencia a desembarazarnos de las cargas más pesadas, unos más y otros menos. Algunos las arrojamos a la basura, otros las dejamos en el altillo de nuestra conciencia porque resulta muy complicado vivir arrastrando las cadenas de esa moralidad, en especial cuando la mayoría de la gente ha decidido hace mucho vivir por la vía fácil. En cualquier caso, hay cualidades «meritorias» —como el cinismo, el escepticismo, el jugar sobre seguro o el ingenio— que no pesan casi nada. Con ingenio, a uno se le abren las puertas de la sociedad de la gente moralmente decente. Basta con una frase cáustica y, aunque no haya nada más detrás de las palabras, el tema queda zanjado. Si uno es ingenioso, es guay.

El dilema quedó formulado tiempo atrás: «¿Ser o parecer?». Si uno escoge lo segundo, vive más tiempo. Anna escogió lo primero y la han asesinado.

Recuerdo cuando me enteré de la noticia y, hasta el día de hoy, sigue siendo como si un cuerpo extraño se hubiera alojado en mi cerebro: «Anna ha sido asesinada». Es como si una luz roja se encendiera en mi mente, una luz que duele y no me da tregua, que me traspasa y oprime. «Anna ha sido asesinada», «Han matado a Anna», «Anna...» Fue exactamente como si un fuego hubiera absorbido el espacio virtual necesario para aceptar el hecho. Recuerdo aquellas pri-

meras horas, nuestros amigos con el rostro ceniciento, los investigadores de aire formal, las cámaras de televisión. Mientras respondíamos a
sus preguntas teníamos la sensación de ir de un lado a otro con un
cubo de agua, apartando cosas, intentando rescatar lo que todavía no
había quedado reducido a cenizas. Quitábamos las etiquetas que ya le
estaban colgando de un modo que nos hacía saltar y gritar «¡No!».
Decíamos: «¿De qué están hablando? ¿Qué clase de "mujer de hierro"
era ella? ¡Pero si ni siquiera han leído lo que escribió! "Soldado incansable" ¿A quién se refieren? ¿A Anna? Por amor de Dios, desde el
momento en que entraba en esta redacción era capaz de decirme qué
perfume me había puesto. ¿Qué soldado haría algo así? Vestía con elegancia y con gusto. Era una madre devota de sus hijos».

Nuestros hijos crecieron juntos, no ante nuestros ojos, pero sí
porque hablábamos de ellos. Cuando alguien se sienta en un pequeño despacho durante siete años con otra persona, acabas enterándote
de cada grano, de cada alegría y tormento, de todos los entusiasmos
y logros de los hijos de esa persona. Y ella de los tuyos.

Anna les hablaba a sus hijos con gran cariño y respeto, y en su voz
se apreciaba una reservada ternura. Quizá no la oyéramos decir sus
nombres, pero por el tono de su voz sabíamos que estaba hablando
con alguno de ellos; ¡había tanto dolor en ella cuando las cosas no iban
bien y tanta alegría y orgullo cuando había motivos para celebrarlo!

—¡Galia, mi hijo ya gana más dinero que yo!

Su tono era despreocupado, como si quiera decir: «¡Por fin, he
vivido para llegar a ver este día!». Pero los signos de exclamación
bailaban en sus ojos: «He vivido para ver a mi hijo hacerse un hombre. Ahora ya no tengo que preocuparme por él. ¡Todo va bien!».

Y ahora, aquí estamos.

Recuerdo lo mucho que le gustaba el café y que trajo una cafe-
tera al trabajo. Después del envenenamiento que sufrió intentando
llegar a Beslán, no le dejaron comer ni beber nada de lo que más le
gustaba. Parecía alimentarse de aire y trabajo. No creo que la gente
se vuelva mortal de repente. Es algo que no tiene nada de repentino.
Es solo que creemos que resulta más fácil creerlo. Si alguien no está
muerto significa que las cosas están más o menos bien. Habíamos
consumido todas nuestras reservas de preocupación por ella, y siem-

pre ocurre lo mismo: cuando dejamos de preocuparnos es cuando ocurre algo malo.

Estaba irritable y agotada y lloraba con frecuencia, pero resultaba sorprendentemente fácil consolarla. Hace tiempo di con un método y desde entonces lo he utilizado sin reparos: se la podía consolar distrayéndola como a un niño. No servía de nada discutir con ella cuando estaba en ese estado ni darle consejos. Había que escucharla e, inesperadamente, hacer un comentario gracioso. Puede que las lágrimas siguieran corriendo, pero ya asomaba una sonrisa, abierta y auténtica. Y a continuación su contagiosa risa. Todos los que la conocieron recuerdan su forma de reír.

Anna era alguien muy vivo, un ser humano de verdad.

¿Lo era? Recuerdo la frase: «Es un cobarde. Matará a quien sea si le tiene miedo». Si Anna aborrecía los actos de alguien, los sacaba a la luz para que fueran juzgados. Ellos, en cambio, furtivamente, deslizándose por la pared, han asesinado a Anna en el ascensor.

La verdad es que no me interesa lo que les pueda ocurrir a esos cobardes porque ya lo sé. Creo en la teoría que dice que vivimos varias vidas, y en algún sitio que no recuerdo leí una disquisición que me gustó. Venía a decir que en esta vida la conciencia nos complica las cosas. Es verdad, ¿no? Nos causa muchas complicaciones. Es la raíz de todos nuestros problemas. Por qué negarlo: es como las cadenas del ermitaño. De hecho, no parece servir para nada útil. Pero si imaginamos que el seno de una madre es un mundo diferente donde vive el embrión humano y sabemos que vive allí durante mucho tiempo con sus pequeños pies y manos, también podemos preguntarnos para qué los necesita en esa vida. No le sirven para nada, solo son un estorbo. Es incomprensible que estén ahí salvo para el momento del nacimiento; pero, por otro lado, si naciéramos sin ellos, sería un desastre y nos convertiríamos en unos tullidos. A nosotros, seres humanos, nos ocurre lo mismo: la conciencia es un órgano parecido.

Anna ha nacido en ese otro mundo completamente normal y perfecta. Sus asesinos, en cambio, van por el mismo camino y serán monstruos.

Recuerdo que…

Un perro sano en la gran ciudad

El sabueso Van Gogh se unió a la familia Politkóvskaya hace poco más de dos años. El cachorro tenía problemas, pero no tenían que ver tanto con alimentos y medicinas como con el amor incondicional. Lo recibió en abundancia y se lo devolvió a sus dueños con lo mejor que tenía.

Anna explicó su extraordinaria historia —que dice de ella como periodista y ser humano tanto como sus artículos e investigaciones— en el número piloto en color de *Novaya Gazeta* de septiembre de 2005. Nosotros volvimos a publicarla dos días después de la tragedia de la calle Lesnaya, y los lectores respondieron bombardeándonos con llamadas para preguntar qué había pasado con Van Gogh. Tras pedírselo, ha sido Vera, la hija de Anna, quien nos ha puesto al día acerca del perro:

Van Gogh está bien. Su estado de ánimo parece haber vuelto a la normalidad. Al principio, naturalmente, parecía un tanto perdido; pero ahora se encuentra mucho mejor. Durante la semana siguiente al 7 de octubre fue como si estuviera esperando constantemente a alguien: no comía ni jugaba con sus juguetes. Cualquiera que haya tenido un perro habría reconocido los síntomas.

En estos momentos Van Gogh lleva una vida normal. Lo llevamos regularmente al veterinario, pero está sano y no necesita ningún tratamiento especial. Simplemente, mi madre lo rescató de una situación apurada cuando era un cachorro, pero lo cuidó hasta que se puso bien y ahora ha superado aquellos problemas y se porta con normalidad, salvo por el hecho de que sigue teniendo miedo de la gente, especialmente de los hombres.

Van Gogh vive con nosotros y disfruta de las comodidades de una vida normal. Él y yo hemos sido amigos durante mucho tiempo: cuando mi madre estaba fuera, cubriendo alguna noticia, lo dejaba a mi cuidado, de manera que nos queremos desde hace años. Nadie lo conocía mejor que mi madre o yo.

Van Gogh no da señales de abandonar sus viejas costumbres. Ya podemos despedirnos de cualquier zapato o bota que dejemos tirada en el pasillo. Sus preferencias se inclinan hacia el cuero, pero últimamente, y a falta de tales exquisiteces, ha mordisqueado su juguete favorito hasta destrozarlo. No tiene arreglo. Solía enseñárselo a todos los que venían por casa, siempre que no les tuviera miedo, naturalmente. Era su manera habitual de demostrar que confiaba en ellos, y puesto que hay que respetar las tradiciones, le compraremos uno nuevo.

Tiene un entrenador que nos ayuda cuando no podemos con algún aspecto concreto de su educación, pero ya no tenemos los problemas que nos dio en el pasado. Está claro que se trata de un sabueso, de un perro de caza; pero, hace dos años, compramos un cachorro con la única intención de tener un amigo viviendo con la familia.

Premios otorgados a Anna Politkóvskaya

2000

Enero, Moscú: Premio Pluma de Oro de la Unión de Periodistas de Rusia por sus artículos sobre la lucha contra la corrupción.

2001

Enero, Moscú: Premio Periodistas Contra la Corrupción, de la Unión de Periodistas de Rusia con el apoyo de la Fundación Soros.

Premio Especial de la Unión de Periodistas de Rusia, Una Buena Obra y Un Buen Corazón, por su ayuda a un hogar de jubilados de Grozni, cuya evacuación Anna logró organizar durante un bombardeo.

Febrero, Moscú: Certificado de Ganador del Gong de Oro 2000, premiado con una estatuilla de bronce de la diosa Iris, por una serie de artículos sobre Chechenia.

Abril, Washington: Ganadora inaugural del Premio Artiom Borovik de Periodismo de Investigación, fundado en Estados Unidos por la CBS y el Overseas Press Club y concedido por el comité del Pulitzer, por sus detalladas crónicas de la guerra de Chechenia.

Julio, Londres: Premio Global para el Periodismo por los Derechos Humanos, el premio más importante concedido por Amnistía Internacional, por una serie de artículos sobre torturas en Chechenia y por una labor de muchos años informando desde dicha república.

2002

Londres: Premio a la Lucha en Defensa de la Libertad de Expresión, concedido por el *Index of Censorship*.

Octubre, Los Ángeles: Premio al Valor en el Periodismo, concedido por la International Women's Media Foundation, y Crystal Bird simbolizando la libertad (concedido *in absentia*, puesto que Anna tuvo que volar precipitadamente a Moscú a causa de la toma de rehenes del *Nord-Ost*), por su trabajo en condiciones difíciles y peligrosas y por su cobertura de la guerra de Chechenia.

Diciembre, Moscú: ganadora del Premio Andréi Sajárov de Periodismo en Acción, por su constante defensa de los derechos y libertades de los habitantes de Chechenia y por su valor al desvelar crímenes de guerra.

2003

Estados Unidos: nombrada en la lista de Héroes Europeos de la revista *Time*.

Febrero, Viena: ganadora del Premio por Periodismo y Democracia de la OSCE por su valiente actividad profesional en apoyo de los derechos humanos y la libertad de los medios de comunicación y por la difusión de la situación de los derechos humanos en Chechenia.

Octubre, Berlín: ganadora del Premio Lettre Ulysses por el Arte del Reportaje concedido por la revista *Lettre International*, la Fundación Aventis y el Instituto Goethe por su libro *Tchétchénie, le deshonneur russe*, publicado en Francia.

Noviembre, Darmstadt: Premio del German PEN Centre y medalla Herman Karsten por sus valientes reportajes sobre la situación de Chechenia.

2005

Enero, Estocolmo: Premio Olof Palme, concedido por la Fundación Olof Palme al valor y la dedicación a la hora de informar en circunstancias difíciles y peligrosas, compartido con Ludmila Alexéyeva y Serguéi Kovaliov.

Abril, Leipzig: ganadora del premio Libertad y Futuro de los Medios otorgado por la Fundación Media de la Caja de Ahorros de Leipzig, por su contribución al desarrollo de la libertad de prensa.

Octubre, Nueva York: ganadora del Premio al Coraje Civil, otorgado por el Fondo Northcote Parkinson (actualmente Fundación Train), por su firme oposición al mal con gran riesgo personal. [John Train es suegro del periodista estadounidense Paul Klebnikov, que fue asesinado en Moscú.]

2006

Octubre [póstumamente]: ganadora del Premio Literario Internacional Tiziano Terzani, concedido para destacar la valentía moral de Anna Politkóvskaya, que pagó con su vida la crítica al poder.

Diciembre: nombrada Reportera del Año por la Unión Nacional de Periodistas italianos, por «morir defendiendo su derecho a llevar la verdad al público y por el derecho de este a recibir una información libre y veraz».

Ganadora del Premio Saltarse la Ley, concedido anualmente por la Fundación Rusia Abierta.

Premio especial Al Valor, concedido por el Comité del Premio Artiom Borovik.

2007

París: ganadora del Premio Mundial de la Libertad de Prensa Unesco/Guillermo Cano. «Anna Politkóvskaya demostró un valor y una tenacidad increíbles al informar de los acontecimientos de Chechenia cuando todo el mundo había dado la espalda al conflicto. Su dedicación y audaz búsqueda de la verdad han supuesto la culminación de la actividad periodística, no solo para Rusia, sino para el resto del mundo. De hecho, el valor y la entrega de Anna han sido tan notables que hemos decidido por primera vez entregar el Premio Mundial de la Libertad de Prensa Unesco/Guillermo Cano de forma póstuma.»

Julio, Washington D.C.: ganadora del Premio John Aubuchon de Libertad de Prensa, concedido por el National Press Club. «Anna

Politkóvskaya, que nunca permitió que las amenazas de muerte le impidieran realizar su notable labor de informar sobre el conflicto de Chechenia, merece ser recordada y homenajeada por su valentía y entrega a la profesión periodística.»

Septiembre, Washington D.C.: ganadora del Premio Democracia de Spotlight Press, concedido por la Fundación Nacional para la Democracia. «Durante toda su distinguida carrera profesional como periodista rusa, Anna fue una declarada defensora de los derechos humanos y del fin del conflicto de Chechenia.»

7 de octubre: el Primer Premio Anna Politkóvskaya dedicado a «homenajear a las mujeres que defienden los derechos humanos en zonas de guerra y conflicto» fue entregado a Natalia Estemírova, «amiga y colega de Anna, así como una valiente defensora de los derechos humanos y periodista freelance que ha trabajado en Chechenia para la organización pro derechos humanos Memorial».

El premio fue instituido por Reach All Women in War, con el apoyo de los ganadores del Premio Nobel de la Paz Mairead Maguire, Betty Williams, Shirin Ebadi, Wangari Maathai, Rigoberta Menchú y el arzobispo Desmond Tutu; así como por Elena Bonner, Tatiana Yankelevich, el presidente Václav Havel, Harold Pinter, Zbigniew Brzezinski, André Glucksmann, Gloria Steinem, Serguéi Kovaliov, Terry Waite, Susan Sarandon, Alexéi Simonov, Gillian Slovo, Bernard-Henri Lévy, Marek Edelman (último superviviente del alzamiento del gueto de Varsovia), Elisabeth Rehn, Mariane Pearl, Adam Michnik, Asma Jahangir, hermana Helen Prejean, Ariel Dorfman, Vanessa Redgrave, Michael Cunningham, Eve Ensler, John Sweeney, Jonathan Schell, Noam Chomsky, Marina Litvinenko, Ludmila Alexéyeva, Desmond O'Malley, Anne Nivat, Victor Fainberg, lord Frank Judd, lord Nicolas Rea, lord Anthony Giddens, lord Nazir Ahmed, baronesa Shirley Williams, baronesa Molly Meacher, sir Nigel Rodley, profesor Yarin Erturk, Elena Kudimova, Natasha Kandic, Caroline McCormick, hermana Marya Grathwohl, Heidi Bradner, Meglena Kuneva, Elizabeth Kustova, Esther Chavez, John D. Panitza, Dubravka Ugresic, Katrina van den Heuvel, Victor Navasky, Aidan White, Holly Near, Elizabeth Frank y muchos otros.

Natalia Estemírova dijo:

«Me siento orgullosa de recibir este premio en nombre de Anna y en hacer honor a todo lo que ella defendió. Este premio es sumamente importante para mí y mis colegas porque nos permitirá seguir trabajando a favor de los derechos humanos en Chechenia y continuar ayudando a las víctimas de esa guerra.

»La libertad no es solo algo que se entrega a una persona. La libertad solo cuenta cuando uno se siente libre por dentro. Anna era una persona absolutamente libre.

»Me gustaría decir algo a los pueblos de Europa: por favor, que no olviden que Chechenia está en Europa; que sepan que somos seres humanos como ellos y deseamos las mismas cosas que ellos; que no hagan caso omiso de nuestros sufrimientos a cambio de petróleo y gas; que no existe sufrimiento que pueda mantenerse bajo llave sin que, tarde o temprano, acabe afectándonos a todos. Por favor, alzaos para proteger nuestras vidas y restablecer nuestra dignidad humana, porque haciéndolo estaréis ayudando a preservar la vuestra».

[Natalia Estemírova fue secuestrada y asesinada en Chechenia el 15 de julio de 2009.]

Glosario

Aljánov, Alú: elegido presidente de Chechenia en las disputadísimas elecciones de agosto de 2004. Fue apartado del poder por Putin en febrero de 2007.

Basáyev, Shamil: principal comandante de las guerrillas chechenas cuando Rusia invadió el país en 1994. Un bombardeo ruso mató a once miembros de su familia, tras lo cual se convirtió en un combatiente implacable. Fue acusado de ser el cerebro de la toma de rehenes del teatro Dubrovka y del colegio de Beslán, a las que el gobierno ruso puso fin con un baño de sangre. Murió a causa de una explosión en 2006.

Berezovski, Borís: se convirtió en oligarca durante la era Yeltsin y construyó un imperio mediático que ayudó a su reelección. Posteriormente se enemistó con Putin por su oposición a la guerra de Chechenia y apoyar las causas democráticas y liberales en Rusia. Acusó a Putin de ser el responsable del asesinato de Alexander Litvinenko, un estrecho colaborador. Actualmente vive en Londres.

Dudáyev, Dzhojar: político local que, tras un referéndum, se convirtió en presidente de la República de Ichkeria en 1991, y acto seguido declaró su independencia de la Unión Soviética. Coordinó las fuerzas chechenas durante la primera guerra chechena y apoyó la guerra de guerrillas que se desarrolló a continuación. Ajmat-Hadji Kadírov, al que nombró muftí de Ichkeria, declaró la *yihad* o guerra santa contra Rusia. Dudáyev murió en 1996

503

alcanzado por unos misiles rusos, cuando su móvil fue localizado e interceptado.

Fridinski, Serguéi: diputado y fiscal de la Región Federal del Sur, responsable del fallido intento del gobierno federal de conseguir la extradición de Gran Bretaña a Rusia de Ajmed Zakáyev.

Gorbachov, Mijaíl: último secretario general del Partido Comunista Soviético (1984-1990) y primer presidente ejecutivo de la Unión Soviética (1990-1991). Sus intentos de democratizar el régimen condujeron a su colapso.

Grizlov, Borís: aliado de Putin y ministro del Interior de la Federación Rusa entre 2001 y 2003, posteriormente ha sido presidente del Parlamento ruso o Duma.

Jodorkovski, Mijaíl: antiguamente el oligarca más rico de Rusia, fundador del Banco Menatep y la petrolera Yukos. Apoyó a los partidos democráticos rusos y propuso la introducción de medidas occidentales de transparencia en los negocios. Se enemistó con el régimen de Putin, fue detenido en 2003 por supuestas irregularidades fiscales y condenado a nueve años de cárcel.

Kadírov, Ajmat: muftí checheno promoscovita, posteriormente fue «presidente» de Chechenia y murió asesinado el día después de asistir en el Kremlin a la toma de posesión del segundo mandato de Putin.

Kadírov, Ramzán: hijo del anterior, luchó contra Rusia en la primera guerra chechena, entre 1994 y 1996. Cambió de bando en la segunda, de 1999 a la actualidad. Nombrado primer ministro tras el asesinato de su padre. Dirige una fuerza paramilitar.

Masjádov, Aslán: principal líder militar checheno en la primera guerra chechena. Fue elegido presidente en 1997 y firmó un tratado de paz con Yeltsin en el Kremlin, pero fue incapaz de impedir la división entre los nacionalistas seculares y los islamistas fundamentalistas. Fue asesinado por el BSF en 2005, aparentemente cuando intentaba negociar un acuerdo de paz para poner fin al conflicto. Su cuerpo no fue devuelto a su familia para su inhumación.

Mirónov, Serguéi: desde 2001, portavoz del Sóviet de la Federación, la cámara alta del Parlamento ruso. Desde 2003, presidente del Partido Ruso por la Vida, que en 2006 se fusionó con el Rodina y con el Partido de los Pensionistas Rusos para formar el Partido de la Justicia Ruso, que actualmente dirige. Es partidario de Putin.

Pamfílova, Ella: diputada de la Duma en los años noventa y candidata presidencial en 2000. Presidenta de la Comisión Presidencial para el Desarrollo de la Sociedad Civil y los Derechos Humanos.

Putin, Vladímir: en 1991 dimitió del KGB con rango de teniente-coronel. Fue director del BSF entre 1998 y 1999, y sucedió a Borís Yeltsin en la presidencia de la Federación Rusa en 2000. Fue reelegido en 2004. Su mandato presidencial expiró en 2008 y actualmente es primer ministro.

Saakashvili, Mijaíl: líder de la pacífica Revolución Rosa que se produjo en Georgia en 2003 y que obligó a dimitir a Eduard Shevardnadze, elegido presidente tras unas elecciones consideradas amañadas. Se convirtió en presidente de Georgia en 2004 y logró desactivar enfrentamientos separatistas en Adjara y Abjasia, pero sigue enfrentándose a graves problemas en Osetia del Sur.

Súrkov, Vladislav: principal ideólogo del Kremlin y manipulador de la opinión pública, que ocupó cargos destacados en el Banco Menatep y el Alfa Bank durante los años noventa. Director de relaciones públicas de la emisora de televisión ORT entre 1998 y 1999. Vicedirector de la administración presidencial de Putin. Medio checheno de nacimiento, se cree que es el principal valedor de Ramzán Kadírov dentro del Kremlin y de la política de chechenización de la guerra en Chechenia.

Yávlinski, Grigori: autor en 1990 de un fallido programa para convertir en dos años la economía comunista de Rusia en otra de libre mercado. Cofundador en 1995 del partido Yábloko, que posteriormente intentaría incapacitar al presidente Yeltsin. En 2004 se negó a presentar su candidatura a las elecciones presidenciales aduciendo que Putin había amañado las parlamentarias del año anterior para asegurarse de que el Yábloko no obtuviera representación en la Duma.

Yeltsin, Borís: primer presidente de la Federación Rusa, entre 1991 y 1999. Logró prohibir el Partido Comunista dentro de la República Rusa y desmantelar la Unión Soviética a favor de una Comunidad de Estados Independientes. Se cree que fue el iniciador de la primera guerra chechena para poder conservar el poder gracias al apoyo del ejército, y que traspasó el poder a Putin con tal de burlar las aspiraciones presidenciales de sus adversarios en las elecciones de 2000.

Zakáyev, Ajmed: primer ministro del gobierno separatista de la República Chechena de Ichkeria y héroe de la resistencia durante la primera guerra chechena. Representó a Chechenia en las conversaciones de paz de 1996 que condujeron a la retirada de las fuerzas rusas. Posteriormente fue viceprimer ministro, ministro de Asuntos Exteriores y primer ministro. Herido a principios de la segunda guerra chechena (desde 1999 hasta la actualidad), abandonó el país en 2000 y se convirtió en el representante internacional del gobierno de Masjádov en Europa occidental. En 2003, las autoridades británicas le concedieron asilo político y desde entonces vive en Londres.

Zhirinovski, Vladímir: político ruso populista y ultranacionalista, líder del Partido Liberal Demócrata Ruso. Con respecto al asesinato por envenenamiento del agente del KGB Alexander Litvinenko, ocurrido en Londres en 2006, comentó: «Un traidor debe ser eliminado utilizando los medios que sean».

Ziázikov, Murat: presidente de Ingusetia, república que comparte frontera y numerosos vínculos étnicos con Chechenia. Miembro del KGB en los años ochenta, fue elegido presidente del país en 2006 (tras una notable intervención del BSF).

ORGANIZACIONES

Asamblea Parlamentaria del Consejo de Europa (APCE): la asamblea internacional más antigua, compuesta por miembros elegidos democráticamente y fundada sobre la base de un tratado intergubernamental; sus recomendaciones en materia de derechos humanos tienen mucho peso, especialmente en Europa.

BSF (Buró de Seguridad Federal): la actual fuerza de seguridad del Estado, sucesora del Servicio Federal de Contraespionaje.

Comunidad de Estados Independientes: organismo establecido en 1991 que agrupa con mayor o menor grado de cohesión a las antiguas repúblicas de la Unión Soviética, a excepción de Georgia y las repúblicas bálticas de Estonia, Lituania y Letonia.

Duma: Parlamento ruso que, en virtud de la Constitución de la era Yeltsin, sustituyó en 1993 al antiguo Sóviet Supremo. Lo forman cuatrocientos cincuenta diputados electos.

Federación Rusa: Estado sucesor de la Unión Soviética a partir de 1991, que no incluye a ninguna de las repúblicas autónomas de la Unión Soviética.

KGB (Comité de Seguridad del Estado): la policía secreta soviética, sustituida en 1991 por el Servicio Federal de Contraespionaje tras su participación en la intentona golpista contra Gorbachov.

Liberal Demócratas: el primer partido de la oposición que fue registrado oficialmente, en 1989, tras la derogación del monopolio que ejercía hasta entonces el Partido Comunista. Actualmente es un partido ultranacionalista con una denominación que induce a la confusión, dirigido por Vladímir Zhirinovski, del que se dice que fue financiado por Yeltsin para reducir la influencia del Partido Comunista.

OMON (Unidad de Operaciones Especiales de la Milicia): fundada en 1979 para garantizar la seguridad de los Juegos Olímpicos de Moscú de 1980 y prevenir cualquier ataque terrorista. Posteriormente fue utilizada como fuerza antidisturbios y actualmente está operativa en todo el territorio de la Federación Rusa.

Organización para la Seguridad y la Cooperación en Europa (OSCE): la mayor organización intergubernamental del mundo en materia de seguridad. En 1999 hizo un llamamiento para el fin de las hostilidades en Chechenia. A partir de ese momento ha sido contemplada con creciente desconfianza por Rusia.

Rusia Unida: partido creado en 2001 por el Kremlin para respaldar la candidatura de Vladímir Putin. Actualmente tiene mayoría constitucional en la Duma.

Unión de Fuerzas de Derecha: partido de corte liberal formado en 1999 a partir de una serie de partidos menores, dedicado a la introducción de reformas inspiradas en el mercado libre y muy crítico con el recorte por parte de Putin de las reformas democráticas. En las elecciones parlamentarias de 2003 obtuvo un 4 por ciento de los votos y no alcanzó el mínimo del 5 por ciento necesario para conseguir presencia en la cámara, lo cual disparó todo tipo de rumores sobre un posible fraude electoral por parte del Kremlin.

Yábloko: partido de corte liberal fundado en 1995 como reacción a las luchas intestinas del sector demócrata; denuncia los atentados contra la libertad de prensa y las prácticas democráticas y apoya la definitiva integración de Rusia en la Unión Europea. También se opone a la guerra en Chechenia y ha hecho un llamamiento para deponer el régimen de Putin mediante métodos democráticos.

OTROS

Chechenia: situada en la zona oriental del Cáucaso Norte y de población mayoritariamente musulmana sunní. La mayor parte de su potencial económico ha sido destruido durante la primera y la segunda guerra de Chechenia junto con un elevado número de bajas de combatientes y población civil. Según el gobierno ruso, desde 2000 lleva gastados en Chechenia más de 2.000 millones de dólares en su reconstrucción; sin embargo, la agencia rusa de control de la economía considera que solo se han gastado 350 millones de dólares, como estaba previsto.

Daguestán: situada en el extremo sur de Rusia, en las montañas del Cáucaso Norte. Étnicamente muy diversa.

Georgia: la primera república que declaró su independencia de Rusia, poco después del colapso de la Unión Soviética. Tiene problemas de separatismo con Abjasia y Osetia del Sur, estos últimos especialmente fomentados desde Rusia. Rica en recursos naturales, atractiva para el turismo y famosa por sus vinos, Georgia lucha contra la corrupción, que constituye uno de los principales lastres de su economía.

Ingusetia: compuesta por musulmanes sunníes y sufíes, ha recibido numerosos refugiados de la guerras de Chechenia. Su población de medio millón de personas se divide en un 77 por ciento de ingusetios, un 20 por ciento de chechenos y un 1,2 por ciento de rusos.

Revolución Rosa: nombre que recibieron las multitudinarias protestas que se produjeron en Georgia entre finales de 2003 y comienzos de 2004 como respuesta al masivo fraude electoral ocurrido en las elecciones parlamentarias de noviembre de 2003. La incapacidad del presidente Eduard Shevardnadze para resolver el problema separatista y la corrupción imperante le hicieron perder las elecciones ante Mijaíl Saakashvili. Shevardnadze se declaró ganador, pero fue obligado a reconocer su derrota cuando los seguidores de Saakashvili tomaron el Parlamento, llevando rosas como símbolo de su actitud no violenta. Las elecciones se repitieron en enero de 2004 y Saakashvili arrolló en las urnas.

Ucrania: declaró su independencia de Moscú en 1991, pero fue muy lenta a la hora de introducir reformas de libre mercado. Es muy dependiente de Rusia en lo relativo al abastecimiento energético, circunstancia que el régimen de Putin ha explotado en beneficio propio. Su población de 46 millones de habitantes se reparte entre un 78 por ciento de ucranianos y un 17 por ciento de rusos.

Wahabismo: corriente islámica dominante en Arabia Saudí, Qatar e Irak occidental que propone la observancia rigurosa de los principios coránicos en todos los ámbitos de la vida pública, privada e institucional. A finales de la primera guerra chechena, una oleada de árabes wahabíes de habla rusa inundó Chechenia y dio pie a que el gobierno ruso presentara la república como la punta de lanza del fundamentalismo islámico internacional.

Índice alfabético